PCB 실무 공정관리기술

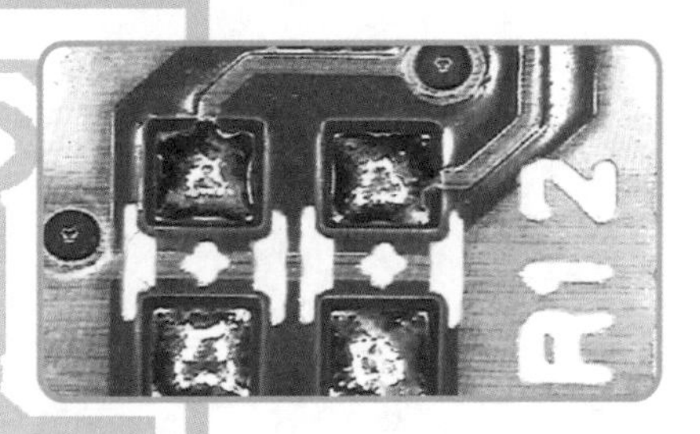

한국산업기술협회
장동규 · 신영의
최명기 · 홍태환
공저

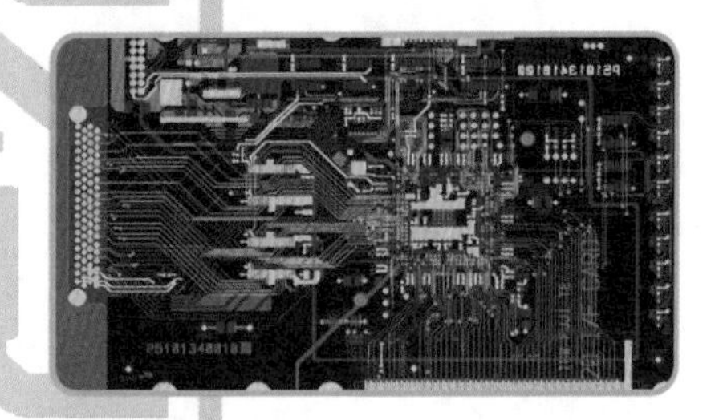

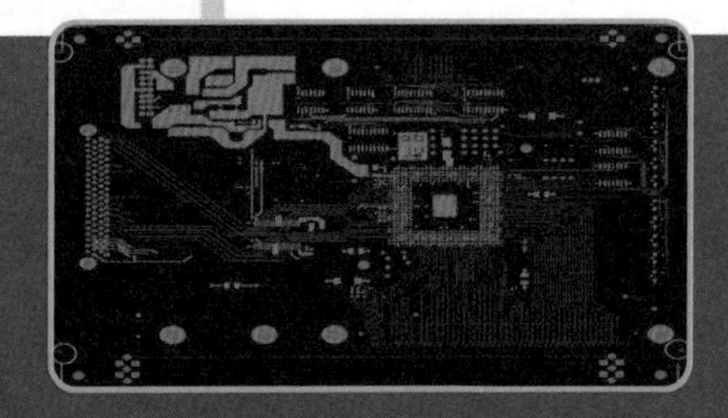

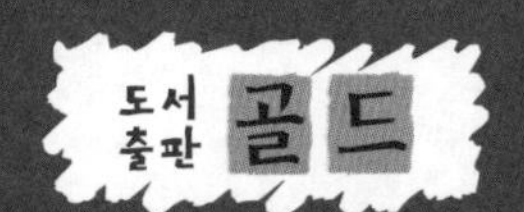

초대의 글

21세기는 기술 정보화 시대이고 전 세계가 하나의 시장이 되는 국경 없는 기술 경쟁력의 시대입니다. 최근 국내외의 전자산업이나 정밀전자기기시스템 분야의 환경은 그 중요성이 날로 부각되면서 반도체 전자산업의 핵심인 PCB(Print Circuit Board), Micro-Joining, 및 Micro- Packaging 의 시스템 통합의 기술력 확보는 우리 산업의 생존과 직결된다고 해도 과언이 아닐 것입니다.

특히, 국내외에서 전자산업을 중심으로 핫 이슈가 되고 있고 EU, 미국, 일본 등 선진국에서 전기전자제품 의 납(Pb) 사용 금지에 따라 국내 대기업 및 중소 전자업체는 향후 수출에 많은 지장을 받게 되어 대응방안 마련이 시급한 실정입니다.

Micro Joining 기술과 시스템 통합기술을 구축하기 위한 기반기술 중 하나인 PCB(Print Circuit Board)기술은 그 중요성을 날로 더해가고 있으나 지금까지 국내 관련서적이 거의 없어 이 분야의 관련기술자 및 연구개발 실무자, 현장실무자들에게 조금이나마 기술적인 도움을 주기 위해 본 책자를 출판하게 되었습니다.

현재는 물론 향후 미래에 국내외의 통신, 전자 산업이나 정밀 기기 시스템의 조립공정에서 그 중요성이 날로 부각되어 가고 있으며 PCB 제조기술도 사용되는 재료, 공정에 따라 수많은 종류의 PCB가 등장하게 되었습니다.

본 책자는 이러한 취지로부터 출판하게 되었으며 본 책자는 앞서 발간한 현장실무 중심의 □PCB 핵심기술 핸드북□에 이어서 한층 심도 있는 PCB 전문서적으로 □PCB 실무 공정관리 기술□을 발간하였습니다.

본 서적의 전반적인 구성은 가장 기초적인 PCB 취급방법에서부터 PCB 제품 이동관리 ,각 부서별 중점관리, 현장트러블대책, 설계문제점 사례, PCB 사양관리 첵크리스트, PCB PROCESS CHECK POINT, PCB육안검사기준, PCB가 SMT 품질에 미치는 영향, PCB공수분석등 PCB 제조공정에 대한 모든 관리 포인트 전반에 걸쳐 소개하였습니다.

본 책자를 통하여 PCB 관련업무를 수행하는 연구개발 기술자 및 현장 실무자들에게 조금이나마 기술적인 보탬이 되어줄 것을 기대하면서 금후 지속적인 수정보완과 현장 실무적 기술적인 업그레이드를 통하여 연구개발 및 현장 기술자는 물론 이 분야의 이론과 기술을 습득하고자하는 대학생들에게 미력이나마 PCB(Print Circuit Board)의 지침서가 되어주길 바라겠습니다. 독자 여러분의 채찍과 많은 지도 편달을 바라면서 여러분을 본 책자로 초대합니다. 감사합니다.

한국마이크로조이닝협회
회장 신영의

PCB 실무 공정관리기술 발간에 즘하여...

PCB 핵심기술 핸드북에 이어서 이번 **PCB 실무 공정관리기술**을 발간하여 PCB관련자들에게 보급하게 되어, PCB 관련자로써 자부심을 갖고 영광으로 생각합니다.

PCB 핵심기술 핸드북이 PCB 전관련 종사자들에게 필요한 기술서적이면 이번 발간되는 **PCB 실무 공정관리기술**은 PCB회사에 첫 입사자 및 직접 관련 자들에 필요한 기술 서적으로 생각합니다.

저자는 과거 D사에서 성실하게 습득한 현장업무 및 H사에서의 관리 내용을 중심으로 이론 및 실제관리 했던 사항을 현장관리 중심으로 해서 만들었습니다. 또한 부분적으로 사진을 COLOR로 해서 여러독자분들께서 이해를 쉽게 하도록 했습니다.

전체적인 내용을 요약해보면,

① 신입사원 및 현장에서 기본적으로 준수해야 할 사항
② 각 부서별 중점관리 내용
③ PCB 부적합 사례(불량 및 설계문제점)
④ CHECK LIST 작성 방법 사례
⑤ 현장 공정별 중요 CHECK POINT
⑥ PCB SPEC 비교(IPC × 일반 × 일본전자회사)
⑦ PCB 일반 육안검사 기준
⑧ PCB가 SMT품질에 미치는 영향
⑨ PCB 공수 및 공정능력분석 등

각 분야 관련자 (현장관리자, 책임자, Engineer 등)들이 현장에서 또는 기본관리에서 알아야 할 사항등을 정리했습니다. 또한 PCB기술의 선진국인 일본의 PCB기술 TREND에 대해서 각 PCB별, 각 항목별로 2012년까지 정리해서 부록으로 첨부를 하여 PCB관련 각 연구소 기술분야 종사자들께서 참고하도록 했습니다.

저자의 최종목표는 이 서적으로 각 PCB회사에서 교육교재로 채택을 해주셨으면 하는 것 입니다.

자신있게 권유할 수 있습니다.

저자는 한국 기술협회내 PSP 경영/기술연구소를 설립하여 운영하고 있으며, 현재 발간된 교재를 중심으로 많은 PCB관련자들에게 교육을 하므로써 후배양성을 하고 있습니다.

앞으로도 지속적으로 연구 개발하여 한국 산업기술협회가 국내에서 제일가는 PCB정보 CENTER 및 교육기관으로 자리 잡고자 합니다.

PCB관련 많은 선배님들의 성원을 부탁드립니다.

끝으로 이책이 발간되도록 공동참여 해주신 중앙대학교 신영의 박사님, 충주대학교 홍태환 박사님, 한국산업기술협회 최명기 박사님 및 각종자료를 참고해주도록 제출해준 저자 주변 Engineer들에게 감사드리며, 도서출판 골드의 박승합 사장님께 깊은 감사를 드립니다.

저자 장동규 배상

contents

제 1 장 PCB 취급 방법

제 2 장 PCB 제품 이동 관리

제 3 장 PCB 각 부서별 중점관리항목

제 4 장 PCB 부적합 사례

contents

memo

제 1 장 PCB 취급 방법

1-1 PCB 취급 방법

❶ 작업대는 청결하게 관리.

❷ 작업대에 먹는 음식, 마시는 음료, 담배따위의 물질이 있어서는 안됨.

❸ 로션, 크림 등을 바른 상태의 맨손으로 다루면 안됨.
(특히, 완제품 상태)

❹ 보드의 외곽 끝을 잡고 제품을 다룰 것.

❺ PCB와 사람의 건강을 위하여 반드시 장갑을 착용.

❻ 보드간에 보호물질(간지)을 삽입하여 적재.

❼ 제품의 이동은 수직 적재 후 대차를 사용하여 이동할 것.

❽ TAPE의 사용은 가급적 금지.
(필수 공정도 TAPE진이 발생 안되는 TAPE로 교체)

❾ 제품 적재는 외형 가공 전까지 25 PNL 지그재그로 적재 후 이동.
외형 가공 후는 50 PCS/KIT 단위로 이동.

❿ 대차에 이중 적재 금지.

⓫ 작업대 및 대차에는 1 모델만 관리 하도록 한다.

⓬ 작업대에 PCB 보관(적재)시 타 물건과 접촉되지 않도록 한다.
* 특히 PCB에 접촉이 되면 SCRATCH가 발생되는 것은 피할 것

⓭ 제품을 손으로 이동시 장갑을 착용하고 5PCS 미만으로 한다.

⓮ 중량이 나가는 PCB는 손으로 이동 시는 1PCS씩 이동 그 외는 필히 대차로 이동한다.
* HEAVY Oz PCB, METAL PCB, BACK PANEL 등.

1-2 PCB 간지 사용 기준

❶ 제품 이동시 LOT 단위 (제품 + 작업지시 CARD)로 이동할 것

❷ 내층 : 사용하지 않는다.
제품은 대차에 수직으로 적재하여 이동시킨다.

❸ 외층 부식공정 : Unloader 이후 제품과 제품 사이에 한장씩 사용한다.

④ 외층 중간검사 : 제품과 제품 사이에 한장씩 간지 사용한다.

⑤ PSR : 정면단 Loading전 간지를 제거한다.
정면이후 부터는 Rack를 사용한다.

내 층

외층 분식

외층 중점

작업대 상태 (○)

작업대 상태 (×)

장갑 착용 (○)

맨손 취급 (×)

장갑 착용 (○)

맨손취급 (×)

간지 삽입 (○)

간지 삽입 (○)

대차 적재 (○)

대차 적재 (×)

1-3 제품 취급 부주의에 의한 불량 = SCRATCH (1/2)

100% 예방 할 수 있다.

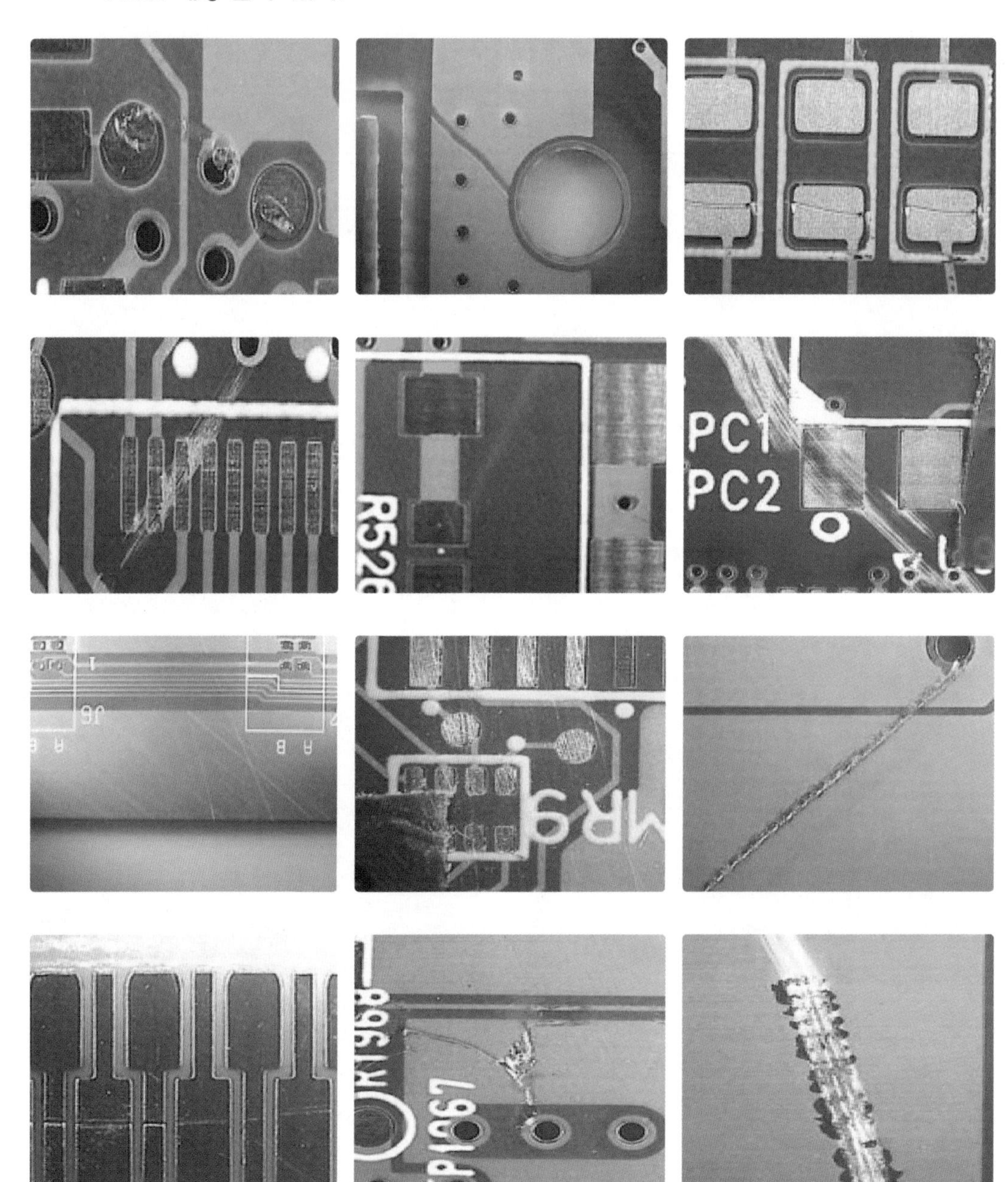

1-4 공정별 제품 및 대차 취급방법

❶ 재단

① 포장 상태 개봉 후 원판 두께에 따라서 구분 관리를 실시한다

② 1.5T 기준 15SHEET를 재단한다. 제품 셋팅시는 원판의 외곽부위를 잡고 세팅한다.

③ 제품 보호를 위하여 반드시 BACK-UP Board를 원판위에 설치 후 재단을 실시한다.

④ 재단 완료 후 Back-up Board와 제품을 수평 적재 실시한다.

- 1.5T 기준 : 15Sheet 재단
- 1.5T 이하 : 20 Sheet ~ 40 Sheet

❷ 내층노광

① 규정된 복장을 착용한다.
방진복, 방진모, 방진화, 마스크

② LPR완료 후 제품 적재
(수직으로 적재 후 자동 노광기로 이동)

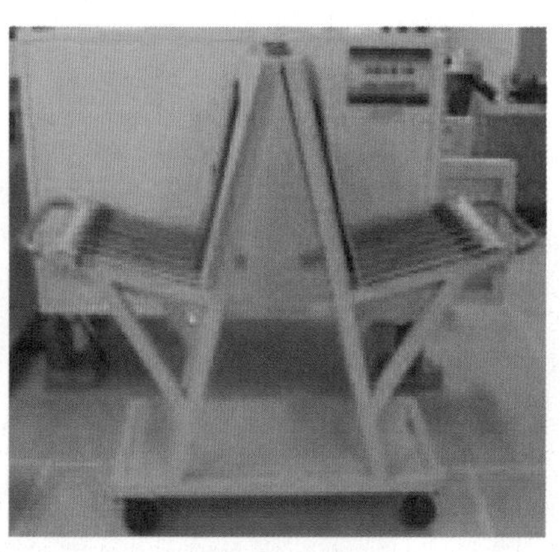

③ 노광 완료 제품 적재 대차
노광 완료부터 부식 대기까지 사용한다.

④ 내부 부식전 제품 적재 상태

1. 1 card 단위로 이동 (150 PNL)
2. 대차마다 빨간 Line을 설정하여 제품 적재 한계선 표시
3. 외부로 대차 이동 금지 (내부 전용)
4. 대차의 주기적 청소 (이물질 제거)

내층 전공정 실리콘 테이프 사용 OPP 사용 금지

❸ 내층 부식

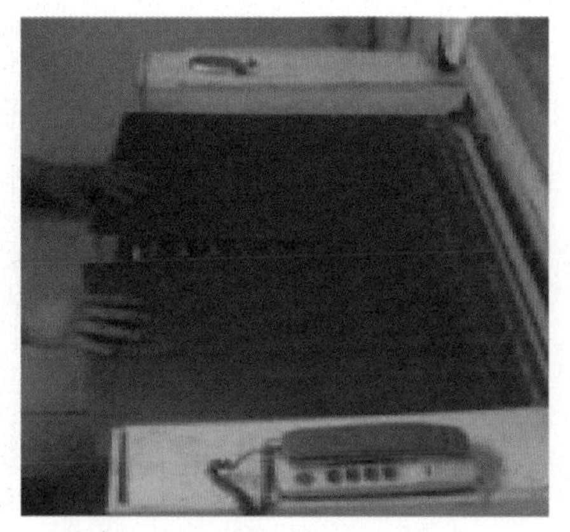

① 제품 투입 방법 NG
(작업자 제품 내부를 잡고 제품 투입)

② 제품 투입 방법 OK
(작업자 제품 외곽을 잡고 제품 투입)
제품 투입시는 LPR 막이 찢어지지 않도록 주의한다.

③ 제품 언로딩 방법 OK
(작업자 제품 외곽을 잡고 제품 언로딩)

④ 부식 완료 후 제품 적재 상태 OK
부식 완료부터 POSA 대기 까지 사용한다.

1. 1 card 단위로 이동 (150 PNL)
2. 대차마다 빨간 Line을 설정하여 제품 적재 한계선 표시
3. 외부로 대차 이동 금지 (내부 전용)
4. 대차의 주기적 청소 (이물질 제거)

내층 전공정 실리콘 테이프 사용 OPP 사용 금지

❹ 내층 중간 검사(1/2)

① 내층 자동 POSA용 이동용 대차
300 PNL 이상 적재 금지

② 내층 자동 POSA 완료 후 제품 적재 상태 OK
POSA완료부터 AOI 대기까지 사용한다.

③ AOI 검사 대기 제품 적재 OK

④ AOI 검사 완료 제품 적재 상태 OK

1. 1 CARD 단위로 이동 (300PNL : 6층 기준)
2. 내부로 대차 이동 금지 (내부 전용)
3. 대차의 주기적 청소 (이물질 제거)
4. 이동시 50 PNL씩 잡고 이동

❹ 내층 중간 검사(2/2)

① 검사 완료 제품 이동용 대차
제품 적재 후 제품을 밀지 말것

② AOI 검사 대기품
힘을 주어 제품을 잡지 말 것

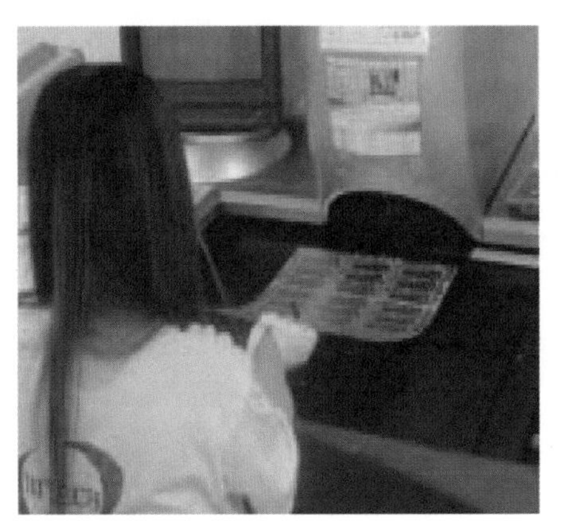

③ 제품을 PIN과 맞추어 제품을 셋팅 한다.

④ 제품 이동용 대차
내층검사 완료부터 옥사이드까지 사용한다.

1. 대차 위의 제품을 끌지 않는다.
2. AOI SCAN시 항상 준비 작업을 한다.
3. 제품을 무리하게 힘을 주지 않는다.
4. 장비 테이블에 AIR 부족시는 실리콘 테이프를 사용하여 불필요한 AIR 구멍을 막는다.
5. 제품이 구겨 지지 않도록 조심한다.

❺ OXIDE

① 옥사이드 전용 대차
옥사이드 완료부터 Lay-up공정 까지 사용한다.

② 옥사이드 언로딩시는 제품의 외곽을 잡고 언로딩 작업을 실시한다.

③ 옥사이드 완료 후 제품은 수직 적재를 실시한다.

④ SCRATCH를 예방하기 위해서 제품 사이에 코팅 간지를 사용한다.

1. 제품은 1Card 분만 수직 적재한다.
2. 옥사이드 완료 후 제품 사이에 코팅 간지를 삽입한다.
3. Scratch 발생시는 곧바로 재처리 작업을 실시한다.

❻ LAY-UP실

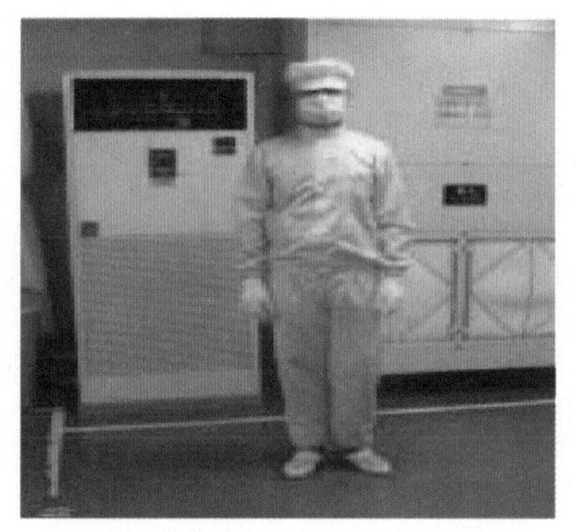

① 규정된 복장을 착용한다.
방진복, 방진모, 마스크, 방진호, 장갑

② PP 적재 대차
PP 재단부터 적층 까지

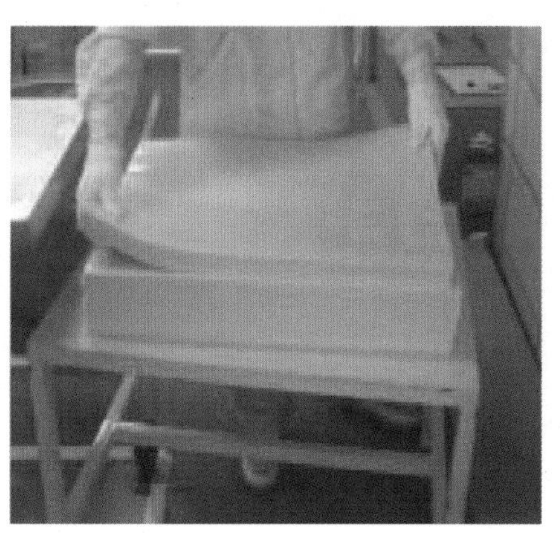

③ PP 재단 완료 후
50 Sheet를 대각선 방향으로 잡아서 적재한다.

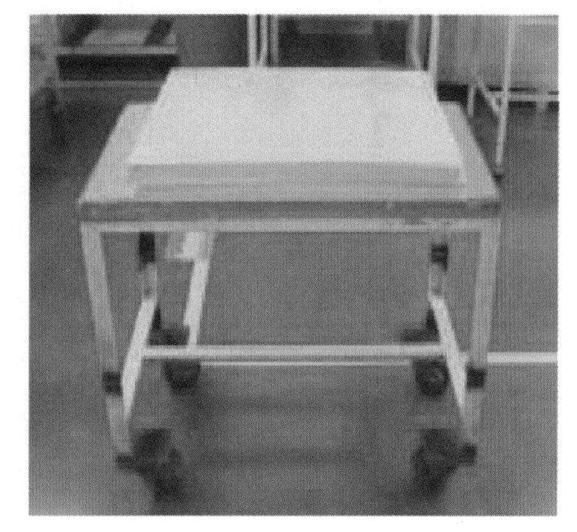

④ PP 적재 후

1. 50 Sheet씩 대각선으로 PP를 잡아서 적재한다.
2. PP가 구겨지거나 접하지 않도록 주의 한다.
3. 항상 이동 및 적재 대차는 청결을 유지한다.

❼ 본딩 및 적층

① 옥사이드 완료된 제품의 외곽을 잡고 본딩 작업을 실시한다.

② 적층 순서에 맞추어서 적층 작업을 실시한다.
PP의 구겨짐 및 내층 제품의 Scratch에 주의 한다.

③ 제품을 일정 수량만큼 적재하여 이동한다.

④ 적층 작업시 본딩 완료된 제품의 모서리 부분을 잡고 적층을 실시한다.

1. 제품의 Scratch 발생에 주의한다.
2. 모든 제품은 외곽을 잡고 이동하며 작업한다.
3. PP의 구겨짐에 유의하여 작업한다.
4. 동박을 구겨짐에 주의 한다.

❽ 해체 및 POSA

① 제품 내에 칼날이 닿지 않도록 주의 한다.

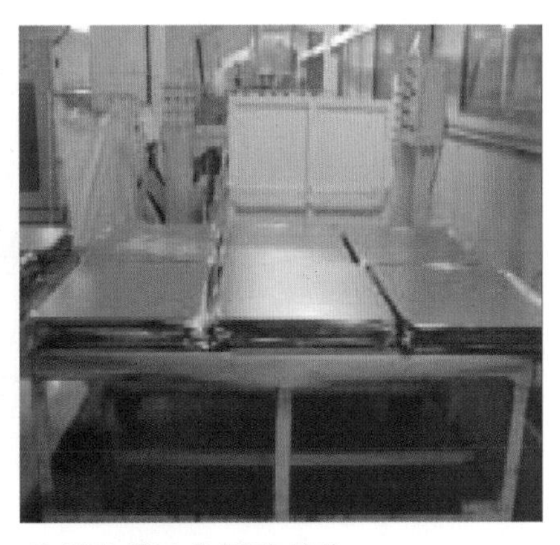

② 해체 완료 후 적재 상태

③ X-Ray POSA 까지의 이동용 대차

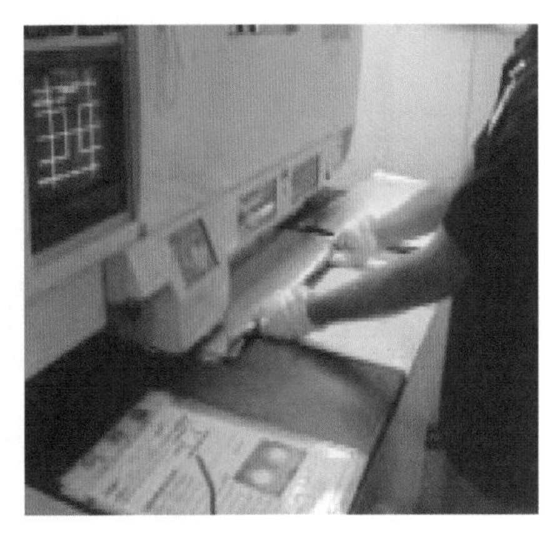

④ X-Ray POSA시 제품의 외곽을 잡고 투입한다.

1. 작업대는 항상 청결을 유지한다.
2. 제품 이동용 대차는 주기적인 청소를 실시한다. (1회/2주)
3. X-Ray POSA 작업 시는 제품의 외곽을 잡고 투입한다.

❾ TRIM

① 제품 두께에 맞추어서 STACKING을 실시한다

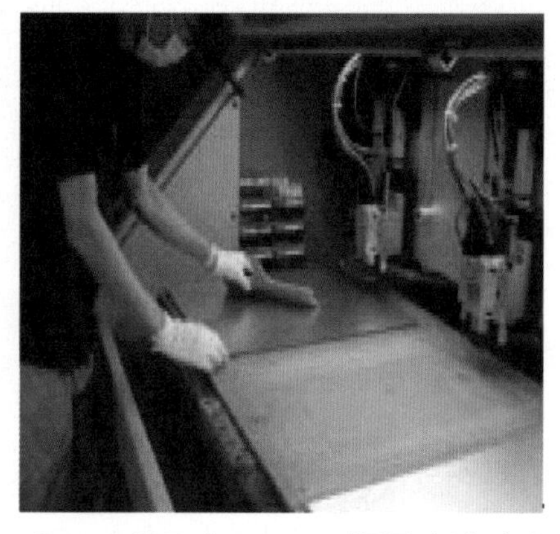

② Trim 완료 후 EOPXY 가루를 솔질 하여 제거한다.

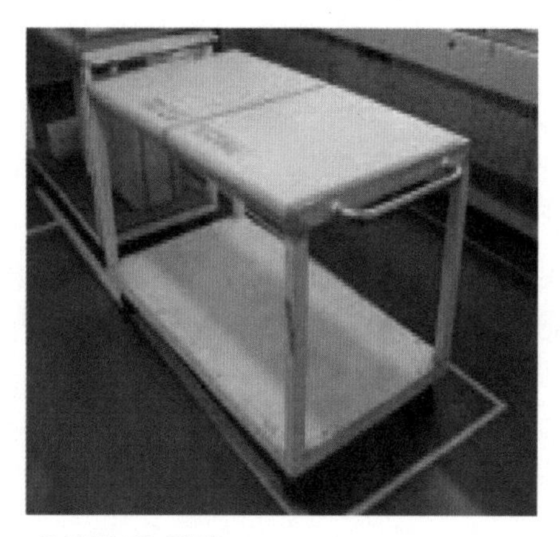

③ TRIM용 대차

④ TRIM 완료 후 Back Board와 종이 간지를 사용하여 25PNL & 30PNL 단위로 Packing 준비를 한다.

1. Stack시는 PIN과의 접촉에 주의 한다.
2. TRIM 완료 후는 솔질로 EOPXY 가루를 제거한다.
3. Back Board를 사용하여 Scratch 발생을 방지한다.

⑩ 해체 및 TRIM

① Back Board 부위를 잡고 제품을 Packing한다.

② Packing 상태
Packing 완료 후 DRILL 공정으로 이동한다.

1. 밴딩시는 25PNL 또는 30PNL 단위로 밴딩을 실시한다.
2. 밴딩시는 반드시 Back Board를 사용한다.

⓫ DRILL (1/2)

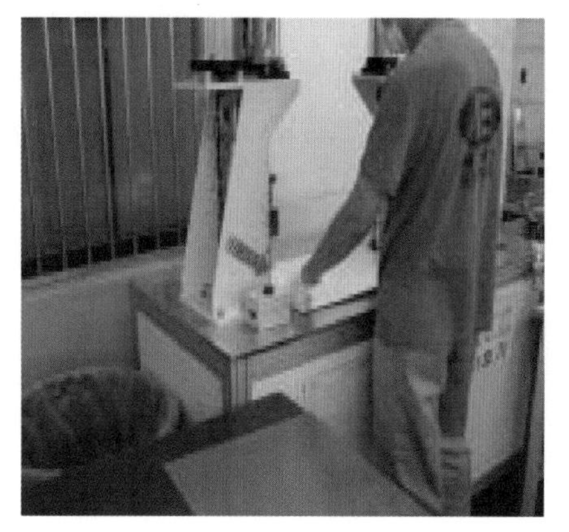

① 제품의 STACK수 별로 가이드 PIN을 알루미늄과 Back-Up Board를 상하면에 덧댄 후 PIN삽입을 실시한다.

② 제품의 STACKING 완료 후 제품과 알루미늄, Back-Up Board를 테이핑 머신을 이용하여 압착한다.

③ Stacking 완료된 제품은 대차에 수직 적재를 실시한다.

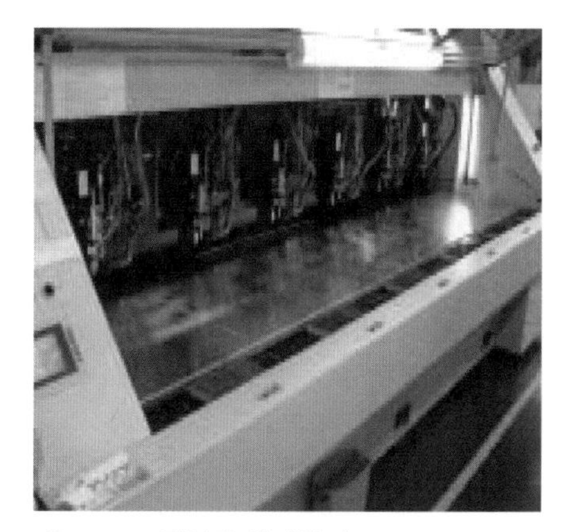

④ DRILL 작업을 실시한다.

- 가이드 핀, 알루미늄에 의한 SCRATCH를 주의 한다.

⑪-2 DRILL (2/2)

① 제품 완료시는 제품의 외곽부위를 잡고 해체를 실시한다.

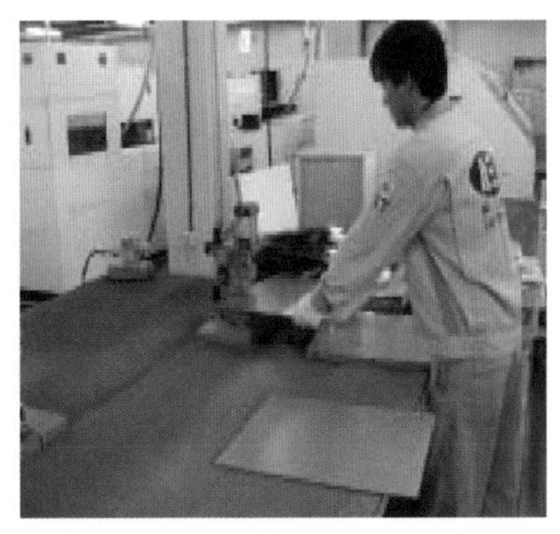

② 가공 완료된 제품의 해체시는 핀과 알루미늄에 의한 제품 SCRATCH에 주의한다.

③ 출하 검사 대기는 25PNL 단위로 지그재그 수직 적재를 실시한다.

④ COLOR RING SETTING

⓬-1 도금 (1/2)

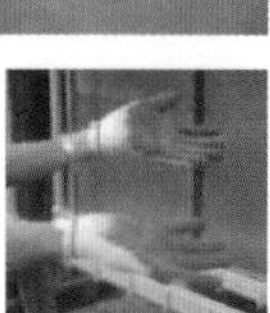

① 규정된 복장을 착용한다.
작업복, 장갑, 안전화

② 도금 공정 이동용 대차

③ 도금 전처리 대기 상태 25PNL씩 지그재그로 제품 적재

④ 도금 랙킹전 대차 상태

1. 제품의 외곽 부분을 잡고 이동한다.
2. 제품 이동시는 25PNL 단위로 이동을 실시한다.

⑫-2 도금 (2/2)

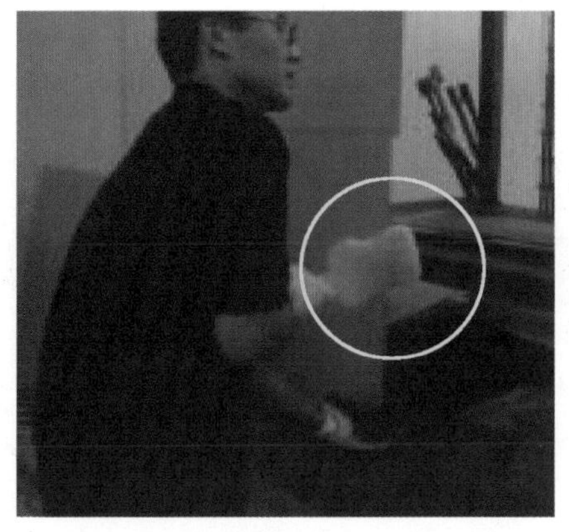

① RACK에 제품을 맞춘 후 RACKING용 플라스틱망치를 이용하여 RACKING 작업을 실시한다.

② RACKING 완료 후 제품 적재 및 이동

③ RACK 부위를 잡고 가이드 프레임에 RACKING 한다.

④ 도금 완료 후 제품 적재

1. 랙킹 작업시 망치가 제품에 닿지 않도록 주의 한다.
2. 랙킹 완료 후 제품 적재는 지그재그로 놓지 않는다.
3. 가이드 프레임에 RACKING시는 RACK 부위를 잡고 적재 한다.

① - 1 플라스틱 망치 옆면으로 사용금지

⓭ 외층 정면

① 외층 정면 대기 제품

② 외층 정면 로딩

③ 제품의 외곽 부위를 잡고 제품을 적재한다. 내부 터치 금지

④ 라미네이팅 작업 후 50PNL 단위로 이동용 대차에 수직 적재한다.

1. 제품의 이동은 대차에 지그재그로 25PNL 단위로 적재한다.
2. 정면 완료 후 제품의 외곽을 잡고 이동한다.

⓮ 외층 노광

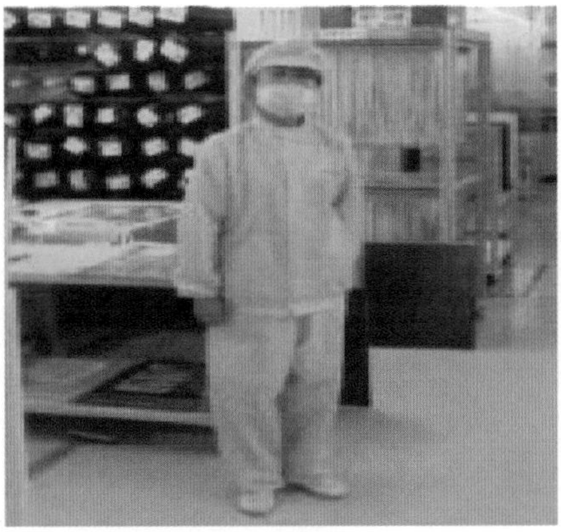

① 규정된 복장을 착용한다.
방진복, 방진모, 방진화 Finger Coat

② 노광전 50PNL 수직적재

③ 제품의 외곽을 잡고 노광 작업을 실시

④ 노광 완료된 제품은 50PNL 수직 적재

1. 규정된 복장을 반드시 착용한다.
2. 노광 작업시는 Finger Coat를 착용 후 작업을 실시한다.
3. 노광 완료된 제품은 반드시 수직 적재를 실시한다.

⑮ 외층 부식

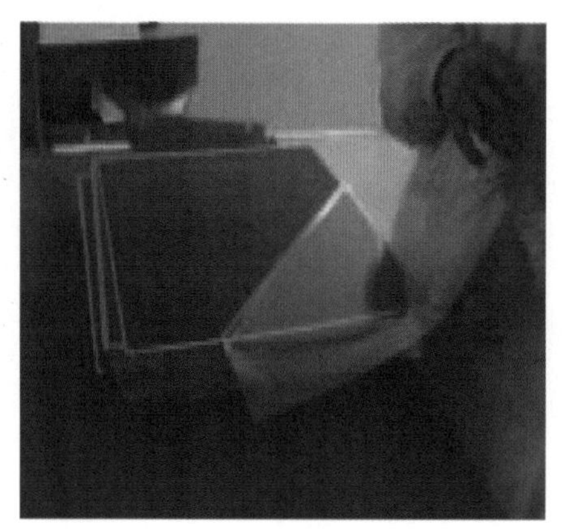

① 제품의 외곽을 잡고 Myler Film을 제거한다

② 언로딩 시는 제품위치를 동일하게 한 후 제품사이에 간지를 삽입한다.

③ 부식 완료된 제품은 25PNL 단위로 대차에 수직 적재한다.

---

1. Myler Film 제거시는 Finger Coat를 착용 후 제품의 외곽을 잡는다.
2. 부식 완료된 제품은 간지를 제품 사이에 삽입 후 25PNL 단위로 대차에 수직 적재를 실시한다.

⑯ 외층 중검(1/2)

① 제품을 150PNL 단위로 수평 대차에 적재한다. 검사전 ROLLER를 이용하여 표면 CLEANING을 실시한다.

② AOI 검사 완료 후 제품의 외곽을 잡고 번호를 기입한다.

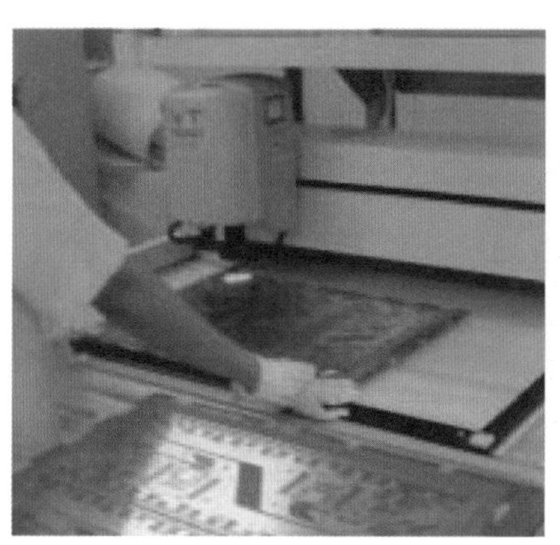

③ 제품의 외곽 부위를 잡고 VT 고정용 PNL에 제품을 셋팅한다

④ 불량 제품 확인시는 제품의 외곽을 잡고 확인 작업을 실시한다

1. AOI대기 제품은 150PNL을 넘지 않도록 한다.
2. 제품 번호 기입시는 간지를 제품 하단에 삽입후 번호를 기입한다.
3. AOI 대기 작업전 제품의 표면 Cleaning작업을 실시한다.
4. 제품은 대차에 적재 후 밀지 않는다.
5. 제품의 이동은 외곽을 잡고 이동한다.

⑯ 외층 중검(2/2)

① 불량 제품의 Point 표시방법 HASL TAPE를 사용하여 블량 Point에 표시를 한다.
테이프 폭 : 5~8mm 적색

② 불량 표시 방법

③ 외층 중점 완료 후 제품 적재 상태
25PNL 단위로 지그재그 형태로 대차에 수직 적재한다.

---

1. 불량 제품의 Point는 HASL TAPE를 이용하여 표기 한다.
2. 불량 표기는 적색 TAPE가 제품 적재시 외부에서 보이도록 한다.
3. 검사 완료 제품은 25PNL 단위로 지그재그 형태로 대차에 수직 적재 한다.
4. 수직 적재시는 적재 제품의 수량이 대차의 적색선을 넘지 않도록 한다.

⑰ 인쇄 정면

① 인쇄 정면 로딩부

② 정면 완료 후 제품의 외곽부위를 잡고 RACK에 25PNL 단위로 적재한다.

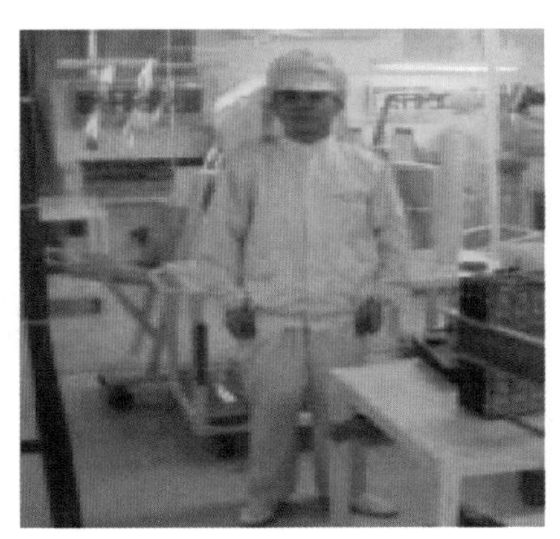

③ 규정된 복장을 착용한다.
방진화, 방진모, 방진복

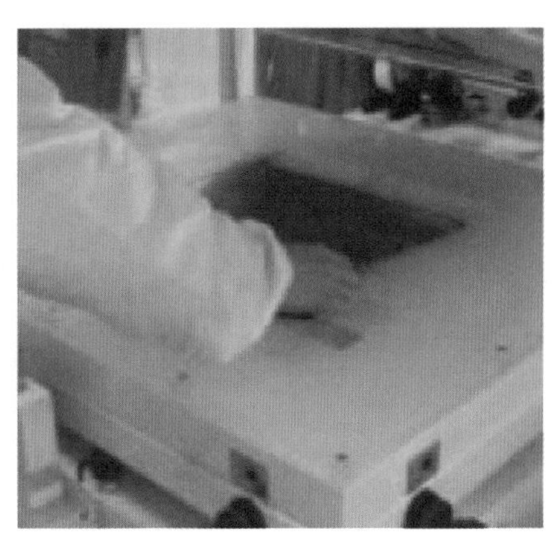

④ 제품의 외곽을 잡고 인쇄기 가이드 PIN에 제품을 셋팅한다.

1. 정면 완료 제품은 외곽부위를 잡고 RACK에 적재한다.
2. 규정된 복장을 반드시 착용한다. (겨울철 폴라티는 입지 않도록 한다.)
   → 정전기 발생
3. 제품의 외곽을 잡고 장비에 셋팅을 실시한다.

⑱ 인쇄 작업 (1/3)

① 인쇄 완료 후 제품을 RACK에 25PNL 단위로 적재 한다.

② PRE-CURE 완료 후 제품의 외곽을 잡고 RACK에 25PNL 단위로 적재한다.

③ 제품의 외곽을 잡고 노광 작업을 실시한다. 장갑 착용 및 맨손 작업 금지 Finger Coat를 착용 후 작업 실시

④ 노광 완료 후 RACK에 25PNL 단위로 적재한다.

1. 제품 취급은 항상 외곽부분을 잡고 취급한다.
2. 노광 작업시는 Finger Coat를 착용한다.
3. 노광 작업시 제품 내에 손이 닿지 않도록 한다.

⑱ 인쇄 작업 (2/3)

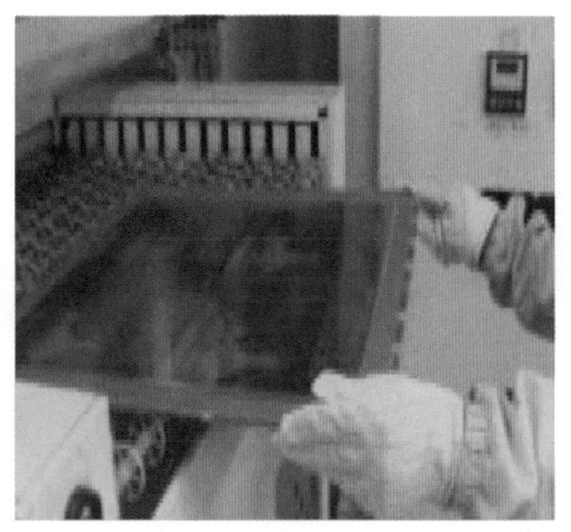

① 제품의 외곽 부위를 잡고 현상단에 투입한다.

② POST-CURE 완료 후 제품의 수량 파악은 수직 적재 후 실시한다.

③ 자동 M/K 대기

④ 작업중 중간 검사는 제품의 외곽을 잡고 확대경에서 15cm 떨어진 위치에서 실시한다.

---

1. 현상 투입시는 제품의 외곽을 잡고 투입한다.
2. 건조 완료 후 제품의 외곽을 잡고 수직 적재하여 제품 수량파악을 실시한다.
3. 작업 중간에 중간 검사(샘플링)를 실시한다.

⑱ 인쇄 작업 (3/3)

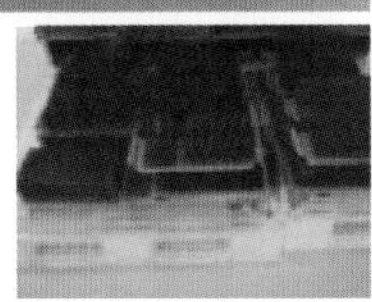

① PRE-CURE후 제품 적재

② M/K 작업전 Roller을 사용하여 제품의 표면 이물질을 제거한다.

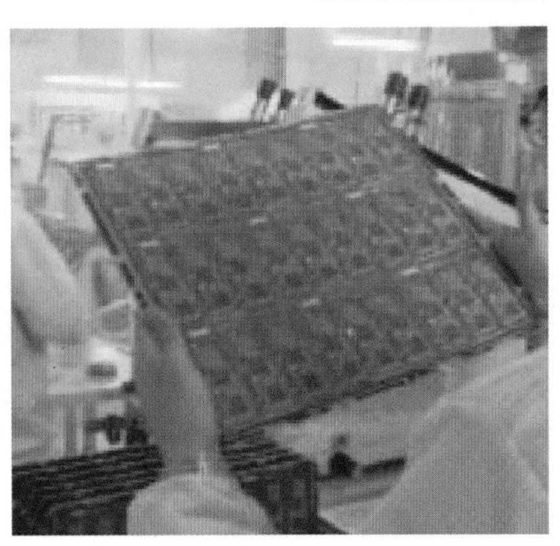

③ 작업 중 중간 검사를 SPEC에 준하여 실시한다.

④ M/K 완료 후 제품은 25PNL 단위를 지그재그로 수직 적재를 실시한다.

---

1. 마팅 작업전 제품의 표면 Cleaning을 실시한다.
2. 작업 중간 샘플링 검사를 실시한다.

⑲ 수입 검사

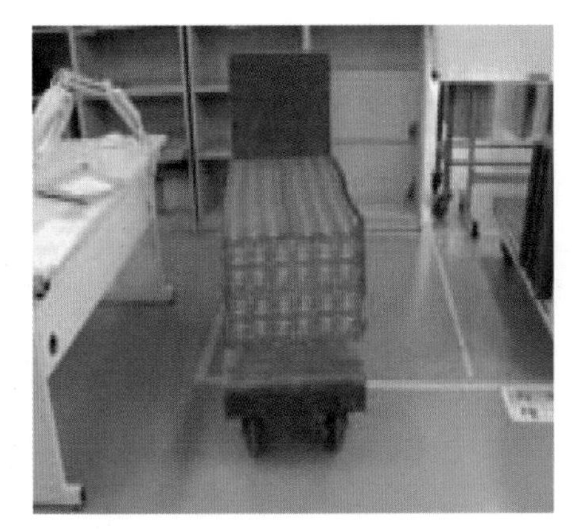

① 표면 처리 대기

② 수입 검사 완료

③ BBT 외주 완료

④ 제품 적재 방법 25Kit 단위로 적재

1. 외주 처리전후 제품은 항상 수직 적재와 Box를 이용한다.

⑳ 외형 가공 (1/2)

① 제품의 외곽을 잡고 제품의 두께에 맞추어서 Stacking을 실시한다.

② 제품 해체시는 작업자의 손이 제품에 닿지 않도록 한다.

③ 해체 작업 중 주걱 사용시는 무리한 힘을 가하여 제품이 손상이 가지 않도록 한다.

④ 제품 적재는 반드시 Box를 사용하여 적재한다.

1. STACK수에 맞추어서 제품 수량을 파악한다.
2. STACKING시 제품과 가이드 핀이 맞지 않을 경우 무리한 힘을 가하지 않는다.
3. 제품 해체시 주걱을 사용할 경우는 주걱에 무리한 힘을 가하지 않는다.
4. 작업 완료 후의 제품은 제품 적지대에 쌓아 놓지 않고 바로 Box에 수직 적재를 실시한다.

⑳ 외형 가공 (2/2)

① 제품 적재는 반드시 Box를 사용하여 적재한다.

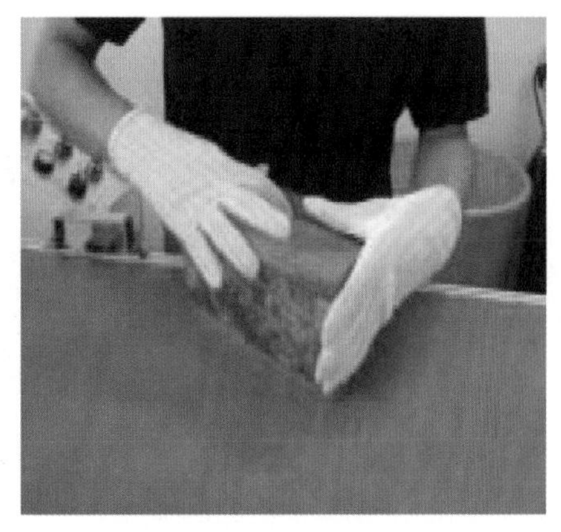

② 수세 대기품은 정방향대로 투입이 잘되도록 정리해둔다.

③ 제품의 외곽 부위를 잡고 수량 파악을 실시한다.

④ 수세 완료 후 제품은 25PNL 단위로 지그재그 Box에 담는다.

1. 작업 완료 후 제품은 Box에 수직 적재를 한다.
2. 수량 파악시는 제품내는 손이 닿지 않도록 주의 한다. (특히 수세후)

㉑ 외주관리

① 외주 대기품은 인수 인계가 빠른시간 내에 될 수 있도록 정리해둔다.

② 외주 대기품은 25PNL 단위로 밴딩하여 대차에 수직적재를 실시한다.

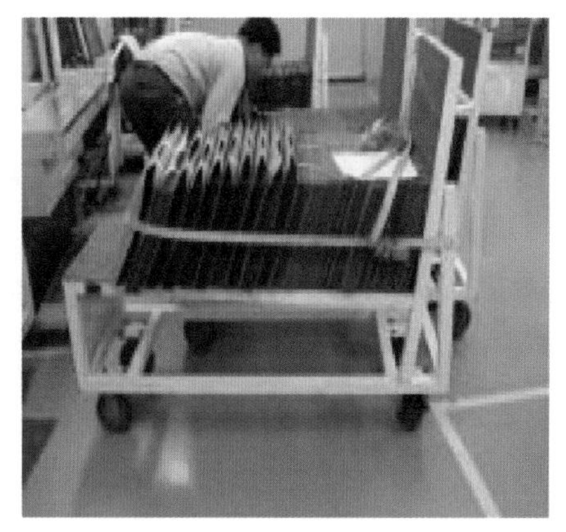

③ 밴딩 완료 후 대차에 수직 적재한 제품은 이동시 쓰러지지 않도록 끈을 사용하여 단단히 고정시킨다.

④ 외주 완료 제품은 Box에 적재하여 이동한다.

1. 작업 완료 후 제품은 Box에 수직 적재를 한다.
2. 수량 파악 시는 제품내에 손이 닿지 않도록 주의 한다. (특히 수세 후)

㉒ BBT

① 제품내에 손이 닿지 않도록 한다.

② 제품의 측면을 잡고 제품을 취급한다.

BBT 대기 및 외주 전용
(GREEN)

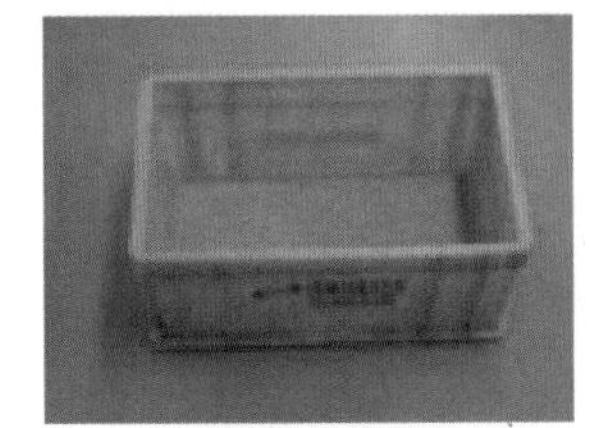

양품 전용
(YELLOW)

재처리 전용
(BLUE)

불량 전용
(GRAY)

1. 색상별 Box 관리 철저히 할 것
2. BBT 작업시 제품 외곽을 잡고 제품의 로딩 언로딩 작업을 실시한다.

㉓ 최종 검사 (1/3)

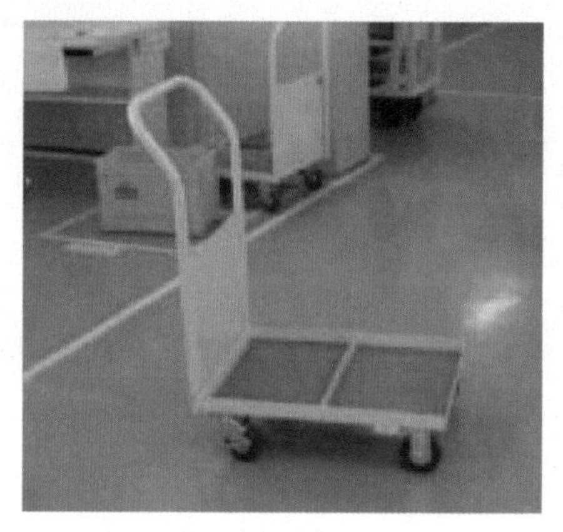

① BBT 및 최종 검사용 대차 전용사용

② 3단 이상 적재 금지

③ 5단 이상 적재 금지

④ 7단 이상 적재 금지

1. 상기의 대차는 BBT 이후 공정에서만 사용을 한다.
2. 타 공정 사용 금지.
3. Box 크기에 맞는 적재 높이를 준수한다.

㉓ 최종 검사 (2/3)

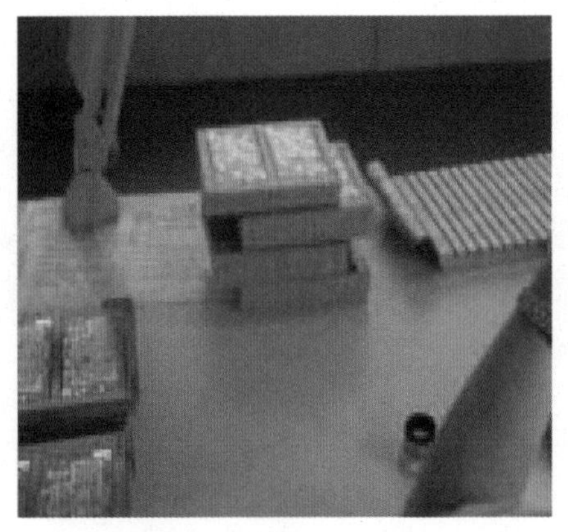

① 제품 적재 방법 NG
한 TABLE에 두 MODEL을 적재 안하도록하며 RACK같은 도구도 없도록 한다.

② 제품 적재 방법 OK

③ 불량 제품 표시 방법 : HASL TAPE를 사용하여 불량 Point에 표시를 한다.
테이프 폭 : 5~8mm 적색

④ X-OUT 표기 방법

1. 제품의 적재는 책상 위에 수평으로 놓지 않는다.
2. 제품이 책상의 모소리에 있으면 안됨.
3. 검사원은 25KIT & 25PCS 이상 책상 위에 제품을 적재 하지 않는다.
4. 제품의 불량 표기는 정해진 원칙을 따른다.
5. X-OUT 제품의 경우 혼입 방지를 위하여 확인선을 기입한다.

㉓ 최종 검사 (3/3)

① 검사 완료 후 25KIT씩 Box에 지그재그 형태로 적재
(수량확인이 될 수 있도록)

② 제품 내부에 손이 닿으면 안됨

③ 제품 내부에 손이 닿으면 안됨

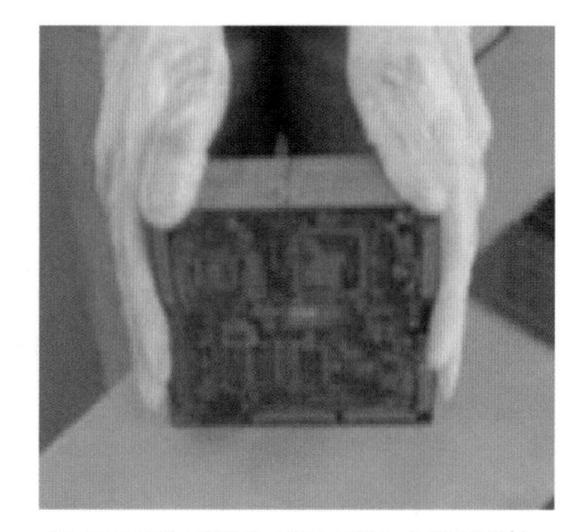

④ 25KIT씩 외곽을 잡고 제품 수량 파악

1. 제품은 맨손으로 취급하지 않는다.
2. Box에 적재 시는 제품의 외곽을 잡고 Box에 놓는다.

㉔ 출하 및 FLUX

① FLUX 완료 후 제품 수량 파악

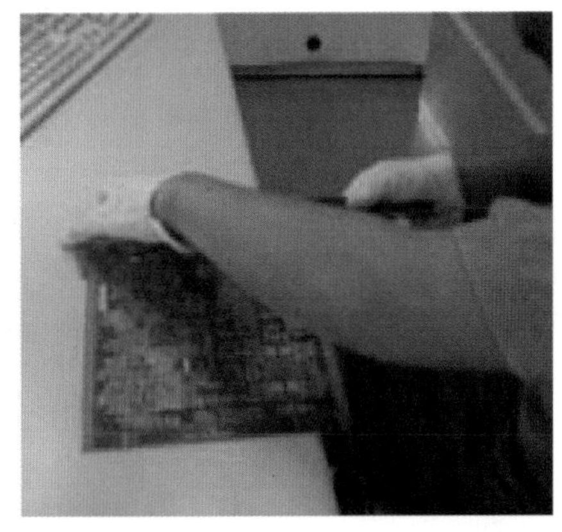

② 출하 검사
제품의 외곽을 잡고 치수 검사를 실시 한다.

③ 제품 내부에 손이 닿으면 안됨

④ 제품의 외곽 부분을 잡고 휨교정 실시

1. 제품 수량 파악시는 수직으로 하여 제품의 수량을 파악한다.
2. 휨교정시는 제품의 외곽 2Point를 잡고 교정 작업을 실시 한다.
3. 치수 검사시에도 제품의 외곽을 잡고 측정 한다.

㉕ 포장

① 25KIT 단위로 포장 실시

② 제품의 외곽을 잡고 포장을 실시한다.

③ 포장 완료 후 제품 이동

1. 제품 포장시 손이 제품내부에 닿지 않도록 주의한다.
2. 포장 완료 후는 적정 높이에 맞추어서 제품 적재를 실시한다.

㉖ 기타

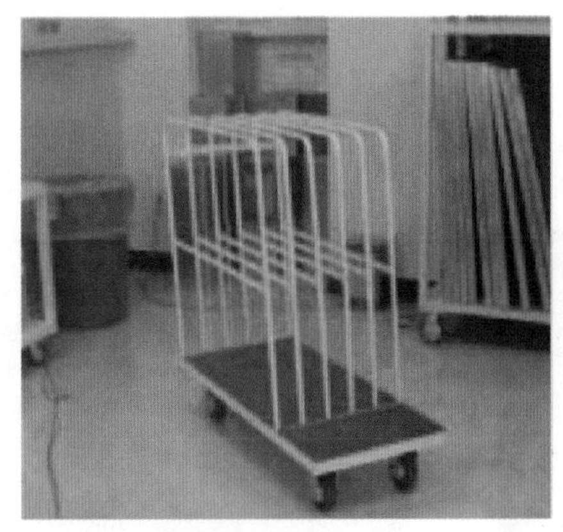
① 제판망 전용 대차

② 제판틀의 이동은 5개이상 금지

1-5 공정이동간 제품취급 및 대차사용

❶ TRIM ⇒ DRILL

① TRIM 완료 후 Back Board와 종이 간지를 사용하여 25PNL & 30PNL 단위로 Packing 준비를 한다.

② TRIM 완료 후 DRILL까지 이동 시 제품을 대차에 수직 적재 후 밴딩하여 이동한다.

③ DRILL 공정 제품 입고 후 Stacking 대기 상태

④ DRILL 대기 상태 적재 방법

❷ DRILL ⇒ 도금

① Laser DRILL 완료 후 제품 적재 상태

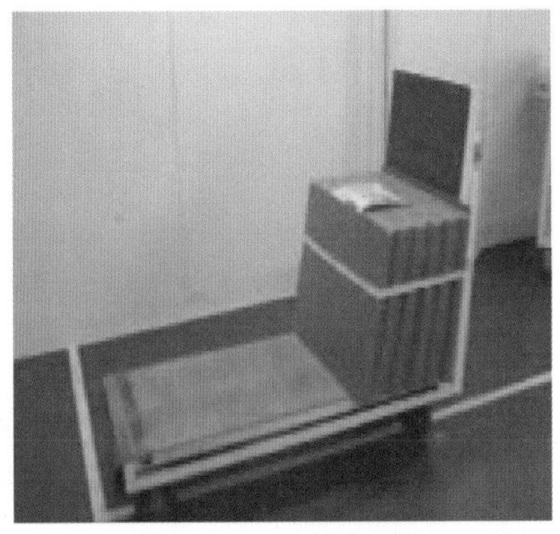

② DRILL 완료 후 도금공정으로 이동시 대차에 제품을 수직 적재 후 제품의 흔들림이 없도록 밴딩하여 이동한다.

③ 도금 전처리 대기 상태의 제품 적재 상태

④ 도금 완료 후 외층 D/F 이동시는 제품을 대차에 수직 적재 후 제품의 흔들림이 없도록 밴딩하여 다음 공정으로 이동한다.

❸ 도금 ⇒ 외층 D/F

① 외주 도금 제품 입고 상태

② 외층 정면 대기 상태

③ 외층 부식 완료 후 제품 적재 상태 밴딩 하여 중검으로 이동 실시

④ 외층 중간 검사 완료 후의 제품 적재 상태 : 대차에 수직 적재하여 인쇄반으로 제품 이동을 실시한다.

❹ 인쇄 ⇒ 외주 ⇒ 외형가공

① HASL & FLUX 제품은 M/K 완료 후 대차에 수직 적재하여 밴딩 후 외주관리로 제품을 인계한다.

② 무전해 금도금 제품은 반드시 간지를 삽입하여 외주 진행한다.

③ 무전해 금도금 입고시 간지를 사용하여 밴딩후 입고

④ 외주 BBT 이동시의 대차 이동 방법

❺ BBT ⇒ 최종검사 (1/2)

① 자체 BBT 이동용 대차

② 무전해 금도금 제품은 반드시 외형 가공 후 BBT 공정까지 간지를 삽입하여 이동한다.

③ BBT 완료 후 최종 검사 제품 이동 대기 상태 : 무전해 금도금 제품은 간지를 삽입한다.

④ 최종 검사 대기 상태

1. 1 CARD 단위로 이동 (300PNL : 6층 기준)
2. 내부로 대차 이동 금지 (내부 전용)
3. 대차의 주기적 청소 (이물질 제거)
4. 이동시 50 PNL씩 잡고 이동

❺ BBT ⇒ 최종검사 (2/2)

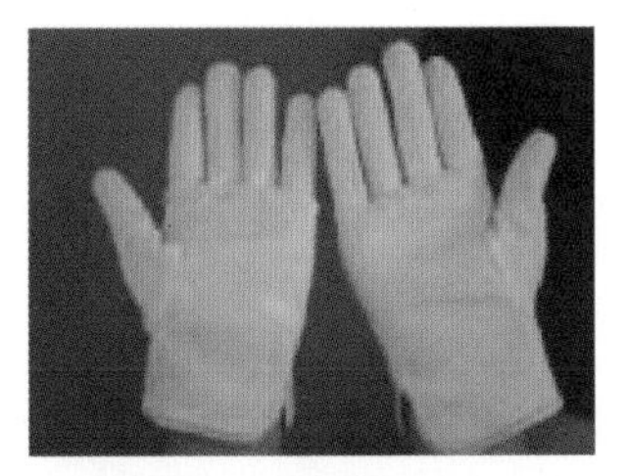

① 무전해 금도금 검사시

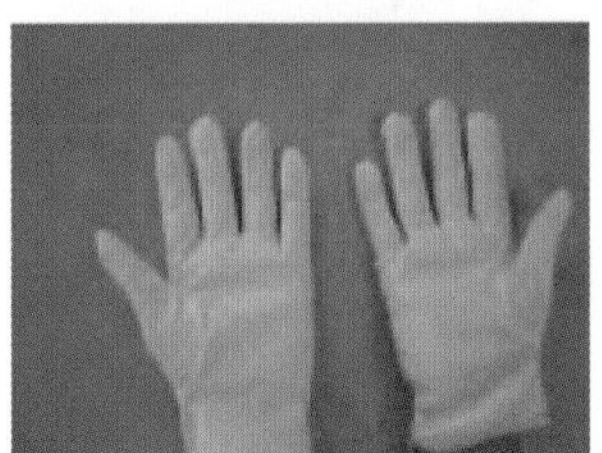

② 일반제품 검사시

③ 무전해 금도금 제품은 검사시 간지 삽입의 원칙을 반드시 준수한다.

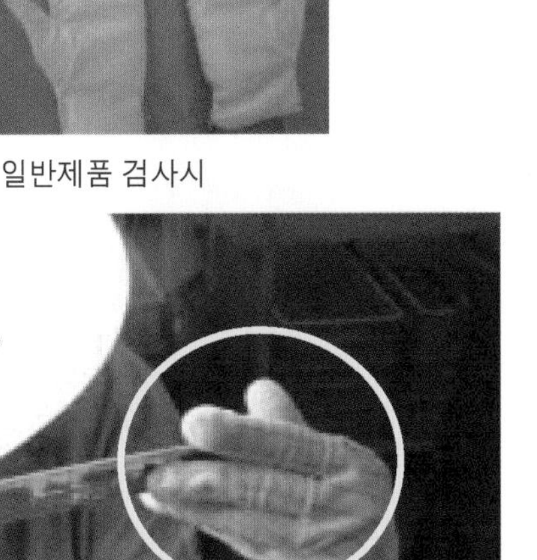

④ 무전해 금도금 검사 방법

⑤ 불량품 적재 NG

⑥ 불량품 적재 NG

회사의 자산을 보호 합시다.

memo

제 2 장 PCB 제품 이동 관리

2-1 제품 이동 관리 지침

❶ 제품 두께 별 공정 이동 표준 (전 공정 및 외주 업체 해당)
0.4T ~ 0.8T : 50 PNL (50KIT / PCS)
1.0T ~ 1.6T : 25 PNL (25KIT / PCS)
2.0T ~ 3.2T : 10 PNL (10KIT / PCS)
박스 및 대차 적재 시는 반드시 상기 수량 대로 지그 재그 형태로 수직적재 실시
(단, 내층 공정은 150PNL 단위로 간지 및 보호대를 사용하여 이동)

❷ 표면 처리 제품은 반드시 인쇄 이후 간지 사용
(단, LCD류의 제품은 내층을 제외한 전 공정 간지 사용)

❸ 대차에 제품 적재 시는 적색 표시선 까지 제품 적재
(이중 적재 시는 제품 보호대를 반드시 사용할 것)

❹ 층과 층으로 제품 이동시는 반드시 벨트를 사용하여 밴딩할 것

❺ 작업 지시서는 항상 1번 CARD부터 진행할 것

❻ 제품의 선진행시는 차용증을 작성하여 후 공정 담당에게 확인 받고 작업 진행할 것

❼ 중검 폐기분은 반드시 X-OUT 프로그램을 사용하여 폐기 또는 진행 판정

❽ 매주 토요일은 재고실사 (10:00 ~ 14:00) : 생산관리 주관
매주 월요일 공정 재고 현황 보고 (09:00)

2-2 제품 인수 인계 지침

❶ 제품과 작업지시서의 일치 여부를 확인한다. (수량, 모델명, 업체명 등)

❷ 수량 부족 시는 앞 공정에 통보 또는 붉은 표찰을 부착하여 반송한다.

❸ 박스 이동 시는 적치 상태 간지 삽입 상태 공간 마무리상태(쿠션 패드 삽입), 단위 기준 상태를 확인한다.

❹ 대차 이동 시는 제품 적재상태, 벨트 밴딩 상태, 적색 라인 관리 상태 등을 확인한다.

❺ 제품의 청결 상태 및 박스와 간지 청결상태, 대차 청결상태를 확인하여 인수시 부적절한 경우 앞 공정으로 반송한다.

❻ 파손 제품의 인수 시는 반드시 불량 정리를 실시한다.(해당공정)

❼ 제품의 LOT성 불량 발생시는 반드시 구분 관리를 실시하여 후 공정으로 인계한다.
❽ 불량 발생시는 반드시 부적합 보고서를 발행하여 작업지시서에 첨부한다.
❾ 작업 지시서에는 반드시 인수자의 확인 사인을 기입한다.
❿ 모든 제품의 흐름은 항상 공정관리 및 생산 관리와 연계되어야 한다.

2-3 불량 발생 시 처리 지침

❶ 원인과 불량 공정을 분명히 구분하고 수리 불가능 시는 폐기
수리 가능 시는 수리 후 마지막 CARD에 포함하여 진행한다.
❷ LOT불량의 경우 생산관리 통보후 재작업 진행하며 불량에 대한 원인 공정으로 FEED-BACK 한다.
❸ 불량에 대한 내용은 반드시 작업 일보 및 작업 지시서에 기록하며 전산과의 내용은 반드시 확인한다.
❹ 공정의 책임자는 최초 문제 발생시점을 추적하여 후공정 인계 제품이 있을 경우 공정 관리 및 생산 관리에 통보한다.
❺ 문제가 발생된 제품은 선별하여 품질 관리로 부터 처리방법을 통보 받고 진행한다.
❻ 각 공정 팀장들은 일일 목표 품질 실적 및 생산 실적 미달시 즉시 제조임원에게 보고한다.
❼ 설비 및 기타 돌발적인 상황으로 제품 품질 문제 발생시는 작업 수량, 모델명, 업체명 등을 파악하여 후공정 인계시 품질정보를 인계한다.

2-4 수량 부족 표찰

수 량 부 족

업체명 :
모델명 :
부족수량 :
부족사유 :

책임자 :

2-5 제품 인수 CHECK LIST

NO	CHECK 항목	판정	비고
1	제품 두께별 이동 수량은 맞는가?	OK / NG	
2	금도금 제품은 간지를 사용하였는가?	OK / NG	
3	대차에 제품 적재는 적색선 까지인가?	OK / NG	
4	이중 적재시 제품 보호대를 삽입하였는가?	OK / NG	
5	벨트로 제품은 밴딩 하였는가?	OK / NG	
6	첫 LOT는 1번 CARD인가?	OK / NG	
7	제품과 작업지시서는 일치하는가?	OK / NG	
8	수량은 정확한가?	OK / NG	
9	박스 내 제품 적재는 정확한가?(쿠션 패드 및 제품 보호물질 삽입)	OK / NG	
10	간지 및 대차, 박스의 청결상태는?	OK / NG	
11	파손된 제품은 있는가?	OK / NG	
12	불량 발생 시 부적합 보고서는 첨부 되어 있는가?	OK / NG	
13	수량 부족시 앞 공정에 확인 하였는가?	OK / NG	
14	중검 폐기분은 BBT전 선별되었는가?	OK / NG	
15	제품 선진행시 차용증은 확인 하였는가?	OK / NG	

제 3 장 PCB 각 부서별 중점관리항목

3-1. 영업

❶ 고객명
❷ MODEL명, 상품명
❸ MODEL 특기사항 확인
❹ 납기, 납품 수량
❺ GERBER, DRILL IN-PUT, DXF, PDF PRINT
❻ 고객 규정 SPEC 확인
❼ MODEL 이력
❽ SAMPLE, PP, 양산 구분
❾ SAMPLE 작업시 개발용, 승인용 구분
❿ 승인원 제작
⓫ 단가 (m^2, 원판 SIZE 확인)
⓬ SPEC 변경 관리 (공정 투입후)

3-2. 규격관리

NG	공 정	구 분	중요 관리 POINT
1	사양관리	준비작업	1. GERBER DATA IN-PUT 2. LAYER ALIGN 작업 3. 각 LAYER 정리 작업 4. ORIGINAL -> EDIT DATA 5. PROFILE 지정작업 6. 사양 자체 승인원 접수 검토
2	CAM	PCS EDIT	1. 제품 외곽선 삭제(GND 제외) 2. DRILL 작업 3. MAP 작업 4. SIGNAL LAYER 작업 5. 내층(GND/VCC) 작업 6. 외층작업 7. SOLDER MASK 작업 8. SILK SCREEN 작업 9. HOLE망 작업

NG	공정	구분	중요 관리 POINT
2	CAM	KIT EDIT	1. KIT ARRAY(DUMMY) 작업 2. 기구 HOLE 및 인식 MARK 삽입 작업 3. KIT에 삽입될 정보 확인
		PNL EDIT	1. MODEL 배열 간격 적용 작업 2. SLOT PNL 적용 3. 적용 GUIDE 삽입 4. TEXT 및 PNL 확인
		DATA OUT-PUT	1. RX-274X(GERBER) 2. NC DRILL, REPORT FILE 3. IMAGE(내, 외층)
3	FILM		1. 육안 검사(PLOTTING 상태 확인) 2. FILM COATING(NEO-MASK) 3. 육안검사(기포, 이물질 유무 등) 4. FILM POSA 5. SCALE 측정 6. FILM A.O.I 7. FILM 검도 및 수정
4	승인원 제작		1. 업체명, 모델명, 관리번호 확인 2. SPEC 확인, 제작사양 CHECK 3. 업체명, 모델명, 관리번호 등록일 4. 승인원 발송 및 업체 승인득

3-3. 생산관리

❶ IN-PUT 관리 기준
❷ 적정 LOSS량 산출
❸ 원자재 사용 검증
  1. CCL (REGULAR, JUMBO, AJ)
  2. DRY FILM
  3. PSR INK
❹ 적정 효율 검토(등분수)
❺ 생산 현장의 적정 WIP 관리 -> WIP (WORK IN PROCESS)
❻ 특수 원자재 사용(CCL의 경우 FR-4 / CEM-3의 제품 사용시)
❼ 외주, 공정, 납기 관리
❽ 제품 유형별 생산 LEAD TIME 산정
❾ OUT-PUT 관리
❿ 잉여 재고 관리

⓫ 완제품 창고 관리

3-4. 품질관리

❶ SQC & SPC : 통계적 품질관리 & 통계적 공정관리
❷ IQC : 수입검사
❸ OQC : 출하검사
❹ IPQC : 공정 품질관리(공정 능력 조사)
❺ 개선 제안
❻ 분임조
❼ 품질 감사
❽ 외주업체 품질관리
❾ 계측기 관리
❿ 불량 판정 회의, 품질 반성회
⓫ 교육 훈련(교육 자료 작성)
⓬ UL 관리
⓭ 대외 업체 발송 문서 관리

3-5. 설비관리

❶ 예방 보전 활동
❷ SPARE PART 관리
❸ 정기적 설비 점검
❹ 설비 이력 관리
❺ ONE SYSTEM LINE 중점 관리
1. 도금 : 냉각기, 스팀 배관
2. PRESS : 열매체 보일러, 스팀 보일러, 콤푸레샤
3. 인쇄 : 자동 LINE
4. OXIDE
5. 내, 외층 WET LINE
❻ 공장 유틸리티
❼ 시수, 대기 스크러버, DI 재생 장치
❽ 공정간 이동대차

제 4 장 PCB 부적합 사례

4-1. 공정별 부적합 내용 (1/2)

NO	공 정 명	부적합 내용
1	영업	SPEC 변경, 투입 MISS, 공정 보류, 수량부족투입, 발주 오류, 특기사항 미표기, 특기사항 오기, 특기사항 누락, 주문취소, 주문취소(DATA 불량), GERBER 불량
2	재단	원판 투입 MISS, 원판두께 혼입, 동박두께 혼입, SIZE 불량, 원판두께불량, 투입 SIZE 오류(배열), 원판오류(재질), 원자재 불량
3	CAM	제품확대 축소, 임피던스 불량, SMD 보정 MISS, HOLE￠불량, 투입수량 MISS, 주기 누락, 주기표시 오류, 인식마크 크기 OVER, HOLE 크기 입력 오류, DRILL TOOL 바뀜, 각홀 누락, 배열오류, 필름 CHECK MISS, R/T 프로그램 불량, SILK CUT 누락, UL누락, UL 오류, 필름 바뀜, 수정사항 적용 MISS, 인식마크 누락, 단자 리드선 누락, 회로 뒤집힘, N-TH/TH 구분 MISS, DRILL DATA 오류, PAD 누락, 배열누락, DATA 불량, LAYER 불량, MIRROR 처리 바뀜, 필름 막바뀜, TOP/BOT 뒤집힘, CLEARANCE 누락, 식자누락, 두께 OVER, 회로폭 축소, 회로 누락, 층 뒤집힘, SPEC 오류, 사양검토 MISS, SPEC 미적용, 금형불량
4	내층이메지	POSA 불량, 가이드 불량(잘림), 마이크로 OPEN, 마이크로 SHORT, 미현상, 취급(회로들뜸), 보호비닐잔류, OPEN_결손, SHORT, OXIDE 불량
5	적 층	DENT, 타켓센터불량(포사), 동박주름_부풀음, 수축팽창, 디라미네에션, 층간밀림, 미즐링, 층간두께미달, 휨(PP결 불일치), 두께 불량, 동박두께 불량(OZ미확인), 모델바뀜, 이물질, 밀착 불량, TRIM 불량, DRY 현상
6	드 릴	HOLE 속 이물질, 미드릴, HOLE 편심, DRILL BURR, 오드릴, BIT 파손, HOLE SIZE 축소, 확대, 제품 뒤집힘, DRILL DATA 입력 오류, LAYER 혼동으로 층수 바뀜, HOLE 위치 불량, 기구 HOLE SIZE 미달
7	도 금	VOID, 미도금, 건조불량, 도금편차 불량, 눈물도금, 돌기, 도금 PIT, 도금잔사, 탄도금, 과도금, 도금얼룩, 찍힘. 도금두께 미달, HOLE 속 CRACK
8	외층이메지	OPEN_결손, SHORT, 진공불량, 노광편심, 잔류동, TCP PAD 값 미달, 미부식(회로폭증가), 과부식(회로폭감소), VOID(TENTING 불량), 동 브릿지, 수리불량, 중검딱지불량, TAPE 진, 마이크로 OPEN, 마이크로 SHORT
9	인 쇄	INK BALL, PSR 과현상, PSR 미현상, 동박산화얼룩, OPEN_결손(정면불량), 백화현상, PSR 올라탐, PSR 노광편심, VIA HOLE TENTING, 패턴동노출, HOLE 속 INK, PSR 가건조, 재처리 불량, PSR 노광불량, 잉크덜빠짐(SKIP), PSR 뭉침, PSR 이물질, PSR 떨어짐, PSR 기포현상, S/R 누락, 납볼, PSR 편심, PLUGGING 불량
10	마 킹	마킹 떨어짐, 마킹 번짐, 마킹 편심, CARBON 불량, 마킹 누락, 마킹 덜빠짐, 마킹 올라탐, 마킹 뒤집힘, 마킹 잉크 색 틀림

NO	공 정 명	부적합 내용
11	ROUTER	외형가공누락, 미관통가공, 가공 SIZE 미달, 가공 SIZE 초과, V-CUT SIZE 미달, V-CUT SIZE 초과, V-CUT 깊이 미달, V-CUT 깊이 초과, 단자들뜸, 단자길이 축소(면취), 외형가공편심, V-CUT 이중가공, V-CUT 회로침범, 단자면취편심가공, 면취각도불량, B/D파손, GUIDE PIN 이탈, TH HOLE 미가공, N-TH HOLE 미가공, 덧살부러짐
12	BBT	BBT PIN 자국, 양불혼입
13	공통불량	수량부족, SCRATCH, 컨베어 걸림, B/D 파손, 제품혼입, 제품파손(설비고장), 제품파손(취급 부주의)

제 5 장 PCB 부적합 처리방법

5-1. Trouble의 처리

매일 생산 현장에서는 품질 불량이나 설비 고장 등 여러가지 Trouble이 발생하며, 어떤 형태로든 Trouble 해결이 요구되고 있다. 관리, 감독자들의 업무가 이와 같은 것이라고 해도 과언이 아니다.

예를 들면

- ▶ FIELD CLAIM이 제기되었다.
- ▶ 공정반송이나 자체 불량품이 발생했다.
- ▶ 부품 결함이 생겼다.
- ▶ LINE이 정지되었다.
- ▶ 납기가 지연될 것 같다.
- ▶ 작업자들이 결근을 했다.
- ▶ 작업 표준이 준수되지 않는다.

이와 같은 주변의 Trouble에서부터 공장의 MASTER PLAN을 수립해 보았더니

- ▶ 부지나 건물이 부족하다.
- ▶ 기술자를 더 확보해야 한다.
- ▶ 기계를 추가 구입해야 한다.
- ▶ 작업자를 더 충원해야 한다.
- ▶ 기숙사를 마련하해야 한다.

등과 같은 잡다한 Trouble이 생겨나며, 이 해결에 쫓기고 있는 것이다.

➲ Trouble 처리에는 능숙한 또는 서툰 방법이 있는데 능숙한 관리. 감독자들이 있는 업체는 여유 속에서 품질과 생산량 목표를 달성하는 반면 서툰 관리, 감독자들만 모여 있는 업체는 잔업과 특근까지 하면서도 실질적인 수입 측면의 실적은 향상되질 않는다.

➡ 지금 A라는 부품과 B라는 부품을 조립하는 공정이 있는데 A라는 부품에 불량품이 발생하였기 때문에 조립공정이 대기를 해야 하는 Trouble이 발생하였다고 가정하자. 이 때 A라는 부품이 REWORK 할 수 있는 부품이라면 수정해서 사용하는 방법으로 Trouble 처리를 하는 업체도 있을 것이다(대부분의 업체가 그렇겠지만..) 이 업체에서는 이와 같은 조치를 위하여 A라는 부품을 조립하는 현장에서는 우선 Trouble이 생겨나지 않게 되니까 외형상으로는 Trouble이 처리된 것처럼 생각하게 된다.

A라는 부품을 REWORK해서 조립하기 때문에 동일한 생산량인데도 현장은 그만큼 바빠지는 것이다. 또한 A라는 부품의 불량 원인을 조사하여 조치를 취하고 있는 것이 아니므로 몇 차례이고 A라는 부품이 불량이 되는 Trouble이 재발하게 된다. 즉 현장은 분주하게 작업을 하고 있는 것처럼 보이지만 A라는 부품 불량의 그 뒷처리에 쫓기고 있는 것에 지나지 않으므로 본질적으로 작업이 분주해진 것은 아닌 셈이다. 따라서 생산량도 작업의 분주함에 비례하지 않는다.

➡ 이 사례에서 A라는 부품이 REWORK을 할 수 없다든지 REWORK을 할 수 있더라도 COST가 높아질 경우에는 이번에는 B라는 부품을 변경시켜 특별 생산하게 함으로써 조립공정에 지장을 없애는 행위도 이루어진다. 대부분의 관리자나 돌팔이 품질 혁신 요원들이 자주 쓰는 방법인데 이 방법으로도 Trouble의 외견상 처리는 이루어지는 셈이다. 이 경우에도 위의 경우와 마찬가지로 A 라는 부품의 불량 원인을 조사하여 불량이발생하지 않도록 조치한 것이 아니기 때문에 시간 경화와 더불어 동일한 Trouble이 재발하게 된다.

이 사례에서 Trouble을 처리하기 위해서는 A라는 부품이 왜 불량품이 되었는지 그 원인을 조사하여 두번 다시 동일 원인의 불량품이 재발하지 않도록 조치를 취함과 아울러 이미 생산되어진 불량품에 대해서는 REWORK를 해서 사용해야 한다.
전자의 처리를 Trouble **재발방지를 위한 조치 또는 항구대책**이라고 하며, 후자의 처리를 **Trouble 그 자체의 처리 또는 응급대책**이라고 한다.

➡ 생산관리 사례로 생각해보자. 어느 조립 공정에서 LINE이 정지되었다고 하자. 그 직접 원인은 어떤 부품의 결함 때문이었다. 이 부서의 관리자는 신속하게 부품이 입고되도록 독촉을 하거나 경우에 따라서는 상대방 부서 또는 수입(受入)을 맡고 있는 부서로 달려가서 운반공 역할을 대신 해서라도 좀더 빨리 LINE이 돌아가

도록 노력하여 LINE이 멈춰있던 시간분 만큼 잔업을 시켜서 생산량을 확보하려고 한다. 어쨌든 생산량이 확보되면 Trouble은 해결된 셈이다.

이처럼 생각하고 있는 관리자나 품질혁신 요원들이 많이 있다. 따라서 LINE이 정지되어 있는 시간이 적을수록 능력 있는 관리자로 자신도 생각하게 되고 다른 사람들도 인정하는 경우가 있다.
이 관리자는 독촉부서와 운반부서의 일을 하고 있는 셈이지 관리자로서의 제 역할을 하고 있는 것은 아니다. 회사는 이런 일을 하도록 지금과 같은 IMF 상황에서 높은 급여를 지급하고 있는 것이 아닐 것이다. 이런 관리자가 있는 회사는 그다지 높은 급여를 지불하지 않고 있을지 모르지만 이런 TROUBLE 처리 밖에 하지 못하고 있는 공장에서는 조립에 필요한 부품은 또 여러 종류가 있기 때문에 계속해서 그 부품들이 결함이 될 불안감 때문에 관리자는 매일처럼 독촉과 운반 업무에 쫓겨서 관리자로서의 일은 아무것도 할 수 없게 되고 만다. 그런 가운데 생산계획에 나타나 있는 생산량을 확보할 수 없다고 하는 TROUBLE이 생겨 날 것이다.
생산관리를 담당하고 있는 부서에서 여러 관련부서와 연락하거나 독촉을 취하지만 생산계획에 제시되어 있는 생산량을 확보할 수 없다는 것을 알게 되면 대부분 생산계획을 변경하거나 방치 해 버려 결과적으로는 생산계획이 변경된 형태를 취할 지 의 차이는 있으나 생산계획을 수정함으로써 Trouble은 외견상 사라지게 된다. 이와 같은 Trouble 처리를 하면 생산계획 변경이 잦아지고 생산계획 변경을 한 때문에 또 다른 부품이 결함이 되어 Trouble을 일으키는 악순환으로 생산현장은 더욱더 분주해진다. 더구나 1개월 정도 경과되면 최초의 계획은 달성치 못한 결과로 나타나는 수가 많다.

➲ 이 때 부품 결함이나 생산계획을 수정해야 하는 원인은 외주 공장이나 자사 공장의 공정능력이 부족한 때문이거나 생산계획 수립 방법이 좋지 않았거나 진척관리가 잘 되지 않게 되어있거나 판매계획이 갖추어져 있지 않았거나 무엇인가 근본적으로 생산관리 방법에 결함이 있는 것이어서 그 원인을 제거하지 않는 한 매월 동일한 사례가 되풀이되는 것은 당연하다.

그러나 그 원인을 조사하여 대책을 취하는 식의 Trouble처리를 하는 관리자도 있을 것이다. 이와 같은 처리를 하면 LINE이 정지되고 관리자가 운반공이 되는 것과 같은 Trouble은 일어나지 않게 된다. 전자의 Trouble처리는 현실적으로 생긴 사태의 수습처리이며, 후자의 Trouble 처리는 Trouble이 생긴 원인에 대한 처리라고 할 수 있다.

즉, 일상 당면하고 있는 Trouble에는

▶ 발생한 사태 수습을 하면 되는 것과

▶ 원인에 대한 대책을 취해야 하는

Trouble이 있으며 그 때

▶ 응급대책

▶ 항구대책

이 있는 것이다. 예를 들면 여성종업원이 결혼하기 위하여 회사를 퇴사하여 그 종업원이 담당하고 있던 작업을 해야 하는 Trouble이 생겼다고 하자. 다른 여성 종업원을 충원하면 Trouble은 수습되지만 충원되기까지 누군가에게 분담시켜야 한다. 이것이 응급대책이며, 충원하는것이 이 경우 항구대책이라고 할 수 있다.
같은 유형의 Trouble이 반복해서 발생할 때에는 Trouble 발생을 기다렸다가 수습하는 일은 어리석은 짓이므로 Trouble이 발생하지 않도록예방을 해 두어야 할 것이다. 즉 Trouble이 일어나는 원인을 제거해 두어야 하는 것이다. 바로 이런 개념의 품질 예방 활동이 지금 모 기업은 물론 협력업체에 요구되고 있는 것이다.

➲ 이 사례에서는 충원이 되기도 전에 회사를 사직해 버리니까 Trouble이 생기는 것으로 충원이 된 후 사직토록 하면 Trouble을 방지 할 수 있게 되므로 응급대책으로는 충원이 된 후 그만 두도록 하면 될 것이고 항구대책으로는 앞으로 회사를 그만 둘 때는 2주쯤 전에 사직 의사를알리도록 제도화하면 되는 것이다.

본 PAGE에서는 앞으로 Trouble 처리라고 하는 것은 반복해서 일어날 것으로 예상되는 Trouble의 재발방지를 위하여 그 원인을 제거하기 위한 조치를 의미하는 것으로 하겠다.
Trouble의 사태 수습이라든지 응급처리는 Trouble이 생긴 때에 당연히 해야 할 일이지만 본 PAGE에서는 거론하지 않기로 한다.

5-2. Trouble 발견 방법

➲ 병에는 급성과 만성이 있으며, 급성 병은 발열 또는 통증을 느끼는 증의 자각증세가 있어서 곧바로 의사에게 치료를 받을 수 있으나 만성적인 병은 점점 악화되어

도 본인이 병이라는 자각증세가 없으므로 발병 후 시일이 지나 증세가 악화하기 전에는 의사에게 치료를 받지 않으므로 중병이 되는 수가 많다.

공장 Trouble에도 급성과 만성이 있다. 급성 Trouble은 공정을 정지시키거나 손실을 입는 등의 자각증세가 있기 때문에 중대한 Trouble이되기 전에 어떤 형태로든 대책이 세워지는 것이 보통이다. 이것을 일상 업무라고 생각하고 있어서 아무런 Trouble 의식이 존재하지 않는 것이 보통이다.
따라서 Trouble을 제거하겠다는 의욕은 전혀 일어나지 않으며 자기회사는 Trouble이 없는 좋은 회사라고 생각하고 있을 수 있다. 이렇게 하는 동안 증세는 점점 악화되어 Trouble을 깨달았을 때에는 아무런 조치를 취할 수 없게 되고 마는 수가 많다. 새롭게 회사에 입사한 종업원이 1~2년동안은 회사의 여러가지 문제점이 지적하지만 어느 사이에 그 문제점에 익숙해져 버려 그 문제점이 당연한 것으로 받아 들여지게되고 아무런 지적도 하지 않게 되어 버리는 수가 많다.
이처럼 인간은 금방 환경에 동화되어 만성적인 Trouble을 느끼지 않게 되는 것이다. 따라서 만성적인 Trouble을 어떻게 발견해 낼 것 인가하는 점은 중요한 문제이다.

➲ 만성병에 걸려 있는지 여부를 알기 위해서는 DOCK에 들어가서 정밀검사를 받는다든지 건강진단을 받아야 한다. 공장의 만성적인 Trouble에 대해서도 마찬가지로 자주 건강진단을 하는 것이 필요하다.

집안에 오래도록 있으면 가스 냄새를 느끼지 못할 때라도 한번 밖에 나갔다 돌아오면 가스 냄새를 느끼는 것처럼 현장에 있는 사람에게는 평온 무사하게 보이는 일도 품질혁신 요원과 같은 제 3자가 보게되면 "이렇게 Trouble이 많은데도 잘도 태연한 얼굴로 일들을 하고 있구나" 하는 생각이 들때가 있다. 또한 다른 회사를 견학하여 비교해 보면 어째서 이런 서툰 방법으로 작업을 하고 있었을까 하고 깨닫는 수도 있다.
견학하는 이상은 무엇인가를 얻어서 돌아가겠다고 하는 마음이 없으면 아무 것도 깨닫지 못하고 지나쳐 버리게 된다. 또한 '회사의 장기 계획을 수립해 보면 1년 후에 회사는 이와 같은 모습이 되어야 하는데 지금 어떤 대책을 취해 두어야만 1년 후에 Trouble이 생기지 않을 것이다' 는 식을 장래 일어날 것으로 예상되는 Trouble을 찾아낼 수 있다.

◆ 이처럼 Trouble을 발견하기 위해서는

Trouble 발견 방법	착 안 사 항
1. 일상업무의 이상	관리도 등 SPC 개념하의 조기 발견체계 확립
2. 일상업무의 결과분석	일일 품질 결산 회의체 운영
3. 전문 기술적인 검토	설계, 생산기술 조직에 의한 기술 검토, Design Review
4. 타업체화의 비교	Benchmarking
5. 제 3자의 비평	모기업에서 파견된 품질혁신요원의 의견 청취
6. 장래 계획과의 대비	향후 목표나 추진계획과의 대조

등에 의한다. 고객의 요구는 항시 진보하고 있으며, 회사 자신도 경쟁에서 승리해 가야 하기 때문에 Trouble이 항시 발생하는 것은 당연하며 Trouble 없는 회사라는 것은 Trouble이 없는 것이 아니라 Trouble이라고 느끼지 않게 되어 있을 뿐이다. Trouble이 없는 것은 결코 좋은 회사가 아니라 항시 현 시점에서의 Trouble을 명확하게 파악하고 적절한 대책을 취하는 체계가 되어 있는 것이 중요하다. 즉, 어떤 방법으로 회사 내의 Trouble을 파악하려 하는 지를 문제시 해야 하는 이유가 바로 여기에 있다.

◆ 귀사에서는 사장은 사내 Trouble을 알고 대책을 취하도록 지시하고 있는지? 부서장은 부서내의 Trouble을 알고 대책을 취하도록 지시하고 있는지? 감독자는 해당공정의 Trouble을 알고 대책을 취하도록 지시하고 있는지? 사장은 사내에는 Trouble이 없다, 부서장은 부서내에 Trouble이 없다, 감독자는 공정 내에 Trouble이 없다고 생각하고 있는 것은 아닌지, 사장은 부서 내에 Trouble이 없다고 보고하는 부서장을 우수한 사람이라고 생각하거나 부서장은 공정 내에 Trouble이 없다고 보고하는 감독자를 우수한 사람이라고 생각하고 있는 것은 아닌지?

이와 같은 회사는 Trouble을 알았을 때에는 중병에 걸려 있어서 치료가 매우 어려우며. 대수술을 하지 않으면 안되게 된다. 병은 가벼울 때 치료하는 편이 낫다. 아울러 예방의학이 발달해서 병이 나지 않도록 하는 노력 덕분에 평균수명이 연장되어져 온 것이다. 기업의 Trouble에 대해서도 마찬가지이다.

5-3. Trouble의 종류

◆ 회사에서 일어나는 Trouble 종류는 많이 있으나 본 품질혁신 자료실에서는 Trouble 처리 방법을 설명함에 있어 다름 3종류로 구분하기로 한다.

Trouble 구분	
돌연변이형(돌발적인 문제, Sporadlc Rise)	품질관리(Trouble Shooting)
변동형	
만성형(만성적인 문제, Chronic)	품질개선(Break Through)

◆ 돌연변이형 Trouble이란 지금까지 좋던 것이 갑자기 나빠져서 그 상태가 지속되고 있는 Trouble이다. 작업자가 바뀌더니 불량이 많아졌다든지, 금형을 교체했더니 재작업이 늘었다든지, 장갑을 끼지 않았더니 불량이 심해졌다든지 돌연 나빠진 형태로 Trouble이 발생된다. 일상업무 중에서 이상이 되었다고 하는 점에서 돌연변이형 Trouble을 발견하게 되므로 깜빡 놓치는 일만 없다면 반드시 발견할 수 있는 Trouble이다. 그러나 갑자기 나빠졌을 때를 놓쳐서 나중에 알게 되었을 때에는 나쁜 상태가 지속되고 있는 식이 되면 돌연변이형 Trouble이라고 판단할 수 없게 될 것이다.

◆ 아무런 대책을 취하지 않았음에도 좋아지거나 나빠지는 식의 Trouble을 변동형 Trouble이라고 하게 된다. 즉, 항시 나쁜 상태가 계속 되는 것이 아니라 좋은 상태도 생기는 Trouble이다. 결과적으로 산포가 있으며, 이 산포가 있다는 점이 문제가 되는 Trouble이다. 예를 들면 LOT간에 산포가 있고 이 산포 범위내의 어느 범위에 LOT간의 산포를 억제할 수 있으면 문제는 해결되는 것과 같은 Trouble이다. 변동형 Trouble이라는 것은 어떻든 산포가 문제가 되는 것이다.

따라서, LOT 간의 산포를 어떻게 할 것인가 하는 Trouble은 물론이고 LOT 내의 산포, 위치간의 산포, 조직에 강한 부분과 약한 부분이 있는 것과 같은 산포, 인간의 장점, 단점과 같은 산포, 차량 판매 조건상 인천과 같은 강한 지역과 울산과 같은 약한 지역이 있는 것과 같은 산포, 각 개개인의 이해정도와 같은 시간적, 공간적인 산포 때문에 생기는 Trouble은 변동형이다. 변동형 Trouble을 해석하여 산포를 없애고 공정을 안정시키는 일은 관리자의 중요한 업무이다. 공장에서 일어나는 Trouble중에는 변동형 Trouble이 많다.

항시 나쁜 상태가 계속되고 있는 혹은 늘상 불만족한 상태가 계속되고 있는 식의 Trouble을 만성형 Trouble이라고 한다. 만성형 Trouble이 생기는 것은 그 곳 공장의 능력이 부족한 때문이며, 현재 방법과는 다른 더욱 좋아질 방법을 생각해 내어야만 Trouble이 해결된다.

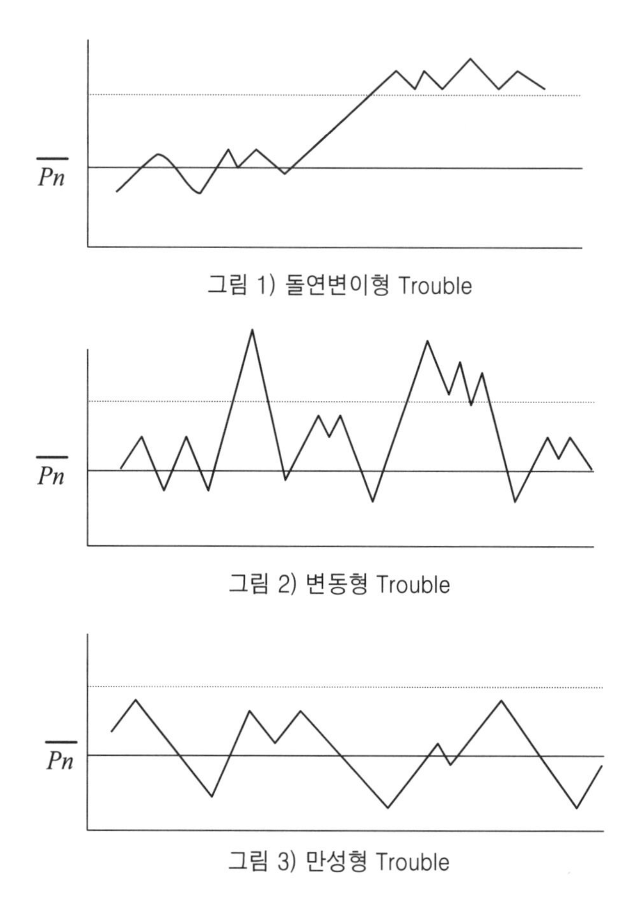

그림 1) 돌연변이형 Trouble

그림 2) 변동형 Trouble

그림 3) 만성형 Trouble

지금 Trouble 종류를 관리도로 표현해 보자. 그림 1)처럼 지금까지 관리상태에 있던 것이 갑자기 관리한계 밖에 튀어 나가서(이상이 되어), 그 상태가 지속되고 있는 것을 돌연변이형 Trouble이라고 한다.

그림 2)처럼 공정에 아무런 ACTION을 취하지 않았는데도 점이 관리한계 내에 있거나 관리한계 밖에 있는 산포를 이루고 있는 것을 변동형 Trouble이라고 한다. 이 때에는 정상적인 상태로 관리상태가 되도록 하면 Trouble은 없어진다.

그림 3)과 같이 관리상태가 되어 있어도 불량률이 항시 높다든지 능률이 항시

나쁘다든지 하는 무엇인가 요구를 만족시키지 못하고 있는 Trouble을 만성형 Trouble이라고 한다. 즉, 만성형 Trouble은 평균치가 문제가 되며, 변동형 Trouble에서는 산포가 문제가 된다.

➲ 우리는 어릴 적부터 평균치의 학문을 배우고 평균치적인 사고 방식에 익숙해져 와서 산포를 다루는 학문-통계학-은 그다지 배우지 못하고 산포를 고려한 즉 통계적인 사물의 사고방식 훈련을 비교적 받지 못했다. 이 때문에 Trouble은 모두 만성형 Trouble로 취급해 버리기 쉽다. 변동형 Trouble이라는 것을 정당하게 다루는 것이 습관적으로 곤란하다. 이것이 산포의 세계라고 생각해야 하는 기업체의 여러가지 Trouble 처리를 곤란하게 만들고 있는 원인이다.

➲ 따라서 만성형 Trouble은 비교적 테마로 삼아 해결되고 있으나 돌연변이형 Trouble 이라든지 변동형 Trouble이 해결되지 않고 남아있다가 만성화되고 나서 해결되어지는 것이다. 산포를 문제로 삼는 변동형 Trouble 처리를 할 수 있게 되는 것이 Trouble 처리에 능숙해지는 지름길이라고 할 수 있다.

➲ 환경조건이 돌연 바뀌었기 때문에 갑자기 이상(異常)이 되어 그 상태가 지속되고 있는 경우에는 앞서 설명한 정의에 의하면 돌연변이형 Trouble인데 환경조건의 변화가 불가피한 것이어서 원래대로 되돌릴 수 없는 경우에는 만성형 Trouble로서 평균치를 문제시하지 않으면 안되게 된다. 예를 들면 갑자기 생산량이 증가하여 이 때문에 결품이나 대기가 발생하였다면 현상으로서는 돌연변이형 Trouble인 것처럼 보이지만 내용적으로는 만성형 Trouble로서 능력이 부족한 공정의 능력을 높일 조치를 생각해야만 한다.

➲ 또한 이 문제는 시간적으로 보면 만성형 Trouble이지만 공간적으로 보면 능력이 남아 있는 공정과 능력이 부족한 공정이 있기 때문에 결품이나 작업대기가 생기는 것이어서 전부 능력이 동일하고 능력이 부족하지 않다면 결품이나 작업대기는 생기지 않고 생산량이 달성되지 않을 테니까 공간적으로는 변동형 Trouble로 생각할 수 있다.

➲ 이처럼 돌연변이형, 변동형, 만성형으로 Trouble을 3가지로 크게 구분하였는데 하나의 Trouble 문제를 해결하기 해서 어떤 형태로 결정해야 할 경우가 있다. 이

와 같은 때에는 변동형 Trouble로서 문제를 다루도록 하면 Trouble 처리에 있어서는 가장 유리하다. 공장에서 Trouble은 모두 만성형 Trouble이라고 생각해 버리는 사람이 너무 많기 때문에 주의하기 바란다. Trouble을 가능한 한 변동형 Trouble로서 취급할 수 있게되는 것 즉, 산포의 어떤 현상으로서 파악할 수 있는 능력을 갖는 것이 업체의 관리자나 품질혁신 추진 요원들에게 있어 중요한 일인 것이다.

참고 : INTERNET 자료

제 6 장 PCB 설계문제점 사례 (CAD & CAM 비교)

① DATA의 기본구성

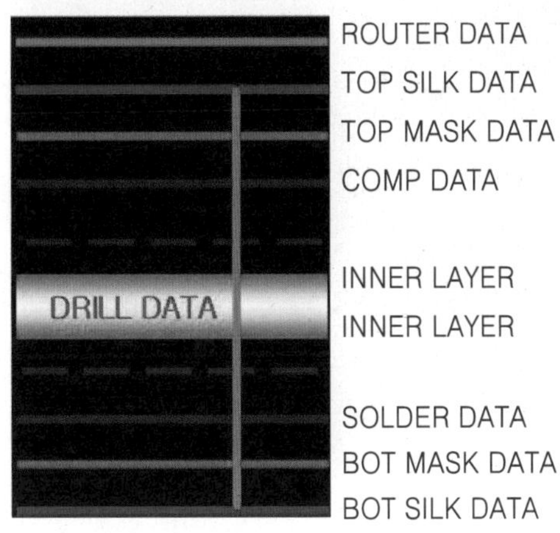

APERTURE LIST : GERBER DATA의 기본정보를 포함한 DATA
(DCODE / SHAPE / SIZE / 개수)

DRILL REPORT : DRILL종류와 SIZE 그리고 공차 및 사용개수에 대한 정보(전체드릴 & 층간드릴)

기구도(PDF&DXF) : 외형도 및 사용포함 (DRILL SIMBOL을 포함하는 경우도 있슴)

NC DRILL(EXCELLON) : DRILL가공을 위한 DATA로 DRILL좌표를 나타냄

SILK DATA : 부품의 기호나 형태를 나타냄

MASK DATA : PSR 인쇄영역 또는 부품의 실장부위 표면처리 정보를 가지고 있슴

OUT LAYER : 외층데이타로 부품의 실장형태부분(단면 & 양면 실장)

INNER LAYER : 내층 데이타로 SIGNAL과 Ground층으로 구분(대칭)

ARRAY DATA : PCS DATA를 접수된 경우 제작을 위해서는 정확한 수치가 기록된 도면이 접수되어야 함

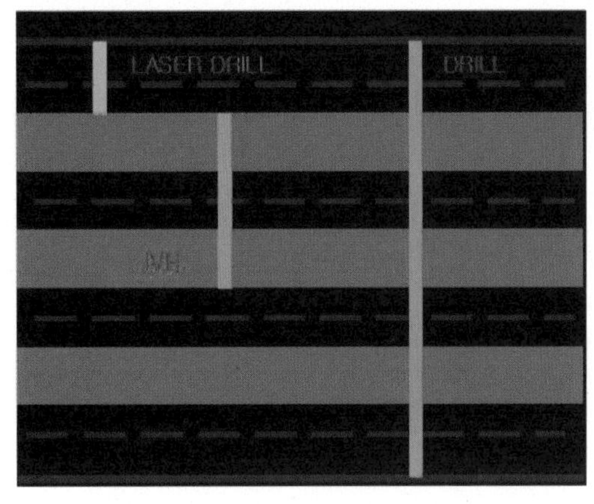

NC DRILL의 분리 : 전체 드릴과 층간드릴을 분리하여 접수되어야 함. 가공순서에 따라 관통드릴 IVH 드릴 Laser 드릴로 구분하여 전체 관통 드릴의 경우 도금의 유무에 따라 PTH & NPTH로 분리되며 DRILL REPORT와 병행하여 진행하여야 하므로 공차가 표기된 Report도 첨부되어야 한다.

② DATA의 In-Put

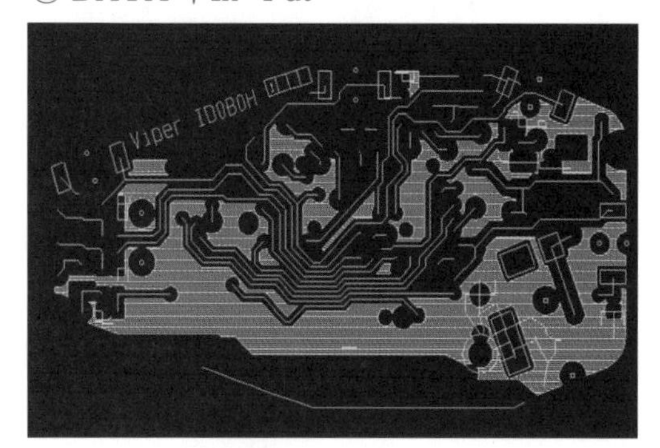

RS-274D FORMAT : Aperture 분리 접수로 data의 정보를 포함하지 않은 DATA (DATA IN-PUT 시 수동설정 필요함)

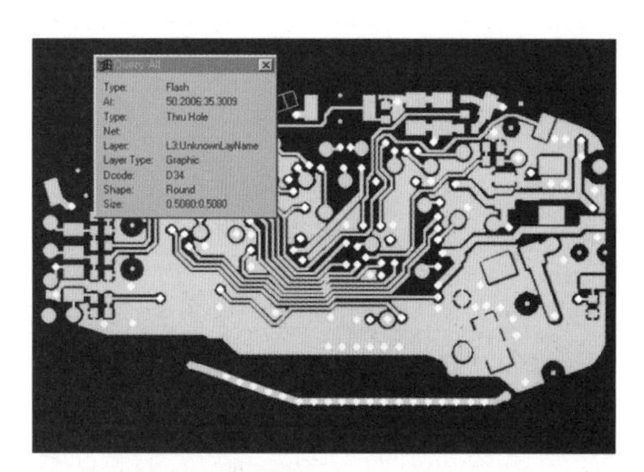

RS-274X FORMAT : Aperture 통합 접수로 data의 정보를 포함한 DATA (어떤 Program이든 자동으로 설정 IN-PUT)

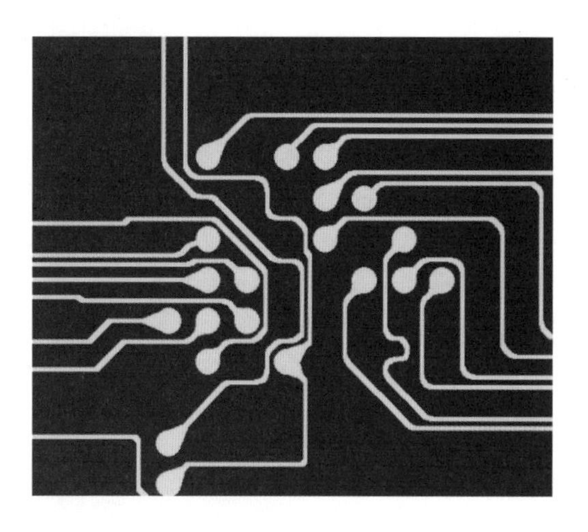

RS-274X FORMAT : IN-PUT D-CODE에 APERTURE를 입력한 상태로 모양과 크기가 비로소 나타난다.

예)D-CODE / SHAPE / SIZE…….10 / ROUND / 1.0 (단위 mm)

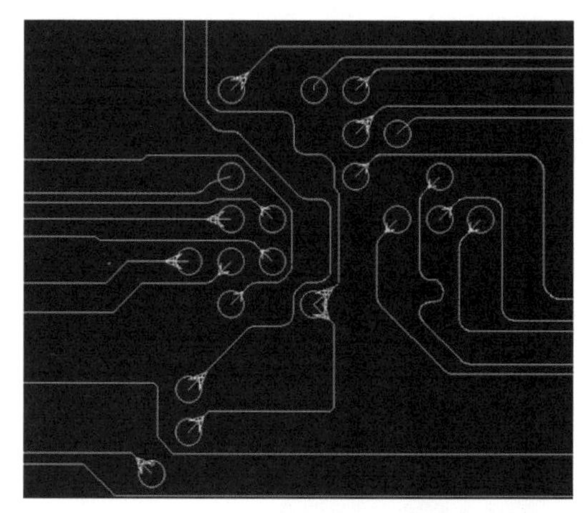

RS-274D FORMAT : D-CODE 만 FORMAT에 맞게 IN-PUT한 상태로 위치 및 길이는 형성되나 모양과 크기가 없다.

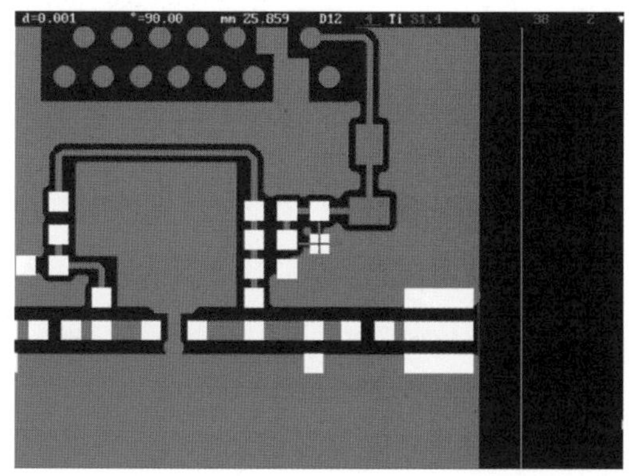

문제가 되었던 GERBER DATA상의 SMD PAD 모습 : 보기는 CAM PROGRAM 상의 모습으로 작업 진행시 전혀 문제가 되지 않아 보임

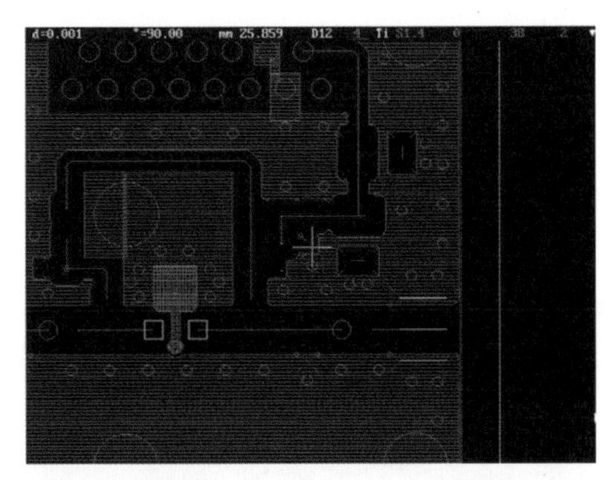

문제가 되었던 GERBER DATA상의 SMD PAD 모습 : APERTURE의값을 제거하고 D-CODE의 값으로 본 그림으로 PAD의 위치는 거의보이지 않음

(그림에서와 같이 모니터상에서 표시되는 내용에는 전혀 이상이 없이보이나 PLO-TTER에서 출력할 경우 D-CODE의 사이즈가 작아 필름이출력되지 않음)

③ APERTURE의 중요성

Report Dcode

Project file: c:\1\샘 플 1.pcb

Date: Thu Nov 27 15:48:03 2003

Aper #	Dcode	Type	Size	# Flashes	# Draws
4	13	Round	0.0508:0.0508	0	75
5	14	Round	0.3002:0.3002	261	371
6	15	Round	0.1001:0.1001	0	1191
7	16	Round	0.2002:0.2002	0	1602
8	17	Round	0.8001:0.8001	4	67
9	18	Round	0.4999:0.4999	2	290
10	19	Round	0.1499:0.1499	207	17026
11	70	Round	0.0798:0.0798	0	75
12	71	Round	0.7498:0.7498	4	82
13	20	Round	1.0003:1.0003	39	0
14	21	Round	0.5999:0.5999	8	0
15	22	Rectangle	0.5999:0.4999	56	0
16	23	Rectangle	0.4999:0.5999	152	0
17	24	Rectangle	1.0998:0.4999	4	0
				1773	44989

All Layers

Undefined Only　Save　Print...　Close

APERTURE란 : GERBER DATA의 기본정보 (D-CODE/SHAPE/SIZE)를 포함한 DATA로 OUT-PUT 방법에 따라 하기와 같이 분류된다.

RS-274D FORMAT / APERTURE 분리

RS-274X FORMAT / APERTURE 통합

APERTURE LIST : D-CODE 에 대한 형태 및 사이즈를 나열한 REPORT

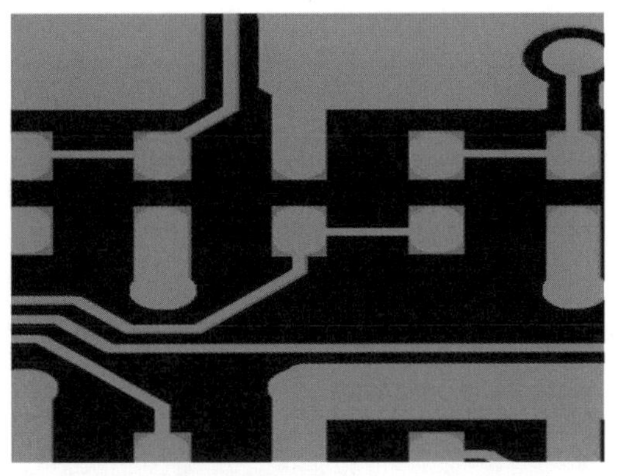

APERTURE의 기입 MISS : APERTURE를 잘못 입력한 경우 SMD의 형태가 달라지게 되어 전량 불량 발생함

④ DATA에 표시되는 SMD PAD의 Gerber 형태

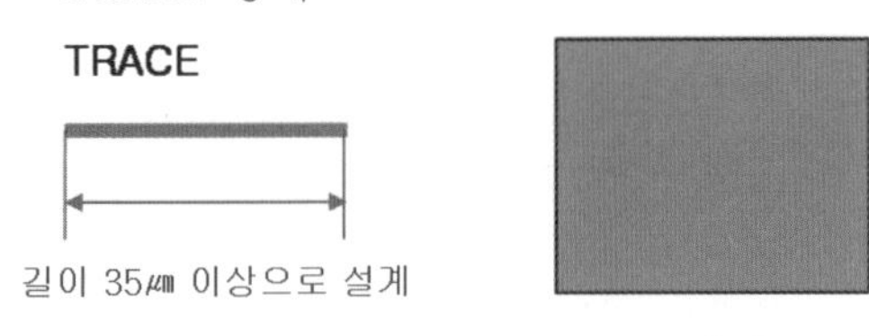

TRACE SQURE : D-CODE로 표기되는 형태 (APERTURE 제거) 길이가 최소 0.035 mm이상이 되어야 PLLOTER에서 인식후 출력 가능함

FLASH

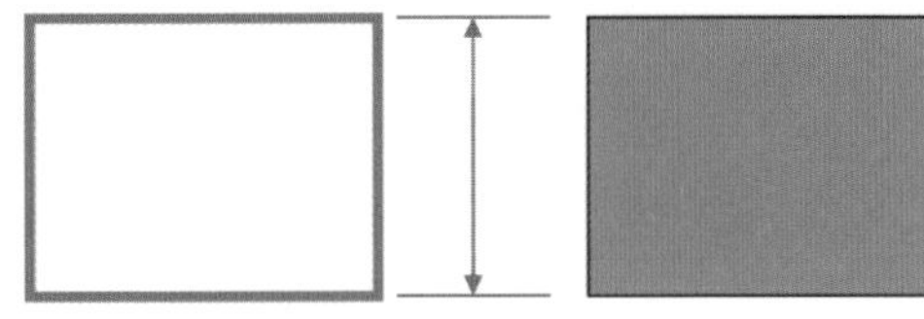

굵기 20㎛ 이상으로 설계

FLASH SQURE : D-CODE로 표기되는 형태 (APERTURE 제거)APERTURE 상 X

축과 Y축이 따로 SIZE 가 적용되어 있는 형태로 20㎛ 이상의 SIZE는 모두 출력가능

⑤ DATA의 ERROR

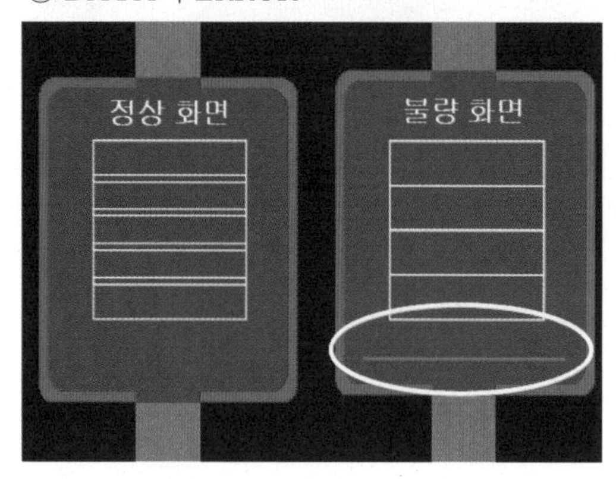

FLOTER ERROR 위험 요소 : GERBER에서 TRACE가 1:1로 SMD구성시 필름출력과정에서 ERROR 발생할 위험이 있슴.

- 설계시 TRACE를 겹치게하면 안전하게 필름출력을 할수 있슴.

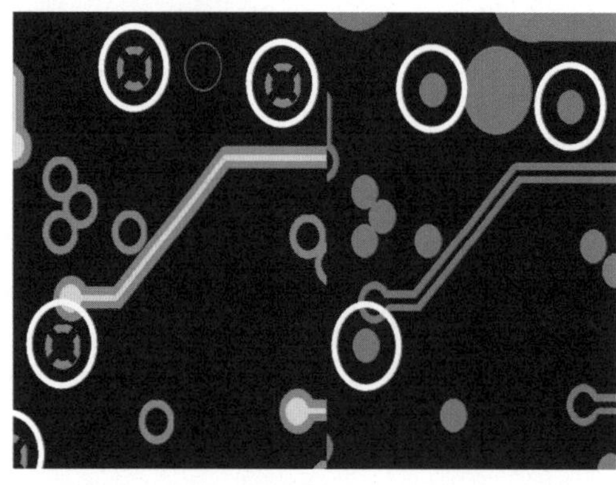

APERTURE의 오기입 :
THERMAL의 형태가 CLERANCE로 기재됨에 따라 THERMAL이 CLEARANCE로 바뀌어 모두 OPEN 진행 됨

- 내층으로 수리불가하며 전량 폐기 처분함
- 대책으로는 DATA접수를 RS-274X 로 접수받아 작업하면 해결됨

⑥ DRILL 누락의 검토요령

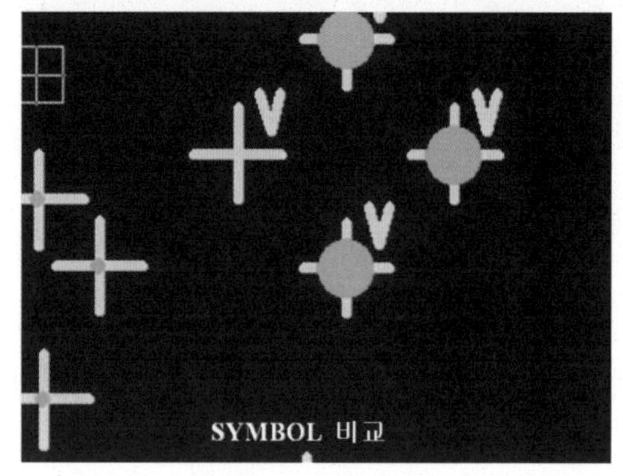

DRILL의 누락체크 : GERBER DATA상의 드릴 누락여부는 드릴과 Simbol을 동시에 띄워 누락부위를 체크한다. 단점으로는 많은 시간이 들어가므로 납기 대응에 불리하다.

- ART-WORK 진행시 검토후 당사 데이터 접수 필요함

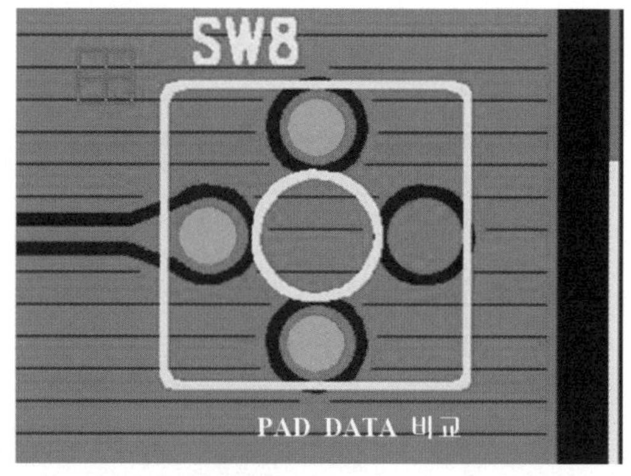

DRILL의 누락체크 : 드릴과 외층패드와 동시에 띄워 PAD는 존재하나 DRILL이 없는 경우 SILK의 형태로 미루어 누락됨을 짐작한다.

- USER의 승인하에 삽입함을 원칙으로함 (임의 삽입 절대 금지)

⑦ DRILL 누락의 검토요령(2)

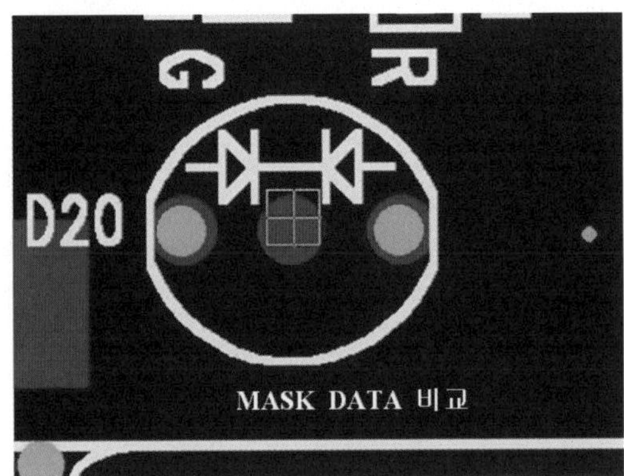

DRILL의 누락체크 : SILK와 MASK 그리고 DRILL을 겹쳐서 MASK OPEN 부위를 확인하고 부품의 형태를 비교하여 누락을 체크함

- DRILL의 삽입은 USER의 승인하에 이루어 진다.
  GERBER DATA 수정을 의뢰함.

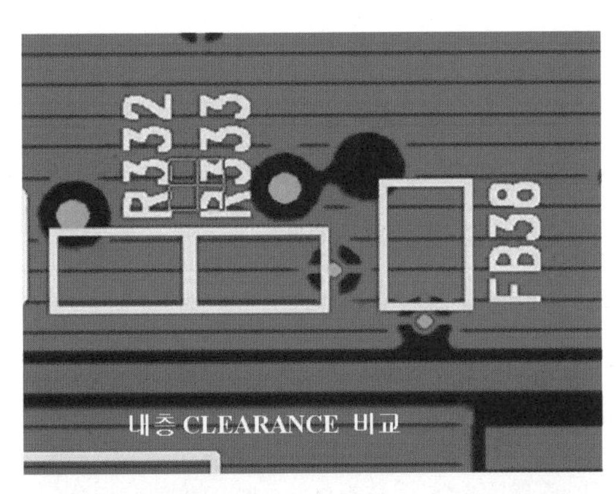

DRILL의 누락체크 : VIA의 경우는 MASK가 OPEN이 되지 않을 경우가 있으므로 PAD 및 내층의 CLEARANCE를 근거하여 누락 유무를 확인함 SILK상으로도 VIA의 누락은 찾을수 없음.

위의 그림은 내층 CLEARANCE의 형성으로 누락을 확인함.

- USER의 승인하에 드릴을 삽입한다.(내외층 PAD의 누락 유무체크)

⑧ MASK 누락 및 식자 MIRROR

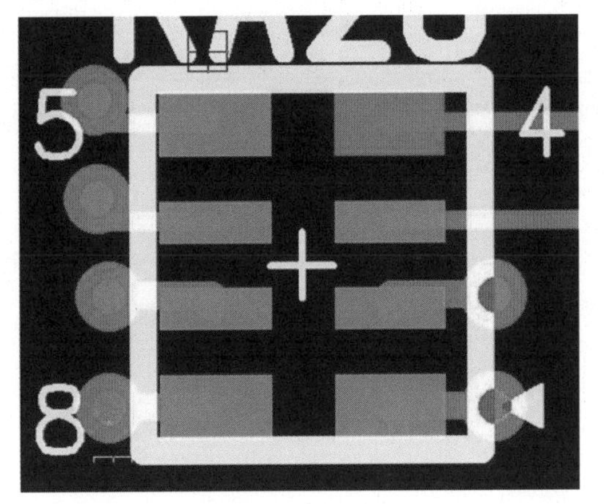

MASK 누락 CHECK : 외층의 SMD와 Silk를 겹쳐서 비교할 경우 SMD의 1 POINT가 누락됨을 알 수 있다.

- CAM EDITOR가 사양관리의 지시에 따라 삽입 보정진행

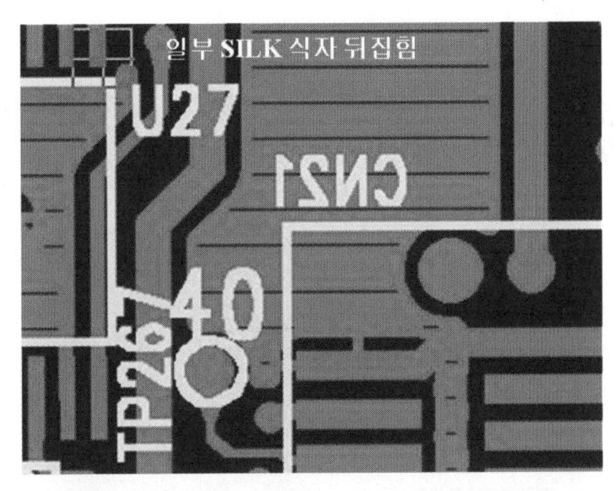

부품식자의 MIRROR : SILK LAYER의 부품식자 및 기호를 육안으로 MIRROR됨을 찾는다. PROGRAM으로 CHECK는 불가함

- TOP & BOT 면 모두 검토하여야 하며, 상기 항목은 승인과정 없이도 진행 할 수 있으나 고의로 MIRROR하는 경우도

있으므로 사양관리자의 판단에 의해 문의항목으로 채택됨.

⑨ MASK 누락 CHECK

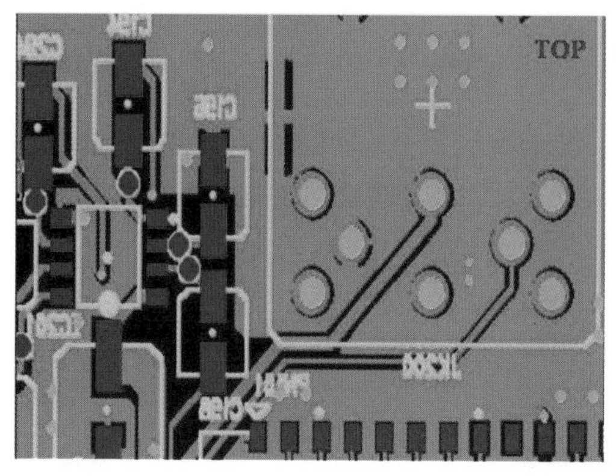

MASK 누락 체크 요령 : HOLE TYPE 형태의 부품이 실장되는 TOP쪽에는 SOLDER MASK PAD가 형성되지 않아 CAM 작업시 생성해야 함.

- MASK 누락시 PSR 도포로 인해 HOLE 속 INK 삽입은 물론 부품의 실장이 되지 않음 (부품홀인경우)

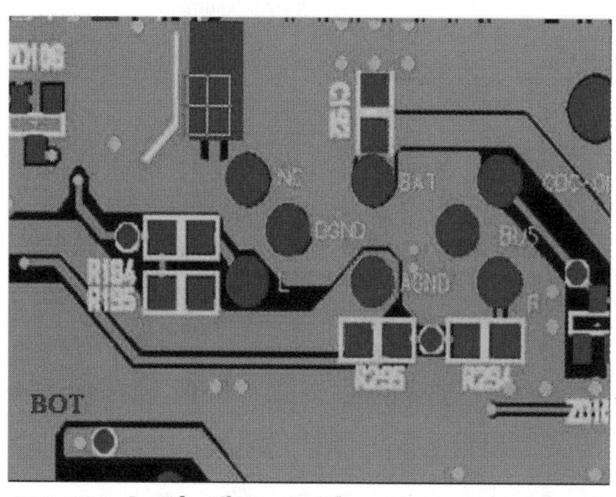

MASK 누락 체크 요령 : HOLE SIZE가 VIA로 보기는 큰경우 SILK를 띄워 부품기호나 부품명을 확인후 PTH임이 확인되면 TOP&BOT의 MASK를 동시에 띄워서 MASK PAD의 누락을 확인 USER에게 통보하여 생성유무를 확인후 CAM 수정사항으로 기록한다.

- 투입후 발견되는 경우는 SPEC변경의뢰서를 배포하여 DATA를 수정한다. (GERBER MISS)

⑩ 식자 누락과 동노출

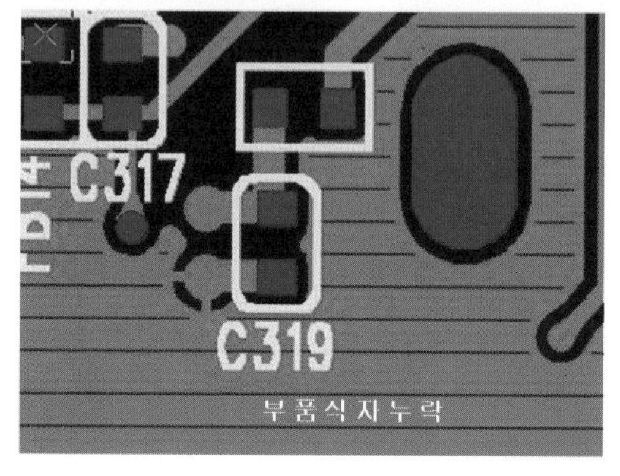

부품식자누락 :
보기의 부품식자가 1 Popint만 누락되어 접수됨상기내용은 사용하지 않는 부품일수도 있으므로 또 부품의 기호가 알수없으므로 반드시 담장자의 확인후 투입진행한다.

- 보드가 작고 SMD가 밀집되어 식자 누락을 찾기 힘든경우가 많음

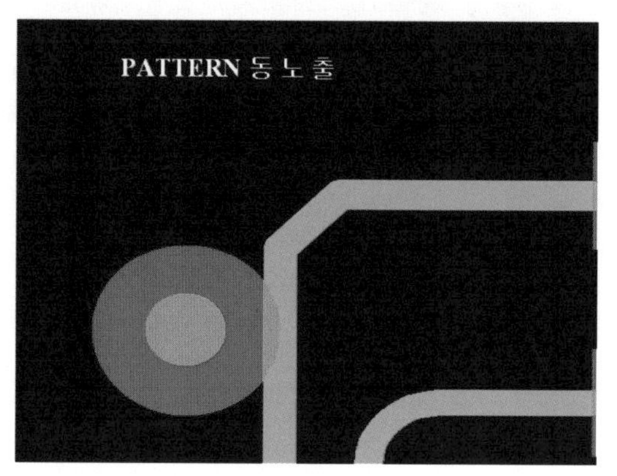

PATTERN 동노출확인 :

DATA상의 MASK와 PATTERN의 100㎛ GAP이 필요하나 사실상의 보드크기와 드릴의 밀집도를 보았을때 100㎛미만의 DATA가 많음

➲ MASK의 SIZE로 진행하여 회로의 동노출을 방지한다

⑪ SPEC 변경 후 확인 MISS

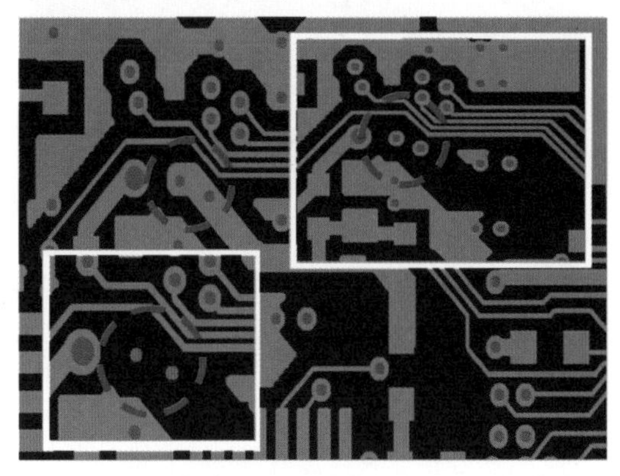

GROUND안에 PAD누락 : SPEC변경적용 MISS 로 회로만 삭제되어야 하는데, 회로속에 VIA PAD까지 삭제되어 HOLE속 도금처리 되지않아 불량 발생됨.

➲ 설계 시 GROUND안에 VIA도 PAD를 형성시켜 GROUND를 제거하더라도 PTH가 되도록 하여야 함

회로의 단선 : PATTERN이 GROUND에 연결된부분은 MIN PATTERN에 걸리지 않으므로 SPEC에 미달되어 투입될 확률이 높음 좌측모델은 60㎛의 회로이지만 GRO-UND로 인식하여 보정이 들어가지 않아 최종 제품은 회로가 모두 부식되어 Open 됨

➲ ART-WORK 설계시 회로 보정이 반드시 필요함

⑫ 양산 SPEC 미달

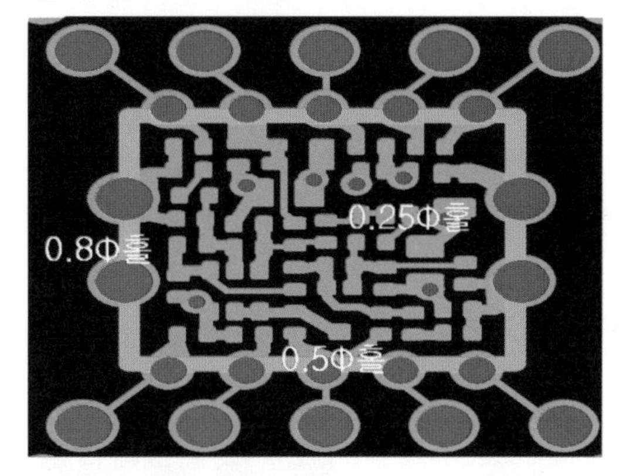

ANNULAR RING 미확보 : 보기는 VCO 보드로서 3종류의 DRILL이 사용되었으나 당사 양산 SPEC의 ANNULAR RING에 모두 못 미치는 SPEC으로 접수됨

➲ 접수 공차를 적용하여 DRILL 의-보정이 불가피함

1. 홀 0.25 ϕ 에 Pad 0.45 ϕ ⇒애뉴어링 100㎛
2. 홀 0.5 ϕ 에 Pad 0.75 ϕ ⇒애뉴어링125㎛
3. 홀 0.8 ϕ 에 Pad 1.0 ϕ ⇒애뉴어링 100㎛

(상기 홀size는 Finish값 임)

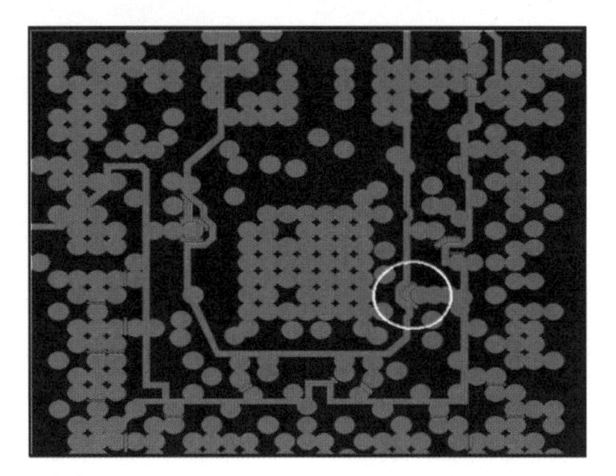

내층 BGA OPEN : DATA의 합성식 진행중 1 POINT가 SCRATCH 진행되어야 하나 MERGE가 되어 SHORT 부분이 OPEN 발생함

- GERBER DATA 접수시 RS-274X FORMAT으로 접수되어야 하며 최대한 LAYER수 를 줄여서 접수되어야 한다

⑬ 장공홀 처리 MISS

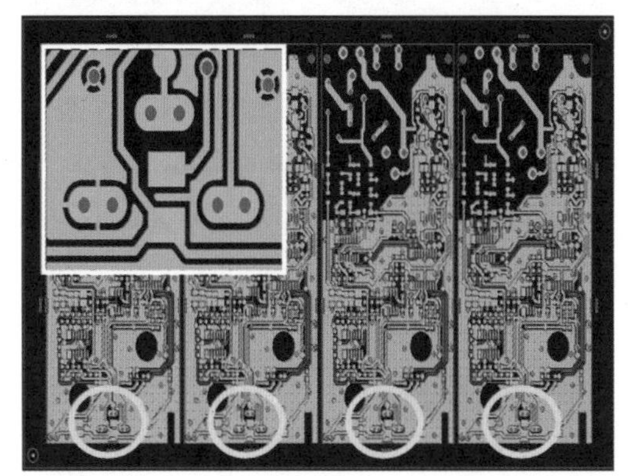

DRILL과 PAD의 형태 비교 : 작업자의 경험상 DRILL 과 외층 LAND의 형태로 미루어 장공을 의심하여 작업을 하여야함. 다음과 같은 모델은 반드시 특기사항으로 장공홀사이즈와 개수가 포함되어 접수되어야 함.

- LAND의 형태가 100% DRILL의 형태를 좌우할수는 없슴
- 장공홀에 대한 SPEC을 DATA발송시 첨부하여야 한다.

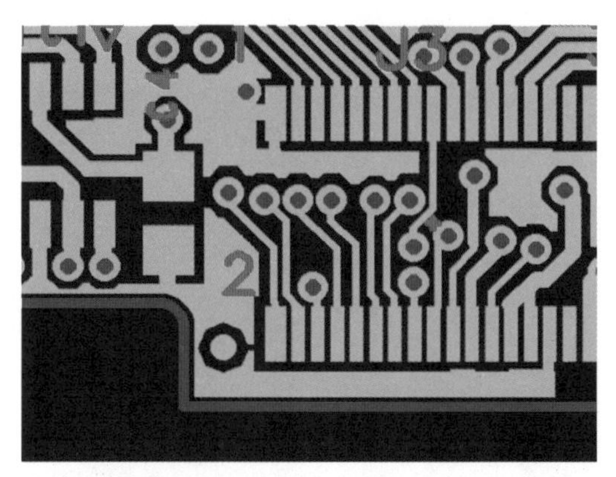

회로 단락 : 외형가공시 동노출을 우려하여 SCRATCH진행 중 회로연결부분이 40㎛으로 축소되어 외층부식 진행 시 모두 사라져 OPEN 됨

- 외형가공시 동노출위험 방지 SCRATCH 최소 200㎛부분은 회로를 보정하여 진행하거나 내층으로 연결을 시켜줘야함

⑭ 제품 외형불량

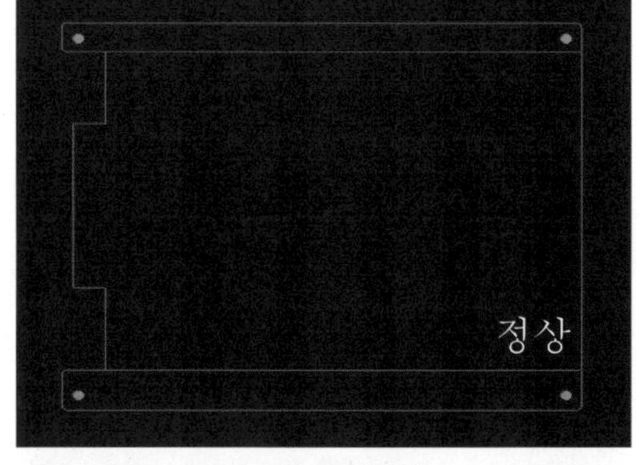

ROUTER DATA(외형)누락 : GERBER DATA상 외형 DATA의 누락으로 제작시 확인 MISS로 불량발생

- 제품의 외형이 반드시 DATA로 접수되

어야 함

- 확인용 외형도(기구도)도 공차 표기하여 접수되어야 함

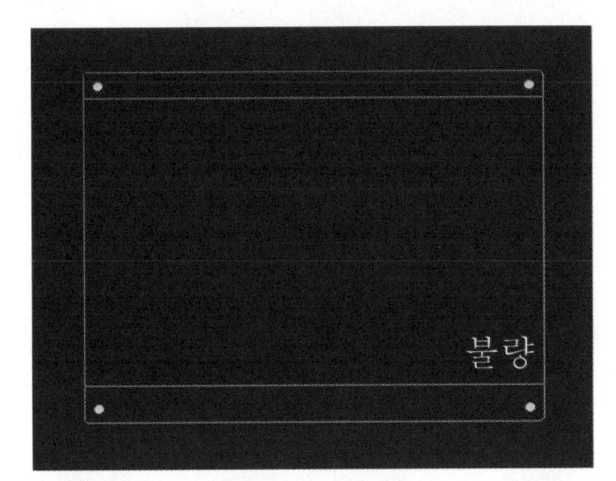

CAM EDIT 과정 : V-CUT 2회 표기는 DATA안에 표기되어 DUMMY 부분의 SPEC은 누락되지 않고 적용이 되어 있으나 제품부 ROUTER 부분은 내외층 및 MASK & SILK안에도 아무 내용이 없어 사각 가공 진행함.

- 수정진행후 비교 검도할 데이터가 없어 반드시 제품 승인의 과정을 거쳐 양산 진행하여야 함.

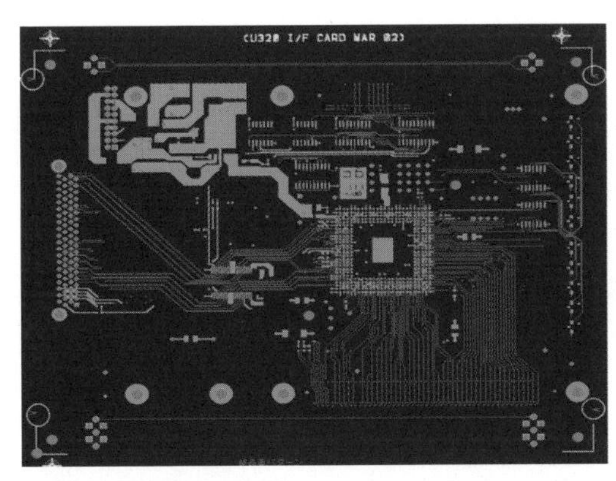

제품 외곽의 모습 : GERBER DATA로 따로 접수되지 않고 LAYER에 외곽의 형태만 들어온 경우는 사각의 모서리 외에도 내부 각진부분에 모두 표시가 되어야 한다.
그림의 경우 네 모서리부분만 표기되어 연장선을 이어 외곽을 추정한다.

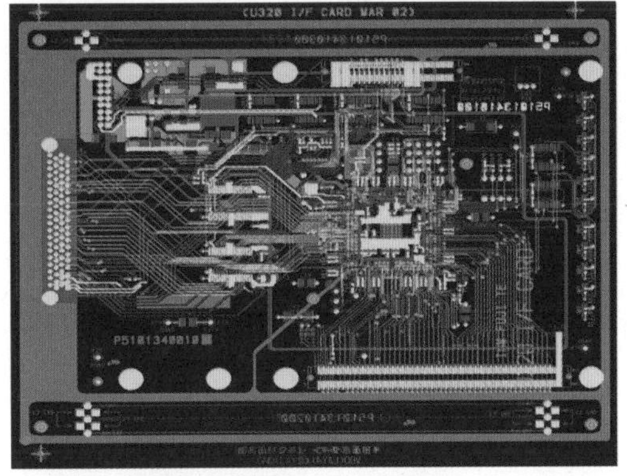

제품 외곽의 모습 : 외형 DATA가 접수되지 않는 경우 (DATA 추정근거)

- 보기 왼쪽의 경우 외곽의 윤곽과 V-CUT위치 표기는 되어 있슴

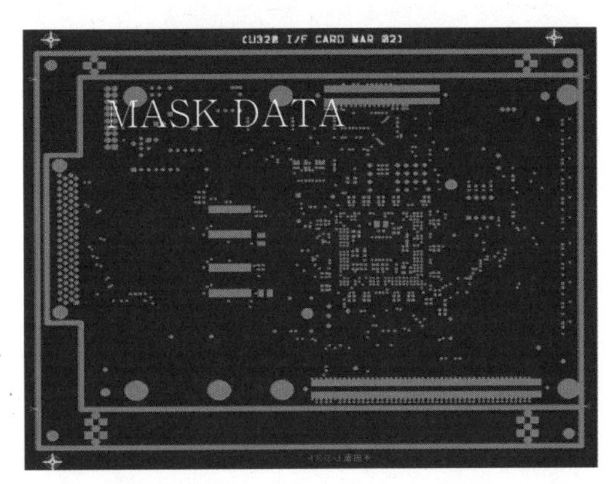

제품 외곽의 추정 : MASK에도 외곽의 형태가 제품의 형태와 같지 않음 V-CUT LINE에 MASK가 부분 OPEN 되어 있지 않음.

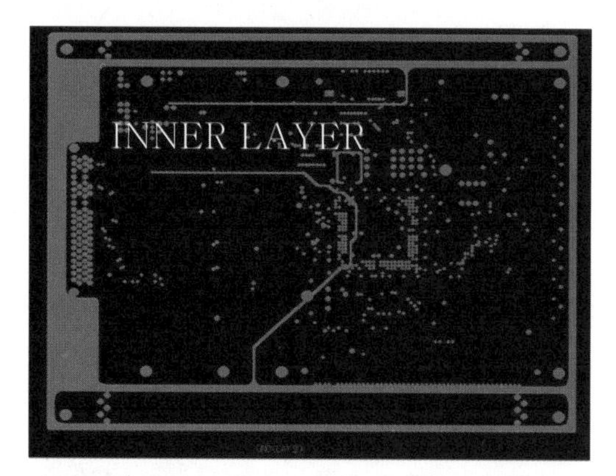

제품 외곽의 추정 : 내층의 GROUND 부분에 EPOXY가 넓게 형성되어 CUTTING되는 부분으로 보기 힘듬

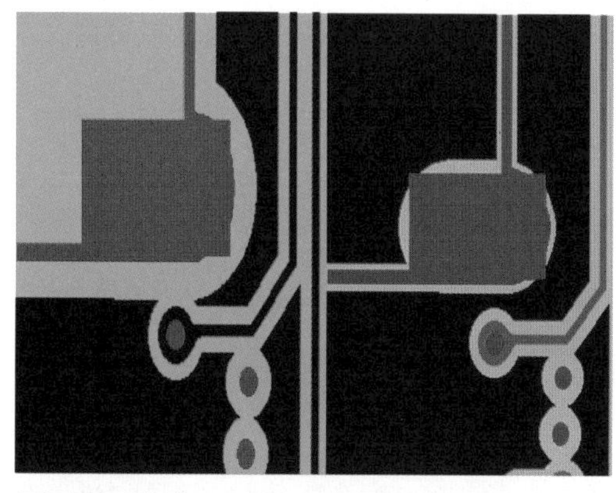

동노출 방지 EPOXY처리시 OPEN : 외곽 ROUTER진행시 300㎛ 동박컷팅 진행시 OPEN 발생함.

- 생산 SPEC에 맞는 설계가 요망됨 (외형공차 ±0.2mm)

⑮ **PAD 보다 MASK가 작게 OPEN 된 경우** : MASK 편심으로 인한 PSR INK 올라탐으로 불량율이 높아지며 BBT CHECK 시 ERROR POINT 발생의 확률이 높다.

- MASK를 PAD 보다 크게 OPEN시킴을 원칙으로 요망

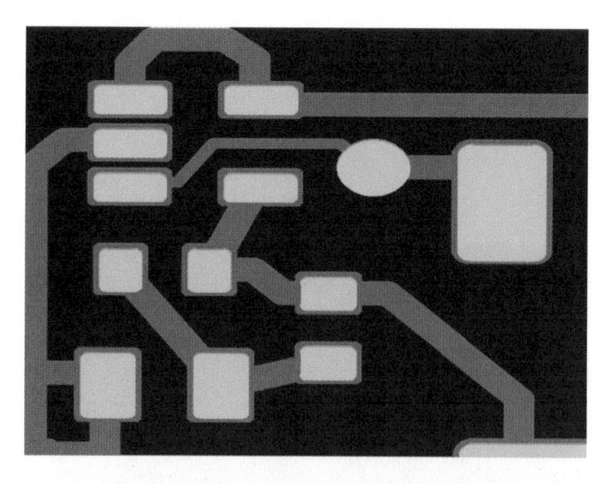

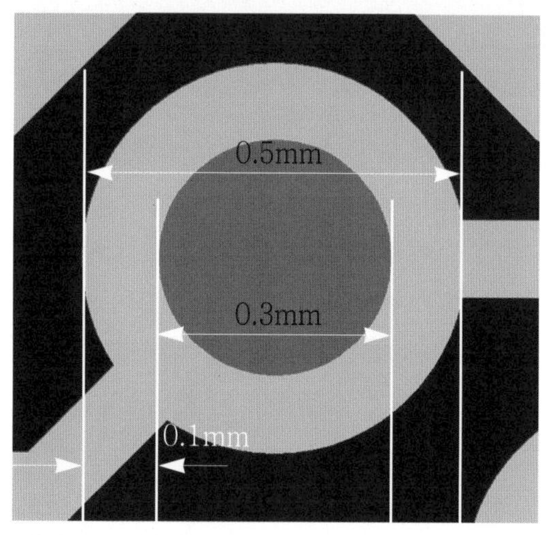

양산수율 저하요인 : 0.3 ϕ VIA홀을 0.25 ϕ로 축소하여 ANU 100㎛을 125㎛으로 확보 작업하여 홀터짐 불량을 방지 하고자 합니다….

- 단점 : 0.25파이 드릴 사용 시 단가 상승함. (현재 GERBER DATA로는 VIA홀의 PAD보정 불가함)

⑯ **SPEC 변경후 DATA 검토 MISS** : SILK 식자 추가의 SPEC변경접수후 적용 DATA와 연관된 검토 미흡으로 SMD에 MARKING 올라탐.

- SPEC변경후 반드시 연관 LAYER 검도

가 필요함.

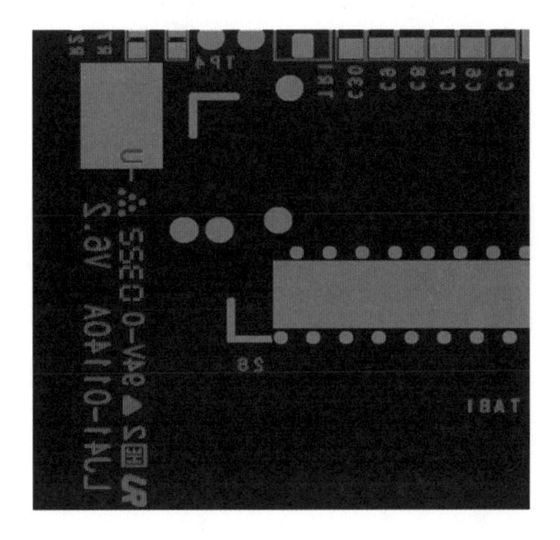

⑰ DATA 검토시 문제점

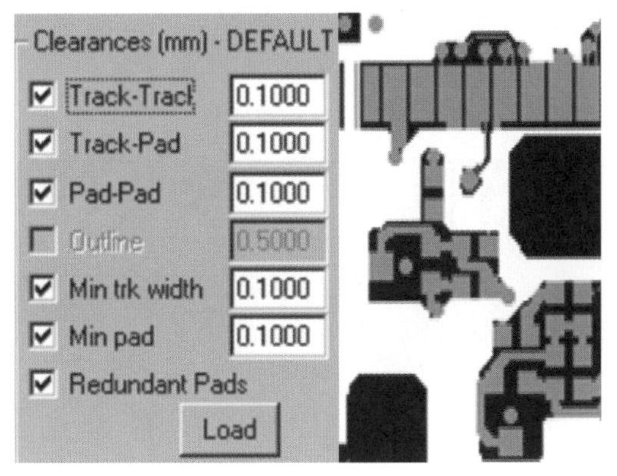

DRC(최소회로체크) : 최소 회로 및 최소 회로간격 체크시 GROUND 부분의 DCODE가 체크되어 사실상 체크가 이루어 지지 않음.

- GROUND부분은 DCODE를 따로 분리하여 작업한다

기구도 해석 MISS : 두개 ARRAY 되는 모델의 더미부가 서로 상이함대칭으로 생각하고 27mm적용하여 불량 발생함. 전체 사이즈와 부분사이즈의 정확한 해석후 달리적용해야함.

- 상기와 같은 보드는 특기사항으로 더미의 사이즈에 대한 주의를 표기해줘야 함

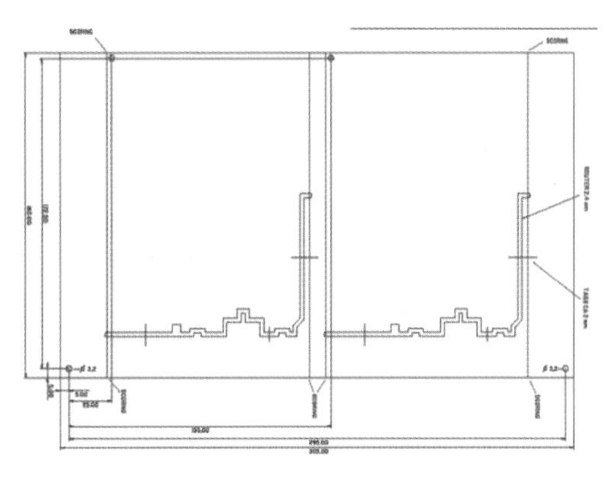

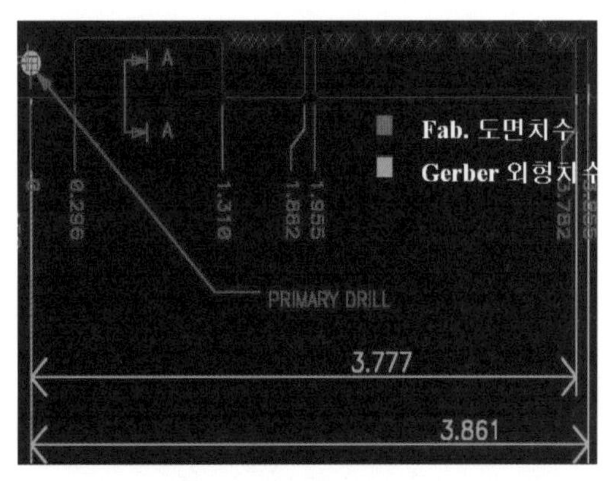

DATA와 도면이 상이한 경우 :
Fab Drawing의 외형 수치가 실제 Gerber의 외형 Line 형성 시 적용되지 않음

- Fab 도면을 기준으로 Artwork시 적용이 안된 경우. 실제품은 Gerber외형 기준으로 처리됨(고객 담당자 협의)

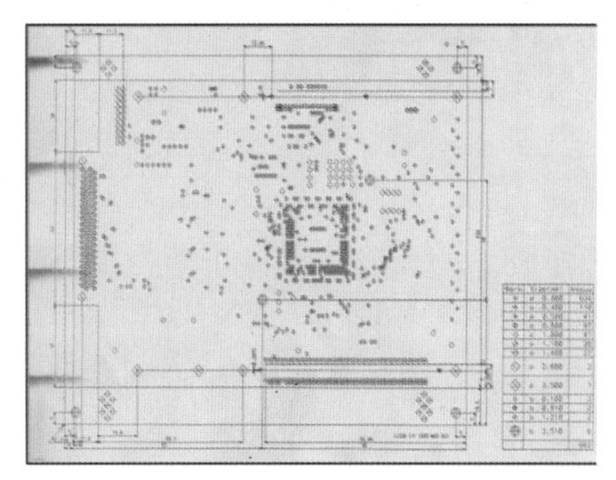

기구도 외곽과 사이즈 표기식자의 선 굵기 : 기구도에 치수를 표기하는 LINE과 외형 선을 굵기가 같아 정확한 외형을 인지하지 못하고 치수를 표기한 LINE로 오 인식하여 외형을 직사각형태로 파악함.

- 외곽부분의 LINE을 굵게 표기함으로서 정확한 외곽을 알수있게 함

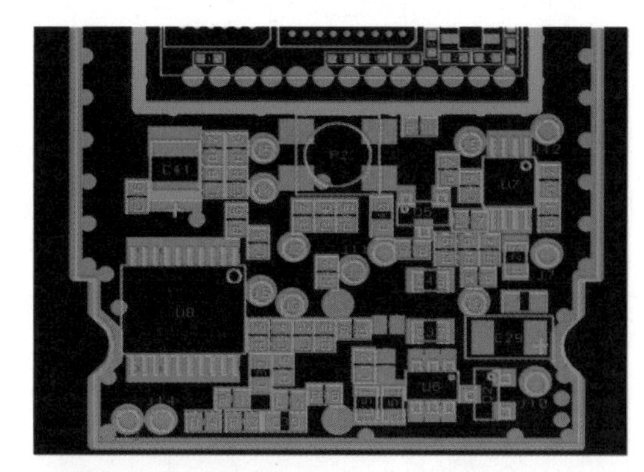

MARKING 올라탐 : SILK DATA를 MASK로 SCRATCH진행 시 식자가 모두 CUTTING 되어 식자를 구별 할 수 없다. 만약 CUTTING이 이루어 지지 않는 다면 부품 냉땜의 원인이 됨.

- 설계시 충분한 공간확보가 어려운 경우 SILK를 없애고 진행要

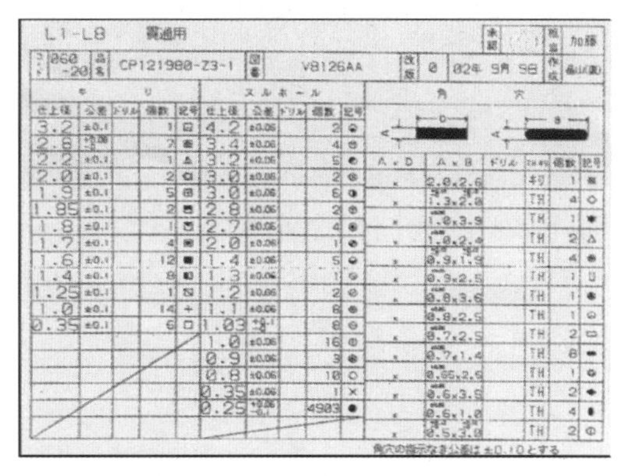

L1-L8

キリ 仕上径	公差	ドリル	個数	記号	スルホール 仕上径	公差	ドリル	個数	記号
3.2	±0.1		1	□	4.2	±0.06		2	
2.6	[illegible]		7		3.4	±0.06		4	
2.2	±0.1		1	△	3.2	±0.06		5	
2.0	±0.1		2		3.0	±0.06		2	
1.9	±0.1		5		3.0	±0.06		6	
1.85	±0.1		2		2.8	±0.06		2	
1.8	±0.1		1		2.7	±0.06		4	
1.7	±0.1		4		2.0	±0.06		1	
1.6	±0.1		12	■	1.4	±0.06		5	
1.4	±0.1		8		1.3	±0.06		1	
1.25	±0.1		1		1.2	±0.06		2	
1.0	±0.1		14	+	1.1	±0.06		6	
0.35	±0.1		6	□	1.03	[illegible]		8	
					1.0	±0.06		16	
					0.9	±0.06		3	
					0.8	±0.06		10	○
					0.35	±0.06		1	×
					0.25	[illegible]		4903	●

角穴 A×D	A×B	ドリル	TH有無	個数	記号
×	2.0×2.6		[illegible]	1	
×	1.3×2.0		TH	4	◇
×	1.0×3.9		TH	1	
×	1.0×2.4		TH	2	△
×	0.9×1.9		TH	4	
×	0.9×2.5		TH	1	
×	0.8×3.6		TH	1	
×	0.8×2.5		TH	1	
×	0.7×2.5		TH	2	
×	0.7×1.4		TH	8	
×	0.65×2.6		TH	1	
×	0.6×3.5		TH	2	
×	0.6×1.0		TH	4	
×	0.5×3.0		TH	2	

角穴の指示なき公差は ±0.10とする

DRILL REPORT : DRILL DATA와 맞는지 확인을 할수 있는 RE-PORT가 필요함

- REPORT없이 DATA만으로 작업 진행 시 누락드릴에 대한 검도가 이루어 질수 없으며 또한 공차적용을 알 수 없어 투입 BIT에 MISS가 발생 할 수 있다.

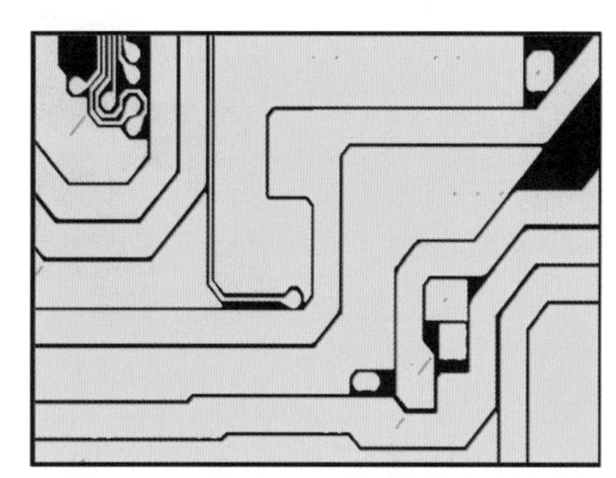

SPACE 미확보로 인한 SHORT위험 : 화살표부분의 CLEARANCE LINE에 D-CODE가 형성된것이 아니므로 CAM작업에서 보정이 어려움.
(수동작업 이외의 방법이 없슴)

- 동박부를 일일이 SCRATCH하여야 하나 POINT가 다수 존재하여 오히려 Error를 유발시킬수 있슴.

- ART-WORK 진행시 일정 SPACE를 기준으로 설계를 희망합니다. (Min Space 250㎛ 이상-현DATA기준)

장공홀 SIMBOL의 쏠림 : DATA상의 PAD 형태에 맞추어 CENTER로 이동하여 장공홀 삽입하였으나 부품의 가격상이함으로 불량 발생

- DATA상의 DRILL이 없이 당사 삽입의 경우 SIMBOL의 위치와 외층PAD의 위치가 서로 동일하여야 함.

장공홀 SPEC 미적용 : 보기의 DRILL SIMBOL속에 장공홀의 사이즈를 삽입하였으나 워낙 작고 겹쳐있어 인지하지 못함으로 불량발생함

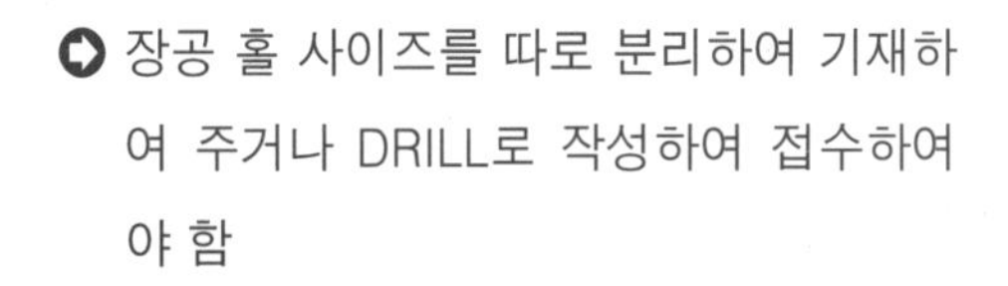

- 장공 홀 사이즈를 따로 분리하여 기재하여 주거나 DRILL로 작성하여 접수하여야 함

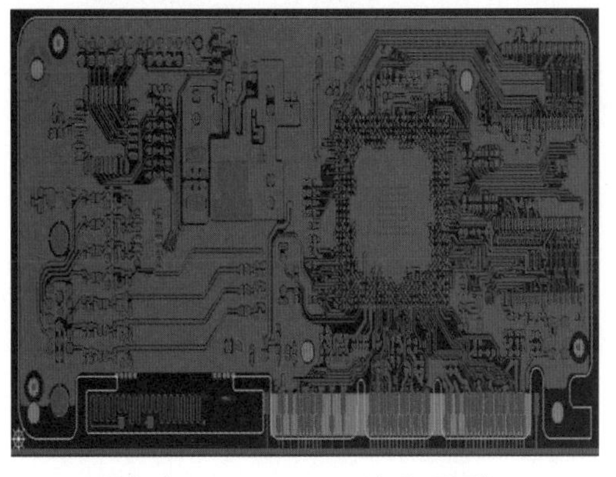

BGA부분의 MASK PAD가 누락됨 : BGA BALL PAD가 1 POINT 누락됨을 육안 판별하여야 하나 놓쳐서 불량이 발생함

- PROGRAM상으로 CHECK 되지 않음.
- 작업자의 실수로 삭제되는 수도 있슴

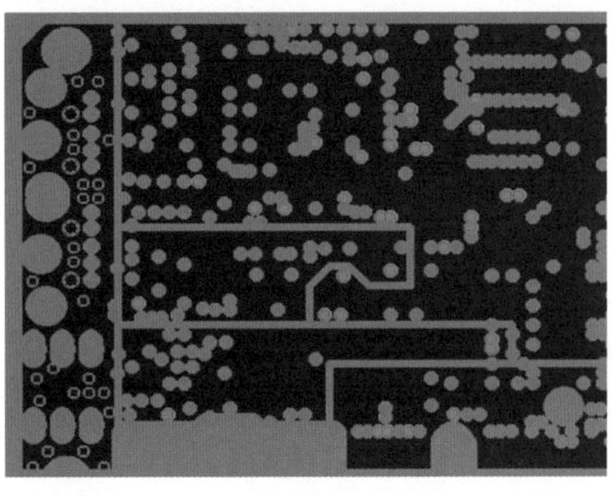

내층끼리 층간 SHORT : 내층간 SHORT 진행됨 USER 확인후 진행함

- 대칭되는 내층의 GROUND부분의 THERMAL은 CLEARANCE와 대칭하여야 한다고 작업자 교육진행하였으나 고의로 SHORT 유발하는 경우가 있으므로

반드시 확인후 진행하도록함

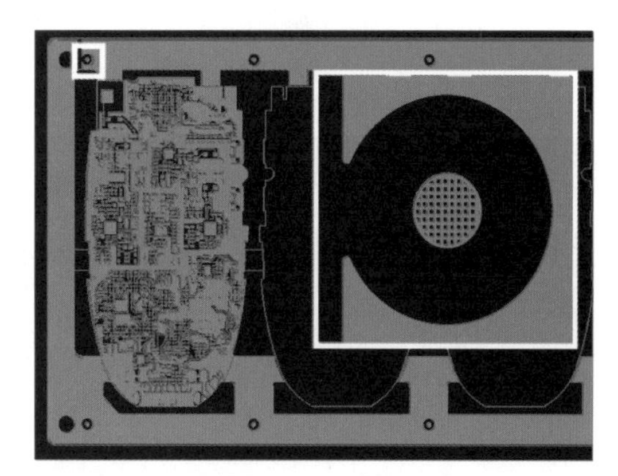

인식마크 MESH처리 : GERBER DATA의 FIDUCIAL MARK 부분이 MESH처리됨 메꾸어 작업진행함

- 내부 SMD 부분 MESH 처리되지 않도록 주의 요망됨(육안검도 해야하는 부분으로 설계시 주의 요망됨)

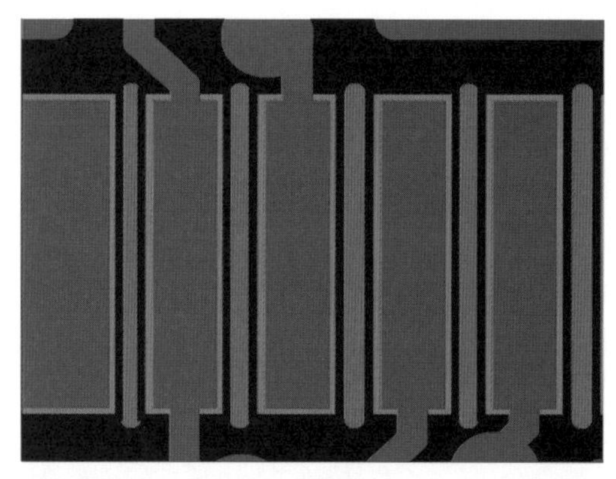

MARKING 올라탐 : 땜폭을 확보하기 위해 MARKING을 설계하였으나 GAP이 충분하지 않아 오히려 MARKING이 PAD에 올라탈수 있슴

- MARKING SIZE 보정하여 작업 진행함…

내외층 회로 목단선 위험 및 잔류동에 의한 SHORT 위험 : 내층의 경우 TEARDROP처리 하여 목단선을 방지하고 잔류동의 경우 100㎛ 미만은 삭제하여 준다

- 설계시에도 보완하여 진행할수 있는 부분임

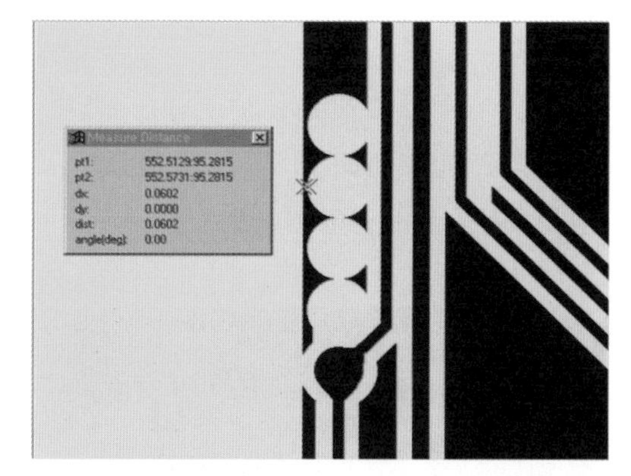

EPOXY 처리 : 60㎛ 미만의 동박부분은 부식으로 인해 잔류동 형태로 존재하여 SHORT를 유발시킬수 있으므로 CAM 보정하여야 함

- 설계시 예측하기는 어려우나 외형가공 및 회로부식후 잔류동 위험부분은 보정하여 설계를 요망함

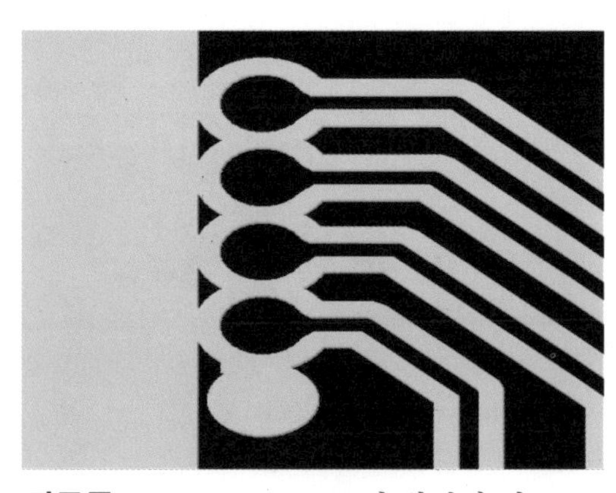

잔류동 : MICRO SHORT의 원인이 됨, AOI 진행시 ERROR 위험이 有.

- CAM 보정으로 삭제 진행은 하고 있으나 육안확인 후 수동 삭제하므로 누락으로 인한 SHORT의 위험이 있다

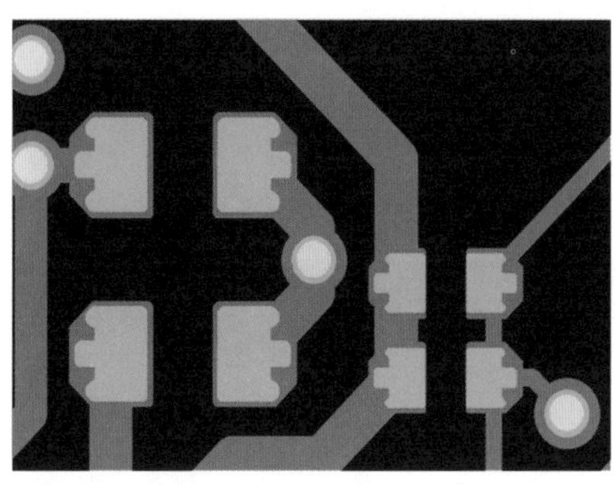

MASK 모양의 변경요청건 : 보기와 같이 PAD와 MASK의 모양이 상이함. GERBER DATA의 SPEC에 맞게 진행의 어려움 (SIZE가 작음)

- MASK의 경우 PAD보다 크게 그리고 PAD의 형태와 동일하게 진행하기를 요청함

PSR INK 튐으로 인한 불량 : SMD에 인접한 VIA의 경우 PSR이 HOLE속에 들어가 있다가 고온으로 건조시 SMD위로 튐 발생함

- VIA를 충분히 외곽으로 이동 시키거나 MASK OPEN 시켜 INK튐을 방지하고자 함.

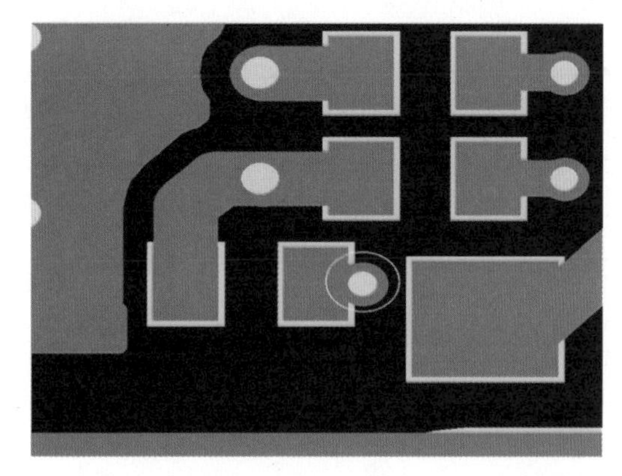

SIZE	QTY	SYM	PLTD
2	1	+	PLTD
0.6	9	×	PLTD
0.7	4	□	PLTD
1	2	◇	PLTD
2.4	4	A	PLTD
0.25	160	B	PLTD
0.3	554	C	PLTD
0.5	3	D	PLTD
0.15	99	E	PLTD
0.65	2	F	PLTD

DRILL REPORT MISS : 접수 DRILL REPORT중 DRILL이 모두 PTH 표기 되었으나 실 작업 DATA에는 다수의 NPTH가 섞여있슴...

- DRILL REPORT 재접수 필요함

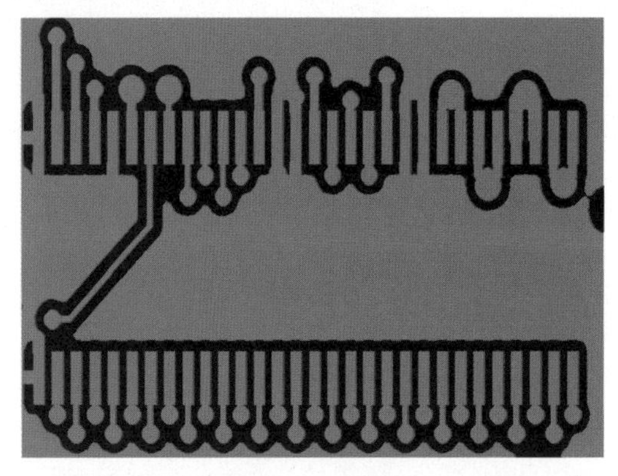

MASK 누락 : SMD PAD위에 MASK가 누락되어 PSR 도포될수 있슴. USER 확인후 CAM에서 수정하여 진행함...

- MASK 형성하여 진행 함

PATTERN의 SHORT : 보기에서 처럼 MARKING으로 들어가야할 부품방향 표시가 외층으로 혼입되어 회로간 SHORT를 유발시킴

- 하기 항목은 CAM EDITOR의 경험에 의한 육안판별밖에는 없음
- GERBER 비교로 program의 CHECK를 하여도 GERBER와 동일 진행이므로 ERROR 메시지가 뜨지 않고 SKIP되어 진다.

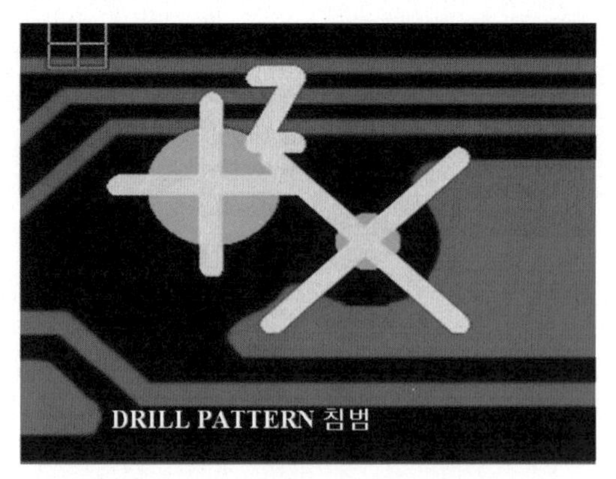

GERBER DRILL의 보정시 SHORT : DRILL의 가공 BIT SIZE로 보정하여 진행할 경우 회로의 단선을 유발함

- 보정후에만 체크가 되어지는 형태로 전량 불량을 유발할수 있으므로 충분한 공간확보가 필요하다.
- 대책으로는 홀사이즈 축소 또는 회로의 이동

⑱ 식자겹침, Hole문제로 인한 회로단선

SILK 겹침 : 사양 담당자의 육안확인으로 체크되어 식자 이동으로 수정. DATA상으로는 판별이 가능하나 실 작업에서는 SILK 뭉침으로 인해 식자 판별이 어려운 경우가 많음

- 식자의 굵기 및 이동공간의 확보가 되는

경우 샘플에 한해 이동하나 양산후 또는
승인후에는 임의 보정이 금지임...
반드시 승인과정이 필요함

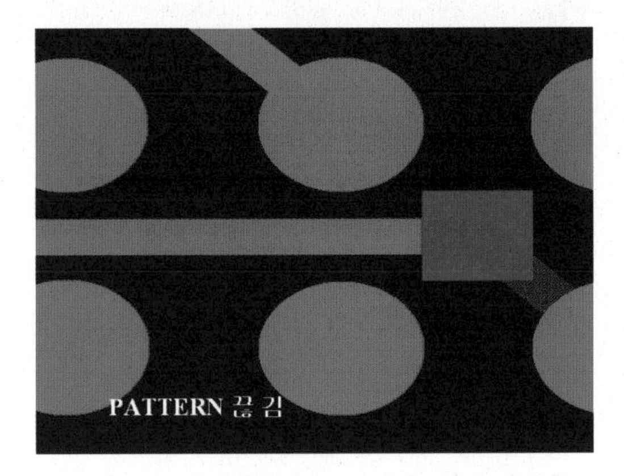

PATTERN의 끊어짐 : 보기의 파란색 체크 부위의 PATTERN이 LAND와 연결되지 않고 끊어짐.

➲ USER확인후 회로 연결
(GERBER DATA MISS)

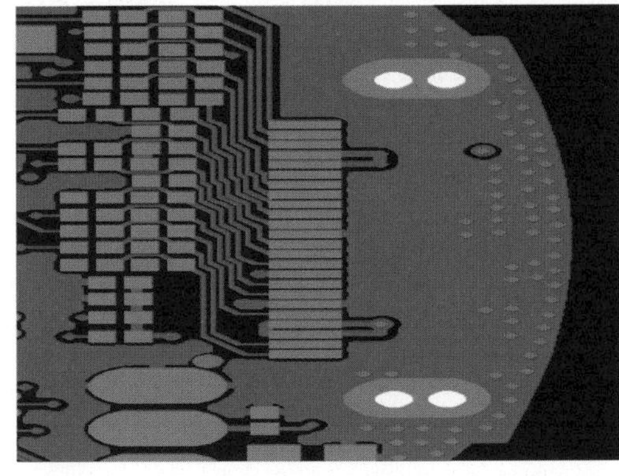

장공과 정공의 구분이 모호함 : DATA상의 정공부분이 PAD와 MASK는 장공형태로 표기 됨

➲ 장공인지 정공인지 확인 후 진행하여야 함.

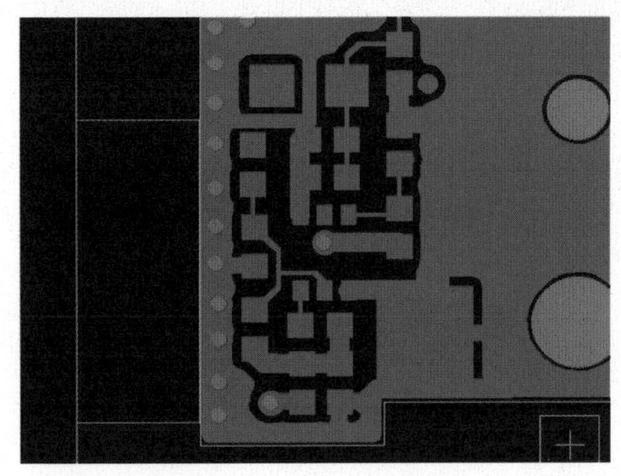

동노출 위험함 : 외형가공 진행시 동노출 위험하나 SCRATCH 진행시 HOLE 터짐 발생할수 있어 위험함

➲ 양산 SPEC에 맞는 설계가 필요함….

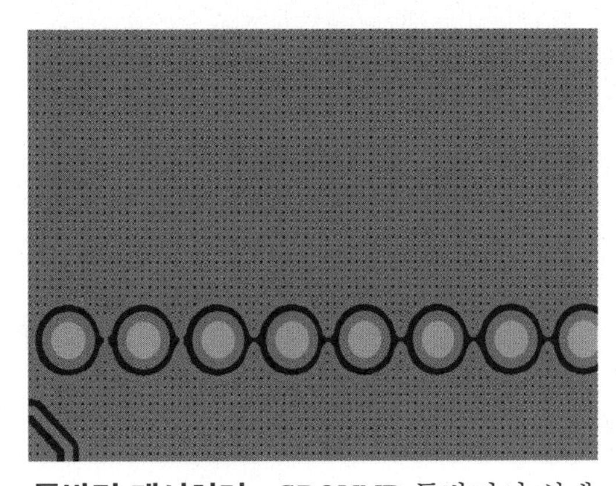

동박면 메시처리 : GROUND 동박면이 설계상 MESH 처리됨(50㎛)
최종의 제품은 설계치와 다르게 나올 수 있슴 (SPEC 적용불가)

➲ GROUND 동박부분은 작업의 편의상 MESH처리 금지

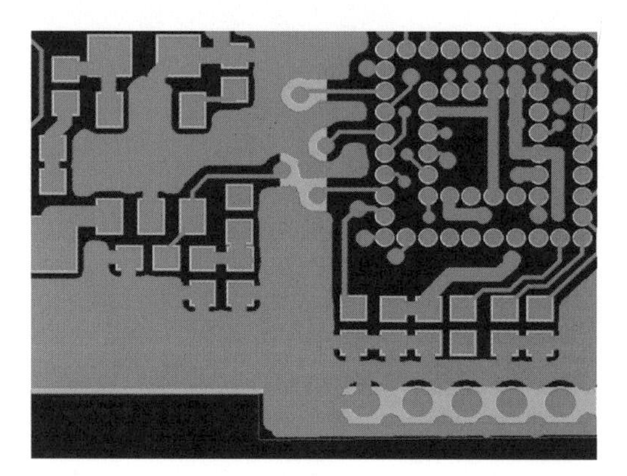

회로 동노출됨 : 주황색 동박부에 연두색 MASK가 OPEN 되어 회로의 일부분 및 동박면에 동노출 발생함...

- 체크포인트 다수 존재함...
  확인 후 진행...

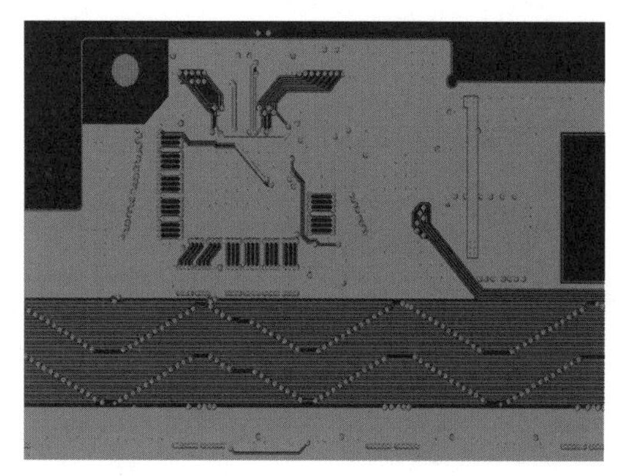

회로의 밀집설계 : 보드 상단부는 GROUND 동박으로 진행되고 하단부는 회로가 밀집되어 있어 작업시 미부식으로 인한 SHORT가 발생될 위험이 매우 높음...

- 충분한 공간이 확보되는 경우 회로 밀집을 피하여 설계요망
  MULTI의 경우 회로를 내층으로 분리 설계 필요함

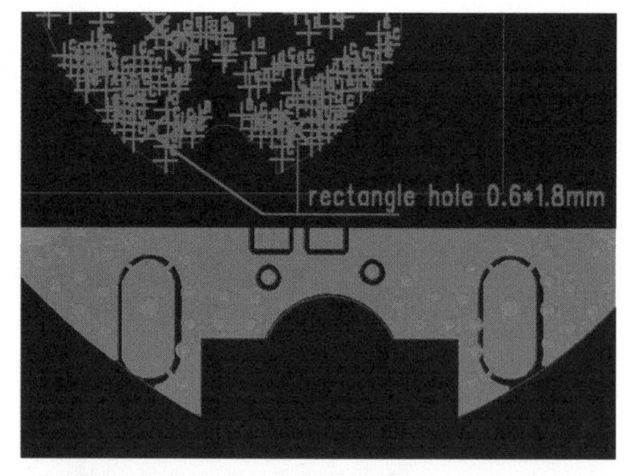

장공홀 위치표기 누락 : DRILL SIMBOL부분 장공홀 SIZE는 지정되어 있으나 위치가 외층 PAD CENTER기준인지 DRILL DATA기준인지 확인이 안됨...

- USER 확인후 위치 확인하고 CAM EDIT 진행하여야 함

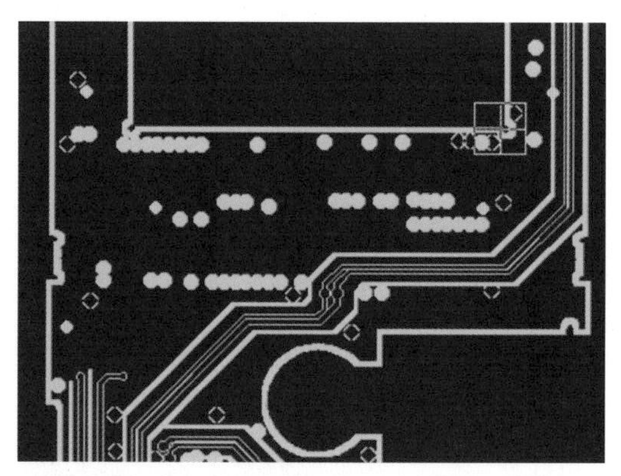

DRILL로 인한 회로 단선 :
GERBER DATA의 설계 MISS로 인해 회로가 단선됨

- 설계시 상기사항의 재검토 필요함.
  CAM 진행시 검도는 이루어 지나 System적으로 보완되지 않음(육안검도 체크)

중복홀 : 좌측의 그림은 Build-UP DATA로 전체 관통 DRILL과 층간 DRILL의 중복

된 모습임

- 전체 드릴의 중복홀은 BIT 부러짐이 발생함. 좌측의 그림은 설계 시 Laser Drill 오표기된 상태임. USER 확인후 1 Point 삭제후 작업 진행

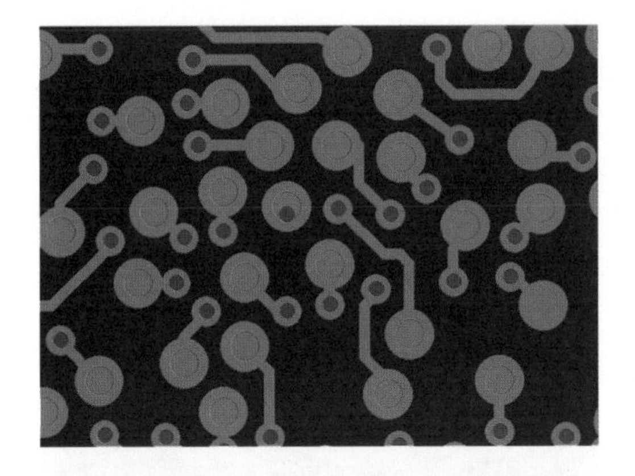

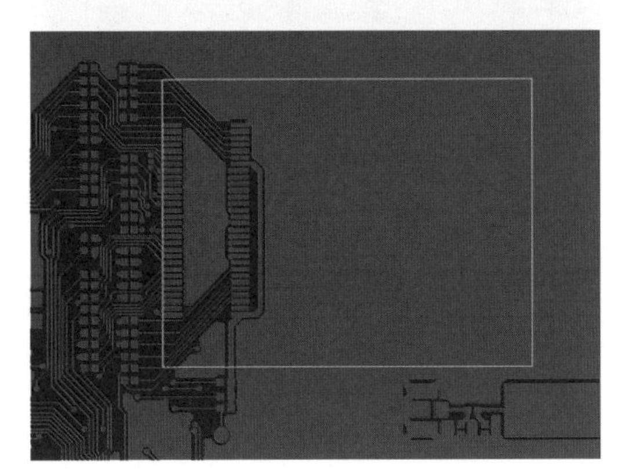

MICRO SHORT : 표기의 흰색부분(25㎛)으로 동박 형성되어 MICRO SHORT 진행됨..작업 중 잘못들어간 것으로 보이며 체크되어 삭제함

- GERBER DATA상의 ERROR로 불량의 원인이됨

SILK MIRROR : GERBER DATA의 설계 시 TOP & BOT의 혼선으로 인한 SILK 식자가 MIRROR되어 접수되어짐

- DATA 보정하여 작업 진행함

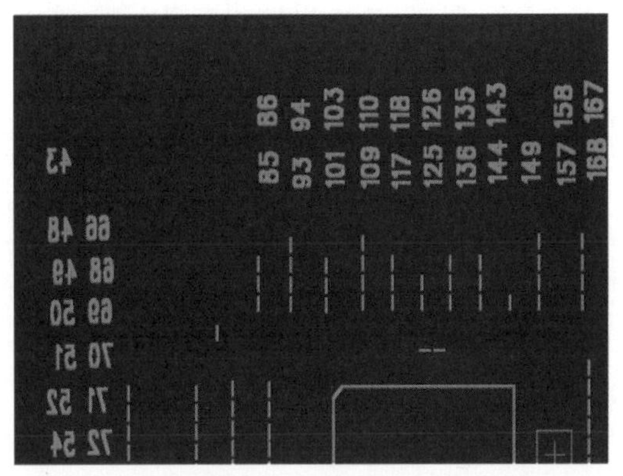

DRILL 누락 : DRILL SIMBOL에는 형성되어 있으나 GERBER DATA에는 DRILL이 누락되어 접수됨

- DATA 수정후 작업 투입함 (장공홀의 경우 정확한 사이즈 접수 必)

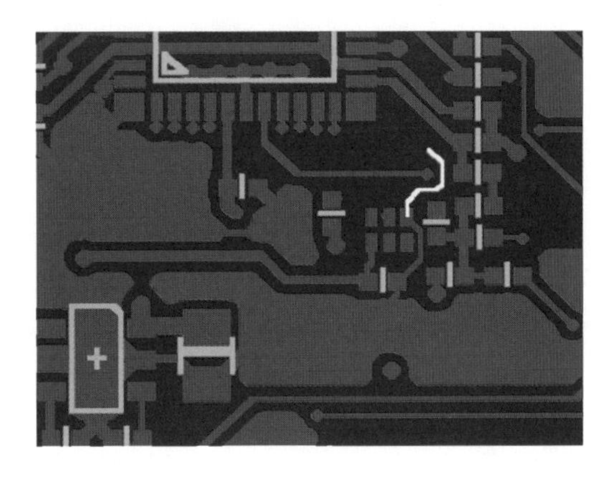

보호패턴 & PAD 누락 : 좌측그림의 HIGH-LIGHT 부분의 PATTERN의 경우 PAD가 누락된 것인지 보호 PATTERN인지 확인바람

- 보기의 경우는 육안 체크진행되는 부분으로 보드사이즈가 크고 회로가 밀집되어 있는경우 찾아 내기가 매우 어려움
- 설계시 검토하여 DATA 접수하여 주시기 바랍니다

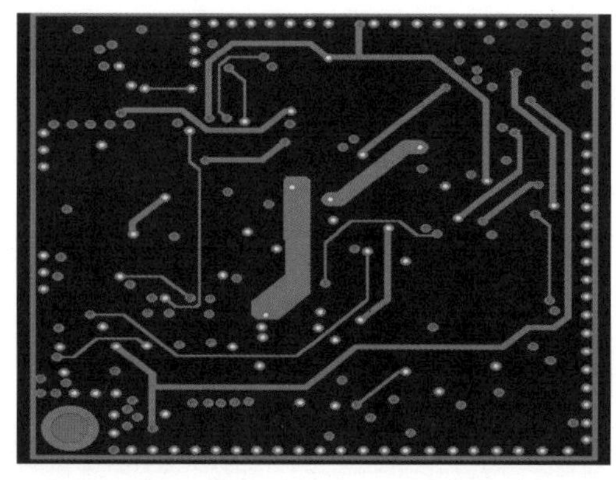

HOLE 터짐 : 좌측의 보드는 외형가공 진행시 외곽쪽의 VIA부분이 모두 터짐 발생할 위험이 있슴

- 설계시 400㎛ 이상 떨어뜨려 VIA 삽입 요망함

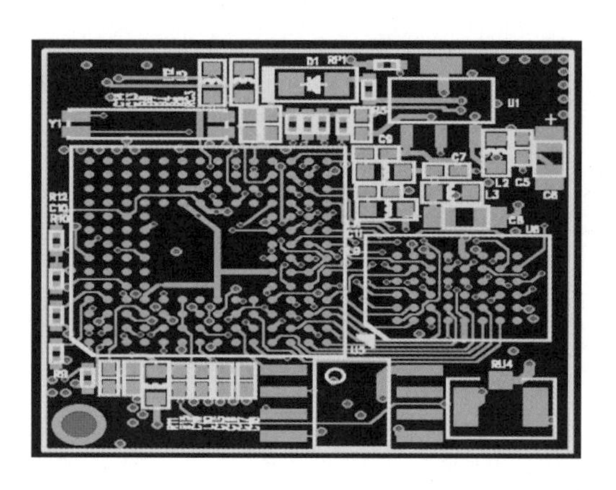

MARKING 올라탐 : SMD 위로 MARKING이 올라탐 발생, SILK CUTTING하여 작업 진행시 식자를 알아볼수 없으므로 주의요망

- SIZE가 매우 작은 보드의 경우는 MARKING이 나타나지 않을수 있으므로 주의 요망됨

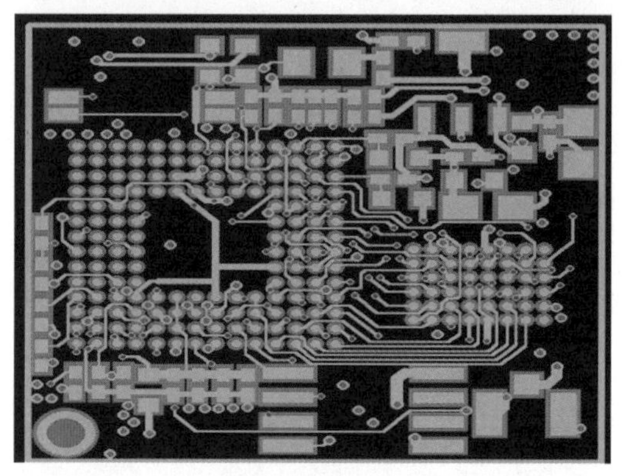

MASK가 너무 크게 형성됨 : MASK가 너무 크게 형성되어 PATTERN이 노출되고 PSR이 올라가지 못해 OPEN이 발생할 수 있슴

- CAM에서 보정하여 투입진행 하여 지나 설계시 편측 100㎛으로 진행하여 줄 경우 작업 LOSS를 줄일 수 있슴

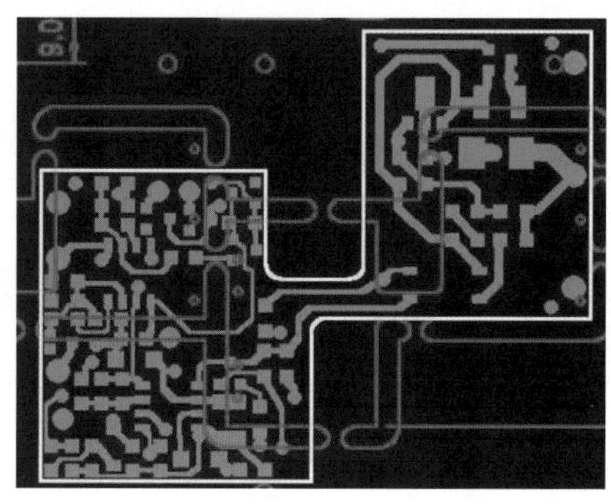

DATA의 불일치 : PATTERN DATA와 외곽 DATA가 서로 맞지 않아 작업진행시 PATTERN이 모두 잘림

➲ GERBER DATA의 혼입으로 보여짐 (DATA재접수 진행함)

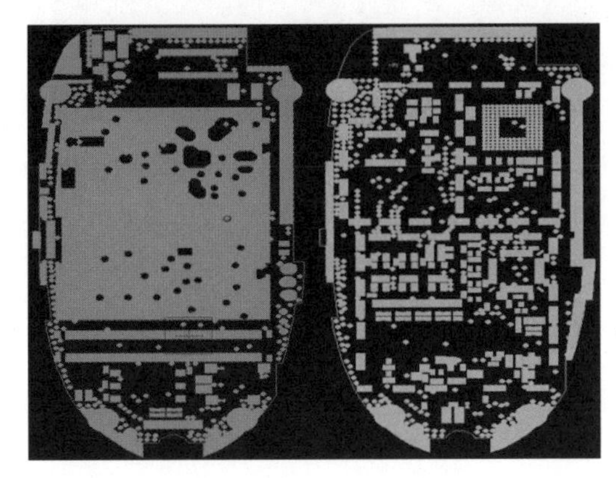

MASK OPEN 부위 : 좌측의 DATA는 MASK OPEN되는 부위임표면처리 무전해 금도금으로 단가상승의 요인이됨.

➲ 영업 수주단가 책정시 참조해야할 사항임 (보드의 70%가 금도금)

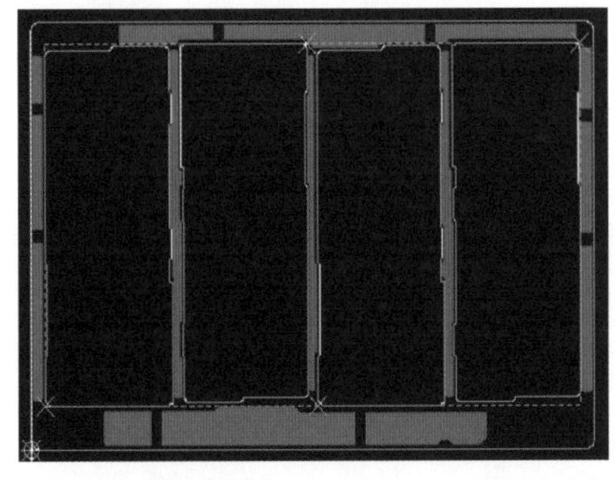

더미의 동박 형태 : 더미부분의 동박형태가 나누어져있음으로 인해 제품의 더미부가 동박주름이 발생함

➲ 더미부 동박삽입 시 전체부분에 형성되도록 함 (NEW SPEC적용)

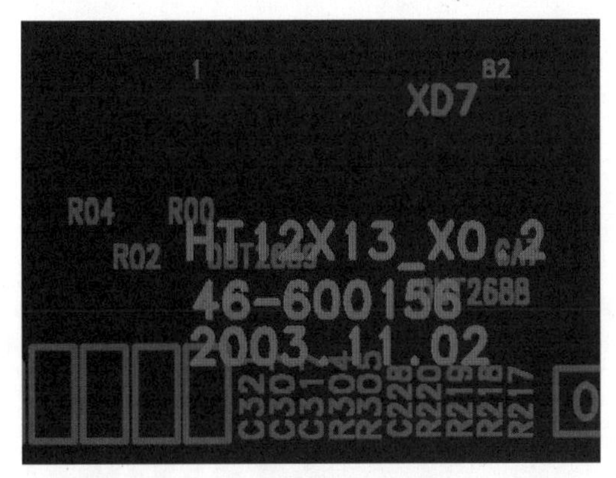

식자의 겹침 : 모델명 부분과 부품식자가 서로 겹침상단 및 주변의 이동가능한 부분으로 모델명 이동시킴

➲ USER의 승인하여 이동하여 작업진행함

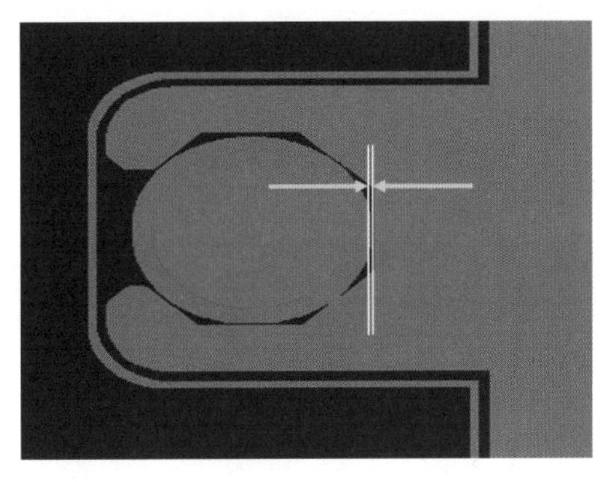

SHORT & OPEN : 그림부분은 설계상 OPEN인지 SHORT인지 표기하여 당사 접수되어야 함.. DATA상으로는 OPEN되어야 정상이나 Space가 협소하여 Short 진행될 위험이 있슴.

➲ USER 확인하여 작업 진행함 (상기모델은 OPEN임)

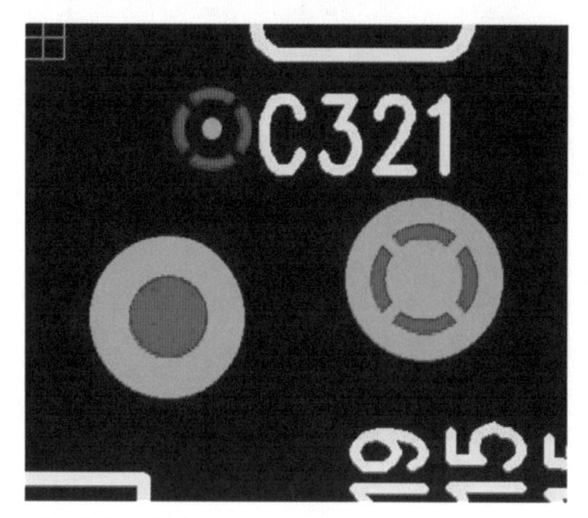

⑲ **내층 설계 MISS** :

THERMAL과 CLEARANCE가 DRILL보다 작은 경우는 HOLE 전체가 SHORT 처리되므로 불량임.

- 설계시 반드시 THERMAL과 CLEARANCE를 외층 PAD SIZE 이상으로 키워 설계 진행 되어야 함.

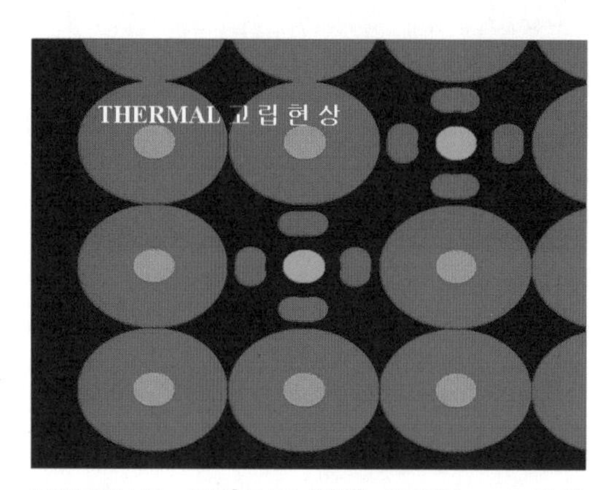

THERMAL 고립으로 인한 OPEN : 그림의 BGA부 THERMAL의 경우 외부와 도통이 되어야 하나 CLEARANCE의 사이즈가 크게 접수되어 OPEN 처리 됨.

- CLEARANCE SIZE 축소로 VIA SHORT 진행하여야 함

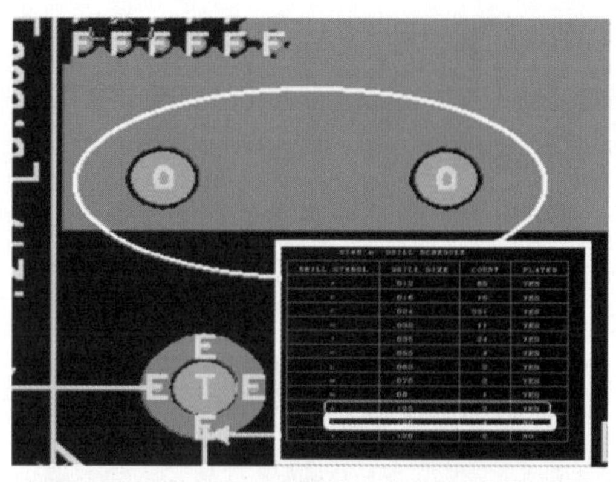

GERBER DATA와 DRILL REPORT가 서로 틀린 경우 :

Drill Symbol "O"와 "T"가 Fab 도면은 분명 도금/비도금으로 구분되어 표시되었지만 우측의 Gerber 구성은 두 Symbol 모두 PAD 형성이 되지 않아 Non-Plated 처리됨

- 반드시 USER 문의후 작업 진행

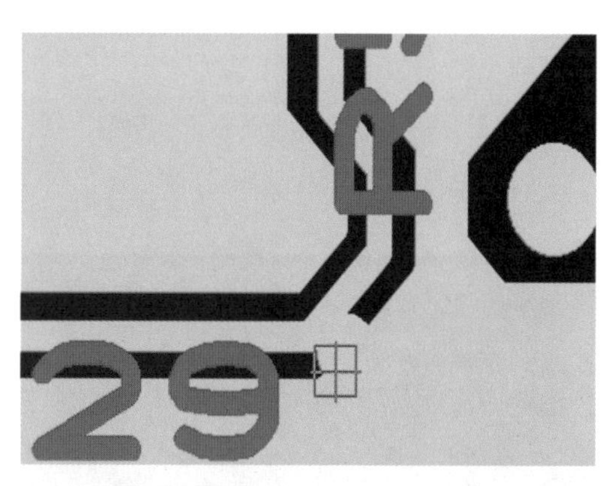

DATA의 SHORT : PATTERN과 GROUND간의 PAD 삽입시 실수로 인해 Short 발생함.

- 작업시 KEY 조작의 MISS로 인해 발생될수 있는 불량
- ORIGINAL GERBER MISS의 경우는 육안검도 밖에 체크할수 있는 방법이 없슴 (EDIT중 실수한 경우는 GERBER 와 비교하면서 체크됨)

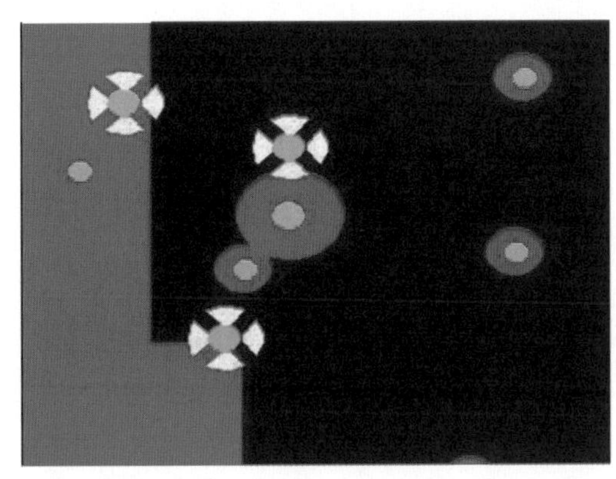

내층 THERMAL 고립 : 보기의 내층 VIA의 경우 GROUND 부분과 SHORT 진행되어야 하는 것으로 보이나 CLEARANCE로 막혀 있어 OPEN진행됨. 임의 OPEN인지 반드시 확인 후 진행되어야 함.

- 고의로 OPEN 진행시 상기사항에 대한 설명이 포함되어야 함

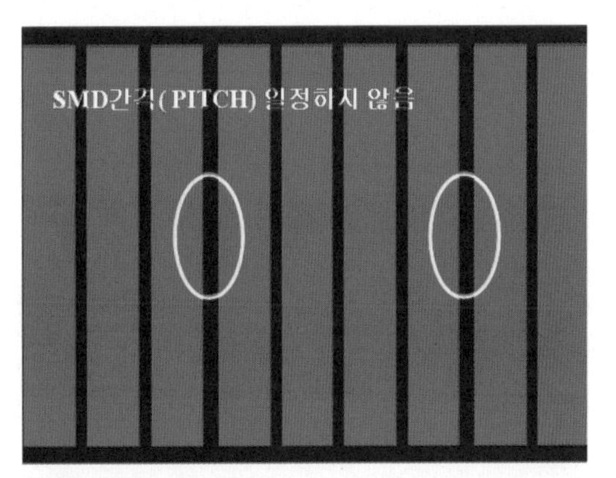

SMD간격의 불규칙 : QFP와 같이 PAD가 많은 경우 모든 PAD의 PITCH를 체크할 수 없슴 (INCH를 MM로 환산하면서의 error 발생 할 수 있음)

- 적용 단위의 통일화가 절실히 필요함

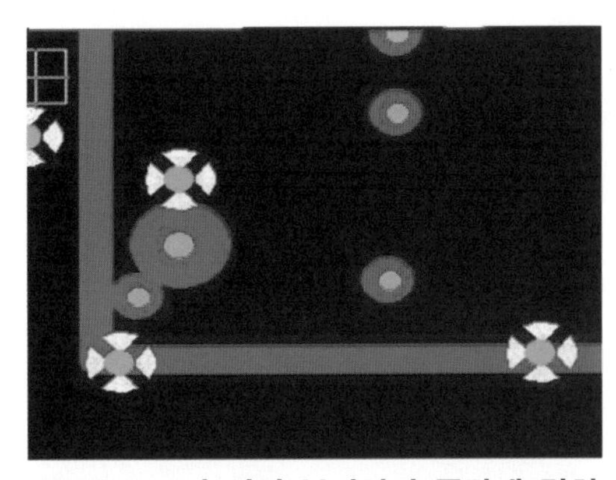

THERMAL이 전원 분리선의 중간에 걸친 경우 : THERMAL이 EPOXY 부위에 존재하여 고립하는 경우 고립도 문제지만 전원 분리선을 기준으로 어느 방향으로 도통을 해야하는지 불분명한 경우.

- 수정데이타 접수 또는 SPEC변경 의뢰서 접수로 인한 당사 수정

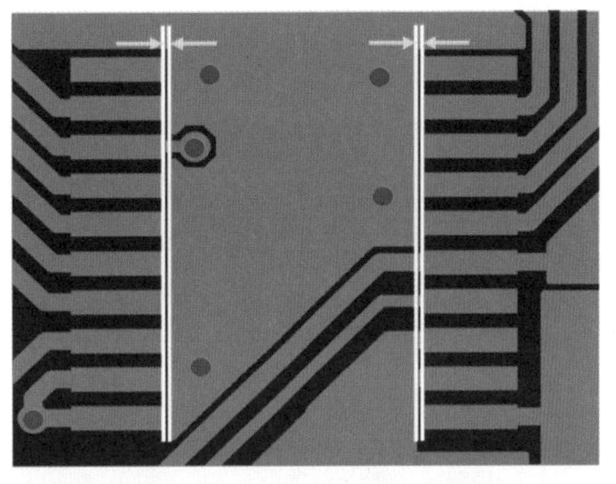

GROUND와 SMD의 SPACE 미확보 : SMD와 GROUND 간의 CLEARANCE GAP이 0.10mm로 형성이 되어 있습니다. SHORT의 우려가 있고, SOLDER RESIST 작업시 GROUND의 노출이 우려됩니다. GAP을 0.10mm에서 0.15mm로 수정을 요망함....

- 양산 작업 수율에 큰 차이를 보이고 있어 SPACE만 확보된다면 보정이 필요함

(MASK 형성후의 GAP이 100㎛ 이상이어야 함)

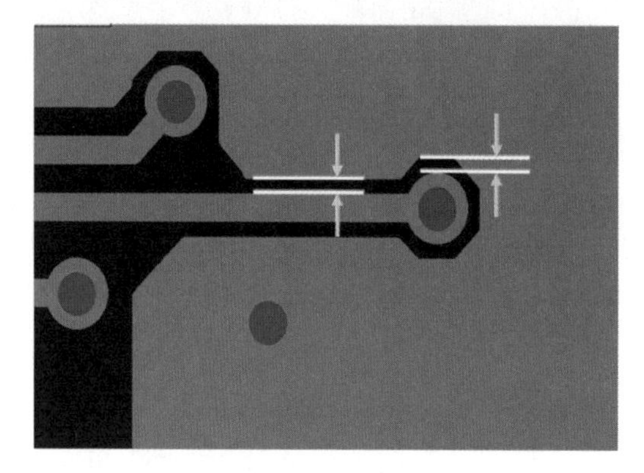

GROUND와 PATTERN의 GAP : GROUND 동박에 인접한 PATTERN의 경우 GAP을 맞추기 위해서는 동박부를 SC-RATCH하여 GAP을 늘려야 하나 SCRA-TCH 중 PATTERN이 CUTTING 될 위험이 매우높고 작업시간을 예측할수 없슴

- CAM에서 GROUND CUTTING 진행시 수작업으로 진행후 검도방법이 없어 대량 불량이 발생될 소지가 존재함. 설계시 MIN SPACE에 대한 기준 설정후 일관 진행하여야 함

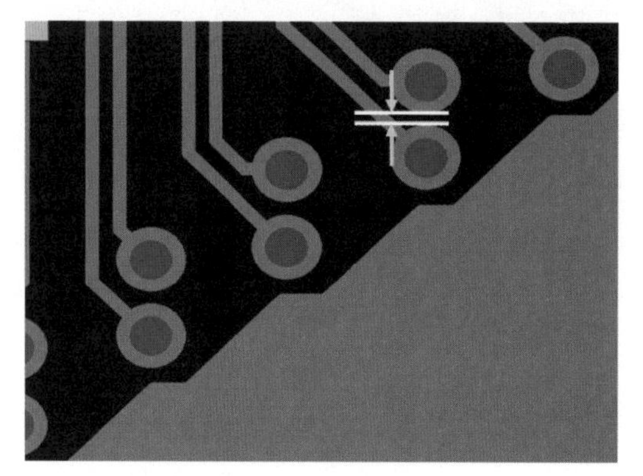

PAD와 PAD의 GAP : CAM 에서는 보정이 불가함…(VIA 위치를 모두 이동하고 LAND 및 MASK도 이동하여야함)

- 개개의 POINT를 따로 작업해야 하므로 보정이 불가함.
  (설계시 GAP 0.15 mm 이상으로 작성 要) GAP이 MIN 0.1mm로서, PAD보정 불가함.
- 현 DATA의 GAP을 MIN 0.15mm로 변경시 예상되는 MERIT :
  1.단가 상승방지 2. 불량 감소 3. 품질 향상 4. 납기 단축
- 설계시 SPACE 확인후 최소 SPACE 부분의 확대를 요첨함

제 7 장 PCB SPEC CHECK LIST

7-1 사양관리 업무내용

사양관리 B	사양관리 C	사양관리 D	사양관리 E
사양관리 전반업무 체크시트 버전관리 모델사양 검토투입 특수보드진행 작업지시서 발행 재작업 확인 투입	모델사양 검토투입 임피던스 관리담당 LCD 담당 작업시시서 발행	모델사양 검토투입 신축률 관리담당 규격승인원관리 작업지시서 발행	모델사양 검토투입 외형가공담당 라우터, 금형담당 규격소모품관리담당 작업지시서 발행

CAM관리 A	CAM관리 B	FILM관리 A	FILM관리 B
CAM전반업무관리 GENESIS장비관리 외주 DATA관리 EDIT DATA검토 재처리 FILM제작	CAM작업관리 CAM EDITOR DATA BACK-UP SEVER관리	필름제판 전반업무 장비 유지보수관리 재처리모델 접수 제판밀번주기관리 필름제판 자재발주 대외업무	FILM 작업관리 신규모델 필름검토 자재관리(재고조사) 현장 FILM 투입

7-2 사양관리 준작업 시간

1, 발주서 체크 및 GERBER DATA 누락확인 : (30분)
2. GERBER DATA 체크 : (1시간)
3. NC DATA확인 및 HOLE CHART작성 : (1시간)
4. 규격관리 자체용, 출하검사용 승인원제작 : (30분)
5. 모델 사양서 (SPEC) 체크 : (30분)
6. 기구도 검토 확인 : (30분)
7. CAM 수정사항 자료 작성 : (20분)
8. 기타 전산입력 : (40분)
표준 작업 시간 : 신규 DATA 검토시 5시간 소요

7-3 사양검토 준비자료

❶ 발주서
❷ GERBER DATA
❸ EXCELLON DATA (NC DATA)
❹ APERTURE LIST
❺ 모델 사양서 (SPEC)
❻ 기구도
❼ HOLE CHART
❽ 기타 모델별 특기사항(고객요구사항)

CHECK LIST

◆ 신규모델 체크리스트
 ① PCB 제조 사양 SHEET
 ② 판넬도 / 적층도 CHECK SHEET
 ③ HOLE CHART
 ④ 신규모델 사양 / CAM / FILM CHECK SHEET
◆ 반복모델 체크리스트
 ① 기존반복 CHECK LIST 사양 / CAM / FILM
 ② HOLE CHART
◆ SPEC 변경의뢰서
◆ 모델별 체크리스트
 ① LCD CHECK LIST
 중요업체 전용 CHECK LIST
◆ 반복모델 체크리스트
 ① 작지검토 체크리스트
 ② 라우터 체크리스트
 ③ 금형검토의뢰서

7-4 PCB 사양업무 FLOW-1

순서	작업내용	작업체크리스트	담당
1	발주서접수		영업부
2	모델 사양 검토	PCB제조사양 CHECK LIST 사양관리 체크리스트 HOLE CHART 금형검토의뢰서 반복/정 체크리스트 특수모델 체크리스트 발송승인원제작 작업지시서 발행	사양담당자
3	작업지시서 승인	작업지시서 체크리스트	TEAM장
4	CAM EDIT 작업	CAM EDIT CHECK LIST 신규 모델 검토서	CAM EDITOR
5	CAM DATA 승인	CAM EDIT 검토 체크리스트	CAM PART
6	FILM 검토	FILM CHECK LIST	작업자
7	ROUTER	ROUTER CHECK LIST	

7-5 사양업무 FLOW-2

신규 모델과 반복 모델의 필름출력 절차

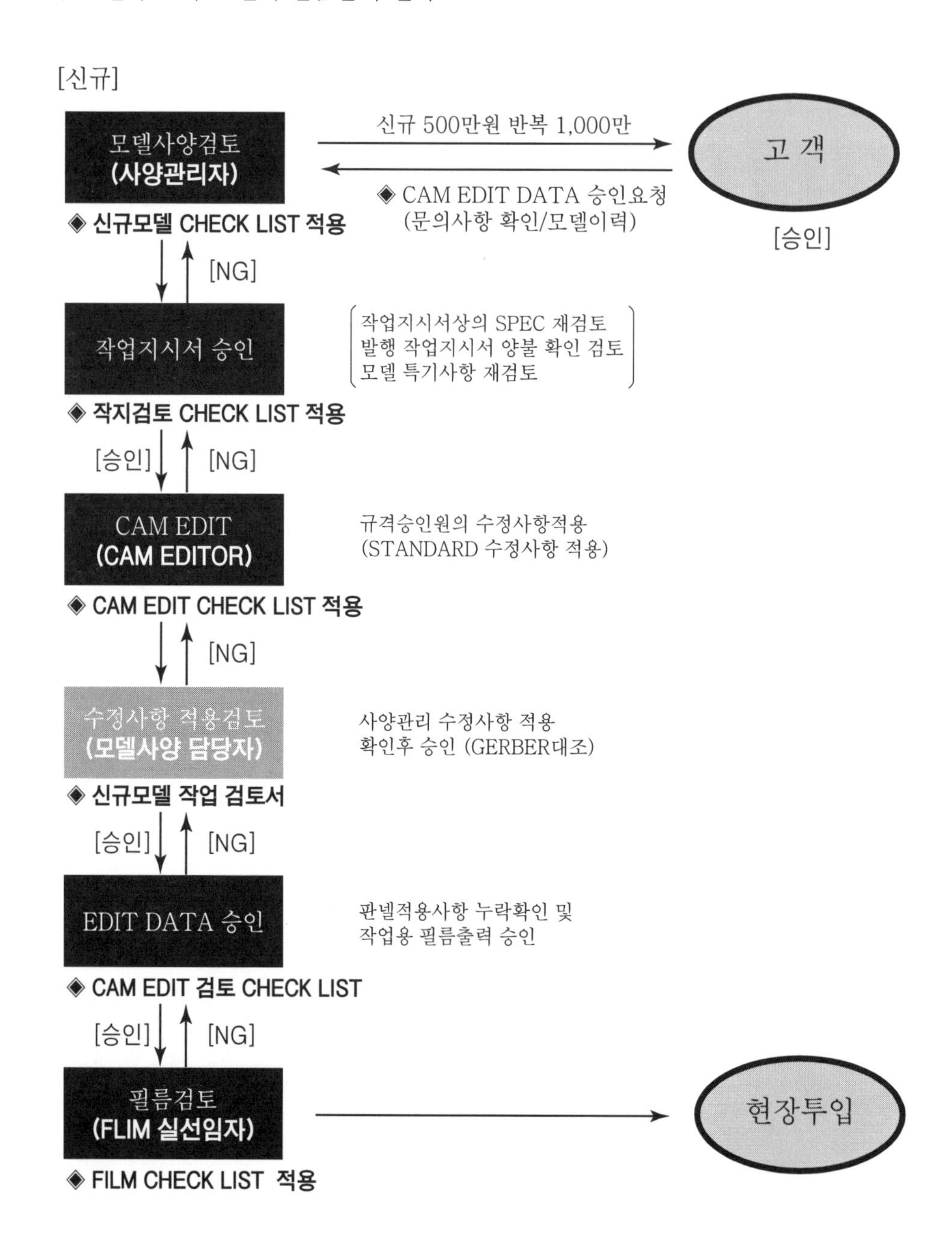

7-6 체크리스트 설명

체크리스트	용도	작성자
PCB 제조사양 SHEET	제조스팩(표면처리, 도금, PSR, MARKING, 외형가공방법, 공정순서)	사양담당자
판넬도 & 적층도	제품의 배열형태, 제품의 적층스팩 및 GERBER DATA 층구성 정보기재	사양담당자
사양관리 CHECK LIST	DATA의 양불 검토 및 공정진행상 필요 수정, 보정 지시	사양담당자
CAM CHECK LIST	사양관리 수정지시사항 적용 및 스텐다드 수정사항 적용	CAM EDITOR
FILM CHECK LIST	사양관리 수정지시사항 적용유무 체크 및 GERBER와 비교확인	FILM검토자
반복 CHECK LIST	샘플진행 모델이며 확인 및 고객스펙 적용 유무 확인, 양산진행스펙적용	사양담당자
기본반복 CHECK LIST	진행모델의 반복진행 체쿠(전산코드 확인)	사양담당자
작업지시서 CHECK LIST	사양관리 적용 SPEC 재검토 및 작업지시서 승인용 체크리스트	규격관리팀장
CAM EDIT 검토 CHECK LIST	CAM EDIT 작업 검토 및 작업용 FILM 출력 승인	CAM PART장
ROUTER CHECK LIST	CAM EDIT 완료 후 외형가공을 위한 ROUTER 작업시 적용	ROUTER
LCD CHECK LIST	특수보드(LCD)용 체크리스트	사양담당자
LCD CHECK LIST	특수업체용 체크리스트	사양담당자
신규모델 작업검토서	CAM EDIT 작업 내용 기입 (사양관리자의 수정사항 체크 자료로 사용함)	CAM EDITOR
HOLE CHART	HOLE의 공차 적용 및 적용 DRILL BIT 지정과 출하검사의 근거자료가 됨	사양담당자
주기수정의뢰서	제판실 요청으로 CAM에서 접수받아 주기를 수정함	제판작업자
금형검토의뢰서	금형타발을 위한 금형지그 제작의로서(외형도 및 가이드홀지정)	사양담당자

7-7 PCB발주서

■ 발주서용 관리번호
□ 견적서용

회 사 명	453401	주문자	
MODEL명	TLDS B/D REV. S3	전화번호	
주문일자	2003년 10 월 08 일 10시	DATA문의 (담당자)	상동
납 기	2003년 10 월 15 일 10시	DATA문의 (연락처)	상동
	■표준 □ 특급 □초특급 □마하 □미라클	FILE 명	tldsba3a.zip
제품SIZE	246.33× 121.92 mm(■PCS □KIT)	KIT 배열	1
납 품 량	15 PCS	주문구분	□양산유상 □양산무상 □개발유상 ■개발우상 □승인유상 □승인무상
구 분	■신규 □기존		
층 수	4 LAYERS	단 가	₩ 26,700
		총 액	400,500 원(부가세별도)
기판두께	■ 1.6mmt ± (10)% □기타(mmt) ± ( )%		
재 질	■FR-4 □기타( )	UL 마크	■유 (■HE □H □업체요구) □무
동박두께 외층	■18㎛ □35㎛ □70㎛ □기타(㎛)		※도금두께 25㎛
동박두께 내층	■18㎛ □35㎛ □70㎛ □기타(㎛)		
SOLDER MASK	■유(색상: ■녹색 □기타( )		□무
MASKING	■유(색상: ■흰색 □기타( ) (□단면 ■양면)		□무
외형가공	■ROUTE □PRESS(금형) □V-CUT( )회 □연취(도)		
BBT 검사	■ROUTE □UNIVERSAL( ) □JIG ( ) □AOL □육안		
특수표면 처리	■ HAL □ FLUX □전명무전해금도금(두께: MIN0.03) □단자금도금(PIN수 : 두께 : □ 0.3㎛ □ ㎛) □ 기타 ( )		
특수공정	□BVH( ) ■ IMPEDANCE(50 Ω) □ BUILD-UP □FPC □ 가터( )		
회로밀도	MIN. VIAHOLE : MIN. 회로폭 : ㎛ 회로간격 : ㎛		
제품유형	0.5 : VGA CARD. TV수신카드류	개취량	단가/원판 O/J SM 0.00

특기사항

#IMPEDANCE B/D (50 Ω), 성적서제작요망,

주문번호	20031008-07-01	영업담당		접수자		확인	

7-8 PCB 제조 사양 SHEET

업체명	관리번호 / 신규 / 반복 / 단면 / 양면 / 멀티 (층)
모델명	화 일 명
관리사항	□일반용( ) □개발용( ) □승인용( ) □신상품( ) □ENG( )
S I Z E	PNL SIZE ____ mm × ____ mm / 제품 SIZE : SIZE ____ mm × ____ mm (Kit, Pcs)
외형가공	□금형 □ROUTER □2차 DRIL □내부 ROUTER(장공홀, 사각) □자구리 □기타( )
표면처리 (Min)	□무전해금[Ni: ㎛, Au: ㎛] □HAL[㎛] □Flux □카본[Ω] □기타[
	□단자금[Ni: ㎛, Au: ㎛, C: Pin, S: Pin, 1Pin면적:X: * Y: = ㎟]
동 도 금	일반 Hole Min: ㎛, IVH(BVH) Hole Min: ㎛, 기타( )
VIA S/M 처리	□VIA OPEN □WET-TO-WET □PLUGGING □일반 TENTING / HOLE [Φ], [Φ]
원 자 재	재 질 : FR-4, 기타[ ], 내층T/C[ ] / 외층 동박 [oz]
첨 부 화 일	□업체 첨부 도면 □업체 SPEC □SAMPLE 첨부 □GERBER FILM
	□승인원 제작 □GERBER PRINT □수정도면 □Impedance Control Sheet
주기	ЯU HE 2(1) ▲ 94V-0 / 특수사양: IVH(BVH), 임피던스, 대형 SIZE, 메탈 B/D 금형모델,판넬 V-CUT, 기타(/ V-CUT 회, 각도 ±5° / 잔존폭 / 공차 ±
Data Format	Gerber( ), Drill( )
QFP	□0.4Pitch[± ㎛] □0.5Pitch[± ㎛] □0.635Pitch[± ㎛] □기타[
BGA	□( )Pitch [± ㎛] □( )Pitch [± ㎛] □( )Pitch [± ㎛]

▣ 작업지시서 특기사항 (성명 :) ▣참조모델 관리번호 :

1
2
3
4
5
6
7
8
9
10

	항 목	사 양	CAM
내층	기본 보정치	㎛	㎛
	MIN 회로폭	㎛	㎛
	MIN 회로간격	㎛	㎛
외층	기본 보정치	㎛	㎛
	MIN 회로폭	㎛	㎛
	MIN 회로간격	㎛	㎛

판 넬 배 열 도 (금형, 단자, 임피던스쿠폰)

LAYER 구성 및 FILE명					
자재명	적층 구성도	LAYER 구성도	화일명	막면, 비막면	MIRROR적용

BUILD-UP, BVH 단면도

원 판 등 분 수(J, AJ, R, JP)

특기사항
1
2
3
4
5
6
7
8
9
10

7-9 주기수정 의뢰서

제판 담당자:		의뢰 일자	
cam 담당자:		처리 일자	
film 담당자 :		처리 일자	

순번	관리번호	모델명	양면,멀티 여부		UL및 주기 삽입LAYER						층당 다수ul 삽입여부		특기사항
					silk		mask		pattern				
			양면	멀티	top	bot	top	bot	top	bot	단	복수	

SQAA

7-10 4M 변경 통보서

수 신 : HYLCD QA
참 조 :
발 신 :
발 신 일 :

협력회사	작 성	검 토	승 인
	성명	성명	성명
	/	/	/

모 델	CG128160-S604LA REV6.0	품 명	PCB
적용일자		품 번	304100383
변 경 재승인 항 목	□ 신금형 제작 □ 금형 수정 □ 원재료 변경 □ 원재료 업체 변경 □ 부품 사양 변경 □ 제품생산지 변경(해외,2공장등) □ 2차 VENDOR 변경(원자재,임가공등) □ 설계변경및 신제품 초품	변경 통보 학	□ 핵심검사자/4M 총괄 책임자 □ 제조,QA,설계,기술 책임자 □ 공정, 검사, 시험방법 변경 □ 제조,검사설비(신규,교체수리) □ 제조공정 변경(LAYOUT 변경, 공정 추가, 공정 삭제등) □ 기 타(중요 품질문제 발생등)
【변경전】 CG128160-S604LA REV5.1 ☞ 지면 부족시 유첨		【변경후】 CG128160-S604LA REV6.0 SMD PAD 2 POINT 삽입 / MARKING 표기십입 ☞ 지면 부족시 유첨	
첨 부	자체 사양 검토서 / 변경승인용 Sample (변경 재승인 항목)		
검토결과			
배포처	□ 개발 □ 생산기술 □ 생산 □ QA □ 생산지원(자재) □ 기타		

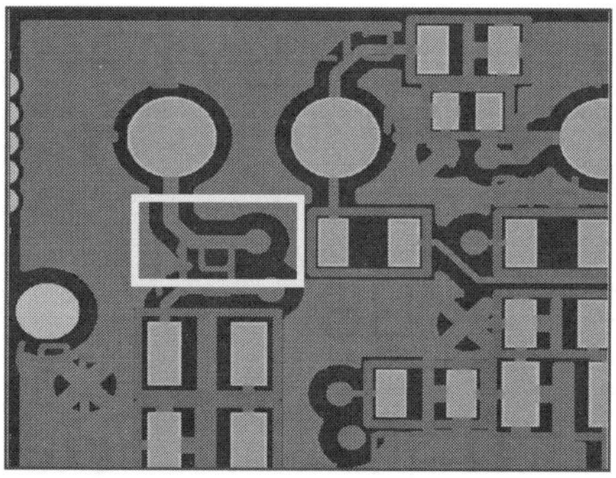

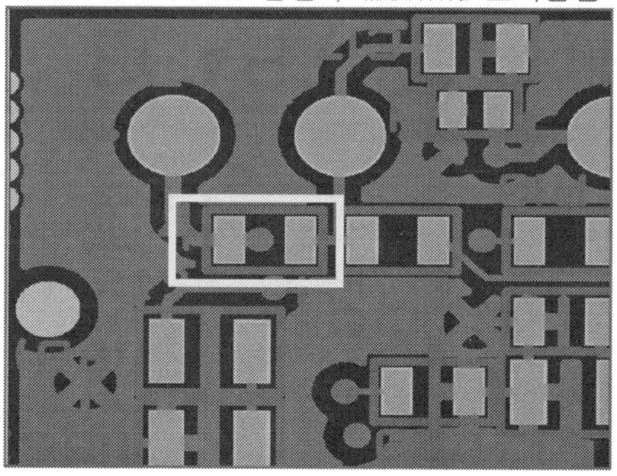

7-11 CHECK LIST 현황

A 사양 관리 CHECK LIST

작업자 : 승인자 :

순서	NO	CHECK 항목	확인유무
발주서	1	발주서 접수 시간 기록	☐ YES ☐ 해당없음
	2	업체 확인	☐ YES ☐ 해당없음
	3	납기일 확인	☐ YES ☐ 해당없음
	4	모델 및 REVISION 확인	☐ YES ☐ 해당없음
	5	납품량 확인	☐ YES ☐ 해당없음
	6	특기사항 확인	☐ YES ☐ 해당없음
	7	보류내용:	☐ YES ☐ 해당없음
	8	접수 사양서의 모델 SPEC은 확인 하였는가? (발주서 비교대조 必)	☐ YES ☐ 해당없음
FILE검토	1	DRILL REPORT 출력	☐ YES ☐ 해당없음
	2	APERTURE LIST 출력	☐ YES ☐ 해당없음
	3	DRILL 형식 입력(DRILL FORMAT 확인 및 CHECK)	☐ YES ☐ 해당없음
	4	GERBER DATA 출력	☐ YES ☐ 해당없음
	5	GERBER FILM 출력	☐ YES ☐ 해당없음
	6	첨부파일 출력(기구도 및 수정도)	☐ YES ☐ 해당없음
	7	FILE명과 DATA내의 LAYER명이 일치 하는지 확인	☐ YES ☐ 해당없음
HOLE	1	DRILL 추가 누락 여부 확인	☐ YES ☐ 해당없음
	2	DRILL SIZE 확인 (DRILL REPORT와 비교)	☐ YES ☐ 해당없음
	3	TH, NTH 확인	☐ YES ☐ 해당없음
	4	DRILL SYMBOL화 작업	☐ YES ☐ 해당없음
	5	HOLE CHART 작성	☐ YES ☐ 해당없음
	6	HOLE 도면 출력 (규격, DRILL, R/T, 출하 검사용)	☐ YES ☐ 해당없음
	7	무전해금도금 제품 각홀 보정 DRILL +0.1 (TH시)	☐ YES ☐ 해당없음
	8	HASL 제품 각홀 보정 DRILL +0.15 (TH시)	☐ YES ☐ 해당없음
	9	원가공시 TH : +0.15, NTH : +0.1로 보정	☐ YES ☐ 해당없음
	10	ASPECT RATIO 확인 (6 이하)	☐ YES ☐ 해당없음
	11	DRILL공차 확인 및 보정 사이즈 확인	☐ YES ☐ 해당없음
	12	TOOL 순서 확인(TOOL 섞임 확임)	☐ YES ☐ 해당없음
내층	1	THERMAL 존재 확인	☐ YES ☐ 해당없음
	2	THERMAL과 CLEARANCE의 배열 확인	☐ YES ☐ 해당없음
	3	THERMAL의 층간 SHORT 확인	☐ YES ☐ 해당없음
	4	THERMAL 고립 확인	☐ YES ☐ 해당없음
	5	NON-FUNTION PAD 삭제유무 확인	☐ YES ☐ 해당없음
	6	ANNULAR 폭 및 편심 확인	☐ YES ☐ 해당없음
	7	PATTERN의 OPEN 및 SHORT CHECK	☐ YES ☐ 해당없음
	8	외형과 도체의 간격 확인	☐ YES ☐ 해당없음
	9	MIN 회로폭 / MIN 회로 간격 확인	☐ YES ☐ 해당없음
	10	SCRATCH LAYER 형성 유무 확인	☐ YES ☐ 해당없음
	11	전원 분리선 굵기 확인 (Min 200㎛ 이상)	☐ YES ☐ 해당없음

구분	No.	항목	확인
내층	12	외곽라인 1.0mm 이상 (편측 500㎛ EPOXY처리)	☐ YES ☐ 해당없음
	13	내층 단자부위 외각라인에서 1/3 Epoxy 처리	☐ YES ☐ 해당없음
	14	내층 보정치 확인	☐ YES ☐ 해당없음
	15	내층 EPOXY LINE 형성시 THERMAL의 고립 POINT는 없는가?	☐ YES ☐ 해당없음
	16	STN LCD DUMMY에 동박삽입 할것(내/외층)	☐ YES ☐ 해당없음
	17	더미부 RESIN 터널 생성 지시는 하였는가?	☐ YES ☐ 해당없음
외층	1	단자 유무 확인	☐ YES ☐ 해당없음
	2	DUMMY 공단자 유무 확인	☐ YES ☐ 해당없음
	3	PATTERN과 외형 간격 확인	☐ YES ☐ 해당없음
	4	LAND / ANNULAR 이상 유무 확인	☐ YES ☐ 해당없음
	5	SMD PAD PITCH, SIZE 확인 및 보정 가능여부 확인	☐ YES ☐ 해당없음
	6	BGA PAD PITCH, SIZE 확인 및 보정 가능여부 확인	☐ YES ☐ 해당없음
	7	임피던스 쿠폰 삽입 위치 확인	☐ YES ☐ 해당없음
	8	임피던스 CHECK SHEET 확인	☐ YES ☐ 해당없음
	9	회로 OPEN / SHORT CHECK	☐ YES ☐ 해당없음
	10	MIN 회로폭 / MIN 회로 간격 확인	☐ YES ☐ 해당없음
	11	SCRATCH LAYER 형성 유무 확인	☐ YES ☐ 해당없음
	12	외층보정치 확인(HIGH-OZ)	☐ YES ☐ 해당없음
MASK	1	외곽 MASK 삭제 유무	☐ YES ☐ 해당없음
	2	MASK 누락 및 동노출 확인/NPTH MASK누락 확인	☐ YES ☐ 해당없음
	3	MASK 댐폭 및 편심 확인	☐ YES ☐ 해당없음
	4	VIA를 제외한 모든홀에 S/M LAND 유무 확인	☐ YES ☐ 해당없음
	5	편MASK 부위 확인	☐ YES ☐ 해당없음
	6	PAD보다 작은 MASK확인	☐ YES ☐ 해당없음
	7	TOP / BOT , VIA MAK 동일위치 OPEN 확인	☐ YES ☐ 해당없음
SILK	1	SILK CUTTING 금지구역 有無 확인	☐ YES ☐ 해당없음
	2	SILK (단,양 마킹 유무) / 식자 굵기 확인	☐ YES ☐ 해당없음
	3	식자 뒤집힘 확인	☐ YES ☐ 해당없음
	4	주기 형식 확인 및 위치 지정	☐ YES ☐ 해당없음
	특정	LAND COVER SILK 확인 (DRILL + 0.1 mm 처리)	☐ YES ☐ 해당없음
	특정	밀번 주기 확인	☐ YES ☐ 해당없음
	특정	(UV MARKING실시 = DATE CODE 옆에 "-U" 삽입)	☐ YES ☐ 해당없음
외형	1	외형 SIZE 확인 및 공차 확인 (MIN ± 0.15mm)	☐ YES ☐ 해당없음
	2	PCS 및 ARRAY 확인	☐ YES ☐ 해당없음
	3	V-CUT 횟수 및 MISSING HOLE 확인 (SIZE 및 간격)	☐ YES ☐ 해당없음
외형	4	외형선과 V-CUT선 일치 확인	☐ YES ☐ 해당없음
	5	DUMMY 존재시 기구홀 인식 마크 확인	☐ YES ☐ 해당없음
	6	도면상 R값 표기 확인	☐ YES ☐ 해당없음
	7	FAB DRAWING 첨부시 외형 공차 확인	☐ YES ☐ 해당없음

	8	기구도 SIZE 확인(PCS배열 간격 확인)	□ YES □ 해당없음
표면처리	1	제품의 표면 처리 확인	□ YES □ 해당없음
업체 확인	1	문의 사항 업체 확인후 기록 관리[업체담당자:이름 전화번호:	□ YES □ 해당없음
	2	업체에서 승인한 사항에 대한 적용 및 확인	□ YES □ 해당없음
	3	변경 및 수정 사항은 도면 및 수치화 하였는가	□ YES □ 해당없음
	4	수정 도면 출력 확인	□ YES □ 해당없음
	5	X-OUT 허용 확인	□ YES □ 해당없음
	6	무전해금도금 SPEC확인 투입 (표준 : Au 0.04㎛ 업체지정 : Au ㎛)	□ YES □ 해당없음
승인원	1	작업 지시서	□ YES □ 해당없음
	2	발주서 사본	□ YES □ 해당없음
	3	고객별 사양 관리 표준안	□ YES □ 해당없음
	4	모델병 사양 관리 표준안	□ YES □ 해당없음
	5	DRILL REPORT	□ YES □ 해당없음
	6	HOLE 도면 및 HOLE CHART	□ YES □ 해당없음
	7	GERBER DATA 출력물	□ YES □ 해당없음
	8	GERBER FILM	□ YES □ 해당없음
	9	업체 도면	□ YES □ 해당없음
	10	MODEL 기본 사양	□ YES □ 해당없음
	11	MODEL 이력 사항	□ YES □ 해당없음
	12	공정 CODE	□ YES □ 해당없음
	13	적층 SPEC	□ YES □ 해당없음
	14	PNL 배열도 : BVH, 빌드업, 박판, HI-Oz 제품 510 SIZE 이하 적용	□ YES □ 해당없음
	15	공정특기사항 체크 (MULTI PRINTING JIG제작등…)	□ YES □ 해당없음
관리번호	1	관리번호 Rev 변경 사항 확인 [판넬변경/DATA변경/SPEC변경]	□ YES □ 해당없음

기타사항:

A－1 HOLE CHART

※ H O L E 및 D R I L L 정 보 ※

TOOL	SYMBOL	F·HOLE	공 차	D·BIT	수 량	PTH	측 정	확 인
1		Φ	±	Φ				
2		Φ	±	Φ				
3		Φ	±	Φ				
4		Φ	±	Φ				
5		Φ	±	Φ				
6		Φ	±	Φ				
7		Φ	±	Φ				
8		Φ	±	Φ				
9		Φ	±	Φ				
10		Φ	±	Φ				
11		Φ	±	Φ				
12		Φ	±	Φ				
13		Φ	±	Φ				
14		Φ	±	Φ				
15		Φ	±	Φ				
16		Φ	±	Φ				
17		Φ	±	Φ				
18		Φ	±	Φ				
19		Φ	±	Φ				
20		Φ	±	Φ				
21		Φ	±	Φ				
22		Φ	±	Φ				
23		Φ	±	Φ				
24		Φ	±	Φ				
25		Φ	±	Φ				

V·CUT 정보	*회수 :　　　회 (그림: A, B, C, D, E)	A(제 품 두 께) : [　　　　mm] B(V-CUT각도) : [　　　　±5°] C(V-CUT깊이) : [　　　　mm] D(잔 존 폭) : [　　mm±　　㎛] E(상하틀어짐) : [Max　　　㎛]
면 취	(그림: A, B)	A(면 취 각 도) : [　　　±5°] B(면 취 깊 이) : [　　　mm]

A-2 HOLE CHART

※ H O L E 및 D R I L L 정 보 ※								
TOOL	SYMBOL	F·HOLE	공 차	D·BIT	수 량	PTH	측 정	확 인
1		Φ	±	Φ				
2		Φ	±	Φ				
3		Φ	±	Φ				
4		Φ	±	Φ				
5		Φ	±	Φ				
6		Φ	±	Φ				
7		Φ	±	Φ				
8		Φ	±	Φ				
9		Φ	±	Φ				
10		Φ	±	Φ				
11		Φ	±	Φ				
12		Φ	±	Φ				
13		Φ	±	Φ				
14		Φ	±	Φ				
15		Φ	±	Φ				
16		Φ	±	Φ				
17		Φ	±	Φ				
18		Φ	±	Φ				
19		Φ	±	Φ				
20		Φ	±	Φ				
21		Φ	±	Φ				
22		Φ	±	Φ				
23		Φ	±	Φ				
24		Φ	±	Φ				
25		Φ	±	Φ				
26		Φ	±	Φ				
27		Φ	±	Φ				
28		Φ	±	Φ				
29		Φ	±	Φ				
30		Φ	±	Φ				
31		Φ	±	Φ				
32		Φ	±	Φ				
33		Φ	±	Φ				
34		Φ	±	Φ				
35		Φ	±	Φ				
36		Φ	±	Φ				
37		Φ	±	Φ				

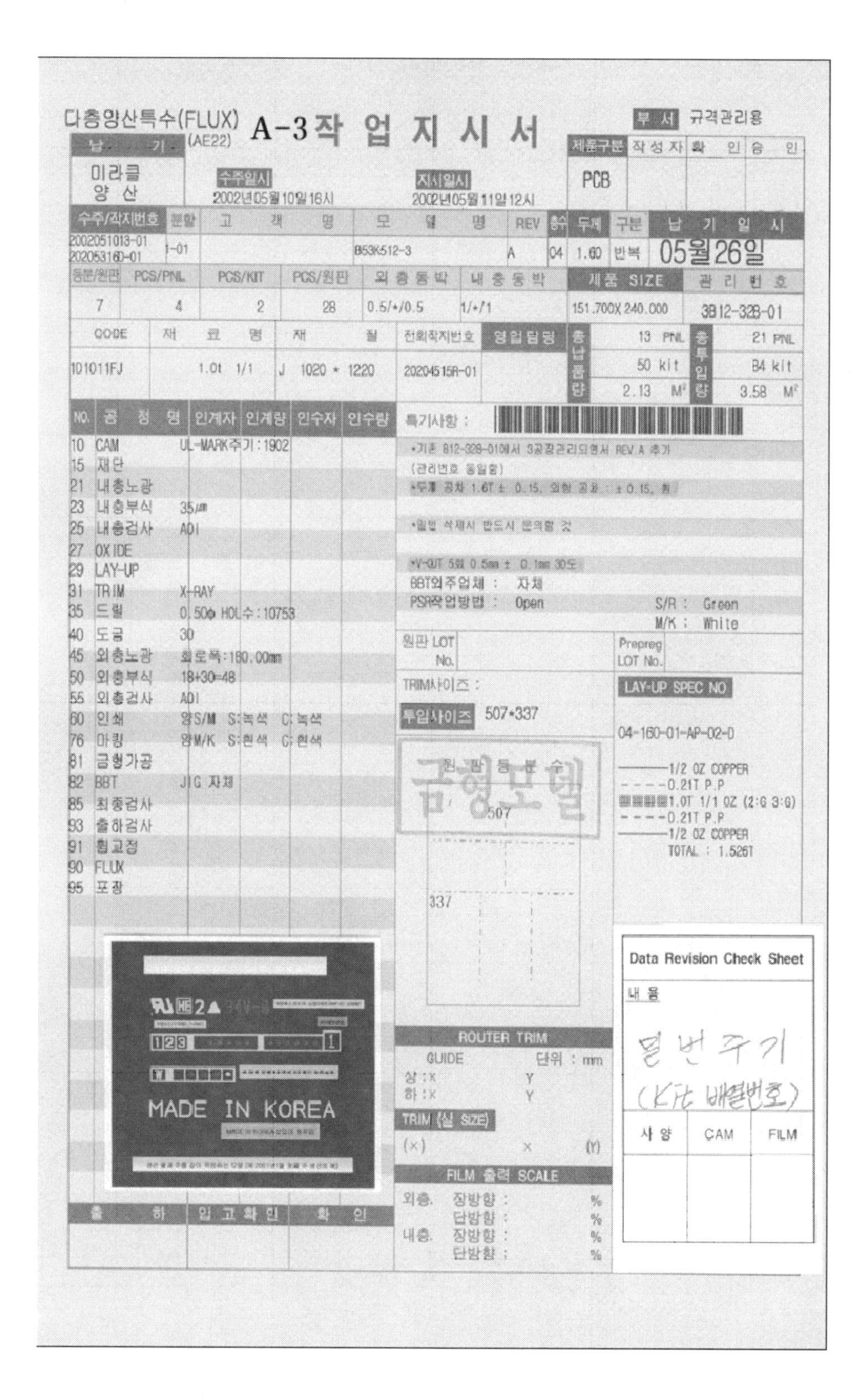

다층양산특수(FLUX) (AE22) **A-3작 업 지 시 서**

부서: 규격관리용

납기	수주일시	지시일시	제품구분	작성자	확인	승인
미라클 양 산	2002년05월10일16시	2002년05월11일12시	PCB			

수주/작지번호	분할	고객명	모델명	REV	층수	두께	구분	납기일시
2002051013-01 20205316D-01	1-01		B53K512-3	A	04	1.60	반복	05월26일

등분/원판	PCS/PNL	PCS/KIT	PCS/원판	외층동박	내층동박	제품 SIZE	관리번호
7	4	2	28	0.5/*/0.5	1/*/1	151.700X 240.000	3B12-328-01

CODE	재료명	재질	전회작지번호	영업담당	총납품량	총투입량
101011FJ	1.0t 1/1	J 1020 * 1220	20204515R-01		13 PNL	21 PNL
					50 kit	84 kit
					2.13 M²	3.58 M²

NO.	공정명	인계자	인계량	인수자	인수량
10	CAM	UL-MARK주기 : 1902			
15	재단				
21	내층노광				
23	내층부식	35㎛			
25	내층검사	ADI			
27	OXIDE				
29	LAY-UP				
31	TRIM	X-RAY			
35	드릴	0.50φ HOL수 : 10753			
40	도금	30			
45	외층노광	회로폭 : 180.00mm			
50	외층부식	18+30=48			
55	외층검사	ADI			
60	인쇄	양S/M S:녹색 C:녹색			
76	마킹	양M/K S:흰색 C:흰색			
81	금형가공				
82	BBT	JIG 자체			
85	최종검사				
93	출하검사				
91	힙고정				
90	FLUX				
95	포장				

특기사항 :
- *기존 B12-328-01에서 3공장관리되면서 REV.A 추가 (관리번호 동일함)
- *두께 공차 1.6T ± 0.15, 외형 공차 : ± 0.15, 최
- *일반 석재시 반드시 문의할 것
- *V-CUT 5회 0.5mm ± 0.1mm 30도

BBT외주업체 : 자체
PSR작업방법 : Open S/R : Green M/K : White

원판 LOT No. | Prepreg LOT No.

TRIM사이즈 :
투입사이즈 507*337

원판등분수: 507 / 337

LAY-UP SPEC NO
04-160-01-AP-02-0

- 1/2 OZ COPPER
- 0.21T P.P
- 1.0T 1/1 OZ (2:G 3:G)
- 0.21T P.P
- 1/2 OZ COPPER

TOTAL : 1.526T

출하	입고확인	확인

ROUTER TRIM
GUIDE 단위 : mm
상 : X Y
하 : X Y
TRIM (실 SIZE)
(X) X (Y)

FILM 출력 SCALE
외층. 장방향 : %
단방향 : %
내층. 장방향 : %
단방향 : %

Data Revision Check Sheet
내용
몰번주기 (KFC 배열번호)

사양	CAM	FILM

A-4

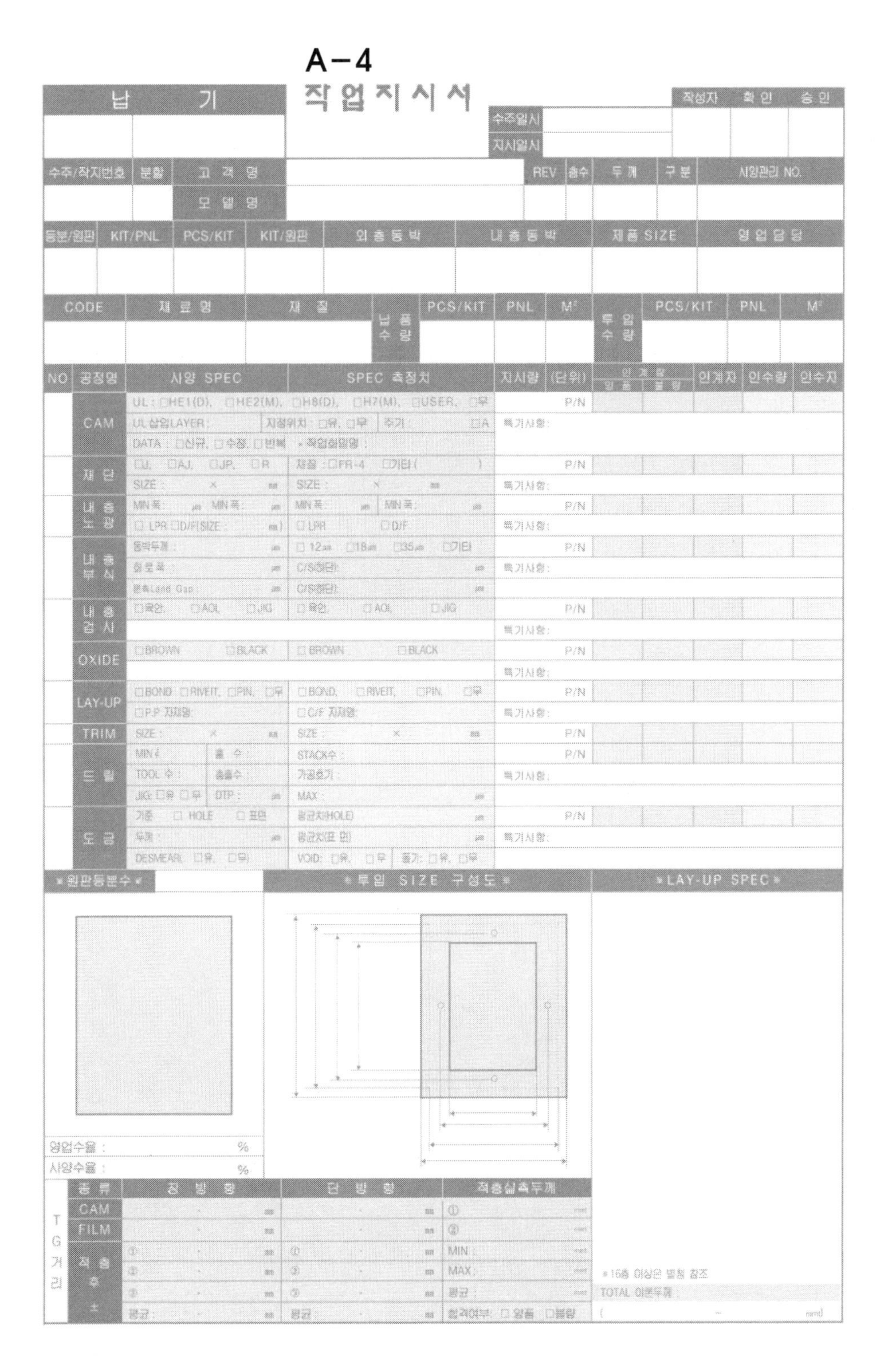

작업지시서

납기		수주일시		작성자	확인	승인
		지시일시				

수주/작지번호	분할	고객명		REV	층수	두께	구분	사양관리 NO.
		모델명						

등분/원판	KIT/PNL	PCS/KIT	KIT/원판	외층동박	내층동박	제품 SIZE	영업담당

CODE	재료명	재질	납품수량 PCS/KIT	PNL	M²	투입수량 PCS/KIT	PNL	M²

NO	공정명	사양 SPEC	SPEC 측정치	지시량 (단위)	인계량 양품	인계량 불량	인계자	인수량	인수자
	CAM	UL : □HE1(D), □HE2(M), □H8(D), □H7(M), □USER, □무		P/N					
		UL 삽입LAYER :	지정위치 : □유, □무 / 주기 : □A	특기사항:					
		DATA : □신규, □수정, □반복 ※작업화일명 :							
	재단	□JJ, □AJ, □JP, □R	재질 : □FR-4 □기타 ( )	P/N					
		SIZE : × ㎜	SIZE : × ㎜	특기사항:					
	내층노광	MIN 폭 : ㎛ MIN 폭 : ㎛	MIN 폭 : ㎛ / MIN 폭 : ㎛	P/N					
		□ LPR □D/F(SIZE : ㎜)	□ LPR □D/F	특기사항:					
	내층부식	동박두께 : ㎛	□ 12㎛ □18㎛ □35㎛ □기타	P/N					
		회로폭 : ㎛	C/S(하단): ㎛	특기사항:					
		편측Land Gap : ㎛	C/S(하단): ㎛						
	내층검사	□육안, □AOI, □JIG	□ 육안, □ AOI, □JIG	P/N					
				특기사항:					
	OXIDE	□BROWN □BLACK	□ BROWN □BLACK	P/N					
				특기사항:					
	LAY-UP	□BOND □RIVEIT, □PIN, □무	□BOND, □RIVEIT, □PIN, □무	P/N					
		□P.P 자재명:	□C/F 자재명:	특기사항:					
	TRIM	SIZE : × ㎜	SIZE : × ㎜	P/N					
	드릴	MIN ∮ / 홀 수 :	STACK수 :	P/N					
		TOOL 수 : / 총홀수 :	가공호기 :	특기사항:					
		JIG: □유 □무 / DTP : ㎛	MAX : ㎛						
	도금	기준 □ HOLE □ 표면	평균치(HOLE) ㎛	P/N					
		두께 : ㎛	평균치(표 면) ㎛	특기사항:					
		DESMEAR(□유, □무)	VOID: □유, □무 / 돌기: □유, □무						

※원판등분수※	※투입 SIZE 구성도※	※LAY-UP SPEC※
영업수율 : %		
사양수율 : %		

TG거리	종류	장방향	단방향	적층실측두께
	CAM	· ㎜	· ㎜	① ㎜
	FILM	· ㎜	· ㎜	② ㎜
	적층후	① · ㎜	① · ㎜	MIN : ㎜
		② · ㎜	② · ㎜	MAX : ㎜
		③ · ㎜	③ · ㎜	평균 : ㎜
	±	평균 : · ㎜	평균 : · ㎜	합격여부: □ 양품 □불량

※16층 이상은 별첨 참조

TOTAL 이론두께 :

(~ ㎜)

특기사항 사 양 관 리 번 호

공정명	사양SPEC	SPEC측정치	지시량 (단위)	인계량 양품	인계량 불량	인계자	인수량	인수자
Plugging	MIN ∮:	MIN ∮:	PIN					
외층 노광	MIN폭: ㎛ MIN간격: ㎛	MIN폭: ㎛ MIN간격: ㎛	PIN					
	D/F SIZE: ㎛		특기사항:					
외층 부식	두 께: ㎛	□12㎛ □18㎛ □35㎛ □기타	PIN					
	회로폭: ㎛	C/S(하단): ㎛	특기사항:					
	편측 Land Gap: ㎛	S/S(하단): ㎛						
	SMD (상단) PICH: ± ㎛	C/S: ㎛ S/S: ㎛						
	PICH: ± ㎛	C/S: ㎛ S/S: ㎛						
	BGA (상단) PICH: ± ㎛	C/S: ㎛ S/S: ㎛						
	PICH: ± ㎛	C/S: ㎛ S/S: ㎛						
	기타:							
외층검사	□육안, □AOI, □JIG, □UNIV.	□육안, □AOI, □JIG, □UNIV.	PIN					
인 쇄	□WET TO WET, □OPEN, □TENTING		PIN					
	색상 C면: S면: 면수 □단면 □양면	두 께(EDGE) (㎛) CENTER (㎛)	특기사항:					
	편심: ㎛, 댐폭: ㎛	편심: ㎛, 댐폭: ㎛						
무전해 금도금	MIN NI : ㎛	MIN NI : ㎛	PIN					
	MIN AU : ㎛	MIN AU : ㎛	특기사항:					
마 킹	색상 C면: 면 □단면	□4H □5H □6H	PIN					
	S면: 수 □양면		특기사항:					
	□UV □IR							
H A L	두께 : ~ ㎛	외주처 :	PIN					
	외주처 :		특기사항:					
단자 금도금	MIN NI: ㎛	MIN NI: ㎛	PIN					
	MIN AU: ㎛	MIN AU: ㎛	특기사항:					
	PIN 수 : 각도 : °	• 단자면적 : ㎛						
ROUTER	□R/T, □2차드릴, □지구리	□R/T, □2차드릴, □지구리	PCS/KIT					
	가공SIZE : × ㎜(± ㎜)	가공SIZE : × ㎜ ±	특기사항:					
V-CUT	회수 : 회	회수 : 회						
	잔존폭 : ㎜ ± ㎜	잔존폭 : ㎜ ± ㎜						
	각도 : □30° □45° □기타	각도 : □30° □45° □기타						
	점프 : □유, □무	점프 : □유, □무						
금 형	금형출 : ∮[ ][ ]	금형출 : ∮[ ][ ]	PCS/KIT					
	외주처 : 가이드홀: ∮							
B B T	□사내 전압: V	□사내 전압: V	PCS/KIT					
	□외주 저항: Ω	□외주 저항: Ω	특기사항 :					
	양품 (%)	OPEN량 (%) 완불량 : (%)						
	불량 (%)	SHORT량 (%) 완불금액 : 천원						
최 종	두께측정부 :	두께: ㎜(T)	PCS/KIT					
출 하	포장단위 : PCS/KIT	포장단위 : PCS/KIT	PCS/KIT					
휨교정	%	%	PCS/KIT					
FLUX	외주처 :		PCS/KIT					
입 고			PCS/KIT					
			PCS/KIT					

승 인 원 : □유, □무 • 부수 : 무 | FILM : □유, □무 | 성 적 서 : □유, □무 | 신 뢰 성 : □유, □무

A-5 금형검토의뢰서

결재	작 성	검 토	승 인

수 신		발 신	
전 화(FAX)		전 화(FAX)	
의 뢰 날 짜	2003 년 월 일	완 료 날 짜	2003 년 월 일
DATA전송방법	E-mail 전송 : PRESS DATA , FAX 전송 : 금형검토의뢰서 및 도면		
관 리 번 호			
업 체 명			
모 델 명			
제품 사이즈	mm X mm	제 품 두 께	두께 T (층수 층/FR-4)
사각금형가공홀		금형홀 갯수	
라운드금형가공홀		금형홀 갯수	
타 발 방 향	DATA에 표기 (정 방향)		
V-CUT		Chamber삽입	
금형가이드홀	Φ mm NPTH	PIN SIZE	mm (EA)
역방향금지홀	Φ mm NPTH	PIN SIZE	mm (EA)
수 정 有,無	없슴		
금형측정DATA	금형측정DATA/금형데이타 회신요망/시타발 1 PCS 송부요망		

비 고

A-6 PCB 제작사양서

관리번호 : 3C10-404-02
2003년 07월 23일

귀중

MODEL 명 :		REV NO.	A	UL MARK	2 ▲ 94V-0
기 판 두 께 : FR-4. 1.6±0.1mmt		SIZE	180.569mm ±0.2 × 64.414mm ±0.2		
층 수 : 6 LAYER		BASE COPPER CLAD : 외층: 1/2 OZ 내층: 1 OZ			

항목	내용	LAYER STACK UP
표면처리	■ HAL (Min 3 ~ 35 ㎛) □ 무전해금도금(AU: Min ㎛/NI: Min ㎛) □ SOFT GOLD(AU: / NI:) □ 전해금도금 (AU: MiN ㎛ / NI: Min ㎛) □ FLUX (CU-PTH) □ 카본인쇄 (Min ㎛) □ 기타 ( )	
단자금도금	PIN수: 96 / AU: Min 0.76 ㎛ / NI: Min 3 ㎛	층수
SOLDER MASK	■ PSR (GREEN) ■ COMP SIDE ■ SOLDER SIDE □ NA-404 □ NA-401	
SYMBOL MARKING	면 : ■ COMP SIDE ■ SOLDER SIDE 색상 : ■ WHITE □ YELLOW □ BLACK	1/2 oz 0.1T P.P 0.2T 1/1 0.18T P.P 0.18T P.P 0.18T P.P 0.18T P.P 0.2T 1/1 0.1T P.P 1/2 oz
도 금	Min : 20 ㎛	
외형가공	■ ROUTER □ 금형 ■ 면취 (20°) □ V-CUT(회) □ 잔존폭(±)	
준비사양	□ 외형치수도면 : 매 □ SAMPLE : 매 □ HOLE상세도면 : 매 □ 검사성적서 : ■ 회로도면 ■ COMP SIDE ■ SOLDER SIDE ■ 내층 (2 ~ 5) ■ SOLDER MASK도면: (■ COMP SIDE ■ SOLDER SIDE) ■ MARKING 도면 : ■ COMP SIDE ■ SOLDER SIDE) □ 카 본 도 면 : (□ COMP SIDE □ SOLDER SIDE)	
QF PIN	□ 0.4Pitch(± ㎛) □ 0.65Pitch(424 ± 30 ㎛)	
BGA	1.0 Pitch(508±30㎛)	
SOLD MASK VIA	□ OPEN □ TENTING ■ WET-TO-WET □ PLUGGING	
IMPEDANCD	적용 LAYER : ( ), 적용 Ω : (Ω)	TOTAL : 1.496mmt

본 사양을 (□승인 □조건부승인) 합니다. 년 월 일 담당자 : (인) TEL : ( ) -	고객용	결재	담 당	검 토	승 인

조건부 승인내역	
	①
	②
	③

특기사항	당사용	결재	담 당	규격관리	QC 승인

B) CAM CHECK LIST

순서	NO	CHECK 항목	작업자 :
DRILL	1	drill format은 맞게 input되었는가?	□ YES □ 해당없음
	2	drill 보정은 hole chart와 비교해 맞게 보정 하였는가?	□ YES □ 해당없음
	3	hole chart와 drill 수량 비교 확인 및 중복홀,쌍홀 확인	□ YES □ 해당없음
	4	각홀 SIZE 확인(hole size 대비 1.5배 이상)	□ YES □ 해당없음
	5	pad와 drill 에 대하여 snapping은 맞추었는가?(pad와 drill이 맞지 않을경우)	□ YES □ 해당없음
	6	finish hole과 최종드릴에 대한 보정값이 hole chart에 제대로 기재되었는가?	□ YES □ 해당없음
	7	1.85¢미만에 대한 각홀보정값은 -0.01m로 정공과 구분하여 보정하였는가?	□ YES □ 해당없음
	8	원가공(round drill)에 대하여 지름의 반이상정공으로 추가 삽입하였는가?	□ YES □ 해당없음
	9	추가로 삽입되는 drill이 있는가?(모서리 R값, SLOT 부분)	□ YES □ 해당없음
SIGNAL 및 외층	1	제품의 외형선 삭제 및 내부 router선 삭제	□ YES □ 해당없음
	2	trace pads를 construct pads로 변환 시켰는가?	□ YES □ 해당없음
	3	pad변환시 orig과의 형태 변형이 없는가?	□ YES □ 해당없음
	4	netlist analysis 를 설정하여 net setting을 하였는가?	□ YES □ 해당없음
	5	n-th 동박(LAND) 삭제	□ YES □ 해당없음
	6	패턴 및 smd에 대하여 보정값을 적용하였는가(copper 제외)? (내층pattern : ㎛ , 외층pattern : ㎛ , SMD : ㎛)	□ YES □ 해당없음
	7	BGA에 대한 보정값은 표준에 맞게 보정 되었는가? (㎛보정)	□ YES □ 해당없음
	8	drill 에 대한 annular-ring은 편측150㎛ 이상 적용(최소 125㎛)	□ YES □ 해당없음
	9	회로간격 및 annular-ring check (analysis check) (최소간격: ㎛ , 내층 annular-ring: ㎛ , 외층 annular-ring: ㎛)	□ YES □ 해당없음
	10	내층 teardrop 처리 유무 확인 및 독립pad 삭제 여부확인	□ YES □ 해당없음
	11	제품외각에서 편측200㎛이상 간격으로 동박이 형성되어 있는가?	□ YES □ 해당없음
	12	n-th에 대한 주위 동박은 drill+편측 200㎛으로 cutting되었는가(pattern)?	□ YES □ 해당없음
	13	편LAND는 DRILL - 0.3mm 동박 cutting 하였는가?	□ YES □ 해당없음
VCC/GND	1	GND / VCC층의 외곽은 1mm 이상 EPOXY 처리	□ YES □ 해당없음
	2	GND / VCC층의 clearance는 DRILL + 1mm (최소 : 0.7 mm)	□ YES □ 해당없음
	3	clearance간 간격은 최소 120㎛이상 유지	□ YES □ 해당없음
	4	내층 clearance는 drill + 0.7mm (편측 최소 250㎛ ~ 500㎛)	□ YES □ 해당없음
	5	thermal tie gap : MIN 150㎛ , drill과의 내경이 편측 150㎛이상되는지 확인	□ YES □ 해당없음
	6	외각(profile)을 기준으로 제품안쪽에 있는 전원분리선이 삭제되지 않았는지 확인	□ YES □ 해당없음
	7	외각(profile)을 기준으로 2mm이상 제품밖으로 나와있는 line은 삭제하였는가?	□ YES □ 해당없음
	8	제품 내부 전원 분리선 단선여부 확인	□ YES □ 해당없음
	9	n-th 에 대하여 drill+1mm로 clearance를 형성하였는가?	□ YES □ 해당없음
	10	thermal 고립된 부분은 없는지 확인하였는가?(analysis check)	□ YES □ 해당없음
	11	단자모델은 단자 면취일경우 단자끝부분에서 3mm이상 epoxy 처리 하였는가?	□ YES □ 해당없음
	12	특수제품은 DUMMY에 동박처리할것 (내외층)	□ YES □ 해당없음
	13	내층 EPOXY LINE 형성시 THERMAL의 고립 POINT는 없는가?	□ YES □ 해당없음
	1	trace pads를 construct pads로 변환 시켰는가?	□ YES □ 해당없음
	2	pad변환시 orig과의 형태 변형이 없는가?	□ YES □ 해당없음

구분	No	내용	확인
MASK	3	PATTERN에대한 MASK의 annular-ring은 LAND+0.14mm(편측60㎛이상)	□ YES □ 해당없음
	4	QFP의 MASK 댐폭 및 편심은 얼마 인가? (편심: ㎛ , 땜폭: ㎛)	□ YES □ 해당없음
	5	일반 SMD의 편심은 편측 60㎛이상 , MASK-pattern간 간격 80㎛이상 인가?	□ YES □ 해당없음
	6	N-TH MASK 형성 (일반:DRILL+200㎛ , 더미부분:DRILL+400㎛)	□ YES □ 해당없음
	7	인식 마크의 MASK 처리	□ YES □ 해당없음
	8	SILK 대비 MASK가 누락된 부분이 있는지 확인하였는가?	□ YES □ 해당없음
	9	mask에 대한 analysis check 하였는가?	□ YES □ 해당없음
	10	MASK open 부분외 주위회로에 동노출되는 부분은 없는가?	□ YES □ 해당없음
	11	MASK 외각이 굵게 들어온 경우 삭제 금지(업체 확인후 진행여부 하였는가?)	□ YES □ 해당없음
SILK	1	SILK의 Dcode IR : 130㎛ ~ 140㎛, UV : 170㎛ ~ 180㎛	□ YES □ 해당없음
	2	silk cutting시 silk box의 dcode값이 나올수 있도록 넓혀주었는가?	□ YES □ 해당없음
	3	SILK 뒤집힘 및 겹치는 부위 확인하여 수정하였는가?	□ YES □ 해당없음
	4	SILK CUTTING : MASK + 0.1mm , VIA HOLE + 0.1mm	□ YES □ 해당없음
	5	SILK CUT 금지구역 및 특기사항 check	□ YES □ 해당없음
	6	UL MARK 및 난연성 표시마크, 주기형식 확인 (주주년년, 년년주주)	□ YES □ 해당없음
	7	silk에 대한 analysis check 하였는가?	□ YES □ 해당없음
MAP	1	도면에 대한 size에 맞게 외형 작업은 하였는가?	□ YES □ 해당없음
	2	각각의 DRILL 에 대하여 MAP을 구분하여 만들었는가?	□ YES □ 해당없음
	3	내부 ROUTER 및 V-CUT 부위는 MAP상에 표기하였는가?	□ YES □ 해당없음
	4	th은 ○ ,n-th은 ▨ , 편land는 ▣ 로 형성하였는가?	□ YES □ 해당없음
	5	모서리 R 값은 적용하였는가?	□ YES □ 해당없음
hole망	1	전체(층)drill에 대해 hole point를 형성하였는가? (drill+100㎛)	□ YES □ 해당없음
	2	누락된 hole point는 없는가?	□ YES □ 해당없음
	3	mask와 반이상 걸치는 drill point는 mask와 hole망에 형성하였는가?	□ YES □ 해당없음
	4	mask와 반이하 걸치는 drill point는 mask cutting 하였는가?	□ YES □ 해당없음
KIT	1	KIT에 대한 ARRAY SIZE는 치수에 맞게 작업하였는가?(x값: y값:)	□ YES □ 해당없음
	2	mirror 제품인지,아닌지 확인하여 array는 하였는가?	□ YES □ 해당없음
	3	mirror제품인경우 top,bot이 제대로 array이 되었는가?	□ YES □ 해당없음
	4	dummy에 동박을 형성, v-cut ,missing hole 확인하였는가?	□ YES □ 해당없음
	5	dummy에 copper는 형성하였는가?	□ YES □ 해당없음
	6	round 부분 router bit가 지나가는 copper(동박) cutting하였는가?	□ YES □ 해당없음
	7	V-CUT TEST PAD 는 삽입하였는가?	□ YES □ 해당없음
	8	v-CUT-LINE에서 편측 500㎛ 동박 cutting하였는가?	□ YES □ 해당없음
	9	kit no 삽입모델일 경우 각 kit 마다 제대로 kit no가 삽입되었는가?	□ YES □ 해당없음
	10	모듈 및 단자 모델에 대한 리드선,인입선,더미단자는 제대로 삽입되었는가?	□ YES □ 해당없음
	11	kit에 모델명 및 추가 삽입되는 기호 및 문자 확인	□ YES □ 해당없음
	12	인식마크 및 기구홀은 업체 도면에 맞게 삽입하였는가?	□ YES □ 해당없음
	13	기구홀과 MISSING HOLE은 MASK, HOLE POINT에 삽입 하였는가?	□ YES □ 해당없음
	14	ARRAY는 고객 사양에 맞게 되었는가? (PCS 방향성 확인)	□ YES □ 해당없음
	15	내층 더미부 레진터널은 생성하였는가?	□ YES □ 해당없음
	1	PNL은 내층 / 외층에 맞게 적용	□ YES □ 해당없음
	2	내층외곽 DOT 형식으로 동박처리	□ YES □ 해당없음
	3	내층 PNL에 SLOT BENTING 적용 및 SLOT BENTING 펀칭의 인식마크 확인	□ YES □ 해당없음
	4	제품내부로 PNL의 가이드 침범 유무 확인	□ YES □ 해당없음

PNL	5	내층 자동 노광용 panel 삽입하였는가?	□ YES □ 해당없음
	6	외층 자동 노광용 panel 삽입하였는가?	□ YES □ 해당없음
	7	pattern은 제품외각에서 3mm굵기로 3mm 이격하여 외각 line 형성 하였는가?	□ YES □ 해당없음
	8	0.8t 무전해 일경우 pattern에 최외각에서 5mm이격하여 동박 형성	□ YES □ 해당없음
	9	0.8t 무전해 일경우 hole망에 1mm굵기로 PNL최외각에서 5mm이격하여 line형성	□ YES □ 해당없음
	10	단자제품 : LEAD선 0.3mm, 인입선 1mm, 전원 공급선 4mm이상 삽입	□ YES □ 해당없음
	11	내층 PNL에 SLOT BENTING 적용 및 SLOT BENTING 펀칭의 인식마크 확인	□ YES □ 해당없음
	12	panel TEXT 및 자구리 TEXT , 외각모서리 관리번호 삽입하였는가?	□ YES □ 해당없음
	13	인쇄,STACK,본딩,PSR편심,자동POSA,리벳,외층편심,Tg측정 GUIDE확인	□ YES □ 해당없음
	14	CHEKING HOLE 삽입(check drill에 대하여 hole point생성하였는가?)	□ YES □ 해당없음
	15	기타 모델에 대하여 맞게 panel을 적용하였는가?	□ YES □ 해당없음
	16	박판에 대하여 Hole point를 Drill-0.15mm로 생성하였는가?(PNL Guide hol	□ YES □ 해당없음
	17	판넬에 가이드의 누락은 확인하였는가?	□ YES □ 해당없음
	18	판넬 본딩부 레진터널 생성은 하였는가? (MULTI/HIGH-OZ)	□ YES □ 해당없음
기타	1	문제 발생시 사양으로 FEEDBACK	□ YES □ 해당없음
	2	임피던스일 경우 회로관리폭을 PNL 더미에 삽입	□ YES □ 해당없음
	3	자체승인원에 맞게 작업 되었는지 내용확인 및 작업 data check 하였는가?	□ YES □ 해당없음
	4	신규모델 검토서는 기재하였는가?	□ YES □ 해당없음
	5	데이터는 서버에 작업한 시간,날짜대로 저장되어있는가?(날짜: 시간:	□ YES □ 해당없음
	6	SCRATCH / MERGE 진행후 OPEN / SHORT POINT는 없는지 확인하였는가?	□ YES □ 해당없음
	7	GERBER DATA와 EDIT DATA의 비교 및 확인	확인자:

C) CAM EDIT 검도용 CHECK LIST

<table>
<tr><td colspan="4">모델관리번호 :</td></tr>
<tr><td>순서</td><td>NO</td><td>CHECK 항목</td><td>확인유무</td></tr>
<tr><td rowspan="8">승인원</td><td>1</td><td>검도 시 승인원을 참고하였는가?</td><td>☐ YES ☐ 해당없음</td></tr>
<tr><td>2</td><td>업체별 사양을 적용하였는가?(승인원 참고)</td><td>☐ YES ☐ 해당없음</td></tr>
<tr><td>3</td><td>drill 보정은 hole chart와 비교해 맞게 보정 하였는가?</td><td>☐ YES ☐ 해당없음</td></tr>
<tr><td>4</td><td>finish hole과 최종드릴에 대한 보정값이 hole chart에 제대로 기재되었는가?</td><td>☐ YES ☐ 해당없음</td></tr>
<tr><td>5</td><td>UL MARK 및 난연성 표시마크, 주기형식 확인 (주주년년, 년년주주)</td><td>☐ YES ☐ 해당없음</td></tr>
<tr><td>6</td><td>작업 지시서의 Array수량과 투입 Panel의 Array수량이 동일한가?</td><td>☐ YES ☐ 해당없음</td></tr>
<tr><td>7</td><td>적층 구조에 따른 Mirror처리가 잘 되었는가?</td><td>☐ YES ☐ 해당없음</td></tr>
<tr><td></td><td></td><td>☐ YES ☐ 해당없음</td></tr>
<tr><td rowspan="4">내층</td><td>1</td><td>GND / VCC층의 외곽은 1mm 이상 EPOXY 처리</td><td>☐ YES ☐ 해당없음</td></tr>
<tr><td>2</td><td>thermal 고립된 부분은 없는지 확인하였는가?(analysis check)</td><td>☐ YES ☐ 해당없음</td></tr>
<tr><td>3</td><td>내층 teardrop 처리 유무 확인 및 독립pad 삭제 여부확인</td><td>☐ YES ☐ 해당없음</td></tr>
<tr><td></td><td></td><td>☐ YES ☐ 해당없음</td></tr>
<tr><td rowspan="14">외층</td><td>1</td><td>패턴 및 smd에 대하여 보정값을 적용하였는가(copper 제외)?</td><td>☐ YES ☐ 해당없음</td></tr>
<tr><td>2</td><td>인식마크 및 기구홀은 업체 도면에 맞게 삽입하였는가?</td><td>☐ YES ☐ 해당없음</td></tr>
<tr><td>3</td><td>N-TH MASK 형성하였는가?</td><td>☐ YES ☐ 해당없음</td></tr>
<tr><td>4</td><td>제품의 외형선 삭제 및 내부 router선 삭제하였는가?</td><td>☐ YES ☐ 해당없음</td></tr>
<tr><td>5</td><td>누락된 hole point는 없는가?</td><td>☐ YES ☐ 해당없음</td></tr>
<tr><td>6</td><td>KIT에 대한 ARRAY SIZE는 치수에 맞게 작업하였는가?</td><td>☐ YES ☐ 해당없음</td></tr>
<tr><td>7</td><td>mirror제품인경우 top,bot이 제대로 array이 되었는가?</td><td>☐ YES ☐ 해당없음</td></tr>
<tr><td>8</td><td>도면에 대한 size에 맞게 외형 작업은 하였는가?</td><td>☐ YES ☐ 해당없음</td></tr>
<tr><td>9</td><td>모서리 R 값은 적용하였는가?</td><td>☐ YES ☐ 해당없음</td></tr>
<tr><td>10</td><td>SILK 뒤집힘 및 겹치는 부위 확인하였는가?</td><td>☐ YES ☐ 해당없음</td></tr>
<tr><td>11</td><td>Panel Step에서 제품내에 Guide가 침범하지 않았는가?</td><td>☐ YES ☐ 해당없음</td></tr>
<tr><td></td><td></td><td>☐ YES ☐ 해당없음</td></tr>
<tr><td></td><td></td><td>☐ YES ☐ 해당없음</td></tr>
<tr><td></td><td></td><td>☐ YES ☐ 해당없음</td></tr>
<tr><td rowspan="3">필수사항</td><td>1</td><td>Gerber와 비교하였는가?(상이부분은 특기사항 확인)</td><td>☐ YES ☐ 해당없음</td></tr>
<tr><td>2</td><td>검도 후 문제사항에 대해서 교육자료화 하였는가?</td><td>☐ YES ☐ 해당없음</td></tr>
<tr><td></td><td></td><td>☐ YES ☐ 해당없음</td></tr>
<tr><td colspan="4">기타사항:</td></tr>
</table>

C-1 신규모델 작업검토서

고객명 :	모델명 :	관리번호 :

사양		CAM		검도		확인	

CAM EDIT후 치수 총홀수/PNL :

	보정치	MIN ANU	최소회로폭	최소간격	기타
내층(Signal)	㎛	㎛	㎛	㎛	
내층(Ground)	최소clearance: ㎛	기타:			
외층	SMD ㎛, PAT ㎛	㎛	㎛	㎛	

MASK	QFP,LSP 편심값(최소)	QFP,LSP 땜폭값(최소)	편mask	기타
	㎛	㎛	(유 , 무)	

SILK	DCODE값	UL 및 주기		기타
	㎛	공장:	(년년주주 , 주주년년)	

MAP	외각 size (장방향: mm , 단방향: mm)

작업사항	[표준작업사항외 작업사항 기재]

확인사항	[사양 수정요구 및 확인사항]

작업 진행 사항 기재

	DRILL	내층(GND)	내층(SIG)	외층	MASK	SILK	HOLE POINT
PCS							
KIT							
PANEL							

최종검도사항	CAM	승 인
1. Gerber 비교 검토하였는가? 2. 승인원 기본 숙지 사항을 필독하였는가? 3. Drill Data 정리 및 확인하였는가 ?		

D) FILM CHECK LIST

순서	NO	CHECK 항목	작업자 :
	1	필름의 막면 / 비막면 확인	□ YES □ 해당없음
	2	관리번호 확인	□ YES □ 해당없음
	3	모델명 및 REVISION 확인	□ YES □ 해당없음
	4	NEGATIVE / POSITIVE 구분 확인	□ YES □ 해당없음
	5	SCALE 값 적용 확인 (내층 / 외층 / MASK)	□ YES □ 해당없음
	6	FILM AOI 검사 실시	□ YES □ 해당없음
	7	내/ 외층 FILM 및 PSR 노광 FILM은 구별하여 코팅 유무 확인	□ YES □ 해당없음
	8	내 / 외층 구별하여 DRILL BIT 사용 확인	□ YES □ 해당없음
	9	층간 SCALE 확인	□ YES □ 해당없음
	10	내층 SCALE 측정후 DATA 첨부	□ YES □ 해당없음
	11	내층 SCALE 적용	□ YES □ 해당없음
	12	전층에 FILM 관리번호 삽입	□ YES □ 해당없음
	13	층별 벤팅 확인	□ YES □ 해당없음
	14	FILM상의 모델과 작업 지시서상의 동일모델 유무 확인	□ YES □ 해당없음
	15	ORIGINAL GERBER FILM(반전)과 EDIT FILM 비교 확인	□ YES □ 해당없음
	16	전산 등록	□ YES □ 해당없음
	17	내층 단자부위 외각라인에서 1/3 이상 Epoxy 처리	□ YES □ 해당없음
	18	UL LOGO 및 밀번주기는 업체 SPEC에 맞게 적용되었는가?	□ YES □ 해당없음
	19	더미부/판넬외곽부 레진터널의 유무는 확인하였는가?	□ YES □ 해당없음
	20	수정사항 적용 有無확인은 하였는가?	□ YES □ 해당없음

E) 반복 CHECK LIST

관리번호: 모델명: 작업자: 승인자:

순서	NO	CHECK 항목	확인유무
제품사양	1	모델명과 버전은 확인 하였는가? (적용 DATA)	□ YES □ 해당없음
	2	샘플진행시 승인원은 접수되었는가? (DATA승인유무확인)	□ YES □ 해당없음
	3	고객별/모델별 이력카드는 확인 첨부하였는가?	□ YES □ 해당없음
	4	샘플진행시 접수 사양서 및 기구도는 확인하였는가? (접수 부)	□ YES □ 해당없음
	5	제품사이즈 및 수량/납기 는 확인하였는가?	□ YES □ 해당없음
	6	UL LOGO 및 제조주기 삽입 SPEC은 확인하였는가?	□ YES □ 해당없음
	7	고객별/모델별 SPEC에 준하여 샘플진행 되었는가?	□ YES □ 해당없음
	8	샘플진행후 고객요청사항은 있었는가?	□ YES □ 해당없음
	9	샘플진행후 양산작업시 SPEC변경은 있는가? (첨부시 적용 유무확인)	□ YES □ 해당없음
	10	회로 및 DRILL 보정은 맞게 형성되었는가? (당사 SPEC변경 유무확인)	□ YES □ 해당없음
	11	샘플후 불량 이력은 있었는가?	□ YES □ 해당없음
	12	특수 공정 有無 확인 ? (PEELABLE: CARBON:	□ YES □ 해당없음
	13	BBT 및 금형 有無 확인? (BBT: 금형:)	□ YES □ 해당없음
	14	전산코드(공정코드,재단코드,적층코드)는확인 하였는가?	□ YES □ 해당없음
	15	진행 샘플 보드는 첨부되었는가?	□ YES □ 해당없음
	16	작업지시서 분할 CARD수 확인 (투입판넬:)	□ YES □ 해당없음
	17	특수보드 부문장/팀장 결재는 득하였는가?	□ YES □ 해당없음
승인	1	**샘플 진행시 접수 승인원은 첨부하였는가?**	□ YES □ 해당없음
DATA	1	반복 작업지시 번호는 확인하였는가? (적용 DATA)	□ YES □ 해당없음
	2	반복 진행시 DATA 수정사항은 있는가? (SPEC변경서 유무체크)	□ YES □ 해당없음
	3	판넬사이즈 및 배열은 변경되었는가? (판넬납품 유무확인)	□ YES □ 해당없음
	4	적용 SPEC누락 POINT 유무확인 (미적용 부분 수정)	□ YES □ 해당없음
	5	회로 및 DRILL 재보정 유무확인 (외층: ㎛ DRILL: Φ)	□ YES □ 해당없음
	6	GERBER DATA에서 추가된 POINT는 있는가?	□ YES □ 해당없음
	7	GERBER DATA에서 삭제된 POINT는 있는가?	□ YES □ 해당없음
	8	당사 진행에 필요한 재승인 요청은 하였는가? (담당:)	□ YES □ 해당없음
			□ YES □ 해당없음
			□ YES □ 해당없음
승인	1	**반복진행시 GERBER DATA와 비교 CHECK 하였는가?**	□ YES □ 해당없음

기타사항: SPEC 검도시 문제사항 및 CAM 작업 지시사항

F) LCD CHECK LIST

모델명 :		REVISION :	작업자 :
순서	NO	CHECK 항목	확인유무
LCD공통	1	TCP PAD의 인식마크 보정치 확인(0.50 => 0.57mm)	☐ YES ☐ 해당없음
	2	TCP PAD의 PAD사이즈의 일반적인 보정치 확인.(+0.05mm)	☐ YES ☐ 해당없음
	3	제품 외곽부위의 MASK 확인.(외곽과 1:1 인 MASK는 키울것.)	☐ YES ☐ 해당없음
	4	라우터 CHIP 배출을 용이하게 하기 위한 지지홀 삽입.(미싱홀 부위)	☐ YES ☐ 해당없음
	5	박판 JIG 인쇄 확인.(0.6T 이하 제품에 적용)	☐ YES ☐ 해당없음
	6	TCP PAD의 뒷면의 SILK확인. (TCP PAD의 뒷면에는 SILK가 없어야함(평탄도문	☐ YES ☐ 해당없음
	7	인식마크간 거리 작업지시서에 명기하였는가?	☐ YES ☐ 해당없음
A회사 LCD모델	1	VIA홀에 의한 실크 스크러치 금지 확인.	☐ YES ☐ 해당없음
	2	TCP GUIDE HOLE보정금지.	☐ YES ☐ 해당없음
	3	더미에 KIT번호 삽입.	☐ YES ☐ 해당없음
	4	더미에 층수 번호 삽입	☐ YES ☐ 해당없음
	5	라우터 외곽부위 2~3mm EPOXY처리	☐ YES ☐ 해당없음
	6	EPOXY처리시 인식마크 흑화 처리부위 확인 (MASK사이즈 기준으로 흑화처리 되어야함)	☐ YES ☐ 해당없음
	7	DCODE 1um확인(10um이상으로 키울것)	☐ YES ☐ 해당없음
	8	도금후 밸트샌딩 금지	☐ YES ☐ 해당없음
	9	외곽라인이 없을시 1.6mm간격으로 외곽라인 형성.	☐ YES ☐ 해당없음
	10	A회사 LCD 식자의 대소문자 확인. SPEC :	☐ YES ☐ 해당없음
	11	PCS와 KIT의 설계된 날짜 확인(동일할것.)	☐ YES ☐ 해당없음
B 회사	1	도금후 밸트샌딩 처리	☐ YES ☐ 해당없음
	2	TCP PAD 사이즈 공차 확인 일반공차 : ±30um 0.3~0.4 PITCH일 경우 ±15um	☐ YES ☐ 해당없음
	3	인식마크간 거리 확인 일반공차 : +60/-80um 0.3~0.4 PITCH일 경우 +40/-60um 18INCH PCB : +40/-80um	☐ YES ☐ 해당없음
C 회사	1	도금후 밸트샌딩 처리	☐ YES ☐ 해당없음
	2	미싱홀 유무 확인(기구도확인)	☐ YES ☐ 해당없음
	3	인식마크간 거리및 홀간 거리 확인(CENTER기준으로 체크)	☐ YES ☐ 해당없음

G) ROUTER CHECK LIST

업체명		모델명		관리번호		작업자	

CODE	등록일	CHECK 항목	CHECK
RP-01-001	01.12.12	기존DATA작업시 관리번호, 모델명, 업체명이 일치하는지 확인하였는가?	□ YES, □ 무
RP-01-002	01.06.21	EDIT SUB-DIRECTORY에 작업할 DATA와 발주서는 준비되었는가?	□ YES, □ 무
RP-01-003	01.06.21	SERVER에서 외형 MAP,DRILL,TOP면 DATA를 작업방으로 COPY했는가?	□ YES, □ 무
RP-01-004	01.06.21	제품 SIZE는 확인했는가?	□ YES, □ 무
RP-01-005	01.06.21	PATTERN이 MAP에 TOUCH되는 곳은 없는가?	□ YES, □ 무
RP-01-006	01.06.21	DATA의 GUIDE HOLE 유무(ED용)를 확인했는가?	□ YES, □ 무
RP-01-007	01.06.21	내부 ROUTER나 2차 DRILL유무(ED용)를 확인했는가?	□ YES, □ 무
RP-01-008	01.06.21	ROUTER원점은 제품 외곽에 위치시켰는가?	□ YES, □ 무
RP-01-009	01.06.21	기존 반복 제품일 경우 기존 외형 도면과 일치하는가?	□ YES, □ 무
RP-01-010	01.06.21	TOOL은 정확히 SETING되었는가?	□ YES, □ 무
RP-01-011	01.07.09	내부 가공시 SIZE가 다른 부분이 있는지 확인했는가?	□ YES, □ 무
RP-01-012	01.06.21	CHAIN를 설정하여 하나의 폐회로로 만들어 주었는가?	□ YES, □ 무
RP-01-013	01.06.21	외곽 모서리를 R 1.5mm로 가공하였는가?(수출건 제외)	□ YES, □ 무
RP-01-014	01.06.21	단자 제품일 경우 단자 부분에 1mm CHAMBER를 주고 5mm이격시켰는가?	□ YES, □ 무
RP-01-015	01.06.21	V-CUT에 더미부분이 남지 않도록 작업했는가?	□ YES, □ 무
RP-01-016	01.06.21	SIZE(630mm 이상)가 큰 제품일 경우 두 RU2파일의 원점은 일치하는가?	□ YES, □ 무
RP-01-017	01.06.21	ROUTER의 시작점 끝점은 올바른 위치에 SETTING되었는가?	□ YES, □ 무
RP-01-018	01.06.21	ROUTER의 진행방향은 올바른가?	□ YES, □ 무
RP-01-019	01.06.21	SAVE시 확장자를 RU2로 하였는가?	□ YES, □ 무
RP-01-020	01.06.21	외형 MAP과 작업한 ROUTER DATA는 일치하는가?	□ YES, □ 무
RP-01-021	01.06.21	RU2 파일의 TOOL SIZE는 정확히 기입되었는가?	□ YES, □ 무
RP-01-022	01.06.21	RU2 파일의 관리번호, 모델명이 일치하는가?	□ YES, □ 무
RP-01-023	01.06.21	CAM/ROUTER SUB-DIR에 RU2 파일의 결과를 저장하였는가?	□ YES, □ 무
RP-01-024	01.06.30	내부 ROUTER 도면과 MAP상의 위치는?( )	□ YES, □ 무
RP-01-025	01.06.30	내부ROUTER가 SQUARE일때 모서리 R값을 사양에 확인했는가?( )	□ YES, □ 무
RP-01-026	01.09.11	기존반복 모델일 경우 MAP과 비교하였는가?	□ YES, □ 무
RP-01-027	01.09.11	ROUTER BIT가 1.5Φ이하 사용하는 모델에 대해서 팀장의 확인을 받았는가?	□ YES, □ 무
RP-01-028	02.06.04	양산 5 LOT 이상인가?	□ YES, □ 무
RP-01-029	02.06.04	PNL SIZE가 500*400 인가?	□ YES, □ 무
RP-01-030	02.06.04	ROUTER PROGRAM 작성(500*400 이하) □ 앤더슨용 □ 다께우치용	□ YES, □ 무

H) 기존 반복 CHECK LIST

순서	NO	CHECK 항목	작업자 :
사양	1	승인원 유무 확인	☐ YES ☐ 해당없음
	2	발주서상의 수정 사항 확인	☐ YES ☐ 해당없음
	3	발주서 미기입 사항 확인	☐ YES ☐ 해당없음
	4	모델의 REV 확인	☐ YES ☐ 해당없음
	5	수량 및 제품 SIZE 확인	☐ YES ☐ 해당없음
	6	고객별 사양 관리 표준안 확인	☐ YES ☐ 해당없음
	7	모델별 사양 관리 표준안 확인	☐ YES ☐ 해당없음
	8	제조 주기 확인	☐ YES ☐ 해당없음
	9	UL 확인 : 업체 지정, 무	☐ YES ☐ 해당없음
	10	수정사항의 관리 표준안 등록	☐ YES ☐ 해당없음
	11	기존 작업 지시서와 비교 검토	☐ YES ☐ 해당없음
	12	작업 CARD수의 확인	☐ YES ☐ 해당없음
	13	수정 사항 발생시 관리번호의 REV-UP 확인	☐ YES ☐ 해당없음
	14	전산코드 확인(공정코드,적층코드,재단코드)	☐ YES ☐ 해당없음
	15	반복 진행시 GERBER DATA 비교 확인	☐ YES ☐ 해당없음
기타			

		CAM & FILM CHECK SHEET	CAM :	FILM :
CAM & FILM	1	작업 지시서상의 수정 사항 확인	☐ YES ☐ 해당없음	☐ YES ☐ 해당없음
	2	수정사항 발생시 작지상의 내용에 맞게 수정 하였는가	☐ YES ☐ 해당없음	☐ YES ☐ 해당없음
	3	업체별, 모델별 이력 사항 확인	☐ YES ☐ 해당없음	☐ YES ☐ 해당없음
	4	UL 및 제조 주기 확인	☐ YES ☐ 해당없음	☐ YES ☐ 해당없음
	5	FILM NO의 PNL 삽입 유무 확인	☐ YES ☐ 해당없음	☐ YES ☐ 해당없음
	6	외층 PSR 편신 GUIDE의 삽입 유무 확인	☐ YES ☐ 해당없음	☐ YES ☐ 해당없음
	7	DATA 수정시 TEXT 추가 삽입 확인	☐ YES ☐ 해당없음	☐ YES ☐ 해당없음
	8	DATA 수정시 신규 FILM 출력 확인	☐ YES ☐ 해당없음	☐ YES ☐ 해당없음
	9	DATA 수정시 기존 FILM의 회수 및 폐기 유무 확인	☐ YES ☐ 해당없음	☐ YES ☐ 해당없음
	10	DATA 수정후 GENESIS 와 EDIT 방에 수정된 DATA SAVE 확	☐ YES ☐ 해당없음	☐ YES ☐ 해당없음
	11	승인원 및 발주서 특기사항 확인	☐ YES ☐ 해당없음	☐ YES ☐ 해당없음
	12	NEW DATA는 존재하는지 확인(SPEC변경시 적용확인)	☐ YES ☐ 해당없음	☐ YES ☐ 해당없음
	13	반복 진행시 GERBER DATA 비교 확인	☐ YES ☐ 해당없음	☐ YES ☐ 해당없음
특기사항				

I) SPEC변경 CHECK LIST

관리번호: 모델명: 작업자: 승인자:

순서	NO	CHECK 항목	확인유무
적용	1	SPEC 변경의뢰서의 접수일은 확인하였는가? (접수 년 월	□ YES □ 해당없음
	2	적용 모델명 및 REVISION은 확인하였는가?	□ YES □ 해당없음
	3	적용 모델의 관리번호(수정전)는 확인하였는가?	□ YES □ 해당없음
	4	현진행 공정은 확인하였는가?	□ YES □ 해당없음
	5	SPEC변경 적용후 현공정 적용 가능한지 확인하였는가?	□ YES □ 해당없음
	6	수정전 작업용 FILM은 회수 폐기 하였는가? (폐기	□ YES □ 해당없음
	7	수정 적용 범위는 맞게 지시하였는가?	□ YES □ 해당없음
	8	SPEC변경의뢰서의 첨부도면은 확인 하였는가? (첨부	□ YES □ 해당없음
	9	적용 LOT와 미적용 LOT의 혼입은 없는지 확인하였는가?	□ YES □ 해당없음
	10	DATA수정시 BBT의 수정은 확인하였는가?	□ YES □ 해당없음
	11	수정후 관리번호 REVISION은 변경하였는가?	□ YES □ 해당없음
	12	수정사항은 모델이력에 등록하였는가?	□ YES □ 해당없음
	13	관리번호 변경시 작업지시서의 수기수정은 하였는가?	□ YES □ 해당없음
	14	SPEC변경후 출하검사 및 해당공정에 배포하였는가?	□ YES □ 해당없음
	15		□ YES □ 해당없음
	16		□ YES □ 해당없음
	17		□ YES □ 해당없음
	18		□ YES □ 해당없음
수정	1	DATA의 수정 적용은 가능한가?	□ YES □ 해당없음
	2	수정사항 적용 LAYER는 확인 하였는가?	□ YES □ 해당없음
	3	수정사항 적용 연관 LAYER는 확인 하였는가?	□ YES □ 해당없음
	4	DATA 수정후 GERBER와 비교 확인 하였는가?	□ YES □ 해당없음
	5	DATA OUT-PUT(SERVER저장)은 맞게 되었는가?	□ YES □ 해당없음
	6	팀장이상의 승인은 得하였는가?	□ YES □ 해당없음
	7		□ YES □ 해당없음
	8		□ YES □ 해당없음
	9		□ YES □ 해당없음
	10		□ YES □ 해당없음
승인	1	수정완료 DATA는 영업(고객)의 승인 완료하였는가?	□ YES □ 해당없음

기타사항: DATA수정시의 문제사항 기재

J) 작업 지시서 CHECK LIST

관리번호:		모델명: 작업자:	승인자:
순서	NO	CHECK 항목	확인유무
신 규	1	모델 관리번호는 확인 했는가?	☐ YES ☐ 해당없음
	2	보류 해지후 납기는 수정 했는가?	☐ YES ☐ 해당없음
	3	제품사이즈는 확인 했는가? (발주서,MAP,작업지시서)	☐ YES ☐ 해당없음
	4	공정순서는 맞게 지시 되었는가?	☐ YES ☐ 해당없음
	5	특수공정 및 추가 공정은 확인 했는가?	☐ YES ☐ 해당없음
	6	적층스펙은 맞게 지시 되었는가?	☐ YES ☐ 해당없음
	7	내외층 동박 두께는 맞게 지시 되었는가?	☐ YES ☐ 해당없음
	8	투입판넬수는 맞게 지시 되었는가?	☐ YES ☐ 해당없음
	9	표면처리는 확인 하였는가?	☐ YES ☐ 해당없음
	10	V-CUT 표기는 되어 있는가?	☐ YES ☐ 해당없음
	11	인쇄 방법은 지정 하였는가?(OPEN, TENTING, WET TO WET, PLUGGING)	☐ YES ☐ 해당없음
	12	원자재 지정시 표기는 되어있는가?	☐ YES ☐ 해당없음
	13	LCD 제품의 벨트공정은 추가 되었는가?	☐ YES ☐ 해당없음
	14	외형공차는 지정하여 주었는가?	☐ YES ☐ 해당없음
	15	도금두께 지정은 맞게 지시 되어 있는가?	☐ YES ☐ 해당없음
	16	DRILL 공차 및 보정치는 맞게 지시 되어 있는가?	☐ YES ☐ 해당없음
	17	출하검사용 승인원은 작성되어 있는가?	☐ YES ☐ 해당없음
			☐ YES ☐ 해당없음
반 복	1	전회 작지와 비교 하였는가?	☐ YES ☐ 해당없음
	2	수정 사항은 없는가?(SPEC변경서 첨부 유무 확인)	☐ YES ☐ 해당없음
	3	전회 작지에서 변경코드를 사용하는가?(공정코드,재단코드,적층코드,투입코	☐ YES ☐ 해당없음
	4	모델 특기사항은 기록하였는가?	☐ YES ☐ 해당없음
	5	투입판넬수는 맞게 지시 되었는가?	☐ YES ☐ 해당없음
	6	특수 사양 적용시 담당 엔지니어에게 통보되었는가?	☐ YES ☐ 해당없음
			☐ YES ☐ 해당없음
			☐ YES ☐ 해당없음
			☐ YES ☐ 해당없음
			☐ YES ☐ 해당없음
관리번호	1	관리번호 Rev 변경 사항 확인 [판넬변경/DATA변경/SPEC변경]	☐ YES ☐ 해당없음
기타사항:			

K) 특수 BOARD CHECK LIST(STN LCD)

모델명 :		REVISION :	작업자 :
순서	NO	CHECK 항목	적용 유무
File 검토	1	GERBER FILE확인(Data, Fabrication Drawing, Aperture File, Nc Data)	□ YES □ 해당없음
	2	Aperture List 및 Nc Report내의 Data Format확인	□ YES □ 해당없음
	3	Fabrication Drawing과 Data의 Dimension비교 (상이시 업체에 Update요구)	□ YES □ 해당없음
	4	Standard Tolerance 확인(+공차, -공차, ±공차)	□ YES □ 해당없음
	5	Fabrication내의 Note를 Check하였는가?	□ YES □ 해당없음
PCS	1	1공장 Sample승인 후 양산 시 1공장에 모델 이력 요구	□ YES □ 해당없음
	2	발주서 접수 시 모델에 대한 초품 신고서 또는 변경점 신고서 Check	□ YES □ 해당없음
	3	Via Φ, 최소 회로폭, 간격, Annular ring Check.	□ YES □ 해당없음
	4	Pcs내 'UL Mark" 표기된 위치에 UL삽입	□ YES □ 해당없음
	5	Via hole => Tenting처리 (단, S/M Open제외)	□ YES □ 해당없음
	6	Tap부분에 Test point 존재하여야 함.	□ YES □ 해당없음
	8	=> 만약, Data상 Test point가 존재하지 않을 시에는 Pad사이에 PSR댐폭을 만들어 업체에서 Test할 수 있게 하여야 함.	□ YES □ 해당없음
	9	Tap부분에 Pad와 Test point Pad간에 PSR댐폭이 존재해야 함.(Min 80㎛)	□ YES □ 해당없음
	10	Connector부분에 Fiducial Mark 또는 고정Drill 있어야 함.	□ YES □ 해당없음
	11	Allign Mark가 Pattern으로 되있을 시 Mask가 Open되어 있는가?	□ YES □ 해당없음
	12	Undercoat Type의 Silk는 Via scratch금지.	□ YES □ 해당없음
	13	Pcs외각 동노출 방지를 위하여 외각Scratch를 몇 ㎛하였는가?	㎛
	14	Via의 Annular ring Check하여 보정 유무 확인(양산성)	□ YES □ 해당없음
	15	PAD와 PAD사이에 댐(PSR,SILK)이 없으면 안되는 것을 원칙으로 함.	□ YES □ 해당없음
	16	승인된 데이터라도 GERBER와 상이한 부분은 업체 확인 후 진행할 것.	□ YES □ 해당없음
	17	Silk작업 시 Nega층 만들지 말것. 식자 이동 및 보정의 방법으로 작업 요망	□ YES □ 해당없음
	18	DATE CODE 옆에 "-U" 삽입했는지 확인 할 것.	□ YES □ 해당없음
	19	connector 중심으로 좌,우 넓게 open된 제품의 경우 수납땜시 근접해 있는 독립된 신호via에 short 위험이 있으므로 via를 silk로 도포시킬 것.	□ YES □ 해당없음
	20	Dummy 부분의 Epoxy처리된 부분도 동박을 삽입 할 것.	□ YES □ 해당없음
	21	내부 ROUTER 모서리 부분에 쌍공홀로 된 부분은 정공bit 와 SLOT bit로 분류할 것.	□ YES □ 해당없음
	1	KIT Dummy부분에 전Layer Ground 처리 (인식 마크 제외) => 편측 0.5mm 외곽 Scratch 할 것.	□ YES □ 해당없음

	2	Missing hole Bar에 동박 처리(전Layer 단, 사각모양으로 Hole주위 Scratch)	□ YES □ 해당없음
	3	공정상 혼입을 막기 위하여 외층 Pattern에 모델명 및 Revision을 Scratch하고 Silk에 삽입할 것. 삽입 방향은 양면 모두 삽입 할 것(Marking 누락 방지)	□ YES □ 해당없음
	4	변경 초품에 한하여 전Version과 혼입 방지를 위하여 투입Panel Size동일 시 Kit와 Kit사이의 Gap을 다르게 하여 투입할 것. (Kit Rotate방법도 고려 할 수있음)	□ YES □ 해당없음
	5	변경 초품 작업시 제품 선별 용이하게 하기위하여 Dummy에 3.25Φ Drill삽입을 업체에 Confirm득한 후 작업할 것.	□ YES □ 해당없음
	6	Pcs Array후(Kit) Psc를 제외한 나머지 Dummy부분에 동박 처리 할것.(신축 감소)	□ YES □ 해당없음
	7	인식 마크의 Mask는 모두 있는가?	□ YES □ 해당없음
	8	기구홀 주위의 동박은 Scratch되었는가?	□ YES □ 해당없음
KIT	9	공정상 불량 분석을 위하여 Panel작업 시 Kit에 Numbering할 것. 방법 : SILK로 숫자 삽입. 위치 : KIT 우측상단 기구홀 밑에 삽입.	□ YES □ 해당없음
	10	특수모델에 대해서는 출하검사에 GERBER FILM을 내려줄 것.(반복이라도..)	□ YES □ 해당없음

특기사항 :

HEQP-301-19 ㈜하이테크 전자

제 8 장 PCB PROCESS CHECK POINT

❶ 내층 이메지 Process Map

INPUT	TYPE	PROCESS	OUTPUT
• 원판 재단 상태	U	전처리	• ETCH RATE 일정할것 ($1.0 \pm 0.5\mu m$)
• 수세수 상태	C		• 재단 이바리 없을것
• 소프트 에칭 농도	C		• 재단 크기 일정할것
• 건조 온도	C		• 정면 표면 상태 균일할것
• 컨베이어 휠 회전	C		• 건조후 이물질 없을것
• 스프레이 압력	C		• 건조 상태 양호할것
• 스폰지 롤러 상태	C		
• 잉크 점도 상태	C	LPR COATING	• 잉크 도포 두께 일정할것
• 코팅 두께 편차	C		• 판넬 표면 이물질 없을것
• ROLLER 손상 여부	C		• 건조 상태 양호할것
• 잉크 이물질	C		• 잉크 찐 발생 없을것
• 건조 온도	C		• 판넬 손상 없을것
• 건조단 이물질 흡착	C		
• 잉크 찐 발생	C		
• UV 차단 상태	C		
• 잉크 도포 상태	C		
• UV 조도 상태	C	노 광	• 광량이 충분할것
• UV 광량 상태	C		• 조도가 일정할것
• 필름 스크러치	U		• 필름 이물질로 인한 결손이 없을것
• 글래스 표면 상태	U		• 글래스에 의한 결손, 오픈 없을것
• 판넬 표면 상태	C		• 이물질에 의한 결손이 없을것
• 필름 이물질	C		• 크린룸 내부 관리상태 양호 할것
• 글래스 이물질	C		• 노광기 내부 온습도 일정할것
• 노광기 내부 이물질	U		
• 램프 사용 시간	U		
• 크린룸 내부 청소 상태	C		
• 크린룸 내부 관리 상태	C		
• 자동 로더 상태	C		

INPUT	TYPE	PROCESS	OUTPUT
• 자동 언로더 상태	C		
• 작업자 복장 상태	C	현 상	
• 작업자 기술	C		
• 자동 노광기 작동 상태	C		
• 필름 얼라인 작동 상태	C		
• 자동 노광기 내부 온도	C		
• 자동 노광기 내부 습도	U		
		↓	
• 현상 온도	C		• 미현상 없을 것
• 현상 속도	C		• 과현상 없을 것
• 현상액 농도	C	부 식	• 판넬 손상 없을 것
• 현상 압력	C		• 컨베이어 상태 양호할 것
• 콘트롤러 작동 상태	C		
• 수세 압력	C		
• 레지스트 종류	C		
• 현상 대기 시간	C		
• 현상 대기 온도	C		
• 컨베이어 작동 상태	C		
• 판넬 두께	U		
• 판넬 크기	U		
		↓	
• 부식 온도	C		• 과부식 없을 것
• 부식 속도	C		• 미부식 없을 것
• 부식액 농도	C	박 리	• 판넬 손상 없을 것
• 부식 압력	C		• 컨베이어 상태 양호할것
• 콘트롤러 작동 상태	C		
• 수세 압력	C		
• 레지스트 종류	C		
• 컨베이어 작동 상태	C		
• 판넬 두께	U		
• 판넬 크기	U		
• 1 oz, 1/2 oz, ⅓ oz..	U		
		↓	
• 박리 온도	C		• 미박리 없을 것
• 박리 속도	C		• 박리 이물질 없을 것
• 박리액 농도	C	옥사이드	• 판넬 산화 없을 것
• 박리 압력	C		• 판넬 손상 없을 것

INPUT	TYPE	PROCESS	OUTPUT
• 콘트롤러 작동 상태 • 수세 압력 • 레지스트 종류 • 컨베이어 작동 상태 • 건조 상태	C C C C C	▼	• 컨베이어 상태 양호할 것
• 약품 온도 • 작업 속도 • 약품 농도 • 작업 압력 • 콘트롤러 작동 상태 • 수세 압력 • 순수 품질 • 건조 상태 • 약품 보충	C C C C C C C C C	**옥사이드** ▼	• 미옥사이드 없을 것 • 표면 스크러치 없을 것 • 건조 불량 없을 것 • 판넬 손상 없을 것 • 컨베이어 상태 양호할 것

❷ 적층 Process Map

INPUT	TYPE	PROCESS	OUTPUT
• 칼날 상태 • 집진 상태 • 실내 온/습도 • 재단 5S 상태 • 복장착용 청결도 • 공기 정화기 작동상태	C C C C C C	**Prepreg 재단**	• Glass이바리 없을 것 • 절단면이 깨끗할 것 • 이물질 없을 것
		⬇	
• 5S상태 • Heating온도 • 실내 온/습도 • Heating봉 • 밸트상태 • 방진복 착용 상태 • Bonding 인두 • Bonding Timer • 리벳 M/C 드릴 bit • Lay-up대차 • 콘베이어 청결상태	C C C C C C C C C C C	**Lay-Up Bonding, Ribet**	• 이물질 없을 것 • 층간 밀림 없을 것 • 경화부위 제품 침투 없을 것 • 층 배열이 옳바를 것 • 경화 후 이바리 없을 것
		⬇	
• 상/하부 동박재단기 인장 상태 • 칼날 상태 • 상/하 벨트 수평상태 • 5S상태 • 온/습도 상태 • 집진상태 • 제품대 5S • 동박 거취 상태	C C C C C C C C	**적 층**	• Glass이바리 없을 것 • 절단면이 깨끗할 것 • 이물질 없을 것
		⬇	
• 온도 control상태 • 압력 상태 • 진공펌프 작동상태 • Carrier & lamination plate의 상태 • Craft paper • Pc moniter 상태	C C C C C C	**Hot Press Cool press 해체**	• Slip없을 것 • Dent없을 것 • 주름 없을 것 • Dry 없을 것 • 동박 부풀음 없을 것 • Resin void없을 것 • 두께불량 없을 것

INPUT	TYPE	PROCESS	OUTPUT
• 흡착 실린더 상태 • 흡착 pad상태 • 콘베이어 구동상태 • 조작 스위치 상태	C C C C	↓	
• 수동 sanding상태 • 콘베이어 밸트 청결 상태 • 흡착 pad상태 • Brush 상태 • Brush수평 상태 • 수세수 청결상태 • 건조온도 • 브러쉬 모타 작동 상태 • 브러쉬 압력 상태 • 오실레이션 상태 • 스폰지 롤러 상태 • 콘베어 구동상태 • 고무롤러 상태 • 노즐 막힘 상태 • 노즐 수압 상태	C C C C C C C C C C C C C C C	**SUS 정면** ↓	• 표면 스크러치 없을 것 • 이물질 없을 것
• 화상처리기 상태 • 에어압력 • 스핀들 상태 • Bit상태 • 모니터 상태 • 카메라 렌즈상태 • 집진상태 • 가이드 레일 상태 • 장비 5S상태 • Display상태	C C C C C C C C C C	**X-ray posa** ↓	• 스크러치 없을 것 • 편심 없을 것 • 찍힘 없을 것 • 층간 밀림 없을 것 • 신축 spec in 할 것 • Guide hole 가공상태 이상 없을 것
• 집진 상태 • 스핀들 상태 • Bit상태 • 콜넷 상태 • 냉각기 온도	C C C C C	**TRIM (Roruter M/C)**	• 스크러치 없을 것 • 찍힘 없을 것 • Size오류 없을 것 • 판넬 뒤집힘 없을 것

INPUT	TYPE	PROCESS	OUTPUT
• Control pc상태	C		
• Back board상태	C		
• 장비 5S상태	C		
• 집진 호수 상태	C		

❸ 도금 Process Map

INPUT	TYPE	PROCESS	OUTPUT
• Brush 압력	C	Deburring	• 표면상태 양호할 것
• Brush 평탄도	C		• 이물질이 없을 것
• Brush 오실레이션	C		• Burr 제거 할 것
• 수세 압력	C		
• 컨베어 구동상태	C		
• 동분여과기 filtering	C		
• 초음파 작동 상태	U		
• 스웰러 농도	C	스웰러	• SMEAR 부풀림
• 스웰러 온도	C		
• 컨베어 구동상태	C		
• 초음파 작동 상태	C		
• 스웰러 수위	C		
• 스웰러 압력게이지	C		
• 컨베어 속도	C		
• 노즐 막힘	U		
• 퍼망간네이트 농도	C	퍼망간	• SMEAR 없을 것
• 퍼망간 온도	C		• 망간 잔사 없을 것
• 컨베어 구동상태	C		
• 초음파 작동 상태	C		
• 퍼망간 수위	C		
• 퍼망간 압력게이지	U		
• 컨베어 속도	C		
• 노즐 막힘	U		
• 중화 농도	C	중 화	• 표면 중화 처리할 것
• 중화 온도	C		
• 컨베어 구동상태	C		
• 초음파 작동 상태	C		
• 중화 수위	C		
• 중화 압력게이지	U		
• 컨베어 속도	C		
• 노즐 막힘(상)	C		
• 노즐 막함(하)	U		
• 여과기 FILTERING	C		

INPUT	TYPE	PROCESS	OUTPUT
• 건욕 주기 준수	C	↓	
• 농도 • 온도 • 컨베어 구동상태 • 초음파 작동 상태 • 스폰지롤러 상태 • 컨베어 속도 • 노즐 막힘	C C C C C C C	Cleaner/ Conditioner ↓	• 표면에 유기물등이 없을 것
• 농도 • 온도 • Ph • 액교반 상태 • 컨베어 구동상태 • 초음파 작동 상태 • 스폰지롤러 상태 • 컨베어 속도 • 노즐 막힘	C C C C C C C C C	Shadow ↓	• 홀 속에 graphite 도포처리
• 농도 • 온도 • 컨베어 구동상태 • 스폰지롤러 상태 • 컨베어 속도 • 노즐 막힘 • 노즐 방향	C C C C C C C	Fixer ↓	• Graphite 코팅층이 균일할 것 • 과다한 graphite층을 제거할 것
• Cu 농도 • 온도 • 여과기 #1,#2 압력 • 여과기 filtering • 컨베어 속도 • 노즐 막힘 • 건욕 주기	C C C C C C C	Micro Etching ↓	• 표면 graphite 잔사 없을 것

INPUT	TYPE	PROCESS	OUTPUT
• 착용 장갑	C	Racking	• 표면 Scratch 없을 것
• 래크 상태	C		• 장갑에 의한 지문자국 없을 것
• 날크립 상태	C		• 래크 고정 상태 양호할 것
• 래크 두께 상태	C		
		↓	
• 여과기 filter	C	탈 지	• 표면에 지문 없을 것
• 여과기 펌프	C		
• 액 수위	C		
• 액 건욕	C		
• 액 온도	C		
		↓	
• 액 수위	C	10% 황산	• 표면 산화 없을 것
• 액 건욕	C		
• 액 농도	C		
• 액 교반	U		
		↓	
• 펌프 이물질	U	전기동	• 도금 상태 양호할 것(표면,홀)
• V 새들 볼트 조임	C		• 홀속 이물 없을 것
• V 새들 주변코팅	C		• 표면 이물 없을 것
• 이덕트 상태	U		• 눈물, 구름도금 없을 것
• 차폐막 상태	C		
• 액온도	C		
• 농도(유산, 광택제, 오수	C		
염, 염소)	C		
• 여과기 filter	C		
• 여과 펌프	C		
• 바스켓 정렬상태	C		
• 바스케 이상유무	U		
• 오실레이션상태	C		
• 동볼 보충 상태	C		
• 바스켓포 상태	C		
• 슬러지 상태	U		
		↓	
• 액수위	C	방청소	• 표면 산화 없을 것
• 건욕 주기	C		
		↓	

INPUT	TYPE	PROCESS	OUTPUT
• Over flow 상태 • Top Spray 상태	C C	수 세	• 수세처리 양호할 것
• 온도 • 열풍기 상태	C C	Dry	• 100% 건조할 것
		해 체	• 찍힘이 없을 것 • Scratch 없을 것 • 바닥에 떨어뜨리는 제품 없을 것 • 수직적재 할 것

❹ 외층 이메지 Process Map

INPUT	TYPE	PROCESS	OUTPUT
• loader 가동 상태	C	D/F 정면	• 표면산화 없을 것
• 작업 Speed	C		• 표면 유기물질 없을 것
• Brush 암페어	C		• HOLE속 산화 없을 것
• Brush 평탄도	C		• HOLE속 이물질 없을 것
• Nozzle 분사위치	C		• 약품 산화 없을 것
• 동분여과기 압력	C		• 제품 겹침 발생 없을 것
• Back up Roll 평탄도	C		• 제품 표면 Scratch 없을 것
• Brush Oscillation	C		• 제품 표면 조도 형성 양호할 것
• 동분여과기 Filter	C		• 브러쉬 자국 없을 것
• Back up Roll 구동상태	C		• 제품 모델 혼입 없을 것
• Brush단 쳄버내 오염상태	C		
• Nozzle 막힘상태	C		
• Conveyer 구동상태	C		
• Conveyer Disk Wheel 파손상태	C		
• Soft eching 황산 농도	C		
• Soft eching 과수 농도	C		
• Soft eching 동 농도	C		
• Soft eching 약품 temperature	C		
• BAG Filter 상태	C		
• 수세단 Spray 압력	C		
• 수세단 fliter 상태	C		
• Soft eching Spray 압력	C		
• 산세 약품 (황산) 농도	C		
• 최종수세단 pH	C		
• Sponge roller 구동상태	C		
• Sponge roller 오염상태	C		
• 신수 유입량	C		
• 에어컷 관리상태	C		
• 건조단 온도	C		
• 에어 필터 관리상태	C		
• 건조필터 관리상태	C		
• Unloader 가동 상태	C		
		⬇	
• 작업 speed	C		• Hot roll 출구온도 이상 없을 것
• loader 가동 상태	C		• Dry film 밀착불량 없을 것
• loader 흡착 PAD 상태	C		• Dry film 주름 없을 것

INPUT	TYPE	PROCESS	OUTPUT
• adhesive roll 오염상태	C	Lamination	• Dry film 쏠림 없을 것
• pre heat temperature	C		• Dry film cutting chip 없을 것
• Centering 작동 상태	C		• Dry film side 찐 없을 것
• Cutting 상태	C		• 이물질 없을 것
• Hot roll 온도	C		• 찍힘현상 없을 것
• Hot roll pressure	C		• 두장 겹침 없을 것
• Hot roll temperature	C		• Air pocket void 없을 것
• Hot roll speed	C		
• Hot roll level	C		
• Hot roll 표면 상태	C		
• Hot roll 경도	C		
• Hot roll 오염 상태	C		
• Post roll 작동 상태	C		
• 회전식 냉각기 작동상태	C		
• 회전식 냉각기 filter 오염상태	C		
• 회전식 냉각기 Belt 오염상태	C		
• Unloader 가동 상태	C		
		↓	
• loader 가동 상태	C	Auto Exposure	• artwork film coating막 손상 없을 것
• loader 흡착 PAD 상태	C		• artwork film scratch 없을 것
• 2 panel 투입 방지장치 작동상태	C		• artwork film 이물질 없을 것
• Clean machine 투입 sensor	C		• 노광편심 없을 것
• adhesive roll 오염상태	C		• pattern open 없을 것
• Panel size, 투입방향	C		• 진공불량 없을 것
• Glass 표면 상태	C		• 고정 불량 없을 것
• artwork film 검도 결과	C		• 결손 없을 것
• artwork film setting 상태	C		• short 없을 것
• 진공아대 setting 상태	C		• 이물질 없을 것
• CCD camera	C		• 텐팅불량 없을 것
• Vacuum pressure	C		• 찍힘현상 없을 것
• 노광 temperature	C		• 두장 겹침 없을 것
• Lamp life time	C		
• 노광량 mj/㎠	C		
• frame 상부 고정 pin	C		
• Plate 2 sensor	C		

INPUT	TYPE	PROCESS	OUTPUT
• cover close sensor • Vacuum pump • 진공 PAD 상태 • Alignment 방향 sensor • 반전기 belt conv. Motor • 반전기 turning motor • 반전기 작동 상태 • Unloader 가동 상태	C C C C C C C C		
• Panel 표면 Cleaning 상태 • Glass 표면 상태 • guide pin 부착 상태 • artwork film setting 상태 • 진공아대 setting 상태 • artwork film 검도 결과 • Vacuum pressure • 노광 temperature • Lamp life time • 노광량 mj/㎠ • 반사판, 자켓 오염상태 • frame 이송 roll 구동 상태 • 아크릴판 표면 상태 • Vacuum pump oil보충 상태 • 진공 PAD 상태 • 뉴턴링 형성 상태	C C C C C C C C C C C C C C C C	↓ Manual Exposure	• artwork film coating막 손상 없을 것 • artwork film scratch 없을 것 • artwork film 이물질 없을 것 • 노광편심 없을 것 • pattern open 없을 것 • 진공불량 없을 것 • 고정 불량 없을 것 • 결손 없을 것 • short 없을 것 • 이물질 없을 것 • 텐팅불량 없을 것 • 찍힘현상 없을 것
• Mylar 제거 상태 • 투입단 제품 적재 상태 • panel counter 상태 • 작업 Speed • break point 관리 상태 • 현상 약품 temperature • 현상 약품 pH • 현상 약품 농도 • DM-1 작동상태 • DM-1 측정 Sensor 상태 • Nozzle 막힘상태	C C C C C C C C C C C	↓ Developing	• 미현상 없을 것 • 과현상 없을 것 • 잔류동 없을 것 • 제품 겹침 없을 것 • 보호비닐 잔류 없을 것 • pattern open 없을 것 • 결손 없을 것 • short 없을 것 • 이물질 없을 것 • 텐팅불량 없을 것 • 찍힘현상 없을 것

INPUT	TYPE	PROCESS	OUTPUT
• Conveyer 구동상태	C		
• Conveyer Disk Wheel 파손상태	C		
• Oscillation 상태	C		
• 현상 첌버 Spray 압력	C		
• 신수 유입량	C		
• 수세단 Spray 압력	C		
• 수세단 fliter 상태	C		
• 수세수 temperature	C		
• Sponge roller 구동상태	C		
• Sponge roller 오염상태	C		
• 작업 Speed	C		• 미부식 없을 것
• 9552N 작동상태	C		• 과부식 없을 것
• 비중 seneor 청결상태	C	Etching	• 잔류동 없을 것
• 신수 공급 sol 장치 작동상태	C		• 제품 겹침 없을 것 • pattern open 없을 것
• 과수원액 탱크 Pump 작동상태	C		• 결손 없을 것 • short 없을 것
• 염산원액 탱크 Pump 작동상태	C		• 이물질 없을 것 • 텐팅불량 없을 것
• break point 관리 상태	C		• 찍힘현상 없을 것
• 부식 약품 temperature	C		
• 부식 약품 비중	C		
• 부식 약품 동 농도	C		
• 부식 약품 과수 농도	C		
• 부식 약품 염산 농도	C		
• Nozzle 막힘상태	C		
• Conveyer 구동상태	C		
• Conveyer Disk Wheel 파손상태	C		
• Oscillation 상태	C		
• 부식 첌버 Spray 압력	C		
• 부식 첌버 BAG filter 청결상태	C		
• 신수 유입량	C		
• 수세단 Spray 압력	C		
• 수세단 fliter 상태	C		
• 열 교환기 작동 상태	C		

INPUT	TYPE	PROCESS	OUTPUT
• Sponge roller 구동상태	C		
• Sponge roller 오염상태	C		
• 작업 Speed	C		• 미박리 없을 것
• 보조탱크 순환 Pump 작동상태	C	Stripping	• 박리 chip 없을 것 • 제품 겹침 없을 것
• break point 관리 상태	C		• pattern open 없을 것
• 박리 약품 농도	C		• 결손 없을 것
• 박리 약품 temperature	C		• short 없을 것
• 박리 챔버 Spray 압력	C		• 이물질 없을 것
• 드럼 Filter 관리 상태	C		• 찍힘현상 없을 것
• Nozzle 막힘상태	C		• 표면산화 없을 것
• Conveyer 구동상태	C		• 표면 유기물질 없을 것
• Conveyer Disk Wheel 파손상태	C		• 약품 산화 없을 것 • 제품 표면 Scratch 없을 것
• 신수 유입량	C		• 제품 모델 혼입 없을 것
• 수세단 Spray 압력	C		
• 수세단 fliter 상태	C		
• Sponge roller 구동상태	C		
• Sponge roller 오염상태	C		
• 에어컷 관리상태	C		
• 건조단 온도	C		
• 에어 필터 관리상태	C		
• 건조필터 관리상태	C		
• 간지 size 적용 상태	C		
• 간지 청결 상태	C		
• 제품 적재 상태	C		
• 초도품 검사 실시	C		
• 회로폭 측정기 검교정 상태	C		

❺ PSR PROCESS MAP

❺-① PSR Process Map(제판공정)

INPUT	TYPE	PROCESS	OUTPUT
• 스폰지 재질 • 물의 량 • 세척제양	U U C	스크린 세척	• 이물질 없을 것 • 깨끗한 망상태
• 건조 온도 • 건조 시간 • 건조기 청결도	C C U	건 조	• 세척잔류 없을 것 • 미건조 없을 것
• 버킷 재질 • 버킷 압력 • 버킷 속도 • 버킷 각도 • 버킷 청결도 • 버킷 날 상태 • 재판 MESH	U C C U U C C	유제 도포	• 유제막 떨어짐 없을 것 • 유제 미현상 없을 것 • 유제 두께 균일 할 것 • 미도포 없을 것
• 건조 온도 • 건조 시간 • 건조기 청결도 • 열풍상태	C C U U	건 조	• 유제 떨어짐 없을 것 • 이물질 흡착 없을 것
• 건조상태 • 측정기 불확도 • 개인별 측정 오차 • 측정기 마모상태	U U U U	유제 두께 측정	• 균일한 유제 상태 • 마킹편심 없을 것 • 마킹 번짐 없을 것
• 필름 청결도 • 필름 신축율 • 온습도 • 노광 램프 수명 • 노광램프 메이커 • 노광량	U U U U C C	노 광	• 핀홀 없을 것 • 필름틀어짐 없을 것 • 미노광 없을 것

INPUT	TYPE	PROCESS	OUTPUT
• 노광시간	C		
• 진공상태	U		
• 필름재질	U		
• 진공시간	C		
• 노광기 청결도	U	⬇	
		현 상	
• 현상기 속도	C		• 핀홀 없을 것
• 현상기 온도	C		• 미현상 없을 것
• 현상횟수	C		• 과현상 없을 것
• 노즐 크기	U		
• 노즐 감도	U		
• 노즐 압력	U	⬇	
		검 사	
• 고정불량확인	U		• 핀홀 없을 것
• 주기확인	C		• 주기불량 없을 것
• 숙련도	U		• 고정불량 없을 것
• 작업속도	U		

❺-② PSR Process Map(PSR 인쇄)

INPUT	TYPE	PROCESS	OUTPUT
• 숙련도	U	전처리	• 표면 Scratch 없을 것
• 정면기 속도	C		회로 결손, Open 발생
• Brush 압력	C		금도금 표면 편차
• Brush 수세	C		PSR 표면 편차
• Foot-Print 상태	C		
• Brush 드레싱 주기	C		• 표면 이물질 없을 것
• 동분여과기 작동 상태	C		잉크 떨어짐
• 동분여과기 Filter 상태	C		PSR 표면 얼룩
• Soft-Etching 액 상태	C		PSR 미도포
• Soft-Etching 노즐	C		M/K 번짐
• Soft-Etching단 롤러 상태	C		M/K 인쇄 안됨
• Soft-Etching Etch Rate	C		• 표면 산화 없을 것
• Soft-Etching후 수세 노즐	C		PSR 잉크 떨어짐 PSR 표면 얼룩
• Soft-Etching후 수세 롤러	C		• 표면 얼룩 없을 것
• 산 수세 액 상태	C		표면 산화
• 산 수세단 노즐 상태	C		산화로 인한 잉크 떨어짐
• 산 수세단 롤러 상태	C		표면 얼룩 발생
• 최종수세단 노즐 상태	C		
• 최종수세단 수세 노즐 상태	C		• 회로 Open 없을 것 Open 불량
• 최종수세수 오염 상태	C		
• 최종수세단 롤러 상태	C		• 표면 및 Hole 속 수분 없을 것
• 최종수세수 온도	C		PSR 잉크 떨어짐
• 최종스세단 노즐 상태	C		Hole 주위 산화
• 스폰지 롤러 습기 함유 상태	C		Hole속 산화 납 오름 불량
• 스폰지 롤러 오염 상태	C		
• 스폰지 롤러 교체 주기	C		
• 스폰지 롤러 후 제품 상태	C		
• 최종 건조단 온도	C		
• 최종 건조단 시수양	C		
• 최종 건조단 롤러 상태	C		
• Air-Cut 상태	C		
• Air-Knife 상태	C		
• 회전식 냉각기 상태	C		

INPUT	TYPE	PROCESS	OUTPUT
• 숙련도	U	**PSR 1차면 Setting**	• 스크린 망 Pin-Hole 없을 것
• 스크린 Mesh	C		PSR 미도포
• 스크린망 검사	C		
• 스크린망 Tapping	C		• 스크린 망 파손 없을 것
• 스크린망 Setting	C		PSR 편심
• 제품 Setting	C		스크린 망 Tension 저하
• 핀 Setting	C		
• 핀 재질	C		• 스크린 망 유제 상태 양호 할 것
• 핀 생산 메이커	C		유제 벗겨짐으로 미도포 부에
• 스크린망과 제품의 이격 거리	C		PSR 도포
• Main 압력	C		• 스크린 망 Tapping 상태 확인
• 스크린망과 제품의 Pint	C		Tapping 이물질로 인한 PSR 인
• 스퀴즈 경도	C		쇄 불량
• 아대 Setting	C		
• 스퀴즈 이동 거리	C		• 스크린 망 틀어짐 없을 것
			PSR 편심
		↓	
• 숙련도	U	**PSR 1차 Side 인쇄**	• 제품 표면 이상 없을 것
• 스퀴즈 각도	C		PSR 떨어짐
• 스퀴즈 속도	C		제품 표면 얼룩
• 스퀴즈 압력	C		
• 스퀴즈 재질	C		• 잉크 덜 섞임 없을 것
• 스퀴즈 메이커	C		PSR 떨어짐
• 스퀴즈 마모 상태	C		
• 스퀴즈 연마 상태	C		• 핀홀 없을 것
• 잉크 메이커	C		표면 처리 불량
• 잉크 교반 상태	C		
• 잉크 점도	C		• 잉크 덜 빠짐 없을 것
• 스크린 망과 제품의 이격 거리	C		표면 처리 불량
• 인쇄시 스크린망의 밀림	C		• 잉크 도포 불균일 부분 없을 것
• 인쇄기 고정 Holder 움직임	C		PSR 잉크 떨어짐
• 인쇄시 잉크의 양	C		• 잉크 Color 변색 없을 것
			외관 불량
		↓	
• 정면 후 제품 상태	U		• Hole 편심 없을 것

INPUT	TYPE	PROCESS	OUTPUT
• 제품 정체 시간	C	**PSR 1차 Side 인쇄**	표면 처리 불량
• 렉크 보관 상태	C		
• 제품 크기	U		• 외층 회로부 PSR Skip 없을 것
• 인쇄후 잉크 두께	C		표면 처리 불량
• 인쇄후 Skip 상태	C		
• 인쇄후 인쇄 상태	C		• Hole 속 잉크 없을 것
• D/F 편심	U		(메꿈 Hole 제외)
• 드릴 편심	U		납 오름 불량
• 렙 재질	C		
• 회로 밀집도	U		• 메꿈 Hole PSR Ink 터짐 없을 것
• Hole 사양	U		Hole 터짐 -> Solder-Ball
• 온습도	C		
• 작업 지시 상태	U		• 인쇄 후 이물질 없을 것
			외관 불량
			M/K 불량(인쇄 안됨)
		↓	
• 숙련도	U	**PSR 2차 Side 인쇄**	• 제품 표면 이상 없을 것
• 스퀴즈 각도	C		PSR 떨어짐
• 스퀴즈 속도	C		제품 표면 얼룩
• 스퀴즈 압력	C		
• 스퀴즈 재질	C		• 잉크 덜 섞임 없을 것
• 스퀴즈 메이커	C		PSR 떨어짐
• 스퀴즈 마모 상태	C		
• 스퀴즈 연마 상태	C		• 핀홀 없을 것
• 잉크 메이커	C		표면 처리 불량
• 잉크 교반 상태	C		
• 잉크 점도	C		• 잉크 덜 빠짐 없을 것
• 스크린 망과 제품의 이격 거리	C		표면 처리 불량
• 인쇄시 스크린망의 밀림	C		• 잉크 도포 불균일 부분 없을 것
• 인쇄기 고정 Holder 움직임	C		PSR 잉크 떨어짐
• 인쇄시 잉크의 양	C		• 잉크 Color 변색 없을 것
			외관 불량
		↓	
• 정면 후 제품 상태	U		• Hole 편심 없을 것
• 제품 정체 시간	C		표면 처리 불량
• 렉크 보관 상태	C		

INPUT	TYPE	PROCESS	OUTPUT
• 제품 크기 • 인쇄후 잉크 두께 • 인쇄후 Skip 상태 • 인쇄후 인쇄 상태 • D/F 편심 • 드릴 편심 • 렙 재질 • 회로 밀집도 • Hole 사양 • 온습도 • 작업 지시 상태	U C C C U U C U U C U	**PSR 2차 Side 인쇄** ⬇	• 외층 회로부 PSR Skip 없을 것 표면 처리 불량 • Hole 속 잉크 없을 것 (메꿈 Hole 제외) 납 오름 불량 • 메꿈 Hole PSR Ink 터짐 없을 것 Hole 터짐 -> Solder-Ball • 인쇄 후 이물질 없을 것 외관 불량 M/K 불량(인쇄 안됨)
• 건조온도 • 건조시간 • 내부 청결 • 건조기 상태 • 랙킹 상태 • 랙킹 위치 • 건조 대기 시간 • BLOWER 각도 • 열풍량 • 냉각 시간 • 환경(온습도)	C C C U C C C U U C C	**Semi-Cure** ⬇	• 과 건조 없을 것 미현상 발생 • 미 건조 없을 것 인쇄, 노광시 잉크 떨어짐 발생 • 이물질 부착 없을 것 표면 불량 노광시 진공 불량 • 잉크 변색 없을 것 외관 불량

❺-③ PSR Process Map(PSR 노광)

INPUT	TYPE	PROCESS	OUTPUT
• 숙련도 • 제품과 필름 신축 정도 • Film Scratch • Film 보관 상태 • 핀의 마모 상태 • 핀의 두께 • 핀의 크기 • 핀의 메이커 • 핀의 높이 • 재 출력 시간	U U U C U C C C C U	**노광 Film-Setting**	• 제품 표면 Scratch 없을 것 표면 처리시 잉크 떨어짐 Open, 결손 발생 • PSR 편심 없을 것 부품 실장시 부품 떨어짐 • PSR 두께 편차 없을 것(±5㎛) 잉크 떨어짐 Discolor 발생 노광 불량 • Film과의 편심 없을 것 노광 편심 • Guide-Pin의 흔들림 없을 것 노광 편심 • Film 표면 Scratch 없을 것 현상후 표면 PSR 이물질 발생 PSR 벗겨짐으로 표면 처리 시 Short 발생 • Film 표면 이물질 없을 것 노광 불량(필요부분의 잉크 벗겨짐 발생)
• 숙련도 • 제품 대기 상태 • 제품 대기 시간 • 제품 적재 상태 • 제품 보관 상태 • 제품의 크기 • 제품의 두께 • 노광기 유리 판 청결 상태 • 노광기 마일러지 청결 상태 • 마일러지 텐션 정도 • 프레임 노후 정도 • 진공압 정도 • 진공 시간 • 진공시 마일러지의 신축 • 진공시 신축에 의한 편심 • 진공후 밀대질 작업 • 마일러지 사양	U C C C C U U C C C U U C U U C C	⬇ **PSR 노광**	• Setting된 Film과 편심 없을 것 노광 편심 • Setting될 Film과 편심 없을 것 노광 편심 • 마일러지 이물질 없을 것 노광 부족, 과현상, 필요한 부분의 잉크 벗겨짐 • 하판 유리 이물질 없을 것 노광 부족, 과현상, 필요한 부분의 잉크 벗겨짐 • 진공 불량 없을 것 미현상 발생 • 진공시 필름 신축으로 인한 편심 없을 것 노광 편심

❺-④ PSR Process Map(PSR 노광 & 현상)

INPUT	TYPE	PROCESS	OUTPUT
• 이송시 프레임 걸림 • 노광량 • 노광시 셔터 작동 유무 • 램프 사용 시간 • 초도품 검사 유무 • 노광 Tack Time • 노광 시 제품 대기 시간 • 제품 표면 이물질 • 고정 불량 확인	U C C C C U U C C	PSR 노광 ⬇	• 노광 대기시간 초과된것 없을것 미현상 • 파손 제품 없을 것 취급불량, 외형 불량 • Semi-Cure 부족 제품 없을 것 잉크 떨어짐 • 과 노광 없을 것 미현상 • 노광 부족 없을 것 과현상, S/R 누락 • 사용 시간 초과된 램프 없을 것 노광부족, 과현상, S/R누락 • 필름상에 잉크 잔사 없을 것 미노광부 발생(표면 처리 시 Short 발생) 잉크 떨어짐 발생
• 현상 대기 시간 • 현상 대기 시 제품 보관 상태 • 제품의 크기 • 제품의 두께 • 제품의 S/R 폭 • 현상액 농도 • 현상액 pH • 현상액 온도 • 현상액 Make-Up • 현상단 노즐 종류 • 현상단 롤러 상태 • 현상단 노즐 압력 • 현상단 오실레이션 • 현상단 현상 압력 • 현상 Break Point • 신액 린스단 상태	U C C C C U U C C C C C C C C C	PSR 현상 ⬇	• 현상 대기 시간 초과된것 없을것 미현상 발생 • 과 현상 없을 것 Under-Cut 심화, S/R 누락 발생 • 미 현상 없을 것 표면처리 불량(부품 실장 안됨) • 제품 표면 Scratch 없을 것 잉크 떨어짐, 제품 파손 • 제품 표면 이물질 없을 것 현상 안됨(미현상 발생) • 제품 걸림 없을 것 Scratch 발생, 제품 파손

❺-⑤ PSR Process Map(PSR 현상 & 건조)

INPUT	TYPE	PROCESS	OUTPUT
• 최종 수세단 압력 • 최종 수세단 pH • 최종 건조단 Air-Knife 높이 • 최종 건조단 Air-Knife 압력 • 최종 건조단 온도 • 최종 건조단 롤러 • 최종 건조단 Conveyor 상태	C C C C C C C	**PSR 현상** ⬇	
• 건조온도 • 건조시간 • 내부 청결 • 건조기 상태 • 랙킹 상태(Box) • 랙킹 위치(Box) • Box Oven Filter 상태 • Wicket 이동 시간 • BLOWER 각도 • 열풍량 • 배기 덕트 상태 • 냉각 시간 • 환경(온습도) • 건조 후 재품 적재 상태	C C C C C C C C C C C C C C	**PSR Post-Cure** ⬇	• 과 건조 없을 것 잉크 변색 발생, 제품 파손 • 미 건조 없을 것 잉크 떨어짐 발생 • 이물질 부착 없을 것 표면 처리 불량, 외관 불량 • 잉크 변색 없을 것 외관 불량 • 제품 표면 Scratch 없을 것 표면 처리 불량(잉크 떨어짐 유발) • 제품 파손 없을 것 제품 파손 • 잉크 떨어짐 없을 것 표면 처리 불량(Short 유발)

❻ MARKING PROCESS MAP

❻-① Marking Process Map(제판공정)

INPUT	TYPE	PROCESS	OUTPUT
• 스폰지 재질	U	스크린 세척	• 이물질 없을 것
• 물의 량	U		• 깨끗한 망상태
• 세척제양	U		
		↓	
• 건조 온도	C	건 조	• 세척잔류 없을 것
• 건조 시간	C		• 미건조 없을 것
• 건조기 청결도	U		
		↓	
• 버킷 재질	U	유제 도포	• 유제막 떨어짐 없을 것
• 버킷 압력	C		• 유제 미현상 없을 것
• 버킷 속도	C		• 유제두께 균일 할 것
• 버킷 각도	U		• 미도포 없을 것
• 버킷 청결도	C		
• 버킷 날 상태	C		
• 재판 MESH	U		
		↓	
• 건조 온도	C	건 조	• 유제 떨어짐 없을 것
• 건조 시간	C		• 이물질 흡착 없을 것
• 건조기 청결도	U		
• 열풍상태	U		
		↓	
• 건조상태	U	유제 두께 측정	• 균일한 유제 상태
• 측정기 불확도	U		• 마킹편집 없을 것
• 개인별 측정오차	U		• 마킹번짐 없을 것
• 측정기 마모상태	U		
		↓	
• 필름 청결도	U	노 광	• 핀홀 없을 것
• 필름 신축율	U		• 필름 들어짐 없을 것
• 온습도	U		• 미노광 없을 것
• 노광 램프 수명	U		
• 노광 램프 메이커	C		
• 노광량	C		

INPUT	TYPE	PROCESS	OUTPUT
• 노광시간	C		
• 진공상태	U		
• 필름재질	C		
• 진공시간	C		
• 노광기 청결도	U	↓	
		현 상	
• 현상기 속도	C		• 핀홀 없을 것
• 현상기 온도	U		• 미현상 없을 것
• 현상 횟수	C		• 과현상 없을 것
• 노즐 크기	U		
• 노즐 각도	U		
• 노즐 압력	U	↓	
		검사	
• 고정불량확인	U		• 핀홀 없을 것
• 주기 확인	C		• 주기불량 없을 것
• 숙련도	U		• 고정불량 없을 것
• 작업속도	U	↓	

❻-② Marking Process Map(마킹공정)

INPUT	TYPE	PROCESS	OUTPUT
• 숙련도 • 핀 SETTING • 홀더 압력 • 망과 홀더 이격 거리 • 망과 제품 이격 거리 • 핀 재질 • 핀마모 상태 • 핀 생산 메이커	U U U U U U U C	Component Side 망셋팅 ⬇	• 마킹 올라탐 없을것 마킹 편심, 부품 실장 불량 • 마킹 편심 없을것 마킹 편심, 부품 실장 불량 • 마킹 번짐 없을것 패드위 마킹 올라탐(부품 실장 불량) • 망 틀어짐 없을것 마킹 편심 불량, 마킹 인쇄 불량
• 스퀴즈 속도 • 스퀴즈 압력 • 스퀴즈 각도 • 스퀴즈 재질 • 스퀴즈 마모상태 • 스퀴즈 연마 상태 • 잉크 종류 • 잉크 교반상태 • 잉크 점도 • 망과 제품의 거리 • 숙련도 • D/F 편심 • 드릴편심 • 제품 크기 • 정체시간 • 이물질 • 랩재질 • 제품상태 • 회로 밀집도 • 홀 사양 • SILK SUT • 온습도 • 작업 지시 상태	C C C C U U C U U U U U U U U U C U U U C U U	Component Side 인쇄 ⬇	• 잉크 변색 없을것 외관 불량 • 마킹 번짐없을것 패드위 마킹 올라탐(부품 실장 불량) • 마킹 편심 없을것 마킹 편심, 부품 실장 불량 • 마킹 올라탐 없을것 마킹 편심, 부품 실장 불량 • 마킹 덜빠짐 없을것 외관 불량 • 마킹 핀홀 없을것 패드위 마킹 올라탐, 외관 불량 • 마킹 누락 없을것 외관 불량
• 검사 숙련도 • 검사 도구 • 검사 SPEC	U C C		• 잉크 변색 없을것 외관 불량 • 마킹 번짐없을것

INPUT	TYPE	PROCESS	OUTPUT
• 검사자 상태 • 작업정체시간 • 조명 상태 • 제품 상태	U U C U	검 사	패드위 마킹 올라탐(부품 실장 불량) • 마킹 편심 없을것 마킹 편심, 부품 실장 불량 • 마킹 올라탐 없을것 마킹 편심, 부품 실장 불량 • 마킹 덜빠짐 없을것 외관 불량 • 마킹 핀홀 없을것 패드위 마킹 올라탐, 외관 불량 • 마킹 지워짐 없을것 외관 불량
		↓	
• 건조온도 • 건조시간 • 내부 청결 • 건조기 상태 • 랙킹 상태 • 랙킹 위치 • 건조 대기 시간 • BLOWER 각도 • 열풍량 • 컨베이어 속도 • 냉각 시간 • 환경(온습도)	C C U U U C U U U U U U	건 조	• 잉크 변색 없을것 외관 불량 • 마킹 떨어짐 없을것 외관 불량
		↓	
• 숙련도 • 핀 SETTING • 홀더 압력 • 망과 홀더 이격 거리 • 망과 제품 이격 거리 • 핀 재질 • 핀마모 상태 • 핀 생산 메이커	U U U U U U U C	Solder Side 망셋팅	• 마킹 올라탐 없을것 마킹 편심, 부품 실장 불량 • 마킹 편심 없을것 마킹 편심, 부품 실장 불량 • 마킹 번짐 없을것 패드위 마킹 올라탐(부품 실장 불량) • 망 틀어짐 없을것 마킹 편심 불량, 마킹 인쇄 불량
		↓	
• 스퀴즈 속도	C		• 잉크 변색 없을것

INPUT	TYPE	PROCESS	OUTPUT
• 스퀴즈 압력	C	Solder Side 인쇄	외관 불량
• 스퀴즈 각도	C		• 마킹 번짐없을것
• 스퀴즈 재질	C		패드위 마킹 올라탐(부품 실장
• 스퀴즈 마모상태	U		불량)
• 스퀴즈 연마 상태	U		• 마킹 편심 없을것
• 잉크 종류	C		마킹 편심, 부품 실장 불량
• 잉크 교반상태	U		• 마킹 올라탐 없을것
• 잉크 점도	U		마킹 편심, 부품 실장 불량
• 망과 제품의 거리	U		• 마킹 덜빠짐 없을것
• 숙련도	U		외관 불량
• D/F 편심	U		• 마킹 핀홀 없을것
• 드릴편심	U		패드위 마킹 올라탐, 외관 불량
• 제품 크기	U		• 마킹 누락 없을것
• 정체시간	U		외관 불량
• 이물질	U		
• 랩재질	C		
• 제품상태	U		
• 회로 밀집도	U		
• 홀 사양	U		
• SILK SUT	C		
• 온습도	U		
• 작업 지시 상태	U		
		↓	
• 검사 숙련도	U	검 사	• 잉크 변색 없을것
• 검사 도구	C		외관 불량
• 검사 SPEC	C		• 마킹 번짐없을것
• 검사자 상태	U		패드위 마킹 올라탐(부품 실장
• 작업정체시간	U		불량)
• 조명 상태	C		• 마킹 편심 없을것
• 제품 상태	C		마킹 편심, 부품 실장 불량
			• 마킹 올라탐 없을것
			마킹 편심, 부품 실장 불량
			• 마킹 덜빠짐 없을것
			외관 불량
			• 마킹 핀홀 없을것
			패드위 마킹 올라탐, 외관 불량
			• 마킹 지워짐 없을것
			외관 불량
		↓	

INPUT	TYPE	PROCESS	OUTPUT
• 건조온도	C	건 조	• 잉크 변색 없을것 외관 불량
• 건조시간	C		• 마킹 떨어짐 없을것 외관 불량
• 내부 청결	U		
• 건조기 상태	U		
• 랙킹 상태	U		
• 랙킹 위치	C		
• 건조 대기 시간	U		
• BLOWER 각도	U		
• 열풍량	U		
• 컨베이어 속도	U		
• 냉각 시간	U		
• 환경(온습도)	U		

❻-③ C & E MATRIX (1)

Rating of Importance to Customer			10	10	5	7		10
제 판			1	2	3	4		
	PROCESS STEP	PROCESS INPUTS	마킹번짐	마킹편심	마킹올라탐	마킹 덜빠짐		TOTAL
1	세척	세척제의 양	1	1	1	1		32
3	건조	건조 온도	1	1	1	1		32
4	건조	건조 시간	1	1	1	1		32
6	유제도포	버킷 압력	3	1	1	3		66
7	유제도포	버킷 속도	1	1	1	3		46
8	유제도포	버킷 날상태	1	1	1	1		32
9	유제도포	제판 MESH	3	1	1	5		80
11	건조	건조 온도	1	1	1	1		32
12	건조	건조 시간	1	1	1	1		32
14	노광	노광램프 메이커	1	1	1	1		32
15	노광	노광량	1	1	1	1		32
16	노광	노광시간	1	1	1	1		32
17	노광	진공시간						
19	현상	현상기 속도	1	1	1	1		32
20	현상	현상기 온도	1	1	1	1		32
21	현상	현상 횟수	1	1	1	1		32
23	검사	주기 확인	1	1	1	1		32

❻-③ C & E MATRIX (2)

Rating of Importance to Customer			10	10	5	7		
마 킹			1	2	3	4		
	PROCESS STEP	PROCESS INPUTS	마킹번짐	마킹편심	마킹울라탐	마킹 덜빠짐		TOTAL
1	망셋팅	망과 제품 이격 거리	5	3	3	5		130
3	인쇄	스퀴즈 속도	10	3	3	5		180
4	인쇄	스퀴즈 압력	10	10	3	3		236
5	인쇄	스퀴즈 각도	10	5	3	3		186
6	인쇄	스퀴즈 재질	5	3	3	5		130
7	인쇄	스퀴즈 연마 상태	10	10	3	5		250
8	인쇄	잉크 종류	3	1	1	3		66
9	인쇄	잉크 교반상태	10	1	1	5		150
10	인쇄	망가 제품의 거리	10	5	5	1		182
11	인쇄	랩 재질	1	1	1	3		46
12	인쇄	SILK CUT	10	1	5	3		156
14	검사	검사 도구	1	1	1	1		32
15	검사	검사 SPEC	1	1	1	1		32
16	검사	조명 상태	1	3	1	1		52
18	건조	건조 온도	1	1	1	1		32
19	건조	건조 시간	1	1	1	1		32
20	건조	랙킹 위치	1	1	1	1		32
21	건조	컨베이어 속도	1	1	1	1		32
22	건조	냉각 시간	1	1	1	1		32

❻-③ C & E MATRIX (3)

Rating of Importance to Customer			10	10	5	7			우선 순위
마 킹			1	2	3	4			
	PROCESS STEP	PROCESS INPUTS	마킹번짐	마킹편심	마킹올라탐	마킹 덜빠짐		TOTAL	
	망셋팅	망과 제품 이격 거리	5	3	3	5		130	8
	인쇄	스퀴즈 속도	10	3	3	5		180	5
	인쇄	스퀴즈 압력	10	[illegible]	[illegible]	[illegible]	[illegible]	236	2
	인쇄	[illegible]	[illegible]	[illegible]	[illegible]	[illegible]	[illegible]	186	8
	[illegible]	[illegible]	[illegible]	[illegible]	[illegible]	[illegible]	[illegible]	[illegible]	8
	[illegible]	[illegible]	[illegible]	[illegible]	[illegible]	[illegible]	[illegible]	[illegible]	1
	[illegible]	[illegible]	[illegible]	[illegible]	[illegible]	[illegible]	[illegible]	[illegible]	7
	[illegible]	[illegible]	[illegible]	[illegible]	5	1		182	4
	인쇄	[illegible]	10	1	5	3		156	6
	유제도포	제판 MESH	3	1	1	5		80	10

10개 KPIV 인자 도출
제판보다는 인쇄 작업

❻-④ FMEA (1)

PROCESS	잠재적/ 고장형태	고장의 잠재적 영향	심각도	고장의 잠재적 원인/매커니즘
스퀴즈 연마상태	평판도 불량	잉크 불균일 도포	2	스퀴즈 보관상태 불량
			2	재판망과 스퀴즈의 마찰
			2	이물질 유입
스퀴즈 압력	높다	마킹 번짐	6	잉크 덜빠짐
			6	마킹 면적이 넓다
	낮다	마킹 덜빠짐	6	잉크 과다 도포
			6	마킹번짐 제어
스퀴즈 각도	각의 커짐	마킹 덜빠짐	6	마킹식자 밀집
		마킹 두께 불균일	2	마킹식자 밀집
	각이 작아짐	마킹 번짐	6	마킹 두께 불균일
망과 제품의 이격거리	높다	마킹 덜빠짐	6	마킹 면적이 넓다
			6	제품 두께 감소
		잉크 튐	8	제품 표면적 불균일
			8	망 Tension 낮음

발생도	현재의 관리방법	검출도	RPN	권고조치사항	책임 및 목표 완료 예정일
2	연마 후 보관	2	8		
2	작업자 숙련도의존	4	16	교육 및 훈련 2회/월	시행 중
4	2회/일 청소	2	16	없음	
2	제품 확인 후 압력 재설정	2	24		
5	제품 확인 후 압력 재설정	1	60		
2	제품 확인 후 압력 재설정	1	12		
5	제품 확인 후 압력 재설정	3	30		
1	제품 확인 후 각도 재설정	3	18	교육 및 훈련 2회/월	시행 중
1	제품 확인 후 각도 재설정	3	6	교육 및 훈련 2회/월	시행 중
3	제품 확인 후 각도 재설정	3	54	교육 및 훈련 2회/월	시행 중
3	제품 확인 후 압력 재설정	3	54		
3	제품 확인 후 압력 재설정	3	54		
4	제품 확인 후 압력 재설정	3	96	자주검사 실시	
1	제품 확인 후 압력 재설정	5	40	Tension 확인 후, 작업 진행	시행 중

❻-④ FMEA (2)

PROCESS	잠재적/ 고장형태	고장의 잠재적 영향	심 각 도	고장의 잠재적 원인/매커니즘
망가 제품의 이격거리	높다	마킹 번짐	6	스퀴즈 압력 과다설정
		마킹 편심	6	스퀴즈 압력 과다설정
	높다	마킹 번짐	6	제품 두께변화 얇은 것 → 두꺼운 것
		마킹 얼룩	5	제품 두께변화 얇은 것 → 두꺼운 것
스퀴즈 압력	빠르다	마킹 덜빠짐	6	납기 독촉
	느리다	마킹 번짐	6	해상력 증강
		마킹 편심	6	해상력 증강
Silk Cut	Silk Cut Data 누 락	마킹 올라탐	8	dat
잉크 교반 상태	교반 덜됨	마킹 떨어짐	4	잉크 교반상태 미확인
스퀴지 재질(경도)	높다	마킹 덜빠짐	6	구매요청 실수
	낮다	마킹 번짐	6	구매요청 실수
제판 MESH	원자재 불량	마킹 덜빠짐	6	원인파악 불가
		마킹 번짐	8	원인파악 불가

발생도	현재의 관리방법	검출도	RPN	권고조치사항	책임 및 목표 완료 예정일
3	제품 확인 후 이격거리 저정	3	54		
3	제품 확인 후 이격거리 저정	3	54		
3	제품 확인 후 이격거리 저정	3	54		
3	제품 확인 후 이격거리 저정	3	45		
5	제품 확인 후 압력 재설정	3	54	작업 우선순위 명확화	완료
2	제품 확인 후 압력 재설정	1	12		
5	제품 확인 후 압력 재설정	1	30		
2	원 거버 data 비교	1	16	Cross Check강화 Silk Cut 안하는 방향 모색	
3	작업자 교육(2회/월)	5	60	작업전 Cross Check	
1	스퀴지 수입검사	1	6		
1	스퀴지 수입검사	1	6		
1	업체 성적서 확인	1	6		
1	업체 성적서 확인	1	6		

❼ ROUTER PROCESS MAP

❼-① Process Map (Router)

INPUT	TYPE	PROCESS	OUTPUT
• Model Rev.	U	P/G Download	• 구형 Version 작업 없을 것
• Guide Pin 마모 상태 • Safety B/D 상태 • Drill Bit • Spindle RPM	U C U C	↓ Guide Hole가공	• Panel의 유격이 없을 것 • Hole 편심 없을 것 • 미가공홀 없을 것
• Router BIT • Spindle Run-Out • 집진 압력 • Tool Life 설정 • Stack 설정 • Spindle RPM 설정 • Tool Change Sensor • 제품 해체 • 제품 Setting	U C U C C C U U U	↓ 초도품 가공 및 양산 작업	• 외형가공 공차 안에 들 것 • 제품 파손 및 Scratch 없을 것 • 제품 역삽입 가공 없을 것 • 가공 누락 없을 것 • Burr 없을 것 • 가공면의 백화 현상 없을 것

❼-② Process Map (V-Cut)

INPUT	TYPE	PROCESS	OUTPUT
• Cutter 각도 • Cutter 종류 • Cutter Tip 상태 • V-Cut 가공 횟수 • V-Cut 가공 거리 • Conveyor 이송 속도	C C U C C C	Setting	• 잔조폭 공차 안에 들 것 • 동노출 없을 것 • V-Cut 가공 누락 없을 것
• 집진 압력 • 이송 Belt 상태 • Clamp 상태 • Loader Air 압력 • Loader Sensor 작동 상태 • 제품 Setting	C U U C U U	↓ 초도품 가공 및 양산 작업	• 잔존폭 공차 안에 들 것 • 제품 파손 및 Scratch 없을 것 • 제품 역 가공 없을 것 • V-Cut 가공 누락 없을 것 • 제품 겹침 불량 없을 것

❼-③ Process Map (면취)

INPUT	TYPE	PROCESS	OUTPUT
• 면취 각도 • Cutter Tip 상태 • Jump 면취 Setting • 면취 가공 거리 Setting • Conveyor 이송 속도	C U C C C	Setting	• 잔존폭 공차 안에 들 것 • 가공 누락 없을 것
• Endmil Bit • 집진 압력 • 이송 Belt 상태 • 이송 Belt Clap 유격 • Loader Air 압력 • Loader Sensor 작동 상태 • 제품 Setting	C U U C C U U	↓ 초도품 가공 및 양산 산업	• 잔존폭 공차 안에 들 것 • 제품 판손 및 Scratch 없을 것 • Burr 없을 것 • 가공 누락 없을 것

❼-④ Process Map (최종 수세)

INPUT	TYPE	PROCESS	OUTPUT
• 제품 투입 간격 Setting • 제품 투입 두께 Setting	C C	Setting	• 제품 겹침 없을 것
• 노즐 상태 • Spray 압력 • Filter 압력 • Conveyor 구동 상태	U C C U	고압 수세	• 제품 겹침 없을 것
• 수세수 온도 • Conveyor 구동 상태	C U	탕 수세	• 이물질 없을 것 • 제품 겹침 없을 것
• Filter 압력 • Conveyor 구동 상태 • 초음파 작동 상태	C U U	초음파 수세	• 이물질 없을 것 • 제품 겹침 없을 것
• 노즐 상태 • Spray 압력 • Filter 압력 • Conveyor 구동 상태 • 스폰지롤러 상태 • 순수 상태	U C C U U U	최종 수세	• 제품 겹침 없을 것 • 표면 얼룩 없을 것
• 건조 온도 • Ram-Jet 노즐 상태 • Conveyor 구동 상태	C U U	Air-Cut	• 홀속 미건조 없을 것 • 제품 겹침 없을 것
• 건조 온도 • Pre-Filter 상태 • Conevyor 구동 상태 • Sensor 작동 상태	C U U U	열풍 건조 및 Unloading	• 표면 얼룩 없을 것 • 제품 겹침 없을 것 • 표면 Scratch없을 것 • 이물질 없을 것

제 9 장 PCB 원판 등분산출표

1. 등분 산출표

원 판	2등분		3등분		4등분		5등분	
	X	Y	X	Y	X	Y	X	Y
1020×1220 J(1244400)	508	608	338	404	252	302	201	241
1070×1220 A.J(1305400)	533	608	354	404	265	302	211	241

• 정등분수율로 영업에서는 등분산출 안함(하기 파란색)

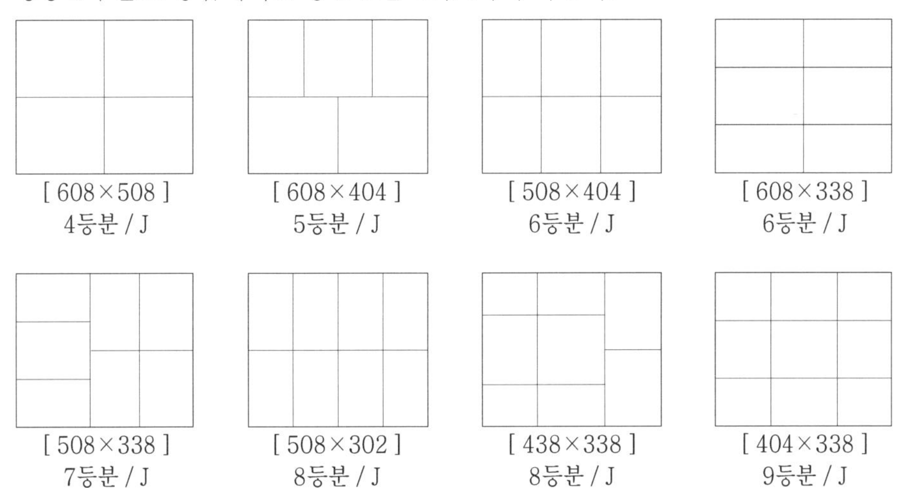

❶ 4층이하일경우

① CORE두께0.4T미만은 원판 재단시 결방향이 틀리면 안된다.
신축발생우려있슴.

❷ 양면은 10㎜ 이상 해줌(다른편측은 필히 12mm이상).

❸ 4층이상은 도금LOSS를 최하12㎜이상 해준다.

❹ 단자부분은 최하10~15㎜ 이상 해준다.

❺ 금형은 샤링간격 5mm이상해준다.
- 타발간격은 min 3mm이상.

❻ 단방향이 300mm이하시.
① 자동POSA불가
② 자동라미네이팅불가

2. 원판 등분수 산정 개선 사례

❶ PNL SIZE 다변화 [Regular 원판] 작업방안

[J] = JUMBO : (1020 × 1220)
[R] = REGULAR : (915 × 1220)

1. 개요
- 현 영업에서 수주시 일부업체에서는 [R]원판기준하의 수주단가를 산정하여 견적을 요구하는 경우 또는, [J]원판기준으로 견적단가 산정 수주 되었으나 [R]원판 등분으로 산정이 가능할 시에 PNL SIZE 다변화를 통해 ([R]원판등분SIZE 사용) 원가절감의 효과를 도모하고자 함.

2. 문제점
① 영업에서 [R]원판으로 단가산정수주시 현재는 [J]SIZE 등분 산출 PNL로 투입, 작업함으로써 원,부재료비, 공정별 가공비등에 있어서 원가상승분이 발생되어짐.

3. 개선 작업방안
① 외곽LOSS분의 최적,최소화를 위해 작업가능한 범위내에서 [R]원판 등분SIZE를 활용토록 함.
② 생산관리

a. 등분수율 산출시 하기와 같은 [R]등분PNL SIZE를 활용토록 함.

b. 하기의 경우외에 외곽LOSS분이 과도하게 발생시는 최소 LOSS 허용범위 내에서 PNL SIZE 최소화 조치

구분 \ 등분수	4	6	8	9	12
PNL SIZE (단위 : mm)	455 × 608	455 × 404 302 × 608	455 × 302	455 × 302	302 × 302
비고		단방향 302mm 자동 POSA 불가			가로, 세로길이 동일하여 4층 이상 제품 적용 불가 (결방향) 작업성↓, 거의 적용치 않음

③ 규격관리

a. 생관에서 [R]원판 등분수율을 접수시 작업지시서상에서 원판투입은 [R]원판으로 작업지시하는것을 원칙으로 함.

b. CAM에서는 [R]SIZE에 따른 PNL벤팅을 준비,작업후 투입토록 함.

④ 재단반

a. 원칙적으로 작업지시시에 [R]원판으로 지시가 이루어지지만 실제적으로 [R]원판수급이 어려우므로 재단반에서는 수급가능한 [J]원판으로 [R]등분 SIZE로 재단작업을 진행후 남는 LOSS분은 ⑤와 같이 활용하는 방법을 강구토록 함.

⑤ LOSS분 활용방안

a. LOSS분은 재단반에 별도보관후 도금반의 아대로 재활용토록 함.

⑥ 경영정보팀 협조요망사항.

a. 현재 수율산출방법에 [R](915 X 1220)를 추가하여 전산상에 [R]로 투입시 원판수율이 [R] 기준하에 산출되도록 변경요망.

4. 개선효과

① 불필요한 PNL의 LOSS분을 제거함으로써 각공정에서 작업시 원부재료,가공비의 절감효과 기대됨.

=> 例 : PP,동박절감, 도금등 각종 작업 Running cost 절감

2-2 PNL 표준 및 수율 계산법

❶ PNL SIZE 기준

1)404㎜×508㎜(6PNL/J) 또는 408㎜×533㎜(6PNL/AJ)

2)508㎜×608㎜(4PNL/J) 또는 533㎜×608㎜(4PNL/AJ)

❷ 수율 계산 공식

1) 1020㎜×1220㎜(J)의 경우 : 가로㎜×세로㎜ / 1PCS(또는 Kit)×PCS(또는 Kit)산출수 / PNL×PNL 산출수 / 1,244,400(J)

2) 1070㎜×1220㎜(AJ)의 경우 : 가로㎜×세로㎜ / 1PCS(또는 Kit)×PCS(또는 Kit)산출수 / PNL×PNL 산출수 / 1,305,400(AJ)

ex1)실제품 1PCS의 SIZE가 92㎜×113㎜, 4L, 1.6의 수율은?

(1)PNL 결정 ; 508㎜×608㎜(25PCS/PNL×4PNL/J = 100PCS/J)

① 508 : (92㎜×5)+(ROUTER간격 3㎜×4칸)+(도금 LOSS 18㎜×2)

② 608 : (113㎜×5)+(R/T간격 3㎜×4칸)+(도금 LOSS 15㎜×2)

(2)수율 산출

: 92㎜×113㎜/PCS×25PCS/PNL×4PNL/J(1,244,400) = 83.5%

ex2) 실제품 1PCS의 SIZE가 87㎜×113㎜, 4L, 1.6의 경우 수율은? (단자금도금)

(1)PNL 결정 ; 508㎜×608㎜(25PCS/PNL×4PNL/J = 100PCS/J)

① 508 : (87㎜×5)+(단자간격 12㎜×4칸)+(도금 LOSS 12.5㎜ × 2)

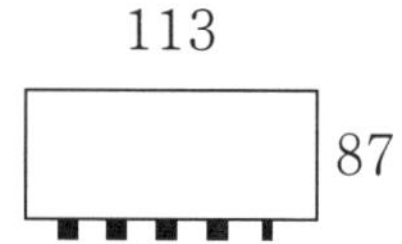

② 608 : (113㎜×5)+(R/T 간격 2㎜×4칸)+(도금 LOSS 15㎜×2)

(2)수율 산출

: 87㎜×113㎜/PCS×25PCS/PNL×4PNL/J(1,244,400) = 79.0%

▶ 일반 PNL 외곽 LOSS

[단위 : mm]

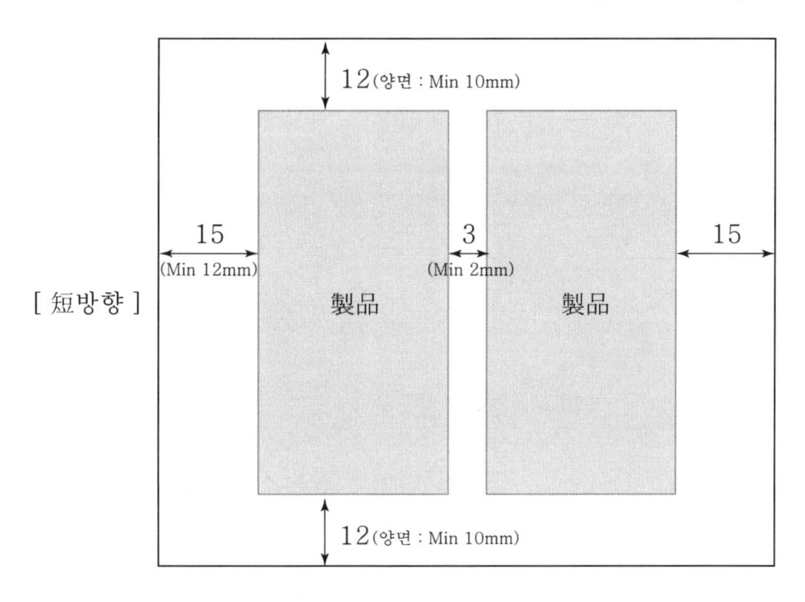

▶ 단자금도금 PNL 외곽 LOSS

[단위 : mm]

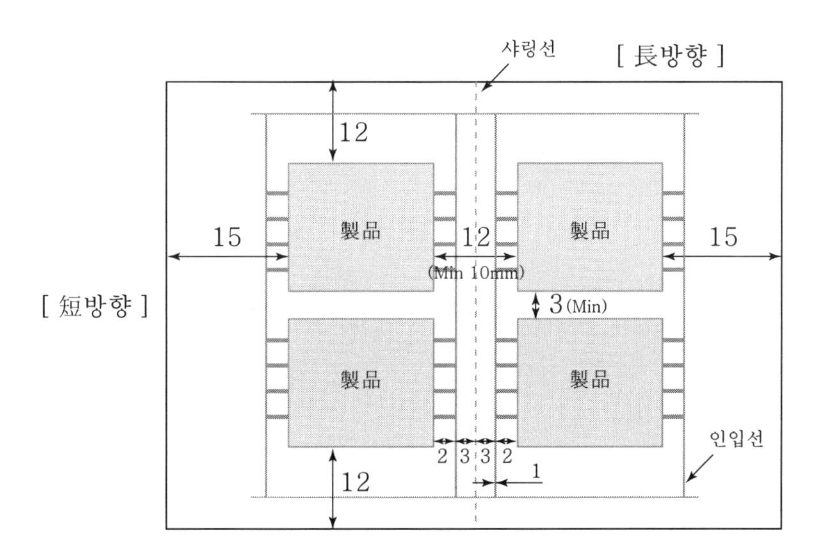

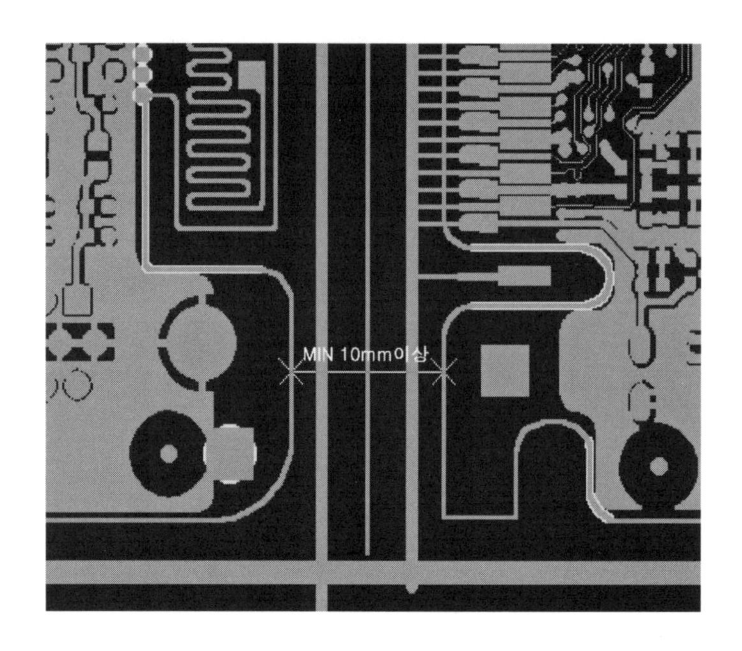

▶ 금형타발 PNL 외곽 LOSS

[단위 : mm]

[長방향]

[短방향]

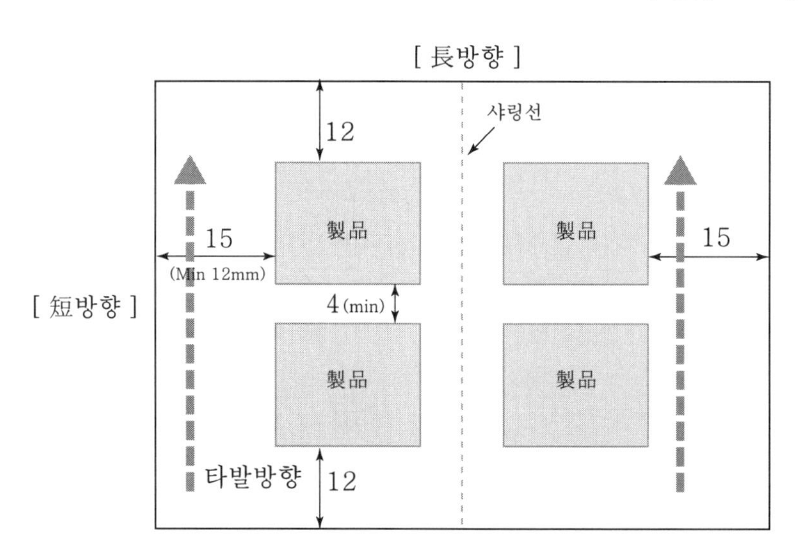

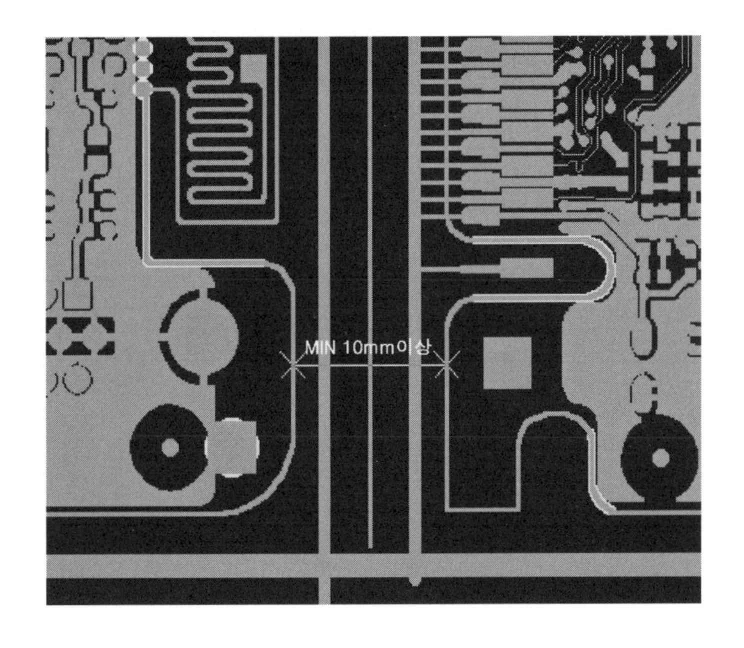

▶ 4 등분 / J

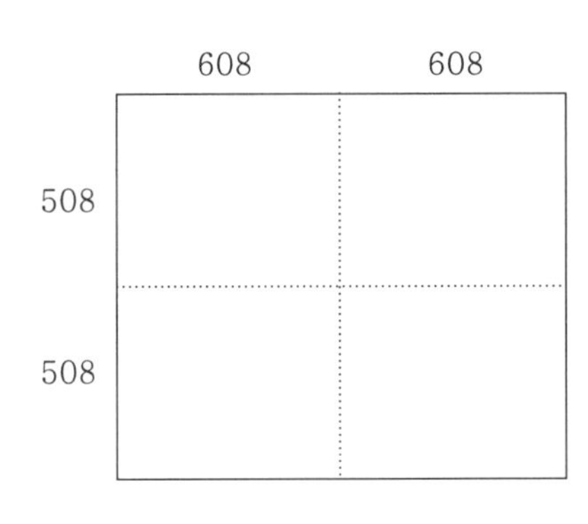

▶ 5 등분 / J

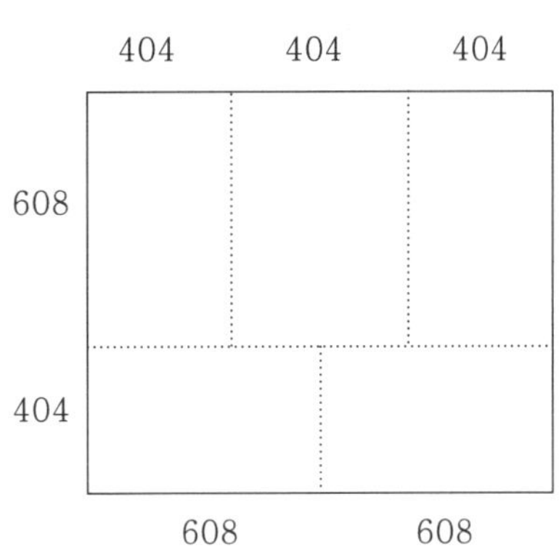

1. 4층 이하 CPRE두께 0.4T 미만은 사용불가.

▶ 6 등분 / J

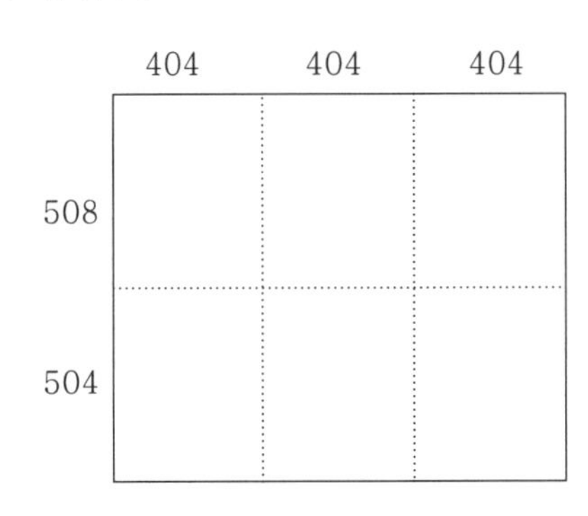

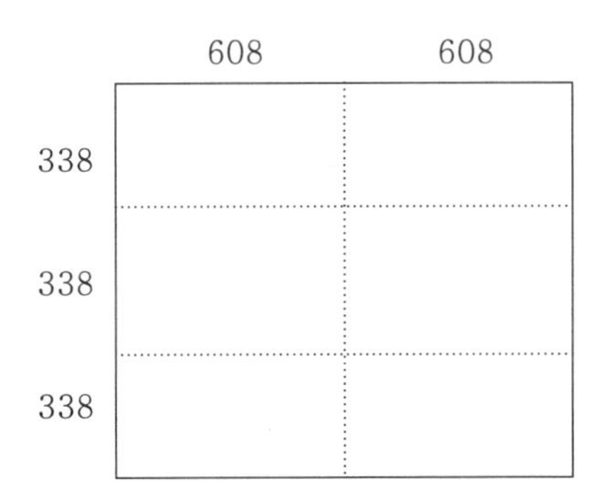

▶ 7 등분 / J

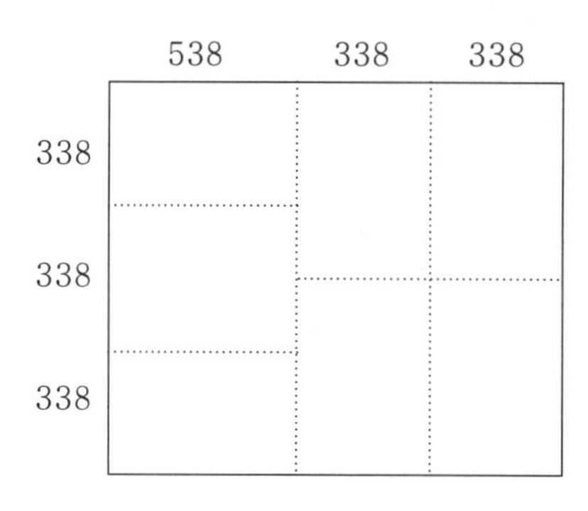

1. 4층 이하 CPRE두께 0.4T 미만은 사용불가.

▶ 8 등분 / J

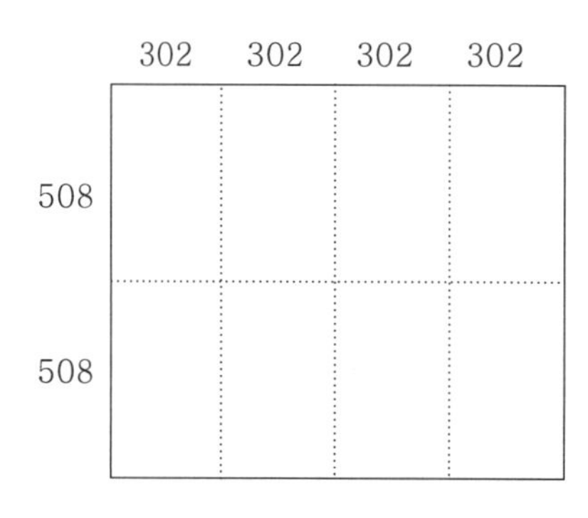

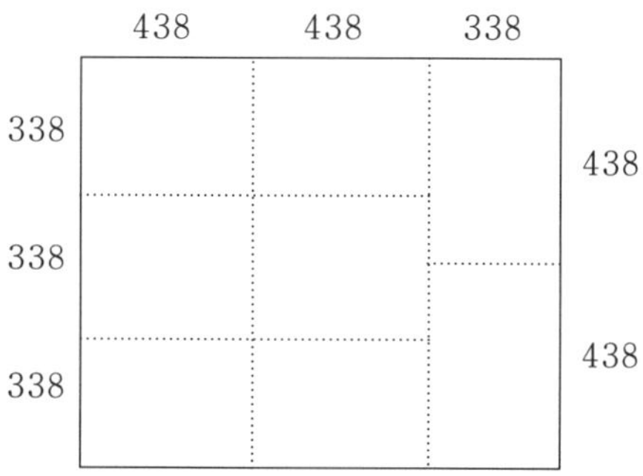

438 438 338

338 338 338

438 438

1. 4층 이상의 경우 자동POSA불가함.
⇒ 모두 수동POSA 작업실시.

1. 4층 이하 CPRE두께 0.4T 미만은 사용불가.

▶ 9 등분 / J

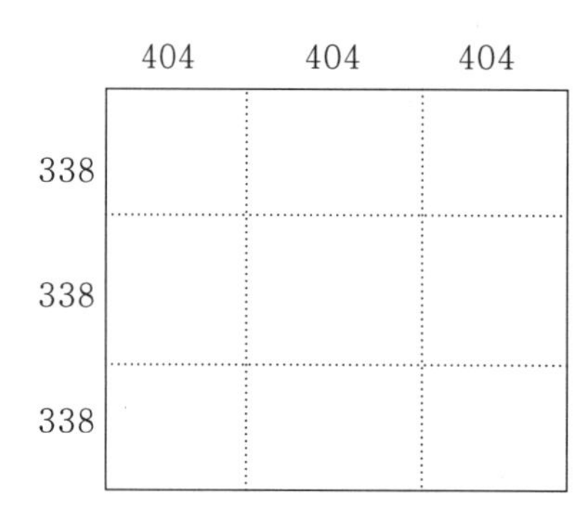

제 10 장 PCB SPEC

10-1 IPC SPEC

1) IPC규격: S/S, D/S

- 참고자료: Print배선판 규격과 시험법

일본 "합성수지공업협회" 제작

❶ 격자치수

ⓐ 기본격자: 2.54mm

ⓑ 보조격자: 0.635mm 또는 1.27mm

❷ 외관

ⓐ 외관은 1.75배이상의 확대경으로 육안검사 실시

ⓑ 원도면에 특별한 지정이 없는 한

- edge폭의 50%이상, 또는 2.5mm이상의 edge박리가 없을 것
- 비금속성 Burr는 허용
- Measling, crazing, 부풀음, 층간들뜸(박리), Haloing은 IPC A-600에 준함.
- Gel化物허용
- 투명이물질 허용
- 도체간에 이물질이 있을 경우, 도체폭의 50%이하, 길이 0.8mm이하의 이물질 허용.

ⓒ Sub-surface 결함

- 10%이하 또는 1point 면적이 45㎟일 것
- class 3에서는 (weave exposure) 허용않 함
- 625㎟에 10point이하의 凹, 표면void 허용
- dent, void(한면당)에 대해서 class 1 5%, Class 2,3 1%이하까지 허용
- pink ring은 그 크기가 클지라도 기능에 영향을 미치지 않는 한 허용
- hole속 도금void는 육안검사로 1/4원주 이상의 void가 없을것, hole길이 대비 어느 방향에서도 :

  class 1 : 10%이하 class 2 : 5%이하 일 것

❸ 최소도체폭 및 도체허용차

ⓐ 최소도체폭 : 원도면에 특별한 지정이 없는 한 0.1mm로 함

ⓑ 도체폭허용차 (mm)

구분	Level A	Level B	Level C
도금 無	+0.05, −0.10	+0.03, −0.05	+0.02, −0.04
도금 有	+0.10, −0.10	+0.08, −0.08	+0.05, −0.05

❹ 최소도체간격

ⓐ 도체간(land포함)

원도면에 특별한 지정이 없는 한 0.13mm로 함

ⓑ 도체와 edge

원도면에 준함

ⓒ 미부식(도체남음), nudule등은 다음 표에 나타낸 최소도체간격의 감소범위 외에 있을시 허용됨

도체간격의 감소

Class 1, 2	Class 3
최소한체간격의 30% 감소	최소도체간격의 20% 감소

❺ 도체결손

Class 1	부분적 결손은 당사자간의 합의에 의함
Class 2	Nick, Slit, Pin−hole, 등에의한 기판의 노출은 도체폭의 30%이하, 길이는 25mm미만 일 것
Class 3	Nick, Slit, Pin−hole, 등에의한 기판의 노출은 도체폭의 20%이하, 길이는 13mm미만 일 것

❻ PTH 부의 도체결손

ⓐ 육안검사에 의한 외관검사

종 류	Class 1	Class 1	Class 1
동도금	Hole 1개당 void 3point까지 허용	전체의 5%이하의 hole에 있어서 void 1point까지 허용	없을 것
최종 Coting (표면처리)	전체의 5%이하의 hole에 있어서 void 5point까지 허용	전체의 5%이하의 hole에 있어서 void 3point까지 허용	전체의 5%이하의 hole에 있어서 void 1point까지 허용

* PTH 및 LAND의 경계부에 90 를 초과하는 Void가 없을 것
* Class 2에서 Void 최대길이는 Hole길이의 5%를 넘지 않을 것
* Class 1에서는 Hole길이의 10%를 넘지 않을 것

ⓑ Micro-section에 의한 검사

항 목	Class 1	Class 2	Class 3
도금Void	Hole 1개당 void 3개 이하 ring void는 90° 이내 일것	허용않함	허용않함
도금돌기(주름)/이물		허 용	
Burr/Nodule	부품리드의 투입이 가능할것	최소Hole크기가 적합할 것	최소Hole크기가 적합할 것
Glass수지돌기	부품리드의 투입이 가능할것	최소Hole크기가 적합할 것	최소Hole크기가 적합할 것
Wicking	0.12mm이내이며 전기적 특성을 유지할 것	0.10mm 이내	0.08mm 이내
최종Coating(표면처리) 도금Void	3개 이하 1개당 내벽면적의 5% 이내 일 것	3개 이하 1개당 내벽면적의 5% 이내 일 것	1개 이하 1개당 내벽면적의 1% 이내 일 것

단, 모든 Class에 있어서 동박두께는 다음 표의 두께를 만족시켜야 하며, 도금층 벗겨짐, crack, PTH내벽과 내층간의 들뜸(D-effect), 또는 이물질이 없어야 함.

(㎛)

Hole종류	Class 1	Class 2	Class 3
일반 PTH	15이상	20이상	20이상
IVH & BVH	11이상	13이상	13이상

❼ Land

ⓐ PTH

구 분	Class 1	Class 2	Class 3
Land감소 *a	180° 이하	90° 이하	–
최소 Land 폭 *b	–	–	0.05mm 이상
결합부 도체폭 감소 *c	최소도체폭의 30% 이상 감소 하지 않을 것	최소도체폭의 20% 이상 감소 하지 않을 것. 또한 0.05mm 이상	–

ⓑ Non-PTH

구 분	Class 1	Class 2	Class 3
Land감소 *a	결함부가 아닐 것	없을 것	–
최소 Land 폭 *b	–	–	0.15mm 이상
결합부 도체폭 감소 *c	–	–	–

*a : Land감소

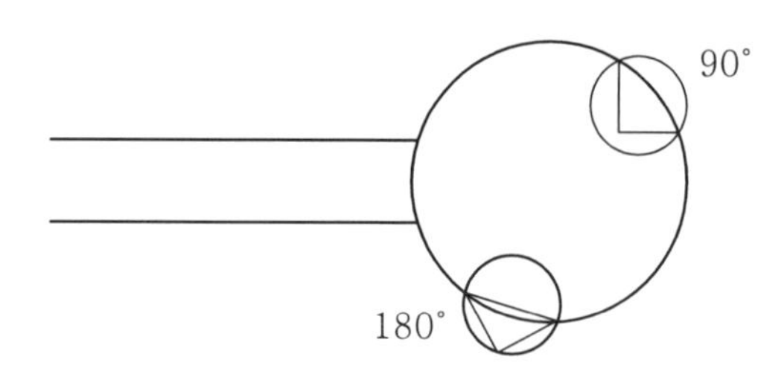

*b : 최소Land폭

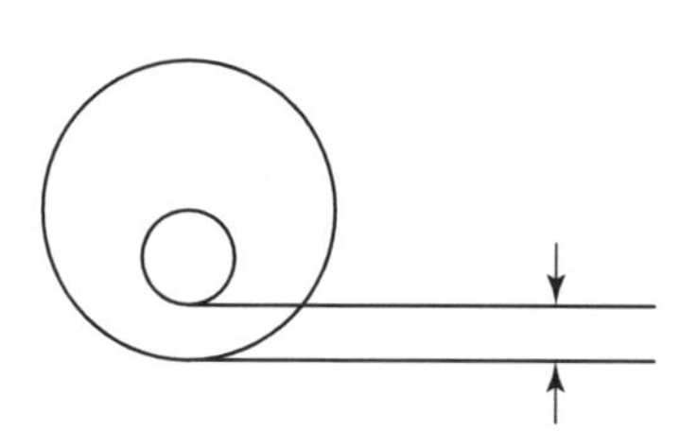

*c : 접속부 도체폭

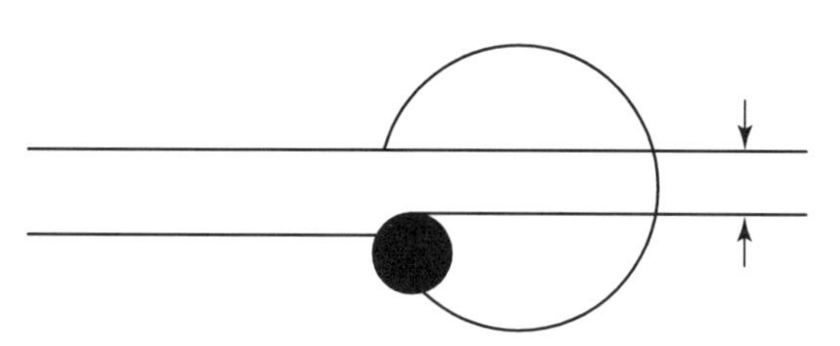

➡ Class 3에서의 최소Land폭은 Pit, 찍힘, Pin-hole, Spray등의 결함에 의한 부분적인 20%의 폭 감소는 허용됨

❽ 패턴 위치쏠림

(mm)

외형지수	Class		
	A	B	C
300 미만	± 0.30	± 0.20	± 0.10
300 이상	± 0.40	± 0.30	± 0.20

❾ 외형치수와 허용차

ⓐ 외형치수 허용차 (mm)

Class A	Class B	Class C
±0.40	±0.30	±0.20

ⓑ Cut-out, Notch(V-cut), Slot의 외형치수허용차

(mm)

		Level A	Level B	Level C
Slot, Notch 폭		±0.25	±0.20	±0.15
기준선으로 부터의 위치	300미만	±0.3	±0.25	±0.20
	300이상	±0.36	±0.30	±0.25

❿ Hole치수 및 허용차

ⓐ PTH의 Aspect比

Level A	Level B	Level C
1:3 ~ 1:5	1:6 ~ 1:8	1:9 이상

ⓑ Hole치수

– Non–PTH

리드선직경에 대해 0.15 ~ 0.5mm 클 것

– PTH

리드선 크기와 PTH와의 관계 (mm)

리드선 크기	Level A	Level B	Level C
리드선직경–PTH	min0.25 ~ max0.8	min0.2 ~ max0.7	min0.15 ~ max0.6

– 도금Via–hole용 최소 드릴Hole 크기 (mm)

기판두께	Class 1	Class 2	Class 3
1.0 미만	Level C 0.15	Level C 0.2	Level C 0.25
1.0 ~ 1.6	Level C 0.15	Level C 0.2	Level C 0.25
1.6 ~ 2.0	Level C 0.15	Level C 0.2	Level C 0.25
2.0 초과	Level C 0.15	Level C 0.2	Level C 0.25

Hole의 동박두께가 0.03mm이상일 경우, Hole의 크기는 1Class 작게 됨

ⓒ 최소Hole크기 허용차

최대치(가장 나쁜 상태)와 최소치(가장 좋은 상태)시의 Hole크기 차(양측)를 표시함

– Non–PTH (mm)

Hole Size	Level A	Level B	Level C
0.1 ~ 0.8	0.16	0.1	0.06
0.81 ~ 1.6	0.2	0.16	0.1
1.61 ~ 5.0	0.3	0.2	0.16

– PTH (mm)

Hole Size	Level A	Level B	Level C
0.1 ~ 0.8	0.2	0.16	0.1
0.81 ~ 1.6	0.3	0.2	0.1
1.61 ~ 5.0	0.4	0.3	0.2

注) 1. Hole크기가 5mm를 초과할 경우, 각 허용차에 0.6mm를 더할 것

2. Hole크기 대비 기판두께가 1/4보다 작은 경우의 허용차에 0.05mm를 더할 것

⓫ Hole위치와 허용차 및 최종상태

ⓐ Hole위치

원data에 의함

ⓑ Hole위치 허용차

Hole쏠림 크기 (mm)

기판치수	Level A	Level B	Level C
300까지	0.3	0.1	0.08
300 ~ 450	0.4	0.2	0.15
450 ~ 600	0.5	0.3	0.01

注) Glass Epoxy의 경우 치수안정성이 다른 재료에 대해서는 값이 다름

⓬ PSR편심

– PSR과 Land와의 Clearance는 0.13mm 이상 일 것

– 표면실장용 PTH가 없는 Land와 PSR과의 중첩은 0.10mm이하 일 것

⓭ 도금두께

ⓐ 도금두께 (um)

도 금	Class 1	Class 2	Class 3
Au(최소)	0.75	0.75	1.3
Au(최대, HASL용)	–	2.5	2.5
Ni(최소)	3	5	5
Cu *a (평균) (최소)	 20 15	 25 30	 25 25 *b

*a : 표면 및 PTH에 대해 요구됨

*b : Hole size가 0.34mm이하 혹은 aspect比가 3.5이상의 경우, 도금두께의 최소치는 25.4㎛임

ⓑ 동도금

– 동의 순도는 99.5%이상일 것

– 동도금의 인장강도는 248MPa(25.3kgf/mm2)이상일 것

ⓒ HASL

– HASL의 (Sn:Pb)의 두께에 대해서는 규정되어 있지 않지만, 밀착성과 외관 검사를 함.

⓮ Bow, Twist

재 료	패 턴	기판두께	Bow, Twist 최대치 (%)		
			Class A	Class B	Class C
종이기재 및 Composite	S / S	T1	–	2.5	1.5
		T2	2.5	2.0	1.0
		T3	2.0	1.2	0.8
		T4	1.5	0.8	0.6
	D / S	T1	–	2.0	1.0
		T2	1.5	1.5	0.8
		T3	1.5	1.0	0.6
		T4	1.0	0.7	0.5
Class 기재	S / S	T1	2.5	2.0	1.5
		T2	2.0	1.5	1.0
		T3	1.5	1.0	0.8
		T4	0.8	0.6	0.6
	D / S	T1	2.0	1.5	1.5
		T2	1.5	1.0	0.8
		T3	1.0	0.7	0.6
		T4	0.6	0.5	0.5

注) T1 : 기판두께 0.2, 0.5, 0.7, 0.8, 1.0mm

T2 : 1.2, 1.5, 1.6mm

T3 : 2.0, 2.4mm

T4 : 3.2mm 이상

⓯ 도금밀착성

IPC TM–650(2.4.1)의 기준에 적합할 것

시료에서 벗겨낸 도금부분의 테이프 및 시료를 육안검사, 도금의 입자 또는 테이프에 패턴이 붙어 있는지를 확인함

⑯ 도체 밀착강도

– IPC: 無

– JIS: 다음 표의 수치 이상일 것 (kN[kgf/cm])

		a	b	c
300까지	18㎛	–	–	–
	35㎛	1.2(1.23)	1.4(1.43)	1.4(1.43)
	70㎛	1.4(1.43)	1.6(1.63)	1.6(1.63)
양 면	당사자간의 협의에 의함			

a : 종이기재 Phenol수지 PCB, 종이 폴리에스테르 수지 PCB

b : 종이 Epoxy수지 PCB

c : Glass布 종이 복합기재 Epoxy수지 PCB, Glass布 lass 부직포 복합기재 Epox수지 PCB

Glass布기재 Epoxy수지 PCB, Glass포기재 Epoxy수지 PCB, Galss布기재 폴리이미드수지 PCB

⑰ Land & PTH의 인장강도

표면실장용 Land 및 도금되지 않은 Hole의 Land의 강도

3point를 측정, 2.3kg이상일 것, 측정방법은 IPC TM-650 2.4.21.1에 의함

⑱ HASL 내열성

– 121 ~ 149 에서 6시간동안 흡수처리 후 IPC TM-650 2.6.8에 의해 테스트를 실시, Micro-section후 다음 항목을 만족시킬 것

	Class 1	Class 2	Class 3
도금 void	Hole당 3point까지 인정 단, 원주 90˚이상의 void제외	허용않함	허용않함
도금 돌기(주름)	허 용		
Burr, Ndule	부품리드선 투입이 가능할 것	최소 hole크기에 적합할 것	최소 hole크기에 적합할 것
Glass수지 돌기	부품리드선 투입이 가능할 것	최소 hole크기에 적합할 것	최소 hole크기에 적합할 것
Wicking	0.125mm이내 및 전기특성을 유지할 것	0.1mm 이내	0.08mm 이내
최종coat도금(표면처리)void	1point당 hole내벽면적의 5% 이내, 3point이하일 것	1point당 hole내벽면적의 5% 이내, 3point이하일 것	hole내벽면적의 1% 이내 1point이하일 것
Land 및 PTH 벗겨짐	hole경계면까지는 허용하지만, coner crack 및 표면까지 걸쳐진 것은 허용안 됨		
동박crack	도금층을 관통하지 않으면 A, B crack허용	도금층을 관통하지 않으면 A crack 허용	
Barrel crack	도금두께 이하에서 허용	허용않함	허용않함

	Class 1	Class 2	Class 3
도금박리(벗겨짐)	최대 0.3mm까지 허용	허용않함	허용않함
수지층과 도금층 박리(들뜸)	치수와 도금이 요구에 적합할 것		
Land의 과도금	허 용		

⑲ PSR & MARKING의 耐용제성

- HASL접속부에서의 납볼

  Class 1: 15%

  Class 2: 5%

  Class 3: 3% 까지 허용

- 기타 납볼

  도체와 평면부에서는 허용 됨. 전혀 납땜성이 없는 경우에는 불합격

⑳ 도체 및 PTH부의 저항

Class 1	Class 2	Class 3
50Ω 이하	20Ω 이하	20Ω 이하

㉑ 청정성

- 일반 오염물과 이온화오염물이 있음

  이온화오염물은 2 × 106 Ω · cm이상 Nacl 환산에서 1.56㎍/㎠이하일 것

㉒ 절연저항 (MΩ)

	Class 1	Class 2	Class 3
수리상태	전기적 기능을 유지할 것	0.75	1.3
吸濕 후		2.5	2.5

* DC 500V 인가 시

㉓ 耐전압

다음 표의 전압에서 flash over, spark over, 절연파괴가 없을 것

	Class 1	Class 2	Class 3
직류전압(V)	-	500 + 15, -0	1000 + 25, -0
시간(초)	-	30 + 3, -0	30 + 3, -0

㉔ 열충격

ⓐ 항온조에 의한 열충격

- IPC TM-650 2.6.7.2 시험조건에 의해 열충격을 한 후 회로도통저항 및 도체간의 저항은 다음 표와 같아야 함

회로도통저항(Ω)

Class 1	Class 2	Class 3
50 미만	20 미만	

注) 시험전류는 1A 미만을 사용할 것

도체간의 저항(MΩ)

Class 1	Class 2	Class 3
0.5 이상	2.0 이상	

注)최소인가전압 : 수동 – 200V x 5초

자동 – 정격의 2배 또는 40V

- Class 3의 제품은 반드시 1cycle 時와 최종cylcle時에 결쳐 저항변화치가 10%를 넘지 않아야 함
- PTH는 열충격후 Microsection을 한 후 보충자료–5의 요구를 만족시켜야 함

ⓑ 납조사용

288±5℃의 납조에 10 +1,-0초 동안 띄워 열충격을 가하고, Microsection후 보조자료–5의 요구에 만족할 것

PTH 및 Land부 이외에 발생한 Laminate Void는 80㎛를 초과하지 않을 것 (Class 2,3만 해당)

ⓒ 부품교환성 시험

IPC TM–650 2.4.36에 의해 시험 후 PTH를 Microsection했을 때 보조자료 –5의 요구에 만족할 것

* 보조자료–5 : Microsection에 의한 열충격후의 도금PTH평가(IPC RB–276 Table 4, Table 10)

	Class 1	Class 2	Class 3
내층Land와 PTH 도금간 떨어짐	내벽에 도금이 떨어짐 hole은 총Land수의 20%까지 허용	不 許	
내층Land와 PTH 도금간의 이물	내벽에 이물질이 있는 hole은 총Land수의 20%까지 허용	不 許	
외층Land와 PTH 도금간 떨어짐	Hole경계면은 허용하나, coner crack과 표면까지 걸쳐서 떨어진 것은 허용안됨		
내층동박 crack	동박을관통하지 않고 한쪽면만 crack이 있는 경우 허용	不 許	
외층동박 crack	도금층은 관통하지 안아야 함	동박의 crack은 허용하나, 도금층은 허용안됨	
Barrel Crack	상호간의 협의에 의함	不 許	
도금층 떨어짐	최대 0.13mm까지 허용	不 許	
수지층과 도금층간 떨어짐	치수, 도금특성이 적합할 경우에는 허용함		
Land의 들뜸	허용함		
도금void	3point/hole까지 허용	1point/hole이 총 hole의 5%까지 허용	不 許

2) IPC규격 : MLB

❶ 격자치수

기본: 0.635mm 또는 1.27mm

보조: PTH부품 – 0.13mm의 배수

표면실장부품 – 0.05mm의 배수

❷ 외관

외관은 1.75배이상의 확대경으로 육안검사 실시

ⓐ 기판edge 결함

edge폭의 50%이상, 또는 2.5mm이상의 edge박리, haloing이 없을 것

– Measling, crazing, 부풀음, 층간들뜸(박리), Haloing은 IPC A-600에 준함.

– Gel化物허용

– 투명이물질 허용

– 불투명이물은 최근방의 도체에서 적어도 0.25mm떨어져 있을 것. 이물질이 도체사이에 있는 경우, 그 간격의 50%이하, 길이 0.8mm이하의 이물질은 허용.

ⓑ Sub-surface 결함

- 레진경화, 금속성이물질은 도체 및 PTH간 거리의 25%이상에 걸쳐 있지 않고, 기판 한쪽면의1%를 넘지 않아야 할 것
- 접착성향상처리(Oxide)에 의한 변색은 허용됨. 처리불량부분은 금속부분 면적의 10%를 넘지 말것. 또한 그 1point의 면적은 45㎟를 넘지 않아야 할 것.

ⓒ 기판표면 결함

- 섬유노출(Weave exposure등)은 도체간격이 최소치 이하가 아닐경우, Class1.2까지 허용. Class3에서는 허용않함.
- Pit, 표면의 Micro-void는 길이 75um이하 이고, 면적625mm2당 10point이하일 경우 허용. 그 면적은 Class2,3에서는 각면의 기판면적의 1%를 초과하지 않아야 하고, Class1에서는 5%를 넘지 말것. scratch, 찍힘은 도체사이에 걸쳐있지 않을 시 허용.

ⓓ Pink ring

- Pink ring은 그 크기가 크더라도 기능에 영향을 크게 끼치지 않을 경우 허용함.

❸ 최소도체폭 및 허용차

ⓐ 설계최소도체폭

요구된 전류용량 및 최대온도상승에 의해 결정됨. 또한, UL요구인 0.1mm이상을 맞출수 있을 경우 UL7466의 조건범위내.

ⓑ 도체폭허용차 (mm)

구 분	Level A	Level B	Level C
도금 (無)	+0.05, −0.10	+0.03, −0.05	+0.02, −0.04
도금 (有)	+0.10, −0.01	+0.08, −0.08	+0.05, −0.05

ⓒ 도체폭감소 허용차

원도면에 특별히 지정하지 않은 경우, 최종제품의 최소도체폭은 0.1mm이지만, 결함(open, pin-hole, scratch등)에 의한 도체폭감소는 다음표와 같이 허용

구 분	Level B
최소치의 30%를 넘지 않을 것 길이는 25mm혹은 min도체길이의 10%를 넘지 않을 것	최소치의 20%를 넘지 않을 것 길이는 13mm혹은 min도체길이의 10%를 넘지 않을 것

❹ 최소도체간격

- 최소도체간격

Class 1: 0.51mm

Class 2: 0.25mm

Class 3: 0..13mm

또는, coating않된 외층회로 최소도체간격

Peak전압(V)	해 발	
	1만피트 이하	1만피트 이상
0~50	0.38	0.64
50~150	0.64	1.53
151~300	1.27	3.18
301~500	2.54	12.7
500이하	0.005mm/Volt	0.0025mm/Volt

- 내층 및 Coating 된 외층회로 최소도체간격 (mm)

Peak전압(V)	최소도체간격
0~15	0.13
15~30	0.25
31~50	0.38
51~100	0.51
101~300	0.76
301~500	1.53
500이하	0.003mm/Volt

원도면에 규정이 없다면,

도체간, Land간 0.13mm

내층도체간 0.10mm

도체기판edge간은 D-949에 의해 원도면에 규정할 것.

미부식에 의한 회로간격의 감소

Class 1	30% 이하
Class 2	
Class 3	20% 미만

❺ 도체결손

원도면 지정에 의함. 지정이 없는 경우에는 다음과 같음.

Class 1	상호간의 협정에 의함
Class 2	Nick, Slit, Pin-hole, 등에 의한 기판의 노출은 원도면에 지저안 도체폭의 30% 이하길이는 25mm이하

Class 3	Nick, Slit, Pin-hole, 등에 의한 기판의 노출은 원도면에 지저안 도체폭의 20% 이하길이는 13mm이하

❻ PTH

항 목	Class 1	Class 2	Class 3
도금Void	Hole 1개당 Void3개까지 허용 ring void는 90° 이내 일것	허용않함	허용않함
도금돌기/이물	허용않함		
Burr/Nodule	부품리드의 투입이 가능할 것	최소 Hole크기가 적합할 것	최소 Hole크기가 적합할 것
Glass수지 돌기	부품리드의 투입이 가능할 것	최소 Hole크기가 적합할 것	최소 Hole크기가 적합할 것
Wicking	0.12mm이내이며 전기적 특성을 유지할 것	0.01mm이내	0.08mm이내
최종Coating (표면처리) 도금 Void	3개 이하 1개당 내벽면적의 5% 이내일것	1개 이하 1개당 내벽면적의 5% 이내일것	1개 이하 1개당 내벽면적의 1% 이내일것

단, 모든 Class에 있어서 동박두께는 다음 표의 두께를 만족시켜야 하며, 도금층벗겨짐, crack,PTH내벽과 내층간의 들뜸, 또는 이물질이 없어야 함.

Hole종류	Class 1	Class 2	Class 3
일반 PTH	15 이상	20 이상	20 이상
IVH & BVH	11 이상	13 이상	13 이상

❼ 도금두께

ⓐ 도금두께

(㎛)

도금	Class 1	Class 2	Class 3
Au(최소)	0.75	0.75	1.3
Au(최소) ＊a	–	2.5	2.5
Ni(최소)	3	5	5
Cu ＊b (평 균) (최소)	20 15	25 20	25 20 ＊c
IVH & BVH			
Cu (평 균) (최소)	13 11	15 13	15 13

*a : HASL用

*b : 도금두께는 표면 및 PTH에 적용됨

*c : Hole size가 0.34mm이하 혹은 aspect比가 3.5이상의 경우, 도금두께의 최소치는 25.4um일것

ⓑ HASL

– HASL의 (Sn:Pb)의 두께에 대해서는 규정되어 있지 않지만, 밀착성과 외관 검사를 함.

ⓒ 동도금

– 동의 순도는 99.5%이상일 것

– 동도금의 인장강도는 248MPa(25.3kgf/mm2)이상일 것

❽ 외층Land의 최소도체폭

항 목	Class 1	Class 2	Class 3
PTH	Land감소는 180° 이하일것 *d 도체접속부의 도체폭 감소는 최소 도체폭의 20%를 넘지 않을 것 *f	Land감소는 90° 이하일것 *d 도체접속부의 도체폭 감소는 최소 도체폭의 20%를 넘지 않을 것 *f 도체접속부의 도체폭은 0.05mm이상일 것 *f	원도면에 규정되어 있지 않을 시 최소 Land폭은 0.05mm아상일 것 *e 독립Land의 최소 Land폭의 pit, 찍힘, open, pin-hole등으로 인한 감소는 20%를 넘지 않을 것* e
Non-PTH	도체접속부에서의 open없을 것	open 없을 것	원도면에 규정되어 있지 않을 시 최소 Land폭은 0.15mm아상일 것 독립Land의 최소 Land폭의 pit, 찍힘, open, pin-hole등으로 인한 감소는 20%를 넘지 않을 것* e

*e : Land감소

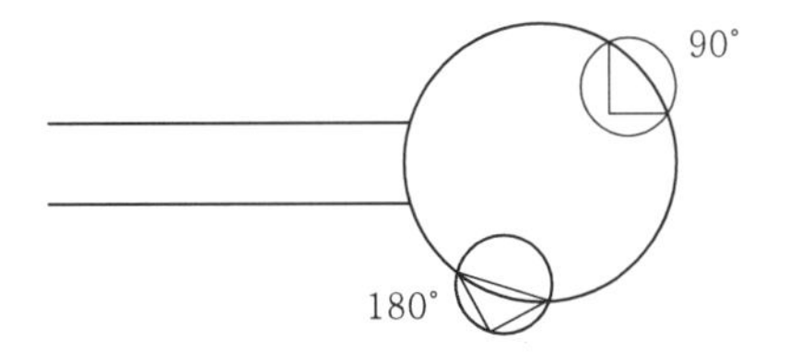

*f : 최소Land폭

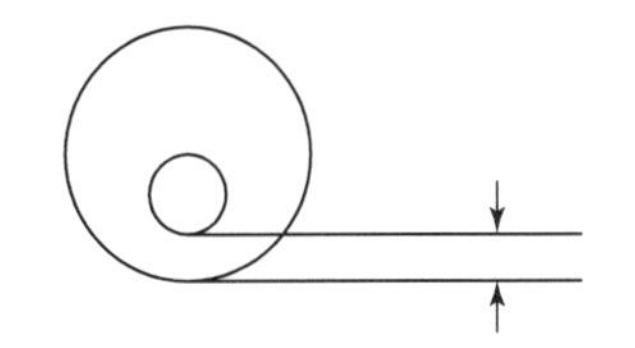

*g : 접속부 도체폭

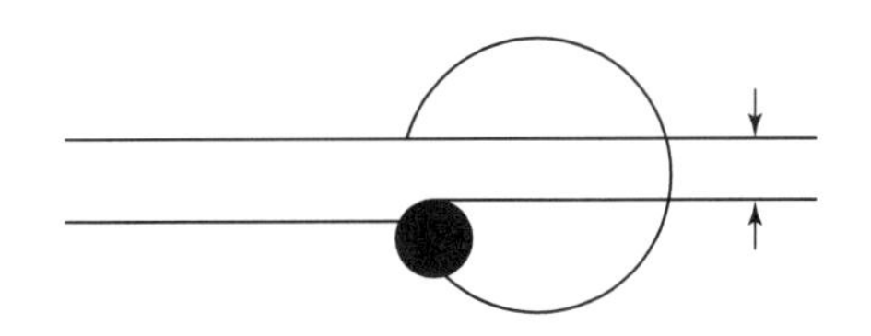

❾ 내층Land의 최소도체폭

- IPC: 無
- JIS: 외층Land최소도체폭과 동일

❿ Hole위치 허용차

ⓐ Glass Epoxy기재의 경우

Hole중심은 정위치를 중심으로 한 원(원의 직경은 다음표와 같음) 의 내측에 있을 것

(mm)

Size	Level 1	Level 2	Level 3
300까지	0.3	0.1	0.08
301 ~ 450	0.4	0.2	0.15
451 ~ 600까지	0.5	0.3	0.25

⓫ PTH Size

ⓐ PTH의 Aspect 比

Level A	Level B	Level C
1 : 3 ~ 1 : 5	1 : 6 ~ 1 : 8	1 : 9 이상

ⓑ 도금Via-hole용 최소 드릴Hole 크기 (mm)

기판두께	Class 1	Class 2	Class 3
1.0 미만	Level C 0.15	Level C 0.2	Level C 0.25
1.0 ~ 1.6	Level C 0.2	Level C 0.25	Level B 0.3
1.6 ~ 2.0	Level C 0.3	Level B 0.4	Level B 0.5
2.0 초과	Level B 0.4	Level A 0.5	Level A 0.6

ⓒ IVH용 최소 드릴Hole크기 (mm)

기판두께	Class 1	Class 2	Class 3
0.25 미만	0.1	0.1	0.15
0.25 ~ 0.5	0.15	0.15	0.2
0.5 초과	0.15	0.2	0.25

ⓓ BVH용 최소 드릴Hole 크기 (mm)

기판두께	Class 1	Class 2	Class 3
0.25 미만	0.1	0.1	0.2
0.25 ~ 0.5	0.15	0.2	0.3
0.5 초과	0.2	0.3	0.4

⑫ Hole크기 허용차

ⓐ Non-PTH

- Hole크기 허용차(최대치 - 최소치) (mm)

Hole Size	Class 1	Class 2	Class 3
0.1 ~ 0.8	0.16	0.1	0.06
0.81 ~ 1.6	0.2	0.16	0.1
1.61 ~ 5.0	0.3	0.2	0.16

注) 1. 리드선 크기 대비 0.15 ~ 0.5mm 클것
Flat ribon 리드선의 경우에는 리드선의 대각선길이에 대한 크기로 함
2. 기구홀의 경우 기구의 외경대비 0.15mm이내일 것

ⓑ PTH

- Hole크기 허용차(최대치 - 최소치) (mm)

Hole Size	Class 1	Class 2	Class 3
0.1 ~ 0.8	0.2	0.16	0.1
0.81 ~ 1.6	0.3	0.2	0.1
1.61 ~ 5.0	0.4	0.3	0.2

注) 1. Hole크기가 5mm를 초과할 경우, 각 허용차에 0.6mm를 더할 것
2. Hole크기 대비 기판두께가 1/4보다 작은 경우의 허용차에 0.05mm를 더할 것

- 리드선 크기와 PTH와의 관계 (mm)

리드선 크기	Level A	Level B	Level C
리드 - PTH	min0.25 ~ max0.8	min0.2 ~ max0.7	min0.15 ~ max0.6

⑬ 외형치수 허용차

ⓐ 외형치수 허용차 (mm)

Class A	Class B	Class C
±0.4	±0.25	±0.15

ⓑ Cut-out, Notch(V-cut), Slot의 치수허용차 (mm)

		Level A	Level B	Level C
Slot, Notch 폭		±0.25	±0.2	±0.15
기준선으로 부터의 위치	300미만	±0.3	±0.25	±0.15
	300이상	±0.36	±0.3	±0.25

⑭ 기판端部(edge)와 도체의 최소간격

– IPC: 개별사양에 준함

– JIS: (mm)

내층회로	1.25 이상
외층회로	2.50 이상
Ground부	0.30 이상

단, print contacter부는 제외함

⑮ MLB두께 및 허용차

– IPC: 개별사양에 준함

– JIS: (mm)

Final 두께	허용차
1.2	±0.17
1.6	±0.19
2	±0.21
2.4	±0.24

– Final 두께는 PSR두께를 포함한 것이며, 2.4mm를 초과하는 두께의 허용차는 Final두께의 ±10%로 함

– Edge connector단자의 print contactor부의 두께허용차는 Final두께 1.6mm의 경우 ±0.15mm임

⑯ 최소절연층 두께: t (mm)

Class 1	Class 2	Class 3
0.09 이상	0.09 이상	0.09 이상

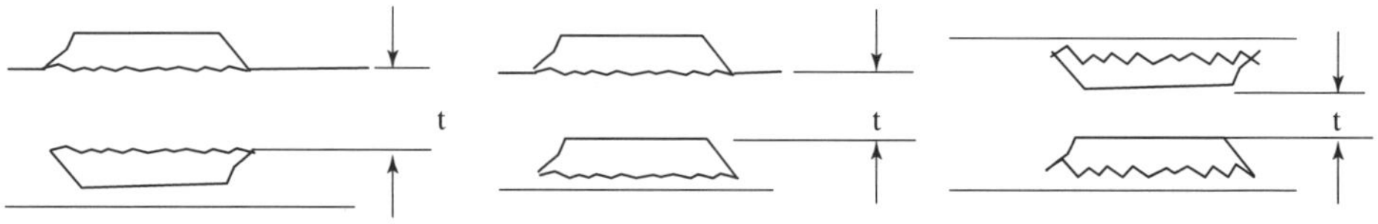

t t t

⑰ 내층도체와 Hole의 간격

– IPC: 無

– JIS: 0.20mm 이상일 것

⑱ Under Cut 양

– IPC: 無

– JPCA: 외층의 Under cut는 Etch Factor 1.0이상 일 것

⑲ Etch Back양 (㎛)

Class 1	Class 2	Class 3
25 이하	25 이하	13 이하

⑳ 도금밀착성

IPC TM-650(2.4.1)의 기준에 적합할 것. 시료에서 벗겨낸 도금부분의 테이프 및 시료를 육안검사, 도금의 입자 또는 테이프에 패턴이 붙어 있는지를 확인함.

㉑ Land & PTH의 인장강도

표면실장용 Land 및 도금되지 않은 Hole의 Land의 강도

3point를 측정, 2.3kg이상일 것, 측정방법은 IPC TM-650 2.4.21.1에 의함

㉒ PSR & MARKING의 耐용제성

IPC: 無

JIS: 제품사용시 유해한 벗겨짐, 들뜸, 긁힘, 변색 등의 이상이 없을 것

㉓ PSR & MARKING의 耐열성

Class 1	Class 2	Class 3
도체사이에 들뜸이 없을 것	들뜸이 2point/면 이하일 것 75%의 전기적 space를 유지할 것	들뜸이 1point/면 이하일 것 75%의 전기적 space를 유지할 것

㉔ Bow, Twist (%)

Class 1	Class 2	Class 3
1.5	1.5	1.5

㉕ 상호접속저항 (Ω)

Class 1	Class 2	Class 3
50 이하	20 이하	20 이하

㉖ 허용전류

IPC: 無

JIS: 당사자간의 협정에 준함

㉗ 단락시험 (MΩ)

Class 1	Class 2	Class 3
0.5 이상	2 이상	2 이상

㉘ 절연저항 (MΩ)

	Class 1	Class 2	Class 3
수리	사용가능하면 OK	500	500
吸濕 * a		100	500

DC 500V로 측정할 것

* a : Measling, 들뜸, Delamination의 기준은 IPC A-600에 준함

㉙ 耐전압

다음의 표를 만족할 것

	Class 1	Class 2	Class 3
직류전압(V)	-	500 + 15, -0	1000 + 25, -0
시간(초)	-	30 + 3, -0	30 + 3, -0

㉚ 납땜성

IPC: 無

㉛ 열충격

ⓐ 항온조 사용

- IPC TM-650 2.6.7.2 시험조건에 의해 열충격을 한 후 회로도통저항 및 도체간의 저항은 다음 표와 같아야 함

회로도통저항(Ω)

Class 1	Class 2	Class 3
50 미만	20 미만	

注) 시험전류는 1A 미만을 사용할 것

도체간의 저항(MΩ)

Class 1	Class 2	Class 3
0.5 이상	2.0 이상	

注)최소인가전압 : 수동 - 200V x 5초

자동 - 정격의 2배 또는 40V

- Class 3의 제품은 반드시 1cycle 時와 최종cylcle時에 걸쳐 저항변화치가 10%를 넘지 않아야 함

- PTH는 열충격후 Microsection을 한 후 보충자료-5의 요구를 만족시켜야 함

ⓑ 납조사용

288±5의 납조에 10+1, -0초 동안 띄워 열충격을 가하고, Microsection후 보조자료 -5의 요구에 만족할 것

PTH 및 Land부 이외에 발생한 Laminate Void는 80㎛를 초과하지 않을 것 (Class 2,3만 해당)

ⓒ 부품교환성 시험

IPC TM-650 2.4.36에 의해 시험 후 PTH를 Microsection했을 때 보조자료-

5의 요구에 만족할 것

* 보조자료-5: Microsection에 의한 열충격후의 도금PTH평가(IPC RB-276 Table 4, Table 10)

항 목	Class 1	Class 2	Class 3
내층Land와 PTH도금간 떨어짐	내벽에 도금이 떨어짐 hole은 총 Land의 20%까지 허용	不 許	
내층Land와 PTH도금간 이물	내벽에 도금이 떨어짐 hole은 총 Land의 20%까지 허용	不 許	
외층Land와 PTH도금간 떨어짐	Hole경계면은 허용하나, coner crack과 표면까지 걸쳐서 떨어진 것은 허용안됨		
내층동박 crack	동박을 관통하지 않고 한쪽면만 crack이 있는 경우 허용	不 許	
외층동박 crack	도금층은 관통하지 않아야 함	동박의 crack은 허용하나, 도금층은 허용 안됨	
Bareel crack	상호간의 협의에 의함	不 許	
도금층 떨어짐	최대 0.13mm까지 허용	不 許	
수지층과 도금층간 떨어짐	치수, 도금특성이 적합할 경우에는 허용함		
Land의 들뜸	허용함		
도금 Void	3point/hole까지 허용	1point/hole이 총 hole수의 5%까지 허용	不 許

10-2 PCB 일반 적용 SPEC(RIGID PCB 기준)

❶ HOLE 속 도금 두께(1.6T 두께 기준)

ⓐ 관리 Spec

Class 1	작업조건	최종제품	허용범위
Min	25㎛	20μ	15μ
Max	50㎛		Hole size 만족

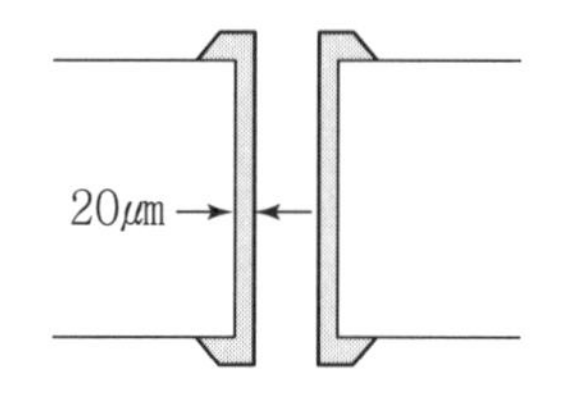

❷ HOLE SIZE

ⓐ Unit(단위)는 **Ø 또는 mm**를 사용한다.

ⓑ 허용공차범위는 업체 Spec에 준한다.

ⓒ 일반적인 공차는 ±0.1mm이다. (PTH경우)

±0.05mm (NPTH경우)

예) HOLE SIZE : 0.5 Ø

DRILL BIT SIZE : 0.6Ø , (NPTH 경우 : 0.55Ø)

ⓓ 특별히 요구하는 부위의 hole 검사는 까다로운 검사 실시.

(Gauge : PIN Gauge)

ⓔ BACK PNL 경우 필히 허용공차를 확인 후 다음과 같이 구분하여 검사한다.

1) Soldering Hole → 일반적인 검사

2) Non-soldering Hole → 까다로운 검사 및 전량검사

ⓕ VIA-Hole(wet-to-wet 포함)은 LAND SIZE를 확인 후

DRILL SIZE 적용 (LAND OPEN 발생 안 하도록)

❸ SOLDER MASK THICKNESS

ⓐ 측정부위

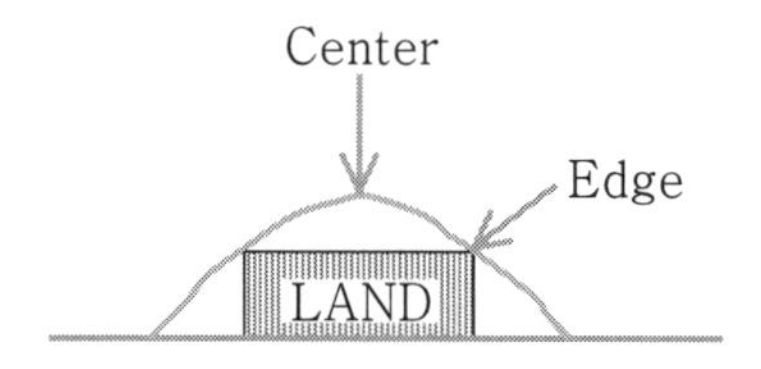

ⓑ 관리 Spec

(Post-Baking 완료 후 Finished B/D)

Center : MIN. 10㎛, MAX. 40㎛

Edge : MIN. 3㎛

❹ VIA-HOLE PLUGING & WET TO WET 처리

ⓐ VIA-HOLE PLUGGING

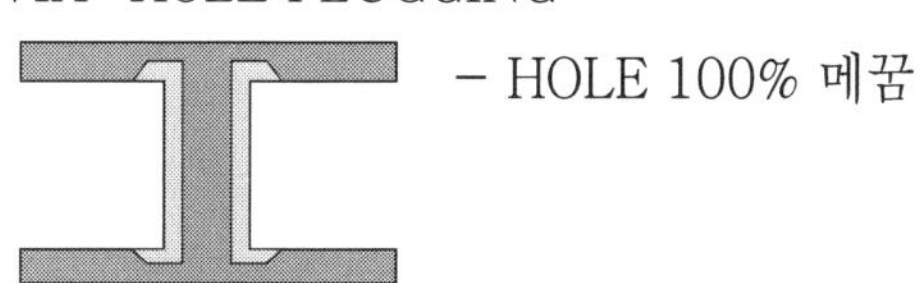

- HOLE 100% 메꿈

ⓑ WET TO WET

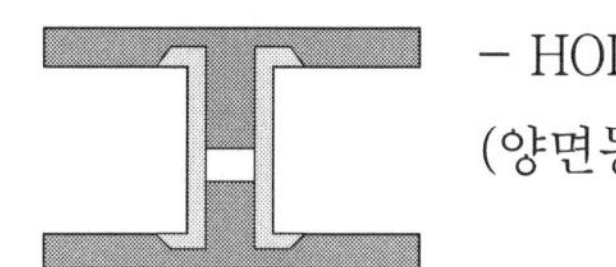

- HOLE 60% 이상 메꿈
(양면동시인쇄) -> PIN 사용

ⓒ MULT-PRINT

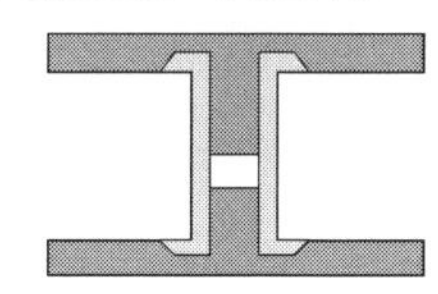

- HOLE 80% 이상 메꿈 -> JIG 사용

ⓓ SOLDER STOP : 표면처리 이후 SOLDER SIDE 만 별도 매꿈처리

❺ 표면처리방법

(a) SOLDER(Sn/Pb) THICKNESS(HASL)

ⓐ 측정부위

SOLDER 두께 측정부위는 LAND(SMC, QFP , BGA , 일반 PAD) 중간부분을 측정.

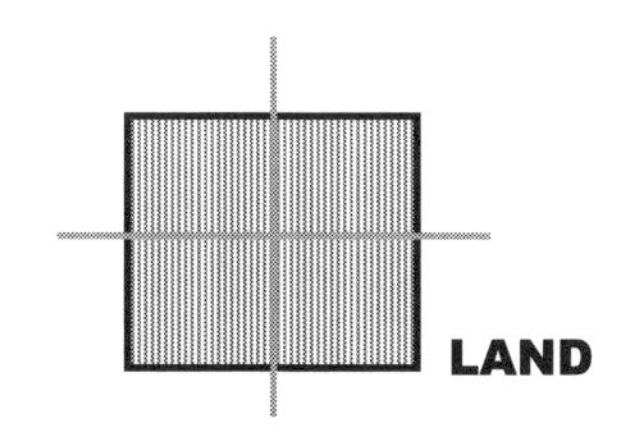

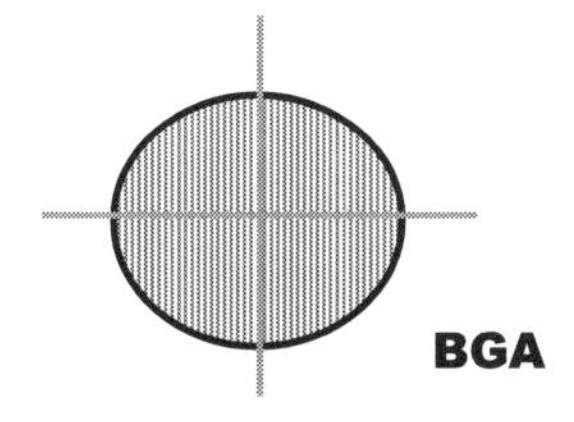

처리방법 : 1. 수직 (Vertical Type) : BACK PNL, 일반 B/D
2. 수평 (Horizontal Type) : QFP, BGA 및 SMC 다수 있는 B/D

ⓑ 관리 SPEC

MIN : 3㎛, MAX : 35μ

편차 : 20μ이내

(* 업체 SPEC 요구시 별도관리)

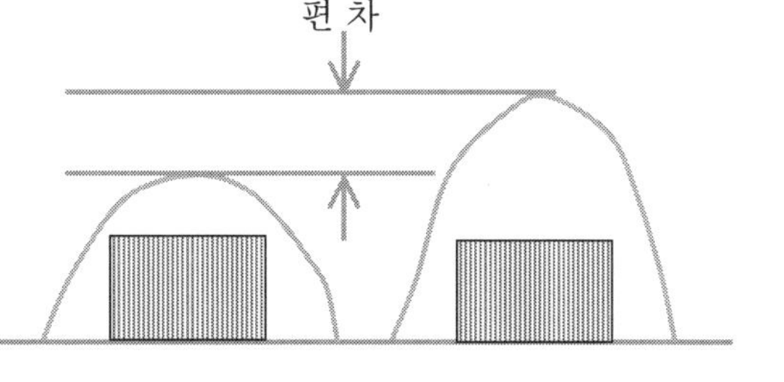

(b) GOLD(Au) THICKNESS

ⓐ 무전해 GOLD 관리 SPEC

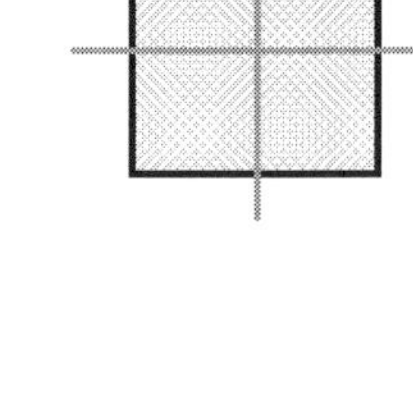

Au : Min. 0.03㎛, Max. 0.08㎛

Ni : Min. 3.0㎛, Max. 7.0 ㎛

* 단 Min은 업체 요구 Spec에 준함.

ⓑ TAB GOLD 관리 Spec(일반)

Au : Min. 0.3㎛, Max. 1.5㎛

Ni : Min. 3.0㎛, Max. 6.0㎛

* 단 Min은 업체 요구 Spec에 준함.

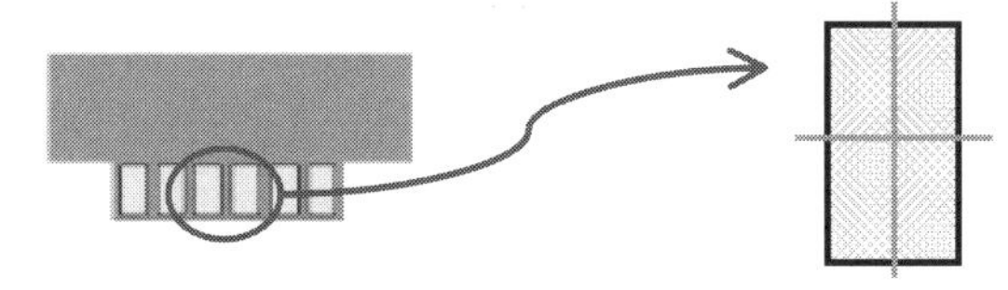

중간 POINT측정

ⓒ TAB GOLD 관리 Spec(통신용)

수요처 : NET-WORK / Graphic Card용

Au : Min. 1.3㎛

Ni : Min. 5.0㎛

* 단 Min은 업체 요구 Spec에 준함.

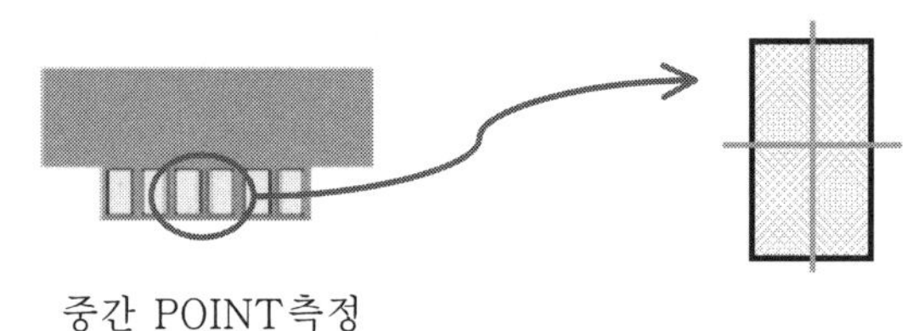

중간 POINT측정

(c) FLUX(OSP)

FLUX 두께 측정 부위는 LAND 중간부분을 측정

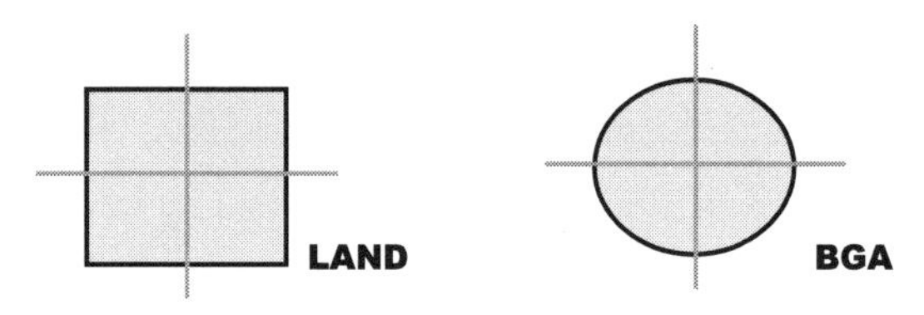

SPEC : 표면 처리 두께 : 0.2 ~ 0.5m

제품보관조건 ┬ 온도 22 ± 2℃
└ 습도 45± 5%

(d) TIN

TIN두께 측정 부위는 LAND 중간 부분을 측정

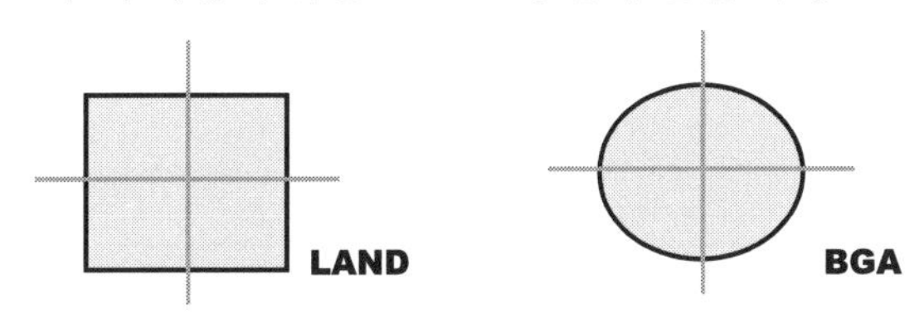

SPEC : 표면 처리 두께 : 0.5 – 0.8m

❻ DIMENSION

ⓐ Unit(단위)는 mm 또는 Inch를 사용한다.

ⓑ 허용공차범위는 업체 Spec에 준한다.

ⓒ 일반적인 공차는 ±0.1 또는 ±0.2mm이다.

ⓓ 특별히 요구하는 부위 또는 일반적인 공차가 아닌 부위는 철저하게 검사한다.
(필히 X–Y Coordinator 사용해야 함)

ⓔ Module 경우는 3차원 검사 장비 사용해야 함.(1/1000단위까지 검사)

❼ BOARD THICKNESS

ⓐ 관리 Spec

GOLD TO GOLD (단자) : ± 10%

EPOXY TO EPOXY : ± 10%

METAL TO METAL(CU) : ± 10%

SILK TO SILK : ± 10%

＊단 업체 요구시 업체 Spec에 준함.

❽ 회로폭 관리

ⓐ 내층 회로폭 관리 Spec

OZ	표준치	한계치
1/3	± 20㎛	± 25㎛
1/2	± 20㎛	± 25㎛
1	± 30㎛	± 30㎛
2	± 40㎛	± 40㎛

＊단 업체 요구시 업체 Spec에 준함.

ⓑ 외층 회로폭 관리 Spec

OZ	표준치	한계치
1/3	± 28㎛	± 33㎛
1/2	± 28㎛	± 38㎛
1	± 38㎛	± 42㎛
2	± 48㎛	± 48㎛

* 단 업체 요구시 업체 Spec에 준함.

ⓒ 내층 A.O.I 회로폭 관리 Spec

OZ	표준치	Etch Factor
1/2	115㎛	3.7
1	104㎛	3.3
2	73㎛	2.7
3	41㎛	2.5

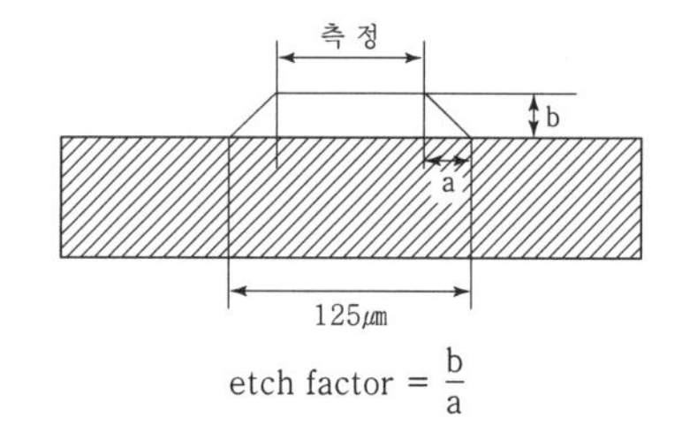

ⓓ 외층 A.O.I 회로폭 관리 Spec

OZ	표준치	Etch Factor
1/3	108㎛	5.0
1/2	98㎛	3.5
1	80㎛	2.9
2	42㎛	2.4

❾ PSR DAM 관리기준

ⓐ C/S 면 DAM의 경우

구분	표준치	Etch Factor
노광 MASK 편 축	50㎛ 이상	50㎛ 이상
DAM 폭	100㎛ 이상	80㎛ 이상

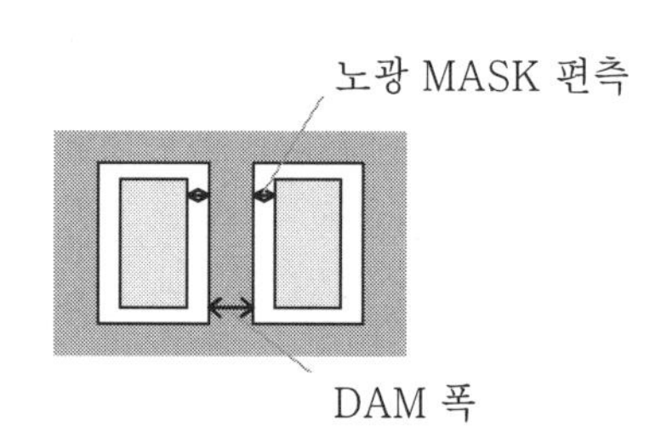

ⓑ S/S면 DAM의 경우

구분	표준치	Etch Factor
노광 MASK 편 축	80㎛ 이상	50㎛ 이상
DAM 폭	100㎛ 이상	80㎛ 이상

❿ PSR (WET TO WET) 관리기준

ⓐ VIA HOLE SIZE

0.3¢ ~ 0.6¢

그 외의 VIA HOLE SIZE는 OPEN시킨다. (업체와 협의 사항)

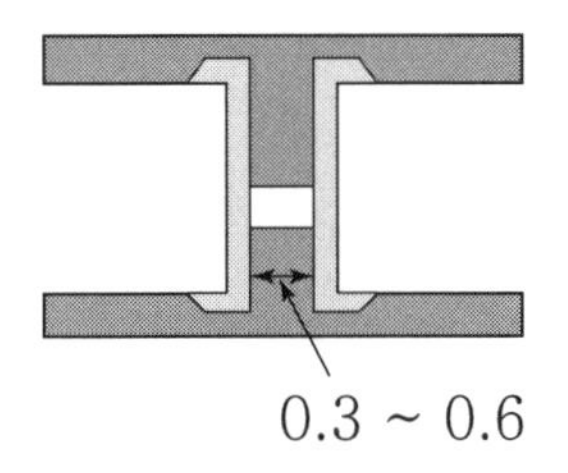

ⓑ VIA HOLE SIZE간 편차

0.3¢

ⓒ VIA HOLE SIZE가 동일한 경우

0.3¢~0.7¢중 선택

단, 업체가 요구한 SPEC에 준함.

(업체 요구 SPEC에 맞출 수 없는 경우는 업체와 협의를 통해 결정.)

⓫ CLEARANCE PAD간의 관리기준

ⓐ Clearance PAD 간의 SPEC

(CAM EDIT DATA 기준)

➡ Film 측정치 : Min 120㎛
➡ 부식 후 : Min 80㎛

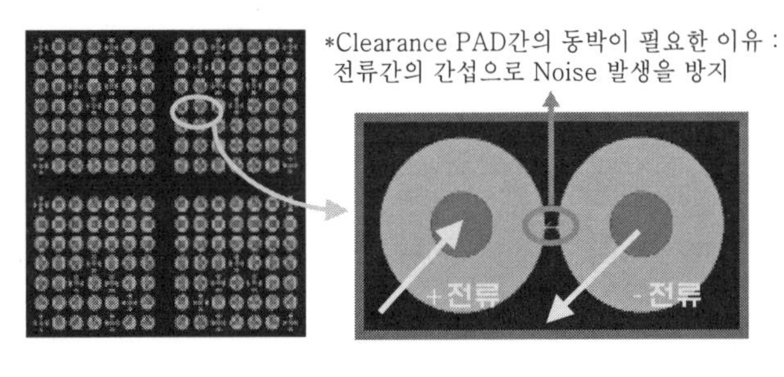

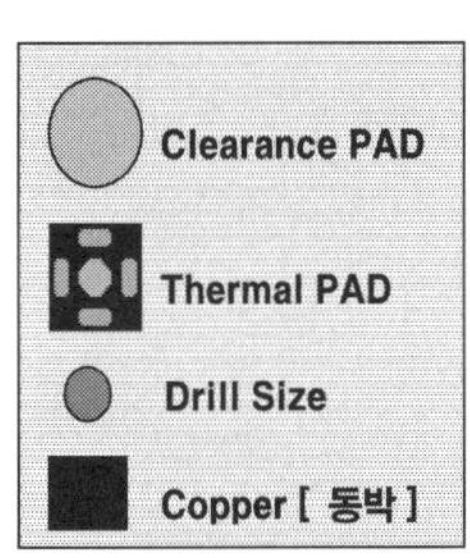

⓬ ETCHING 관리 SPEC

ⓐ 기준항목

* PAD 기준은 상단부 *

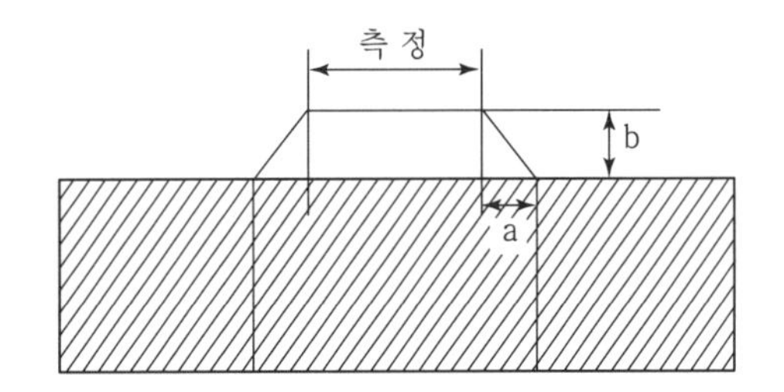

	Class 1	Class 2	Class 3
BGA (102기준)	SIZE 0.6mm	40㎛	GERBER ± 30㎛
	SIZE 0.5mm	50㎛	GERBER ± 30㎛
	SIZE 0.4mm	60㎛	GERBER ± 30㎛
Pattern SMD TAB	½ OZ 1 OZ 2 OZ 3 OZ 4 OZ	1 MIL 1 MIL 1 MIL 1 MIL 1 MIL	GERBER ± 30㎛

10-3 일본 PCB 회사 SPEC(일본 TFT LCD ASSY 사기준임)

❶ 적 용

프린트 기판

(양면판, 다층판, 관통, IVH THROUGH HOLE 기판)에 적용한다.

❷ 우선순위

개별 사양서, 도면에 지정이 있는 경우는 본 사양서의 규정에 우선하여 적용하기로 한다.

① 지급된 개별 도면, 개발 사양서 및 Meeting 등에 의한 양자 합의사항

② 본 사양서

❸ 품질규격

아래 열거한 항목을 만족할 것.

ⓐ 외관, 크기

a. LAND 도체부

b. LAND부

c. THROUGH HOLE부

d. FOOT PRINT부

e. SOLDER RESIST

f. SYMBOL

g. TAP 단자

h. COB 단자

i. 기준마크

j. 기타 (금도금부)

k. 외형

l. 도금두께

m. 홀경정도

n. 치수정도

o. 휨-뒤틀림

p. 표면오염

q. FLUX

ⓑ 내층부

a. 적층판의 결손

b. 도체층 상호 쏠림(어긋남)

c. LINE 도체부

d. LAND부

e. THROUGH HOLE부

ⓒ 기 타

ⓓ LOT 표시

ⓔ 포 장

ⓕ 보증기간

ⓖ 특 성

❹ 변경의 사전연락

❺ 환경 부하 물질의 함유

❻ 신뢰성 평가 항목

(1) 외관. 치수

❶ LINE 도체부

① 도체폭 (단위 : mm)

설계값 (CAD 설계값)	공 차
0.35이상 0.18 이상 0.35 미만 0.13 이상 0.18 미만 0.10 이상 0.13 미만	± 0.10 ± 0.05 ± 0.04 ± 0.03

② 도체간격 (단위 : mm)

설계값	규 격
0.25이상 0.15 이상 0.25 미만 0.10 이상 0.15 미만	± 0.10 ± 0.05 ± 0.04

③-1 단독 : 결손 (찍힘, PIN HOLE 포함) (단위 : mm)

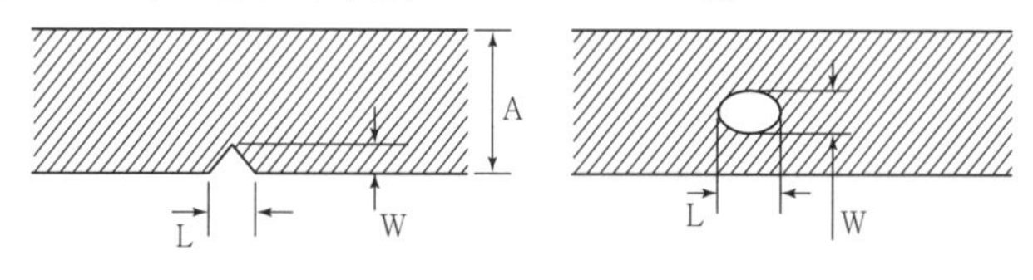

설계값	W	L
0.18 이상	도체폭의 20% 이내	도체폭 이내인 동시에 1.0 이하
0.18 미만	A-W가 ①이- 도체폭 규정 내	도체폭 이내

③-2 복합 : (L2 ≤ 2㎜인 경우)

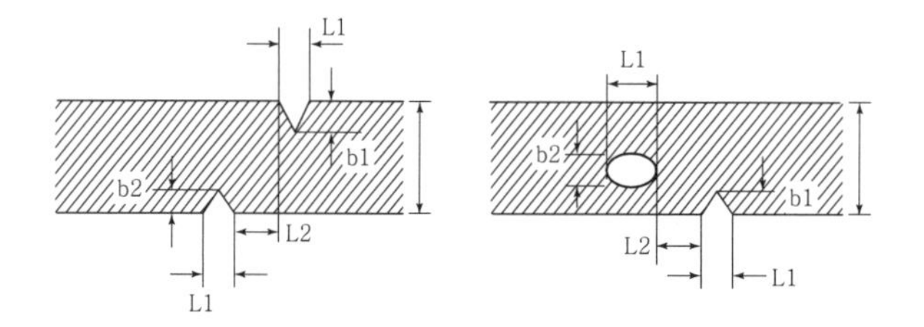

L2>2㎜인 경우는 i)단독인 경우에 준한다.

설계값	b1 + b2	L1
0.18 이상	도체폭의 20% 이내	도체폭 이내 1.0mm 이하
0.18 미만	A(b1+b2)가 ①이- 도체폭 규정 내일 것	도체폭 이내

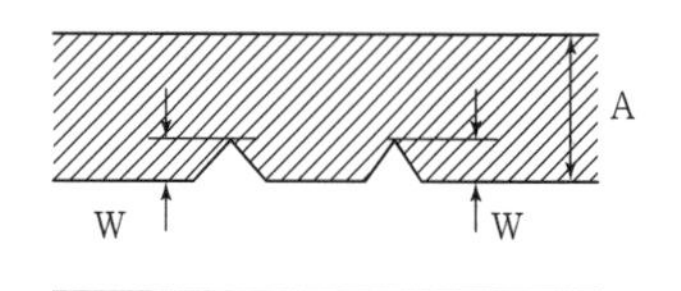

* 결손이 같은 쪽에 있을 때 (위그림) 은 i)단독인 경우에 준한다.

❷ LAND부

① LAND 잔존 폭 (D: LAND경, d : THROUGH HOLE 경)

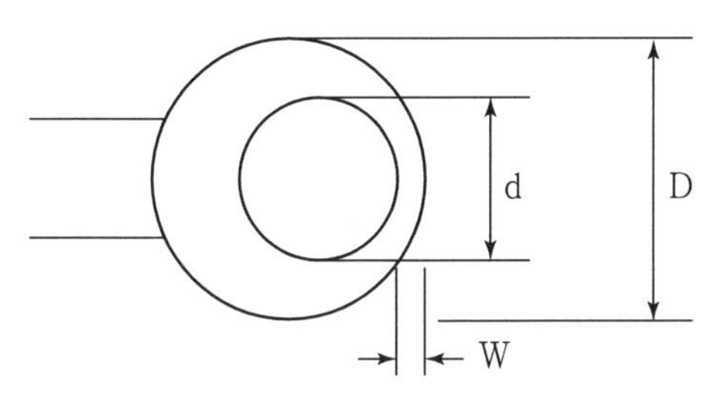

D−d ≥ 0.4㎜ → W ≤ 0.05㎜ 상기 이외는 규정하지 않음

② LAND 결손

1) 결손은 HOLE 벽에서 0.05㎜이내일 것.

2) 남은 LAND의 면적은 전체면적의 70% 이상일 것

3) A ≤ LAND외주 ÷ 4

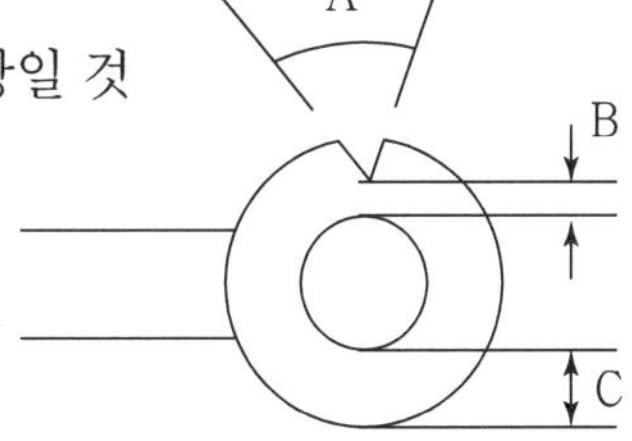

❸ THROUGH HOLE부

① THROUGH HOLE 내부 결손

T/H 내부에는 핀홀, 도금 보이드, 크랙이 없을것

핀 홀

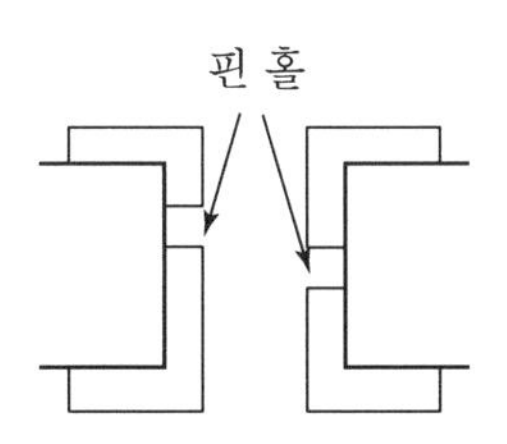

도금 보이드

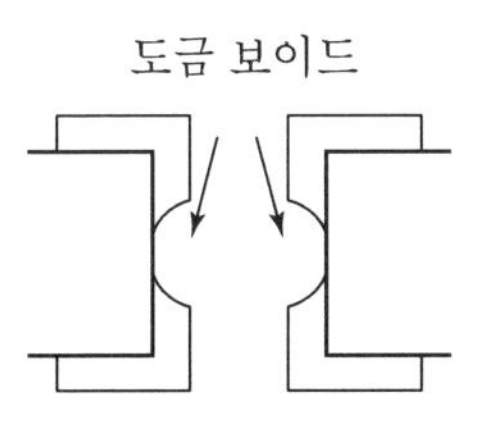

크 랙

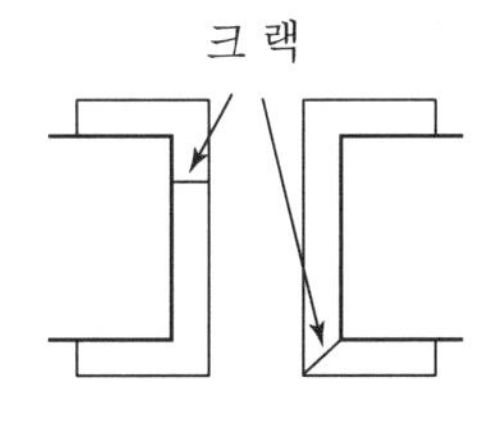

② HOLE BURR

A−M의 Hole경 정도를 만족할 것

❹ FOOT PRINT부

① FOOT PRINT부의 단자폭

② 결손, 핀홀, 도체 잔사

1) 결손, 도체 잔사

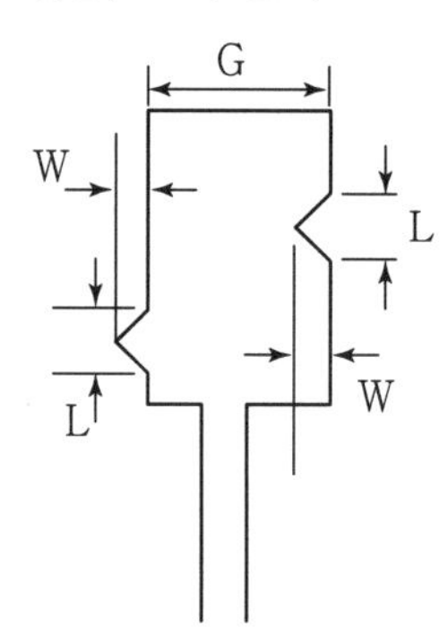

2) 핀홀

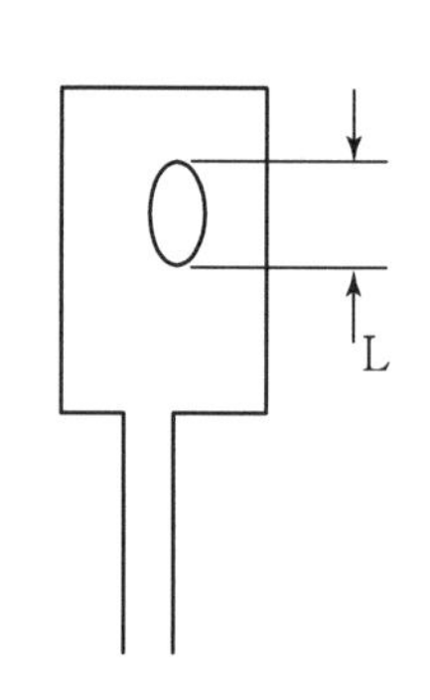

(단위 : mm)

항목 \ 단자폭(G)		0.3	0.35	0.40	0.41~0.80
결손 도체잔사	폭(W)	0.045이하	0.05이하	0.06 이하	0.06 이하
	길이(L)	1 이하	1 이하	1 이하	1 이하
핀홀(φ(장경))		0.045이하	0.05 이하	0.06 이하	0.06 이하

* 단자폭이 0.81㎜이상인 경우는 A-a③ 결손,A-a④ 도체 잔사의 규정에 따를 것.

* 도체 잔사는 A-a②의 도체간격의 규정을 만족할 것.

③ 스크러치, 타흔

Cu (Ni 포함) 의 노출부분은 A-d②의 결손, 도체잔사, 핀홀 규정에 따를것. (금도금 사양에 있어서는 Cu/Ni 의 노출을 동반하지 않는 금도금 층만의 스크러치는 불문) 동박을 관통하는 타흔은 불가

❺ SOLDER RESIST

① PHOTO SOLDER RESIST 사양으로 한다.

1) LAND 및 Foot Print 부에 대한 마무리 RESIST 부착은 불가한다.

2) LINE PATTERN에 대한 마무리

* 도체 표면의 노출 없을것

* 도체 측면에 대해서는 인접한 도체의 한쪽에만 노출이 있으면 양품으로 한다. (인접한 도체의 마주보는 노출은 불가)

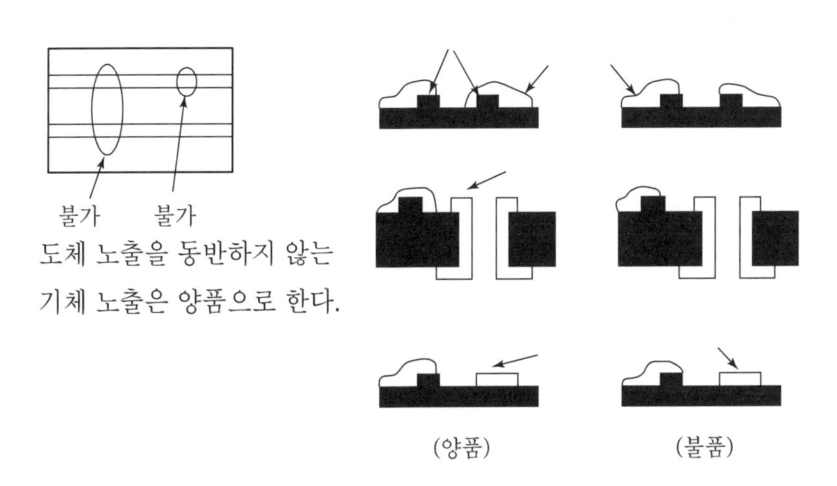

3) RESIST 수정

Resist 수정금지 영역 이외에서의 Resist 수정은 양품이지만 Resist 두께,기판두께,휨의 사양을 만족할 것.

[Resist 수정 금지영역] TAB 단자부의 반대편에 대해서, 아래 그림의 영역을 Resist 수정 금지 영역으로 한다.

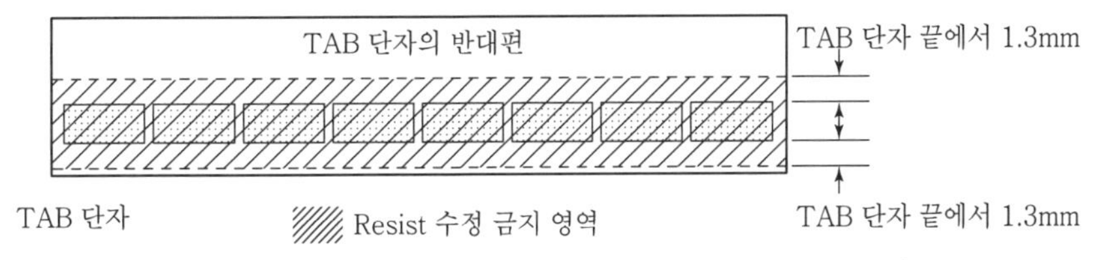

4) 기타

*현저하게 변색됨이 없을 것.

*도전성 이물 부착이 없을 것.

*도포 얼룩에 대해서는 Resist 두께,기판두께, 휨의 사양을 만족할 것

② 밀착강도

Tape Peel 시험을 하여 Resist의 벗겨짐, 들뜸이 없을 것

[Tape Peel 시험조건]

폭 12㎜의 셀로판 Tape(JIS Z 1552 합격품)을 50㎜이상 강하게 압착하여 약 10 초 경과 후 Tape의 한 쪽 끝을 기판벽에 직각을 유지한 채 Tape을 재빨리 떼어낸다.

③ 경도

연필 경도 6H 이상일 것.

④ 번짐, 쏠림, 마무리 정도

* 번짐 없을 것

* 쏠림 : ±0.05㎜

* 마무리 정도 (완성정도) : ±0.05㎜

⑤ Resist 두께

동표면 : 3㎛~ 40㎛ 3㎛~ 50㎛으로 변경

❻ SYMBOL (실크인쇄)

① 흐림, 번짐

*쉽게 판독 가능할 것.

② LAND 부 및 Foot Print부에 대한 마무리 실크 부착 없을 것.

③ 색 조

*흰색

④ 강 도

Tape Peel 시험에서 벗겨짐 없을 것.

[Tape Peel 시험조건]

폭 12㎜의 셀로판 Tape (JIS Z 1552 합격품)을 50㎜이상 강하게 압착하여 약 10초 경과 후 Tape의 한쪽 끝을

기판면과 직각을 유지한 채, Tape을 재빨리 떼어낸다.

⑤ 경 도

*연필경도 6H 이상

⑥ 기 타

패턴과의 쏠림은 0.15㎜이내일 것.

❼ TAB 단자

① 패턴 폭

패턴 폭 설계 값 W 1 0 ㎛

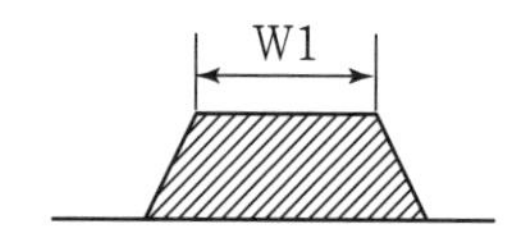

② 동 노출

동 노출은 불가

③ SCRATCH

* 기스 선폭이 50㎛이하일 것.
* 1 단자에 복수의 기스가 있는 경우 기스의 간격이 1㎜이상일 것
  단, 선폭 50㎛미만인 금 도금 층만 (Ni 노출을 동반하지 않는)의 기스일 경우에는 불문한다.

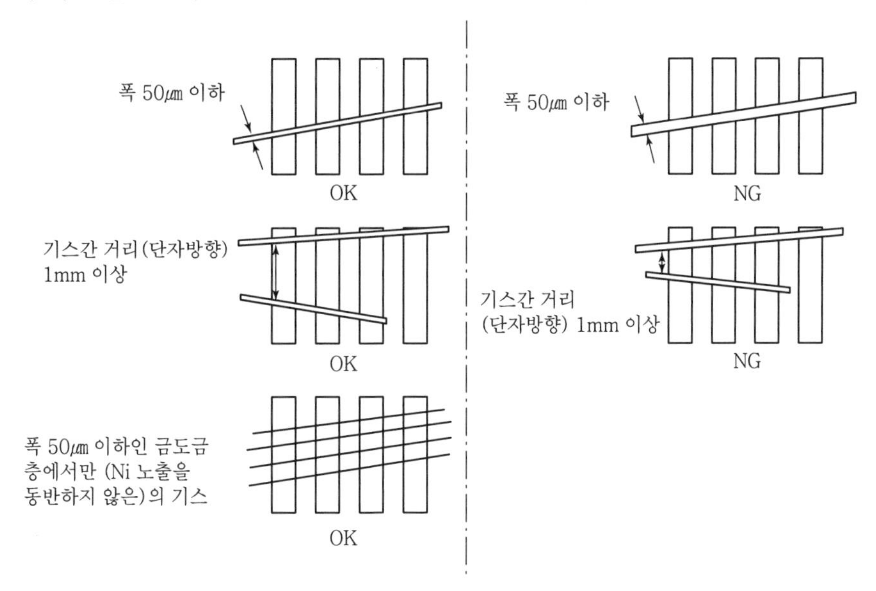

④ 패턴결손, 타흔, 핀홀

* 50㎛의 범위 내 일 것.
* 타흔 주위의 올라온 높이는 3㎛이내 일 것.
* 1단자에 복수의 패턴결손, 타흔, 핀홀이 있는 경우 간격(단자방향)이 1㎜이상 일 것.

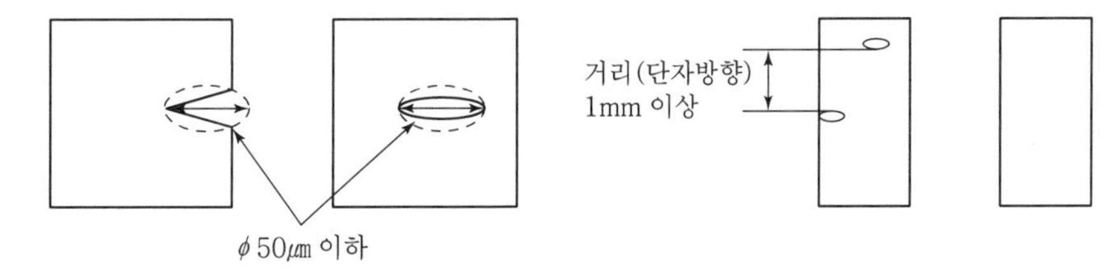

⑤ 돌 기

* 돌기의 높이가 3㎛이하 일 것
* 돌기가 50㎛이하 일 것

* 돌기에 대해서는 각 Land Block에 1개 이하일 것.
단, 10㎛이하의 돌기에 대해서는 수는 불문으로 한다.

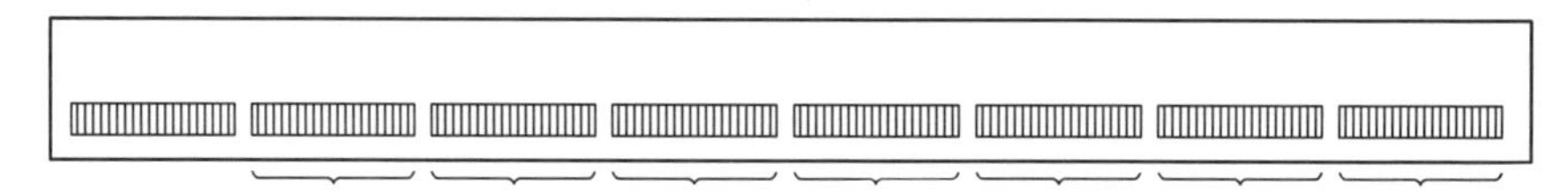

"________"로 둘러싼 부분이 Land Block

⑥ 도체 잔사
* $M \le S/5$, $N \le S$
* 단자간의 섬 모양 도체 잔사는 불가
* 도체 잔사는 각 Land Block에 대해 1개 이하일 것.

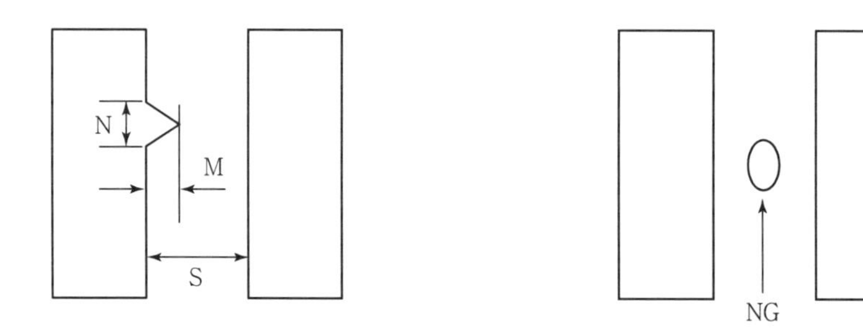

⑦ 기스, 패턴결손, 타흔, 핀 홀, 표면돌기, 도체잔사가 조합되어 존재하는 경우, 간격(단자방향)이 1㎜이상일 것.

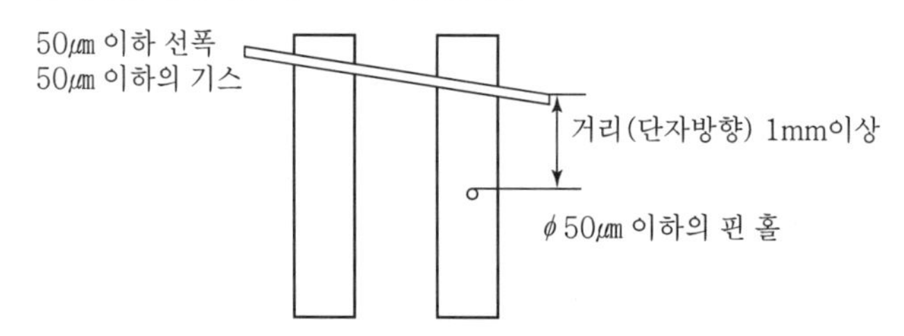

⑧ 오염, 염색
* TAB 단자 위 및 TAB 단자간에 이물, Flux, Solder resist, Silk의 부착 없을 것.
* 심한 변색 없을 것.

❽ COB 단자
① 도금상태

변색이 없고 금도금 전체가 균일한 광택을 하고 있을 것.

② 핀 홀, 결손

본딩 Area에는 없을 것.

③ 패턴의 도체 잔사

A-a②의 도체 간격의 규정을 만족할 것.

④ 기스, 찍힘, 이물

본딩 Area에는 본딩에 유해한 기스, 요철, 이물이 없을 것.

(표면조도 : ±3㎛이하)

⑤ 하지도금 : 하지도금의 노출이 없을 것.

⑥ Solder Resist : bonding Area의 Resist 부착, 번짐이 없을 것.

⑦ 이물

이물, Flux, Solder resist, silk의 부착이 없을 것

❾ 기준 MARK

기준 Mark(얼라인먼트 마크, 피디셜 마크) 및 Test pot Land에 대해서는 기스, 패턴결손, 타흔, 핀 홀, 돌기, 이물부착, 금도금 변색이 없을 것.

❿ 기타 금도금부

① 동 노출

동 노출은 불가

② 패턴결손, 타흔, 핀 홀 0.1㎜이상의 패턴결손, 타흔, 핀 홀이 없을 것.

③ 돌기

* 2㎜이상의 구형, 장공 hole의 주위 5㎜의 (영역 A) 및 R 1㎜이상의 절취부 주위 5㎜의 영역(영역 B)에 대해서는 돌기가 없을 것.(아래 그림 참조)

* 영역 A, 영역B 이외의 돌기에 대해서는 40㎛까지는 OK로 한다.

(수는 관계없음)

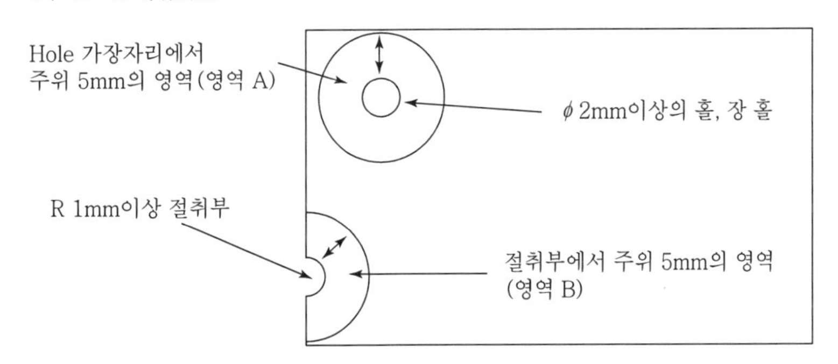

④ 기스

* 기스의 선폭이 50㎛이하일 것.

* 기스의 간격이 1㎜이상일 것.

단, 선폭 50㎛미만의 금도금 층만 (Ni 노출없는) 기스가 있을 때는 불문으로 한다. (기스간 거리도 불문)

⑤ 이물

이물, Flux, Solder Resist, Silk의 부착 없을 것.

⓫ 외형

① 외형 마무리

1) 파손, 크랙이 없을 것.

2) Burr이 없을 것.

② 단자면취

면이 매끄럽고, 수염 모양의 도체 잔사, 도금 리드가 없을 것

③ V-CUT

1) 기판두께 잔존폭

	0.8mm	1.0mm	1.2mm	1.6mm
CEM-3	0.4±0.1mm	0.5±0.1mm	0.6±0.1mm	0.8±0.1mm
FR-4	0.4±0.1mm	0.4±0.1mm	0.4±0.1mm	0.4±0.1mm

2) 상하 쏠림 : 0.1㎜이하

3) 위치 쏠림 : 0.2㎜이하

⓬ 도금두께

① 동도금 두께

관통 TH 내부 : MIN 15㎛이상 (평균 20㎛이상)

IVH, BTH 내 : MIN 8㎛이상 (평균 10㎛이상)

② 전해금도금

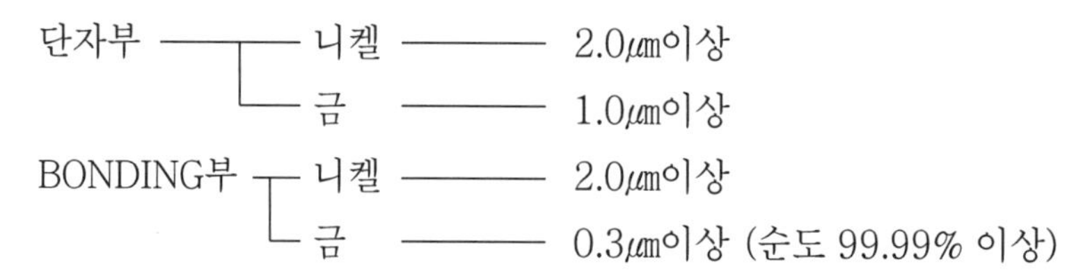

③ 무전해금도금

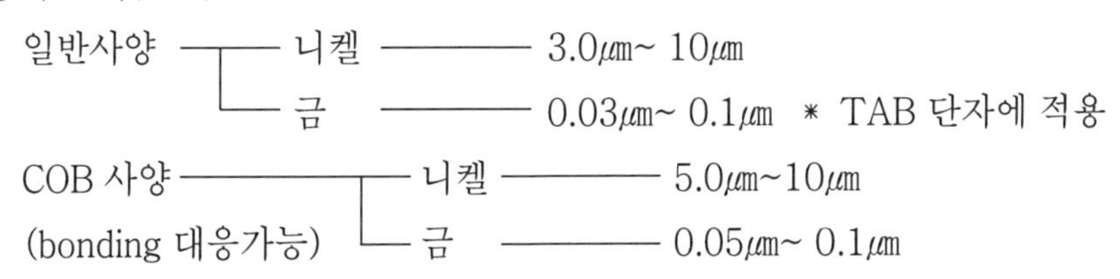

④ 박리, 부풀음

Tape Peel 시험에서 도금 피막의 부풀어 오름 및 Tape 면에 도금 피막이 부착됨 없을 것.

[Tape Peel 시험조건]

폭 12㎜의 셀로판 Tape (JIS Z 1552 합격품)를 50㎜이상 강하게 압착하여 약 10초 경과 후 Tape 의 한쪽을 기판면과 직각이 되게 유지한 채 Tape를 재빨리 벗긴다.

⓭ HOLE 경 정도

① THROUGH HOLE경 (단위 : mm)

THROUGH HOLE경	공 차
ϕ 0.3 = D ϕ 0.6 ≤ D < ϕ 2.0 ϕ 2.0 ≤ D < ϕ 6.0 ϕ 6.0 ≤ D	± 0.05 ± 0.08 ± 0.10 ± 0.15

② 미싱HOLE

1) 구형홀 (단위 : mm)

가공방법	HOLE SIZE	규 격
DRILL M/C	ϕ 6.0 > D	± 0.05
ROUTER	–	± 0.10
금 형	ϕ 6.0 ≤ D	± 0.15
	ϕ 6.0 > D	± 0.10

2) 각홀, 장홀 (단위 : mm)

가공방법	HOLE SIZE	규 격
DRILL M/C	0.8 ≤ D ≤ 5.0	± 0.10
ROUTER	1.0 ≤ D	± 0.10

가공방법	HOLE SIZE	규 격
금 형	가판두께 ≤ D < 6.0	± 0.10
	6.0 ≤ D	± 0.15

⓮ 치수정도

① HOLE 위치정도

NC DRILL 머신에 의한 기준 홀, T/H 위치 정도를 아래 표에 나타내었다.

치수범위(기준점에서의 홀 위치 거리 : L)	공 차
L < 200	± 0.05
100 ≤ L < 300	± 0.10
300 ≤ L < 400	± 0.15

② 외형정도

금형가공에 의한 외형

치수범위(기준점에서의 홀 위치 거리 : L)	공 차
L < 100	± 0.10
100 ≤ L < 200	± 0.15
200 ≤ L < 300	± 0.20

③ 기판두께

기판두께 허용차를 아래표에 나타내었다. (단, 도면에 지정이 있을 때는 도면을 따른다.)

(단위 : mm)

기판두께(typ값)	0.4mm	공 차
허용차	± 0.05mm	± 0.1mm

* TAB 단자부의 기판두께 편차

TAB 단자를 가진 기판에 관해서 동일 기판 내에서의 TAB 단자부의 기판두께 편차를 아래와 같이 한다.

(측정부분 : TAB Land Block 중앙부 금도금 위를 측정)

○ 기판두께 : t (typ) ≤ 0.60㎜

두께의 차이 : t(max) − t(min) ≤ 0.04㎜

○ 기판두께 : t(typ) > 0.60㎜

두께의 차이 : t(max) − t(min) ≤ 0.05㎜

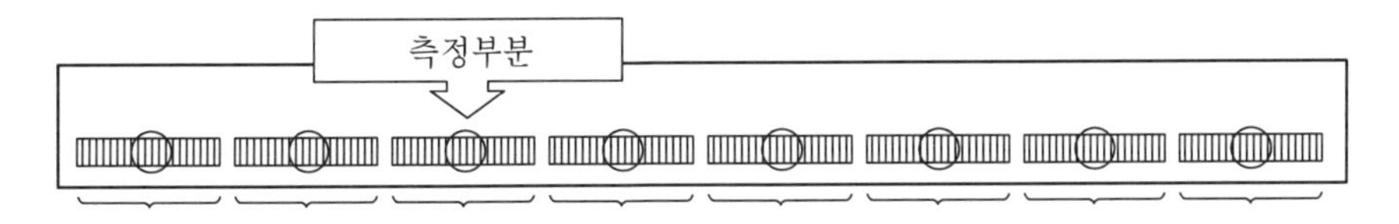

" ⏟ "로 둘러싼 부분이 Land Block

④ SMD 용 (표면 실장용) 기준 마크 위치 정도

1) 휘디셜 마크 간 거리의 치수공차 0.1 ㎜

2) 휘디셜 마크와 마크에서 가장 멀리 떨어진 부품 랜드와의 거리 (랜드 중앙까지의 거리)의 공차 .1 ㎜

⑤ TAB Land 간 치수정도

LOT 마다 아래와 같이

* 측정개소

기판 중앙의 마크 ~ 좌우 가장 바깥쪽 TAB 단자간

(상세 측정 위치는 기판 도면 참조)

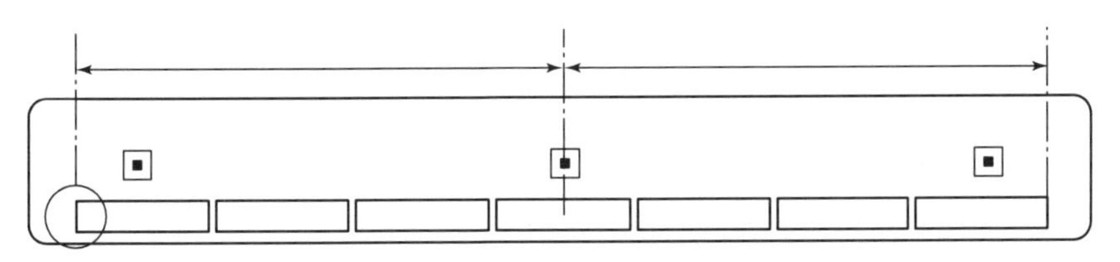

* 측정조건 : 날 기판 상태로 측정 (25 60% RH)

Reflow 처리 (아래 그림 참조) 실시 후의 치수 인정 상태에서 치수를 측정

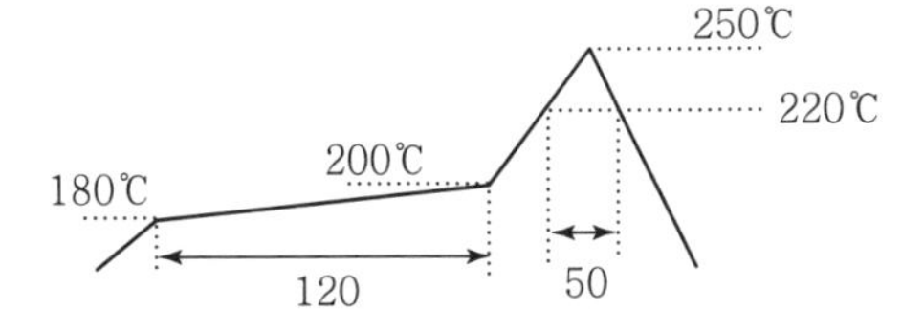

* Reflow 조건

Free heat : 180 ~200 120초

Reflow : 고온유지 220 이상 50초

Peak 250

⑮ 휨, 뒤틀림

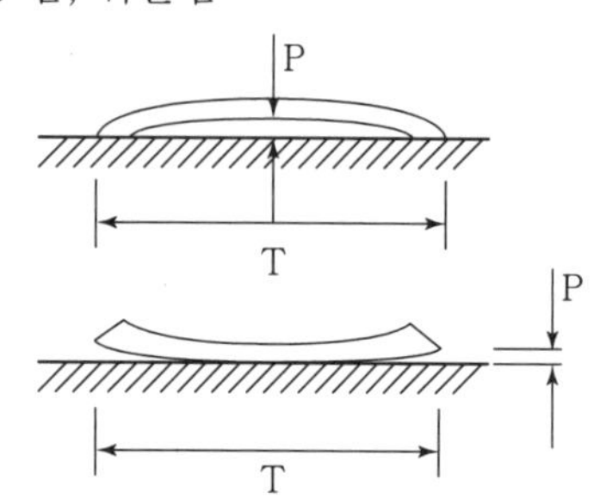

d = 0, 5L / 100

⑯ 표면 오염

이물질, 오염, 녹 등이 없을 것

⑰ FLUX

2회 REFLOW 후의 반전된 Land로 반전 부착성 보증이 가능한 내열성 Flux를 사용한다.

(2) 내층부

❶ 적층판 속의 결함

① 미즐링, 크레이징

1) 도체간 또는 THROUGH HOLE 간에 걸쳐 있는 것 같은 미즐링, 크레이징은 있어서는 안 된다.

2) 미즐링, 크레이징을 제외한 간격은 최소간격을 만족해야 한다.

② 층간 박리, 부풀음 및 VOID 없을 것

③ 이물질

1) 도체에서 0.25㎜이내에 이물질이 있어서는 안 된다.

2) 도체사이에 있는 이물질의 폭은 도체간격의 50%를 넘지 않아야 한다.

❷ 도체 상호간의 어긋남 K . 2 ㎜(T/H Land 의 중심의 층간 쏠림 양)

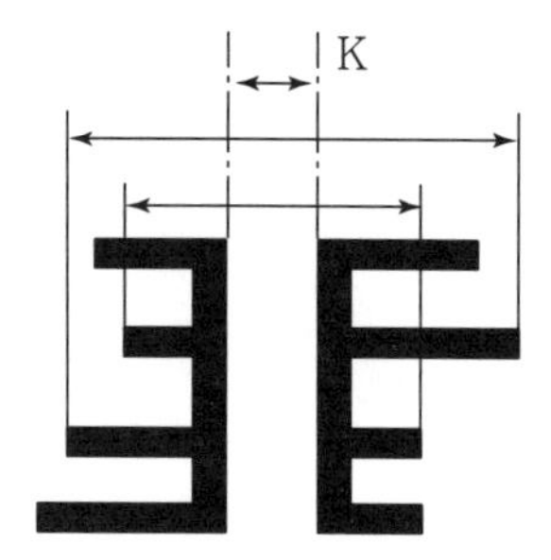

❸ LAND 도체부

① 도체폭

❶-① 도체폭에 준한다.

② 도체간격

❶-② 도체간격에 준한다.

③ 결손(찍힘, 핀홀 포함)

❶-③ 결손에 준한다.

④ 도체잔사

❶-④ 도체잔사에 준한다.

❸ LAND부

① 내층Land 의 잔사폭 (단위 : mm)

잔 사 폭	규 격
D − d ≥ 0.6 0.6 > D − d 0.5 0.5 > D − d 0.4	W ≥ 0.50 (*1) W ≥ 0.025 (*2) 65% 이상 접속 (*2)

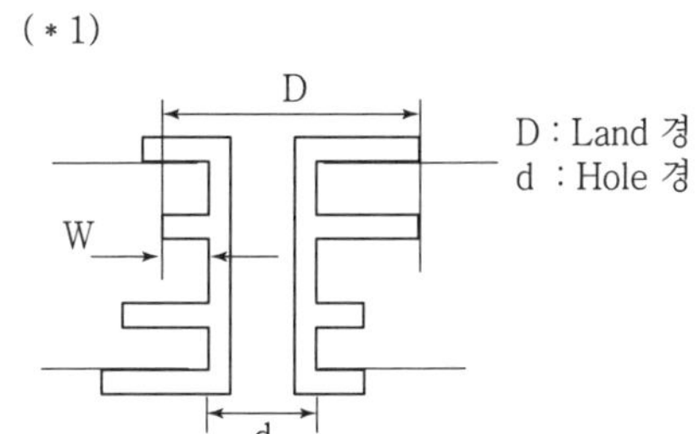

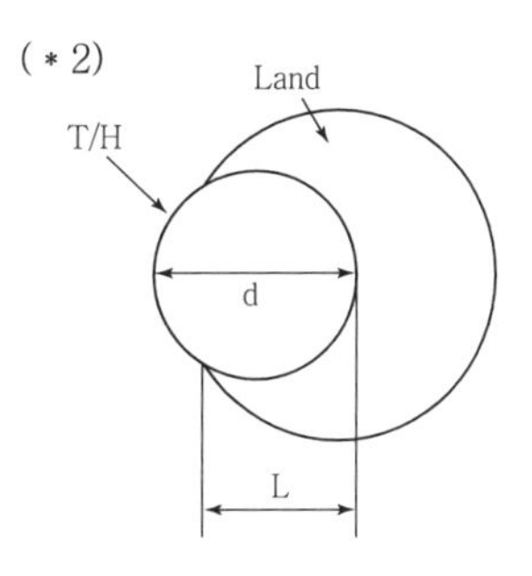

❹ THROUGH HOLE부

① SMEAR

1) 0 ≤ t ≤ 0.1T

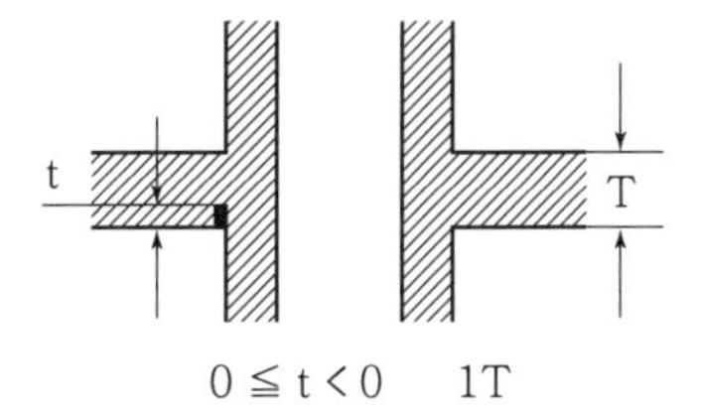

② 도금전 HOLE 벽과 도체간격

T ≥ 0.2㎜

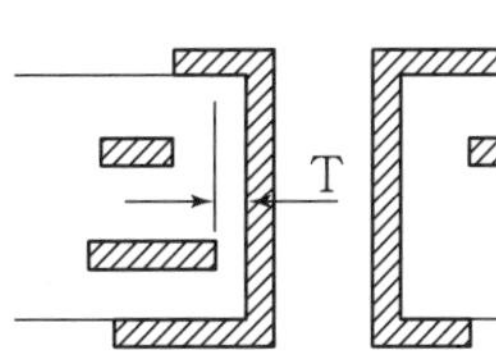
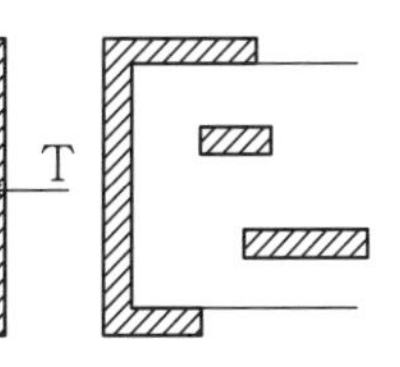

(3) 기타

❶ PATTERN 수정

패턴 결함 등의 수정(LASER 수정품) 납입을 불가한다. (RESIST 이외의 수정 불가)

❷ 면손품의 취급

납일할 시트 기판은 전수 양품 기판으로 하며, 불량 기판을 포함한 시트 기판 (면손기판)의 납입을 불가한다.

(4) LOT 표시

제품상에 실크 인쇄로 LOT 표시 할 것.

표시 위치에 대해서는 사전에 기술 부문의 승인을 득할 것.

(5) 보증기간

납입 후의 제품 보증 기간

➔ 동 THROUGH HOLE 제품 3개월

➔ 금 THROUGH HOLE 제품 6개월

* 보증기간을 넘은 것의 처치 방법에 대해서

【베이킹 등의 처치 방법을 기재해 주세요】

(6) 특성

VI의 신뢰성 평가항목의 시험을 실시한 후, 시험 DATA의 제출을 행할 것.

(7) 변경의 사전 연락

본 제품의 사양, 재질, 제조공정, 제조공장 및 관리 시스템 등의 변경을 할 경우, 사전에 품질 신뢰성 확인 DATA를 제시하고 문서로 신고할 것.

(8) 환경 부하 물질의 함유

P213, P214에 첨부한 환경부하물질 함유상황보고서를 개별 사양서로 첨부할 것.

신뢰성 평가

<table>
<tr><th>항 목</th><th>처 리 방 법</th><th>규 격</th></tr>
<tr><td>1. 동박 Peel Strength 강도</td><td>260℃ 의 납조에 10초간 띄운 후 측정한다.</td><td>1.02kgf /cm이하</td></tr>
<tr><td>2. Through Hole 강도</td><td>Through Hole 내부에 철사를 납으로 고정한 후 당겨서 뺄 때의 강도를 측정한</td><td>10kgf 이하(완성 후 ϕ 1.0mm 이상인 부품홀</td></tr>
<tr><td>3. Soldering 성</td><td>110 ± 5 × 2H의 예비 건조를 실시한다.
활성화 로진 플럭스를 도포한다.
Flow Solder Test조건 230 + 5 × 3초</td><td>납땜적의 95% 이상 납이 올라가 있을 것</td></tr>
<tr><td>4. Soldering 내열성</td><td>110 ± 5 × 2H의 예비 건조를 실시한다.
Flux 도포 후 260±5℃, 10초간 납조에 띄워 10분간 방치 후를 1Cycle 로 하여 3Cycle 실시한다.</td><td>기판의 부풀음, 벗겨짐, 미즐링, 패턴 들뜸이 없을 것, 저항 변화율 20% 이내 일 것</td></tr>
<tr><td>5. 절연저항</td><td>전기적으로 상호 독립된 도체간에 규정 전압을 1분간 이상 흘린 후 절연저항을 측정한다.<table><tr><th>최소도체간격</th><th>시험 전압</th></tr><tr><td>0.25 미만</td><td>DC 100V ± 10%</td></tr><tr><td>0.25 ~ 1.0 미만</td><td>DC 250V ± 10%</td></tr><tr><td>1.0 이상</td><td>DC 500V ± 10%</td></tr></table></td><td>절연저항은 500MΩ 이상 일 것</td></tr>
<tr><td>6. 절연내압</td><td>전기적으로 독립된 도체간에 다음의 직류 또는 교류 전압을 30초간 인가한다.
100V / 25μ(최대 1000V) (1000VDC 39초간 인가한다.)</td><td>방전현상 및 흔적이 일어나지 말 것</td></tr>
<tr><td>7. 내충격</td><td>−55℃(1H) ~ 125℃(1H)를 1Cycle로 하여 100Cycle 반복한다.</td><td>Though Hole 저항 변화율 20% 이내 일 것</td></tr>
<tr><td>8. Hot Oil</td><td>260℃의 글리세린 속에 20초 침적 후 이소프로필 알코올에 3초 침전을 1Cycle 하여 5Cycle 반복한다.</td><td>저항변화율 20% 이내</td></tr>
<tr><td>9. 내습성</td><td>60℃, 90% RH 중에 1000Hr 방치
(습중 부하 DC30V 인가)</td><td>눈에 띄는 부식 변형이 없을 것.
저항 변화율 20% 이내, 절연저항율 500MΩ 이상 휨 변화율 20% 이내</td></tr>
<tr><td>10. 내열성</td><td>100℃ / 1000Hr 방치</td><td>저항변화율 20% 이내</td></tr>
<tr><td>11. 소독</td><td>증류수의 소독 / 2H ~ 실온 방치 22H을 1Cycle로 하여 4Cycle을 반복한다.</td><td>저항변화율 20% 이내, 절연저항값 500MΩ 이상</td></tr>
</table>

항 목	처 리 방 법	규 격
12. 휨 강도	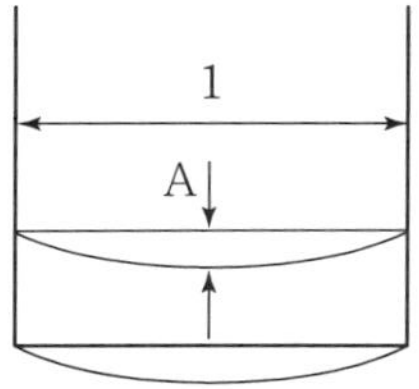 길이 대비 1/20의 휨을 연속 5회 준다. A = 1/20 1 = 120(m/m)	크랙, 벗겨짐 등이 없을 것 저항변화율 20% 이내
13. 내한성	−40℃, 1000Hr 방치	저항변화율 20% 이내
14. 내전성	상온 흡수처리 후에 있어 2도체간(0.3m/m)로 DC 300V를 1분간 인가한다. (DC 4000V, CUT−OFF 전류 0.3㎃)	LEAK, 단선 등이 없을 것
15. 전기용량	1mm × 10mm도체에 AC 100V, 1A의 전류를 흘린다.	불꽃단선, 부풀음 기타 이상이 없을 것
16. 온습도 Cycle	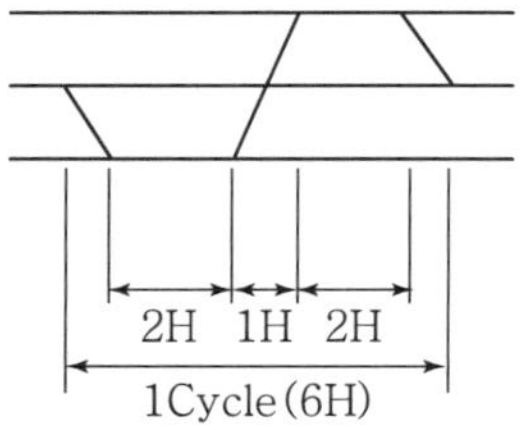 상기 조건으로 100시간 방치	저항 변화율 20% 이내 절연저항 500MΩ 이상
17. PCT	121℃ / 97% / 2atm / 8H(불포화형) 실시한다.	저항변화율 20% 이내
18. 염수분무	5% NaCl×35℃ 물을 8H 분사 후 16H 휴지를 1Cycle로 하여 4Cycle실시한다.	저항변화율 20% 이내, 절연저항값 500MΩ 이상
19. 낙하	중량 100g으 Bakelite판에 기판을 붙여 1m 높이에서 기판 두께 30mm의 나무판위에 6면, 각 3회 낙하를 반복한다.	저항변화율 20% 이내
20. 내약품성	증류수의 소독 / 2H ~ 실온 방치 22H을 1Cycle로 하여 4Cycle을 반복한다.	저항변화율 20% 이내, 절연저항값 500MΩ 이상

제 11 장 PCB 육안 검사 기준

➲ 검사항목 : SLIT – LCD 제품 적용

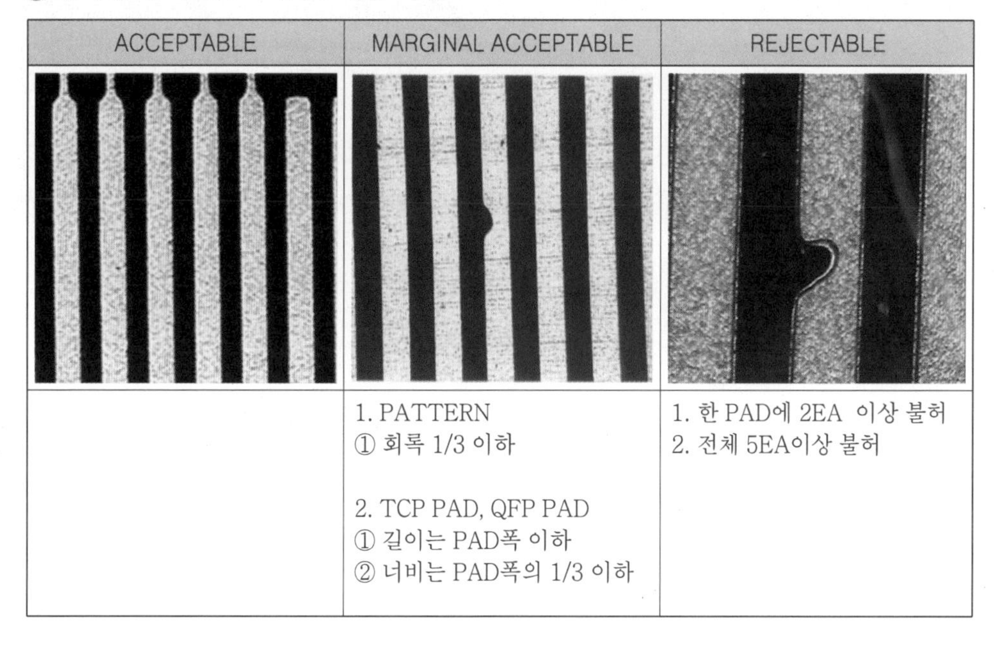

ACCEPTABLE	MARGINAL ACCEPTABLE	REJECTABLE
	1. PATTERN ① 회록 1/3 이하 2. TCP PAD, QFP PAD ① 길이는 PAD폭 이하 ② 너비는 PAD폭의 1/3 이하	1. 한 PAD에 2EA 이상 불허 2. 전체 5EA이상 불허

➲ 검사항목 : SLIT – LCD 제품 적용

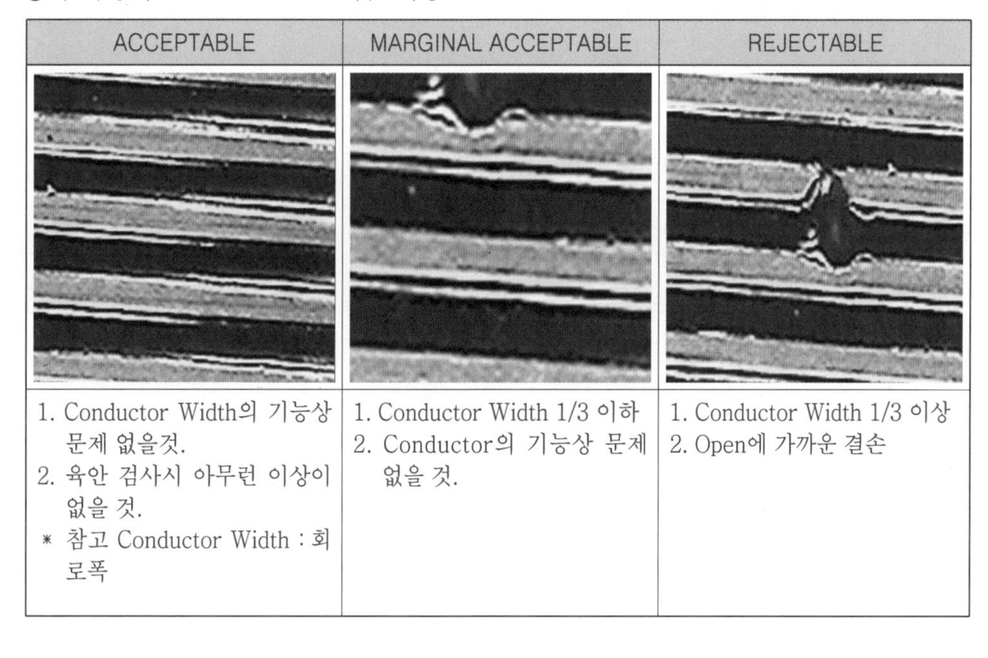

ACCEPTABLE	MARGINAL ACCEPTABLE	REJECTABLE
1. Conductor Width의 기능상 문제 없을것. 2. 육안 검사시 아무런 이상이 없을 것. * 참고 Conductor Width : 회로폭	1. Conductor Width 1/3 이하 2. Conductor의 기능상 문제 없을 것.	1. Conductor Width 1/3 이상 2. Open에 가까운 결손

검사항목 : SLIT (LCD 제품 적용)

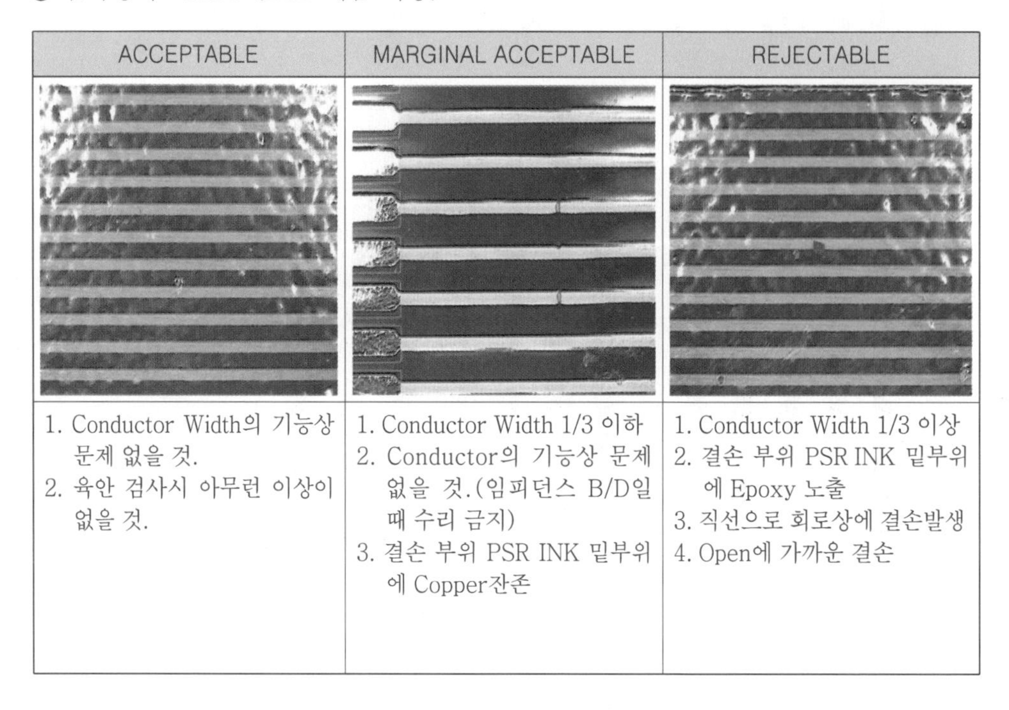

ACCEPTABLE	MARGINAL ACCEPTABLE	REJECTABLE
1. Conductor Width의 기능상 문제 없을 것. 2. 육안 검사시 아무런 이상이 없을 것.	1. Conductor Width 1/3 이하 2. Conductor의 기능상 문제 없을 것.(임피던스 B/D일 때 수리 금지) 3. 결손 부위 PSR INK 밑부위에 Copper잔존	1. Conductor Width 1/3 이상 2. 결손 부위 PSR INK 밑부위에 Epoxy 노출 3. 직선으로 회로상에 결손발생 4. Open에 가까운 결손

검사항목 : SLIT (일반 Board 제품 적용)

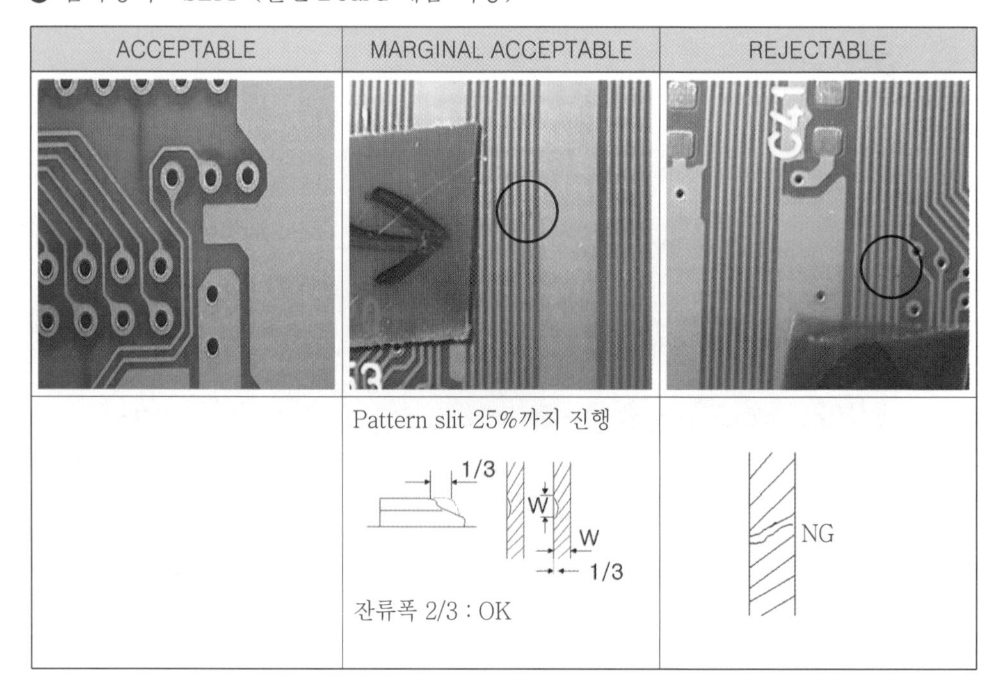

ACCEPTABLE	MARGINAL ACCEPTABLE	REJECTABLE
	Pattern slit 25%까지 진행 1/3 W W 1/3 잔류폭 2/3 : OK	NG

검사항목 : SLIT (일반 Board 제품 적용)

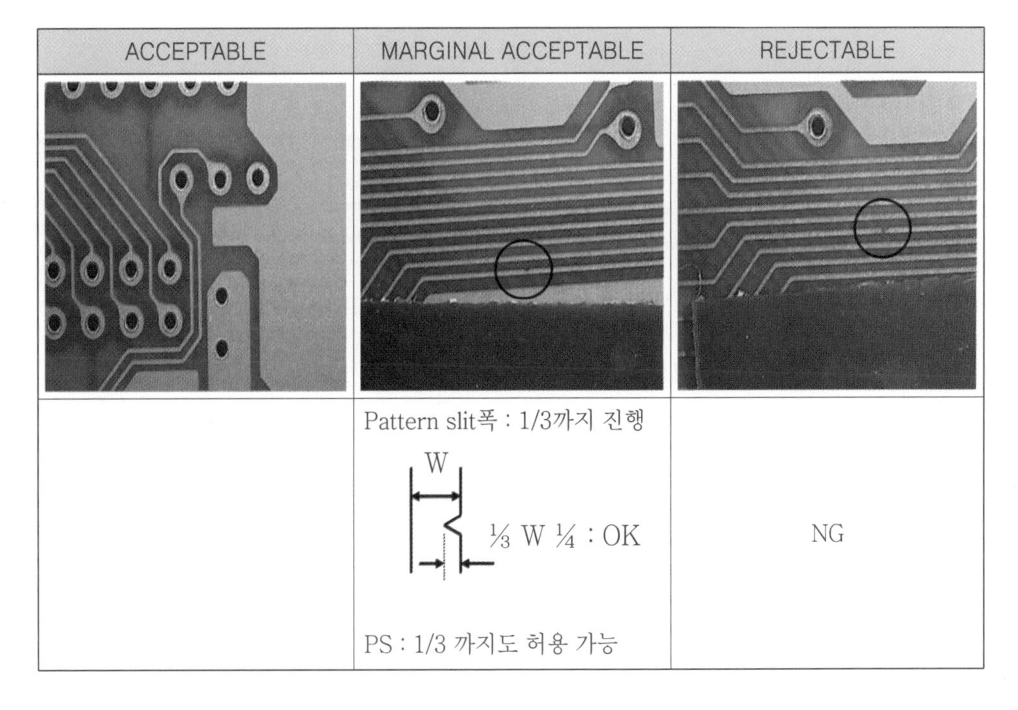

ACCEPTABLE	MARGINAL ACCEPTABLE	REJECTABLE
	Pattern slit폭 : 1/3까지 진행 W ⅓ W ¼ : OK PS : 1/3 까지도 허용 가능	NG

검사항목 : SLIT (일반 Board제품 적용)

ACCEPTABLE	MARGINAL ACCEPTABLE	REJECTABLE
	1. 기능상 문제없을 것. 2. PAD 25%까지 허용. 1/4 : OK 3. TAB(LCD) : NG	N G

검사항목 : NODULE(돌기) – TCP PAD

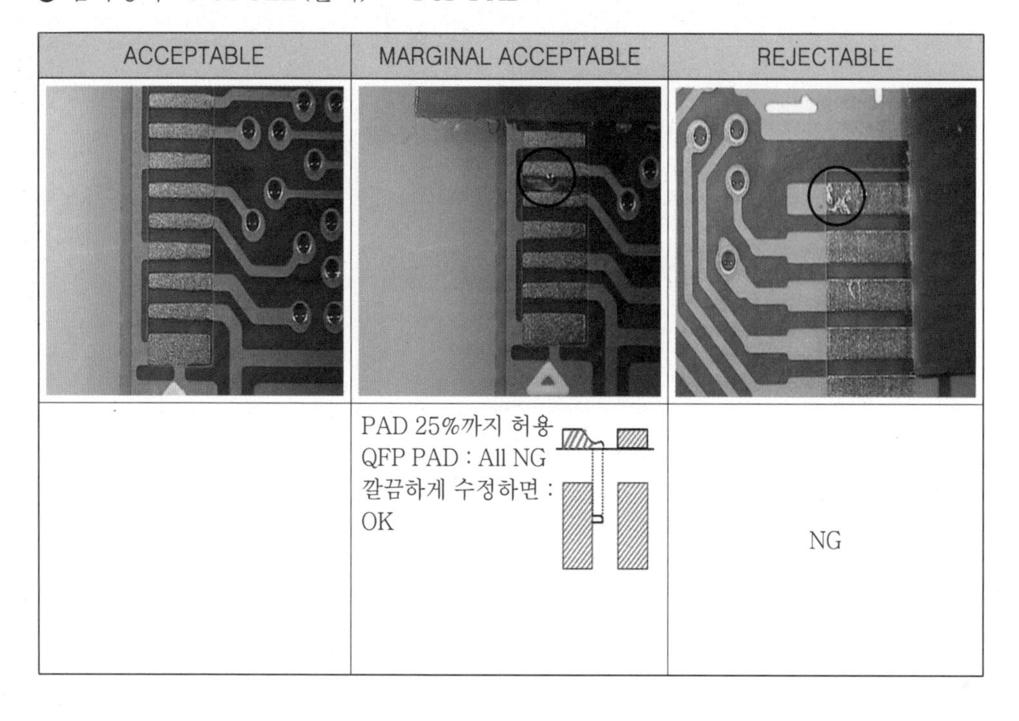

ACCEPTABLE	MARGINAL ACCEPTABLE	REJECTABLE
	PAD 25%까지 허용 QFP PAD : All NG 깔끔하게 수정하면 : OK	NG

검사항목 : NODULE(돌기) – 일반 PAD

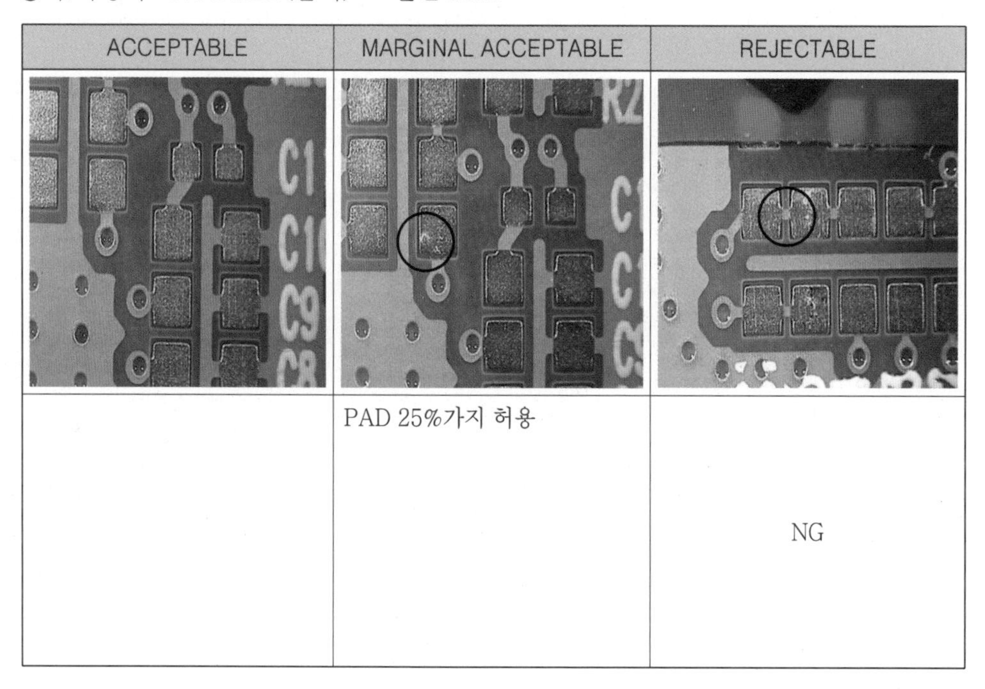

ACCEPTABLE	MARGINAL ACCEPTABLE	REJECTABLE
	PAD 25%가지 허용	NG

검사항목 : NODULE(돌기) - 표면처리 : FLUX(OSP)

ACCEPTABLE	MARGINAL ACCEPTABLE	REJECTABLE
	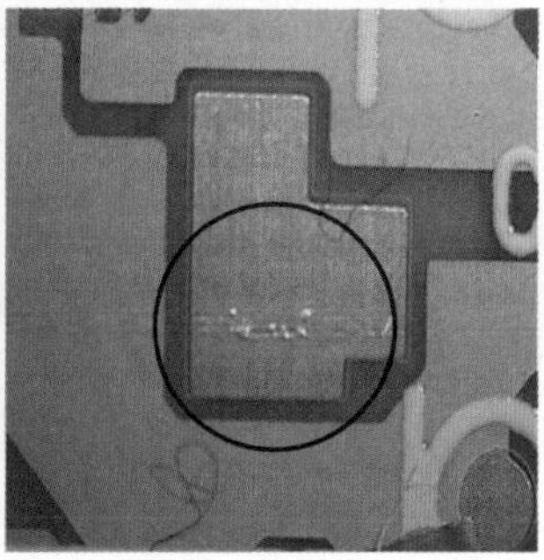	
	PAD 25%까지 허용 (지우개 처리) · 넓은 PAD : OK 단, PAD 외의 다른 부분에 손상이 없을 것	

검사항목 : NODULE(돌기) - TCP PAD

ACCEPTABLE	MARGINAL ACCEPTABLE	REJECTABLE
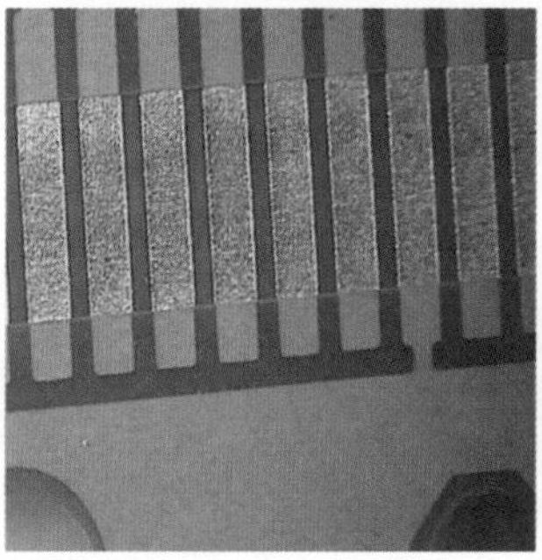	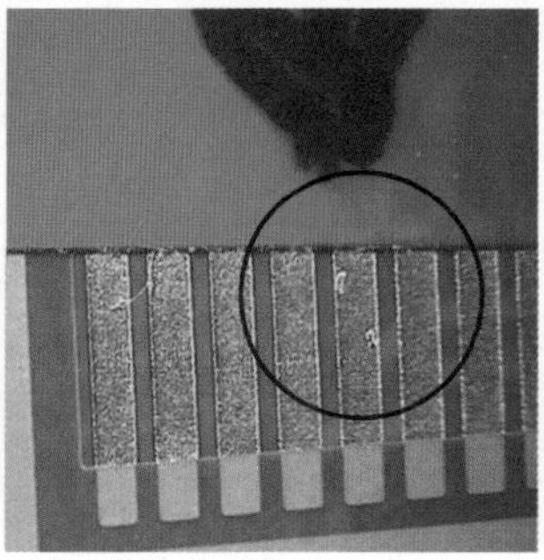	
	25%까지 진행. · QFP PAD : NG · 무전해 금도금 : NG	NG

검사항목 : NODULE(돌기) – 단 자

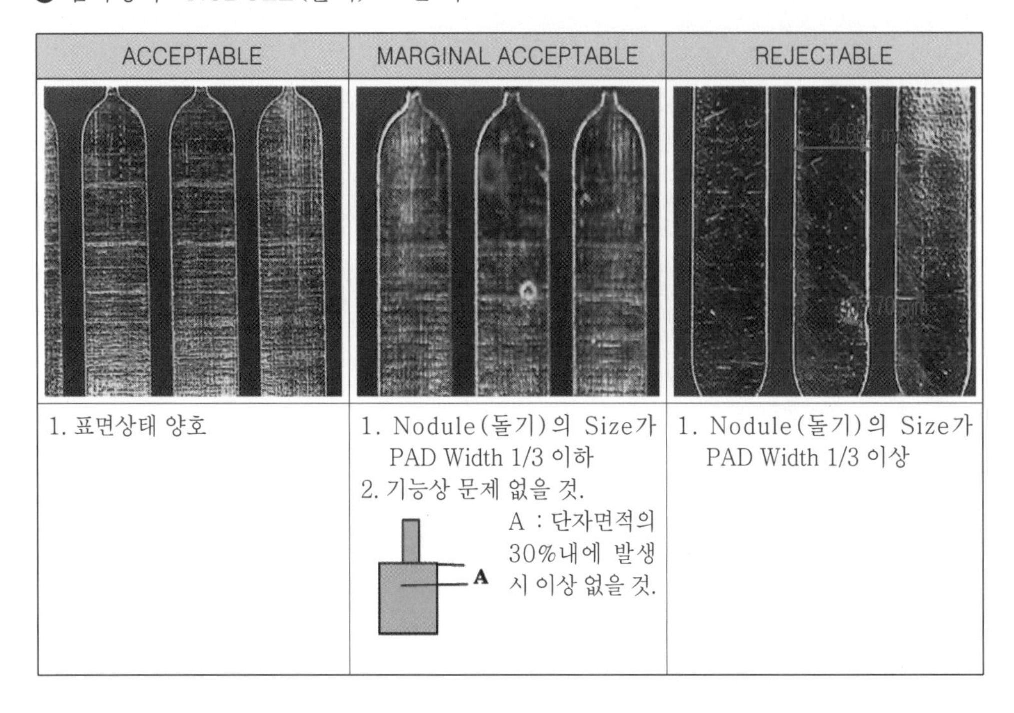

ACCEPTABLE	MARGINAL ACCEPTABLE	REJECTABLE
1. 표면상태 양호	1. Nodule(돌기)의 Size가 PAD Width 1/3 이하 2. 기능상 문제 없을 것. A : 단자면적의 30%내에 발생 시 이상 없을 것.	1. Nodule(돌기)의 Size가 PAD Width 1/3 이상

검사항목 : NODULE(돌기) – TCP PAD

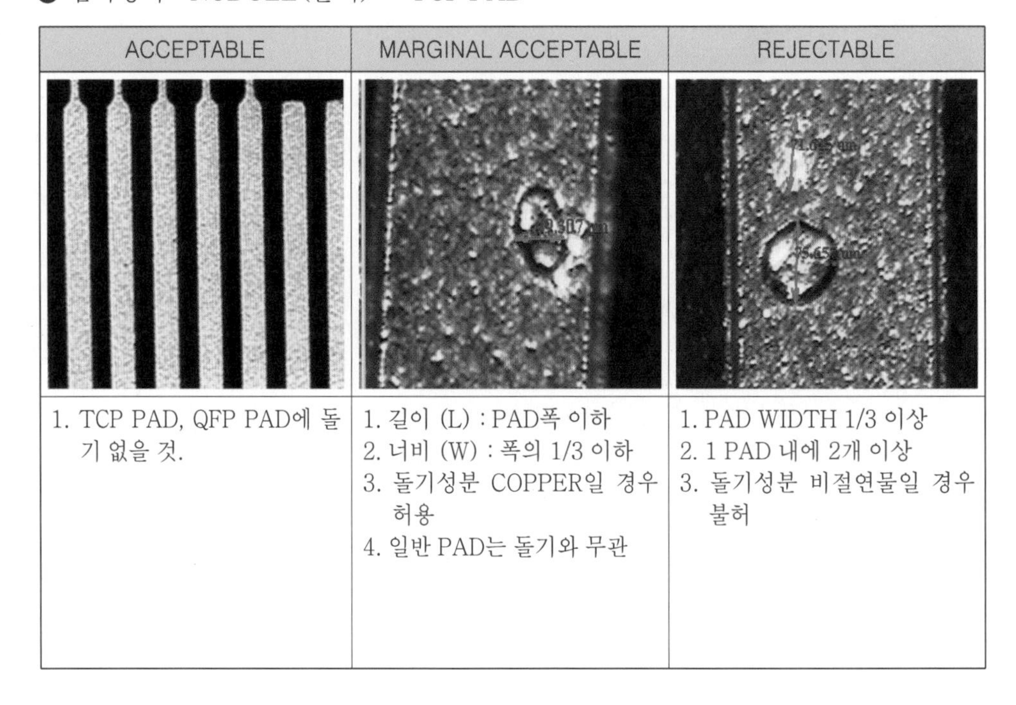

ACCEPTABLE	MARGINAL ACCEPTABLE	REJECTABLE
1. TCP PAD, QFP PAD에 돌기 없을 것.	1. 길이 (L) : PAD폭 이하 2. 너비 (W) : 폭의 1/3 이하 3. 돌기성분 COPPER일 경우 허용 4. 일반 PAD는 돌기와 무관	1. PAD WIDTH 1/3 이상 2. 1 PAD 내에 2개 이상 3. 돌기성분 비절연물일 경우 불허

검사항목 : NODULE(측면 돌기) – TCP PAD

ACCEPTABLE	MARGINAL ACCEPTABLE	REJECTABLE
	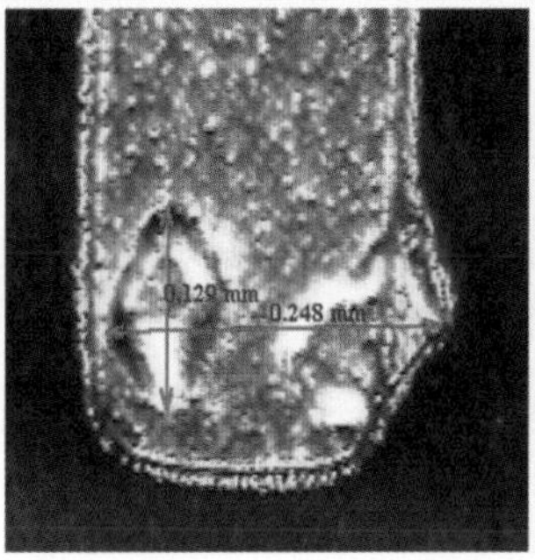	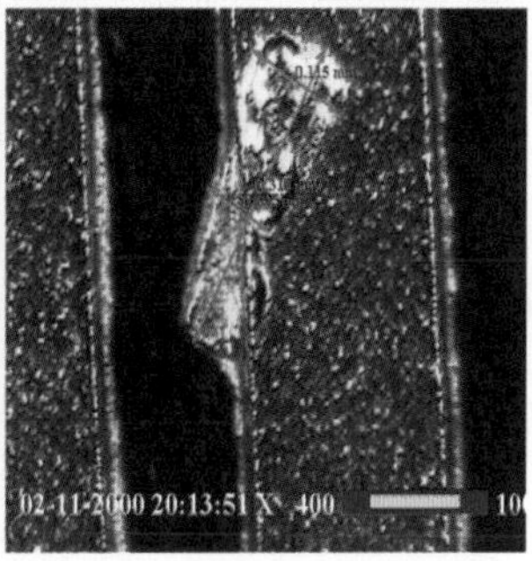
	1. 폭 방향은 회로선간 간격의 1/4 이하 2. 길이 방향은 회로간 간격이하	1. PAD SPACE 1/4이상 불허

검사항목 : DENT – 표면처리 : FLUX (OSP)

ACCEPTABLE	MARGINAL ACCEPTABLE	REJECTABLE

	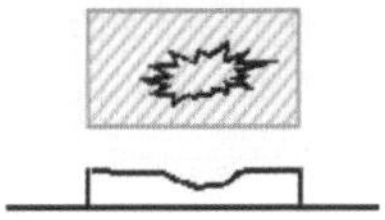 OK 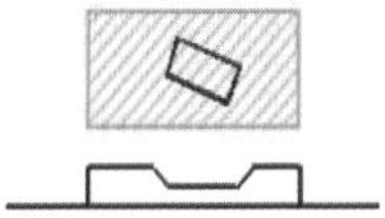NG	

검사항목 : DENT – 일반 PAD

ACCEPTABLE	MARGINAL ACCEPTABLE	REJECTABLE
		Epoxy 노출 발생시 NG

검사항목 : DENT – 단자

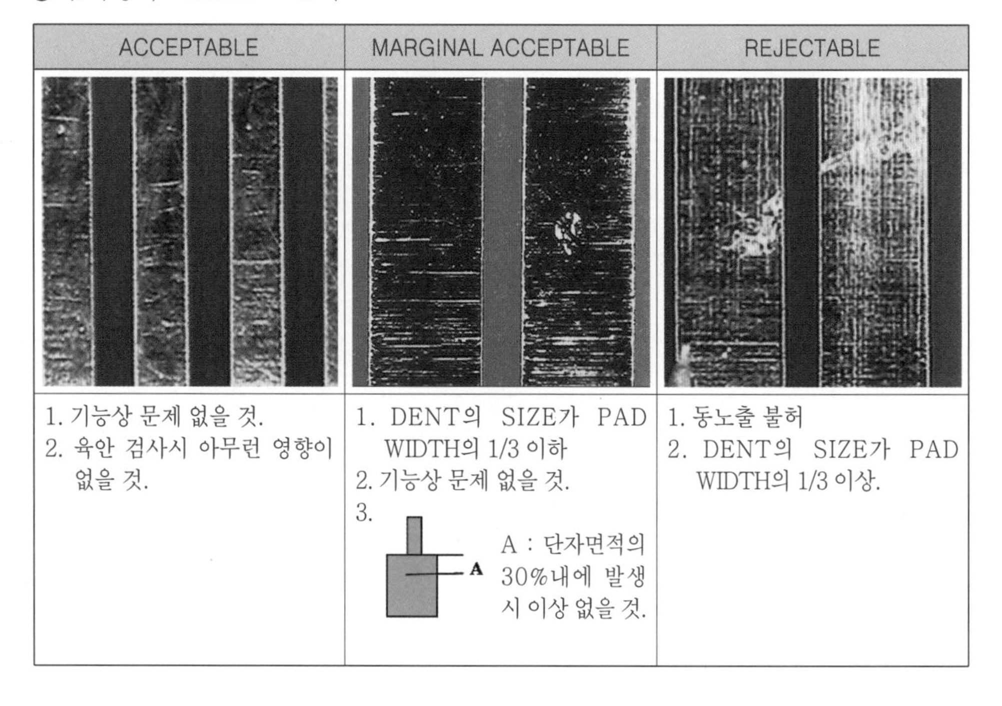

ACCEPTABLE	MARGINAL ACCEPTABLE	REJECTABLE
1. 기능상 문제 없을 것. 2. 육안 검사시 아무런 영향이 없을 것.	1. DENT의 SIZE가 PAD WIDTH의 1/3 이하 2. 기능상 문제 없을 것. 3. A : 단자면적의 30%내에 발생시 이상 없을 것.	1. 동노출 불허 2. DENT의 SIZE가 PAD WIDTH의 1/3 이상.

검사항목 : DENT(부분적 동박 찍힘) – TCP PAD

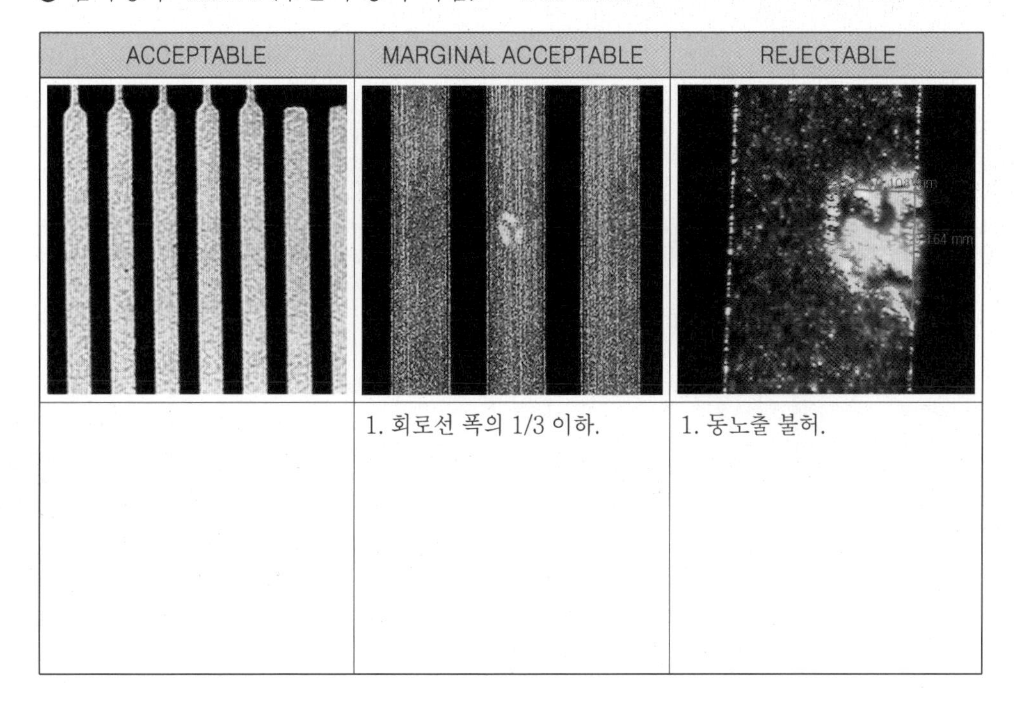

ACCEPTABLE	MARGINAL ACCEPTABLE	REJECTABLE
	1. 회로선 폭의 1/3 이하.	1. 동노출 불허.

검사항목 : PIN HOLE – 표면처리 FLUX (OSP)

ACCEPTABLE	MARGINAL ACCEPTABLE	REJECTABLE
	PAD 25%까지 진행 QFP PAD : ALL NG	NG

검사항목 : 잔류동 – 일반 Board

ACCEPTABLE	MARGINAL ACCEPTABLE	REJECTABLE
	더미부분 · 회로와 회로사이, 회로와 제품끝과의 사이에 잔류동 1/4 : OK · 제품의 외곽에 동노출이 발생이되면 : NG	외곽에 잔류동 NG W 1/4W

검사항목 : 이물질

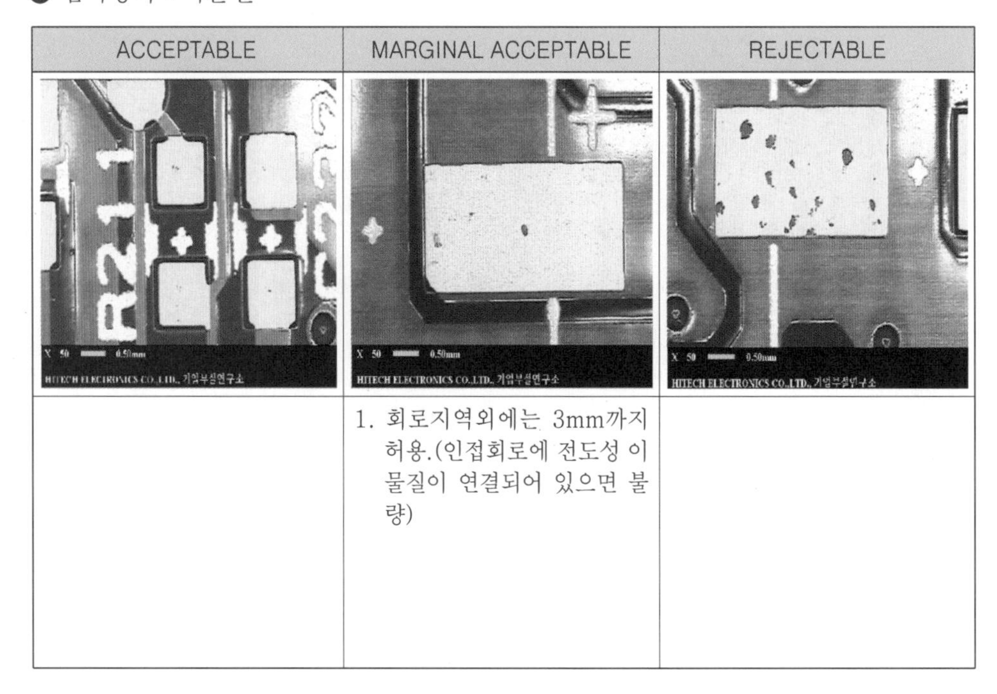

ACCEPTABLE	MARGINAL ACCEPTABLE	REJECTABLE
	1. 회로지역외에는 3mm까지 허용.(인접회로에 전도성 이물질이 연결되어 있으면 불량)	

검사항목 : 이물질 – 단 자

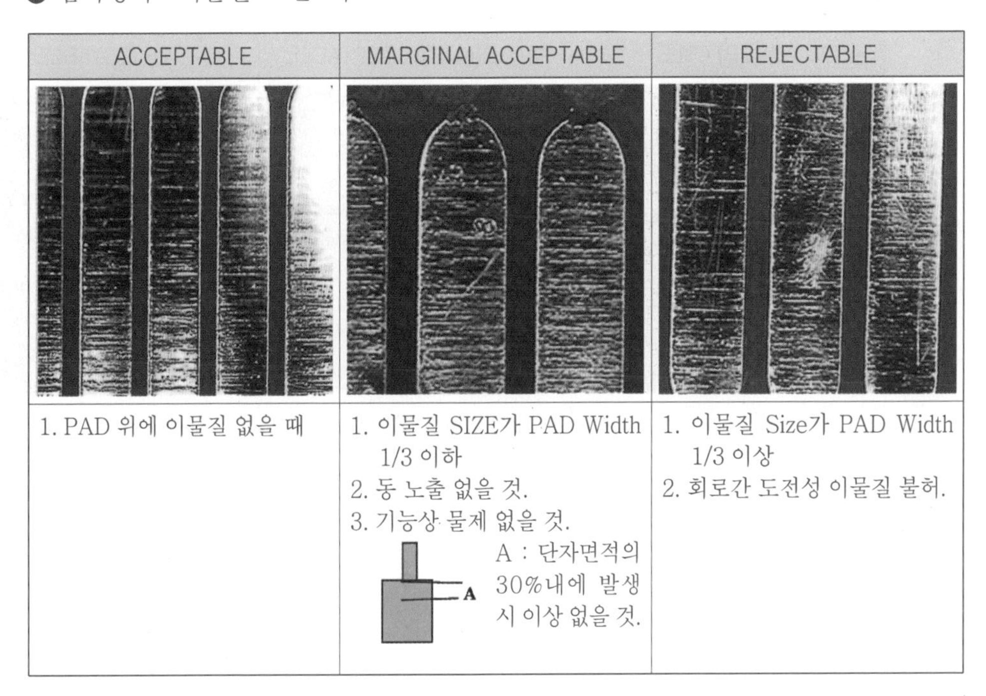

ACCEPTABLE	MARGINAL ACCEPTABLE	REJECTABLE
1. PAD 위에 이물질 없을 때	1. 이물질 SIZE가 PAD Width 1/3 이하 2. 동 노출 없을 것. 3. 기능상 물제 없을 것. A : 단자면적의 30%내에 발생 시 이상 없을 것.	1. 이물질 Size가 PAD Width 1/3 이상 2. 회로간 도전성 이물질 불허.

검사항목 : 이물질 – Ground PTN

ACCEPTABLE	MARGINAL ACCEPTABLE	REJECTABLE
	GND 부위의 이물질 : OK 단, 머리카락은 제외. NG OK	

검사항목 : 이물질 – PSR 현상 잔사에 의한 미도금 형태.

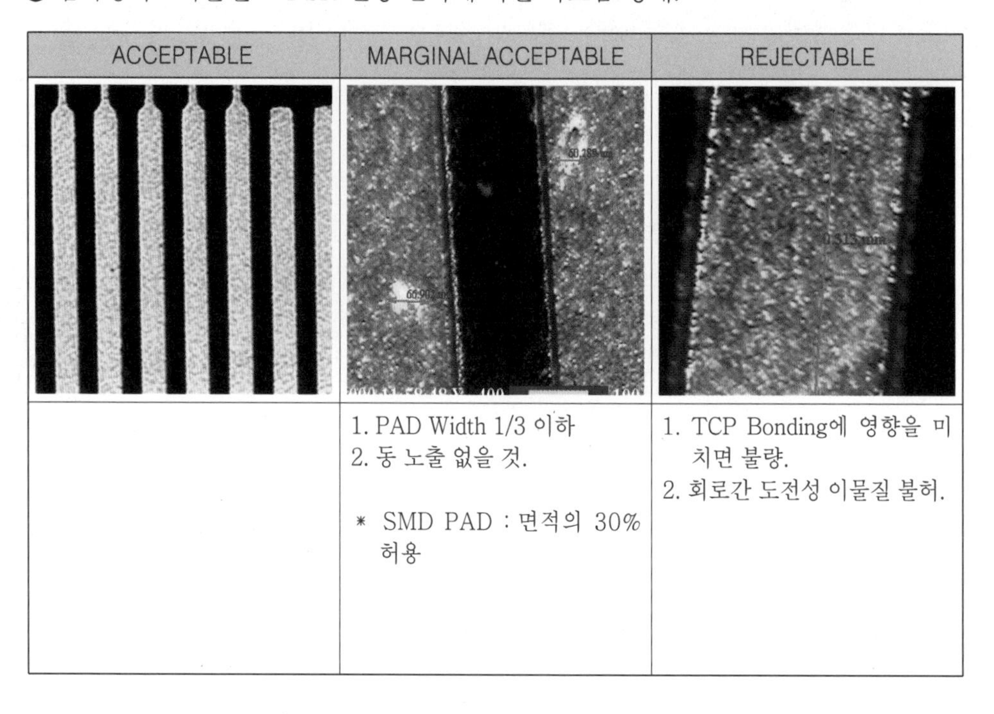

ACCEPTABLE	MARGINAL ACCEPTABLE	REJECTABLE
	1. PAD Width 1/3 이하 2. 동 노출 없을 것. * SMD PAD : 면적의 30% 허용	1. TCP Bonding에 영향을 미치면 불량. 2. 회로간 도전성 이물질 불허.

검사항목 : SCRATCH(내층)

ACCEPTABLE	MARGINAL ACCEPTABLE	REJECTABLE
	· OXIDE가 넓은 부위의 Scratch : NG · 눈에 띄지 않는 경우 : OK	Oxide Scratch NG 자삽 Guide

검사항목 : SCRATCH(일반)

ACCEPTABLE	MARGINAL ACCEPTABLE	REJECTABLE
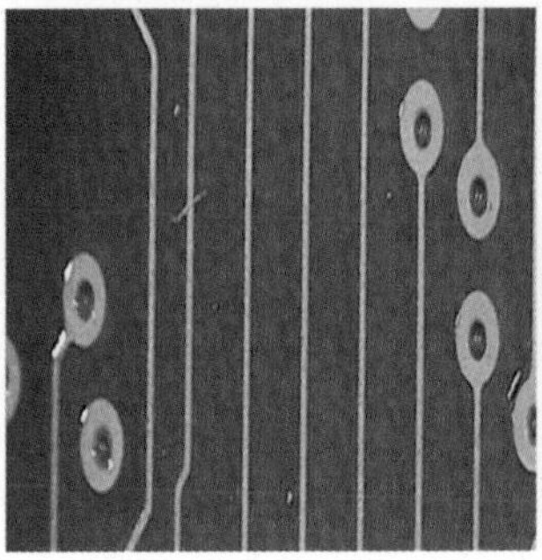	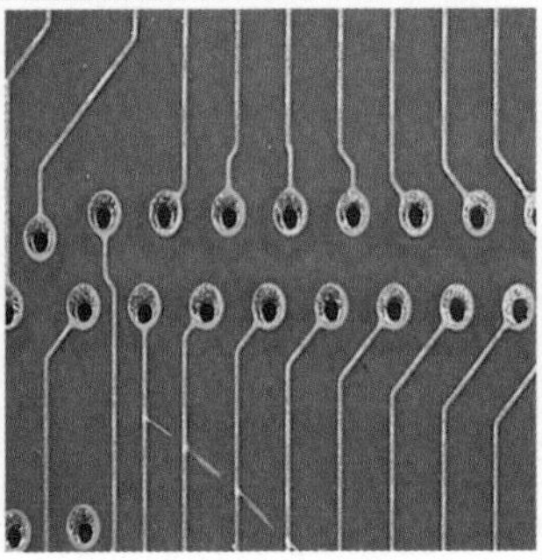	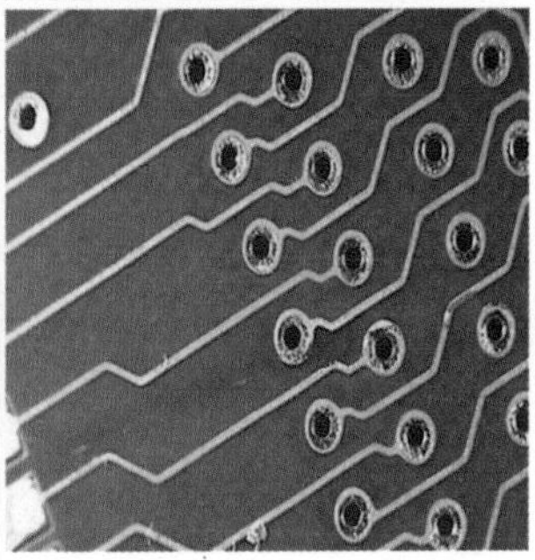
	NG 여러 개의 회로를 겹쳐서 지나감	NG

검사항목 : SCRATCH(QFP)

ACCEPTABLE	MARGINAL ACCEPTABLE	REJECTABLE
		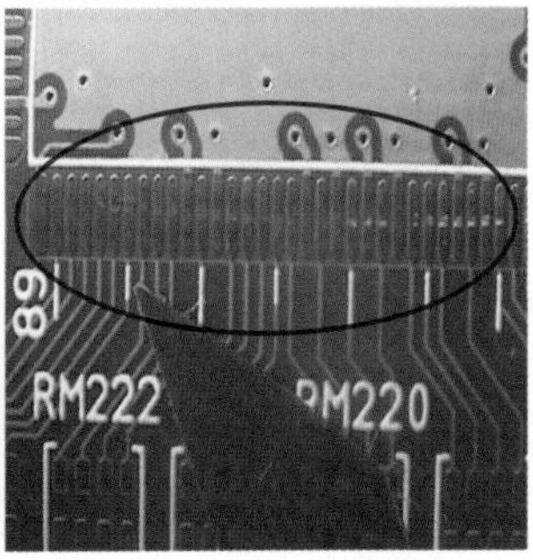
	미세한 Scratch 진행. QFP PAD : NG	NG

검사항목 : SCRATCH(표면)

ACCEPTABLE	MARGINAL ACCEPTABLE	REJECTABLE
	1. 기능상 문제 없을 것. 2. 표면상에 동박이 남아있으면 수리 후 진행	EPOXY 노출시

검사항목 : SCRATCH(회로)

ACCEPTABLE	MARGINAL ACCEPTABLE	REJECTABLE
	1. 기능상 문제 없을 것.	1. 2개의 인접회로에 연속으로 발생하여 금속노출이 발생되면 크기에 관계없이 불가

검사항목 : SCRATCH – 단 자

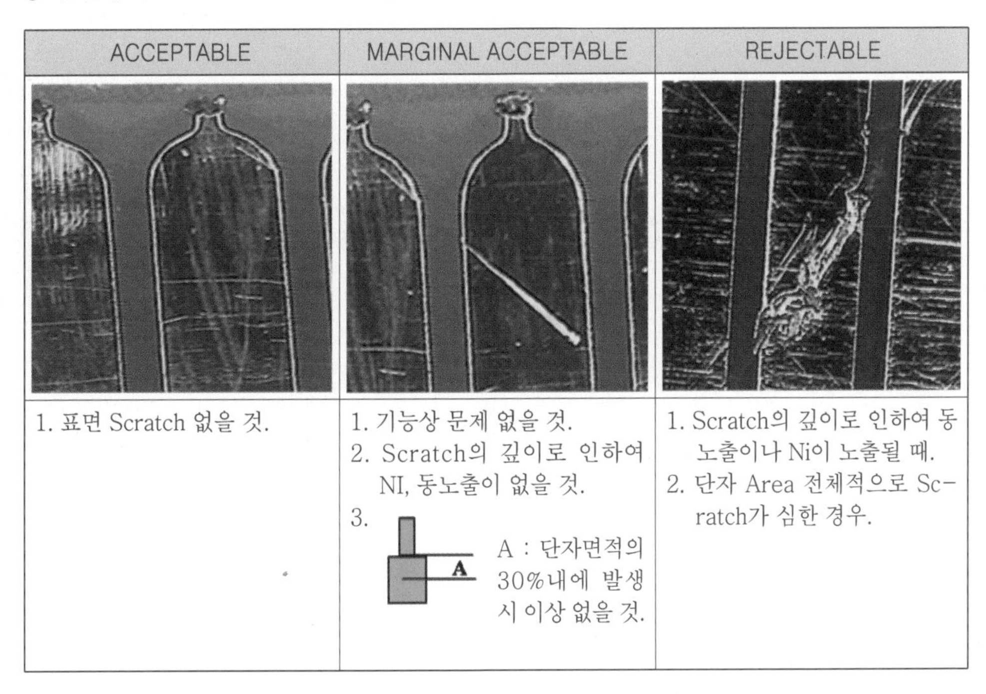

ACCEPTABLE	MARGINAL ACCEPTABLE	REJECTABLE
1. 표면 Scratch 없을 것.	1. 기능상 문제 없을 것. 2. Scratch의 깊이로 인하여 NI, 동노출이 없을 것. 3. A : 단자면적의 30%내에 발생 시 이상 없을 것.	1. Scratch의 깊이로 인하여 동노출이나 Ni이 노출될 때. 2. 단자 Area 전체적으로 Scratch가 심한 경우.

검사항목 : SCRATCH – 제품 표면이 찍힘, 긁힘, 깨짐 현상

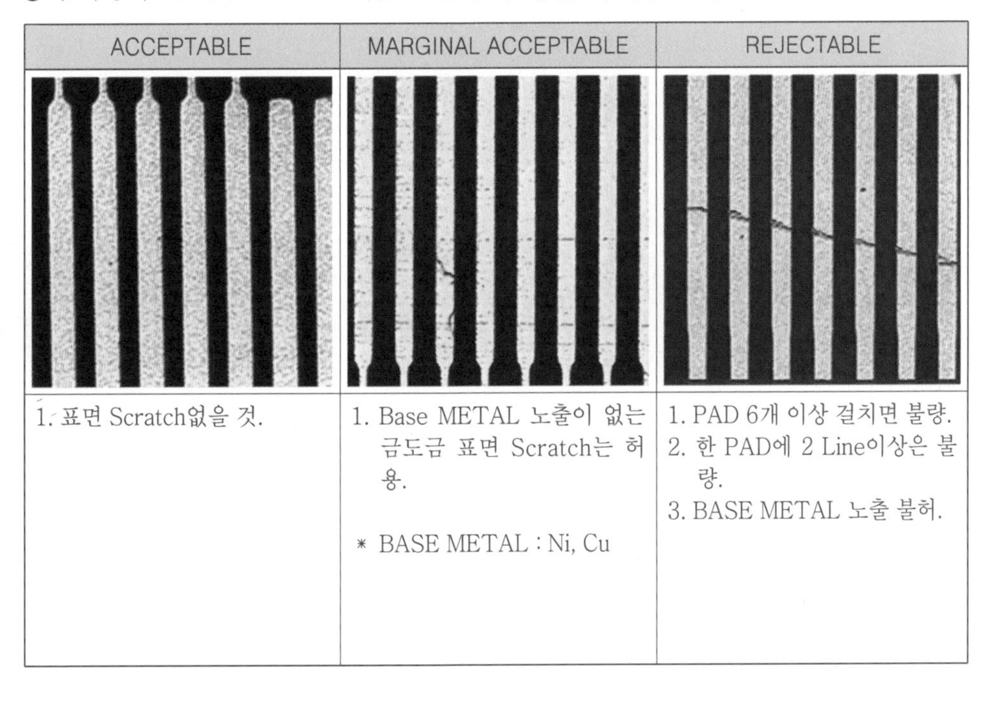

ACCEPTABLE	MARGINAL ACCEPTABLE	REJECTABLE
1. 표면 Scratch없을 것.	1. Base METAL 노출이 없는 금도금 표면 Scratch는 허용. * BASE METAL : Ni, Cu	1. PAD 6개 이상 걸치면 불량. 2. 한 PAD에 2 Line이상은 불량. 3. BASE METAL 노출 불허.

검사항목 : 이중기스

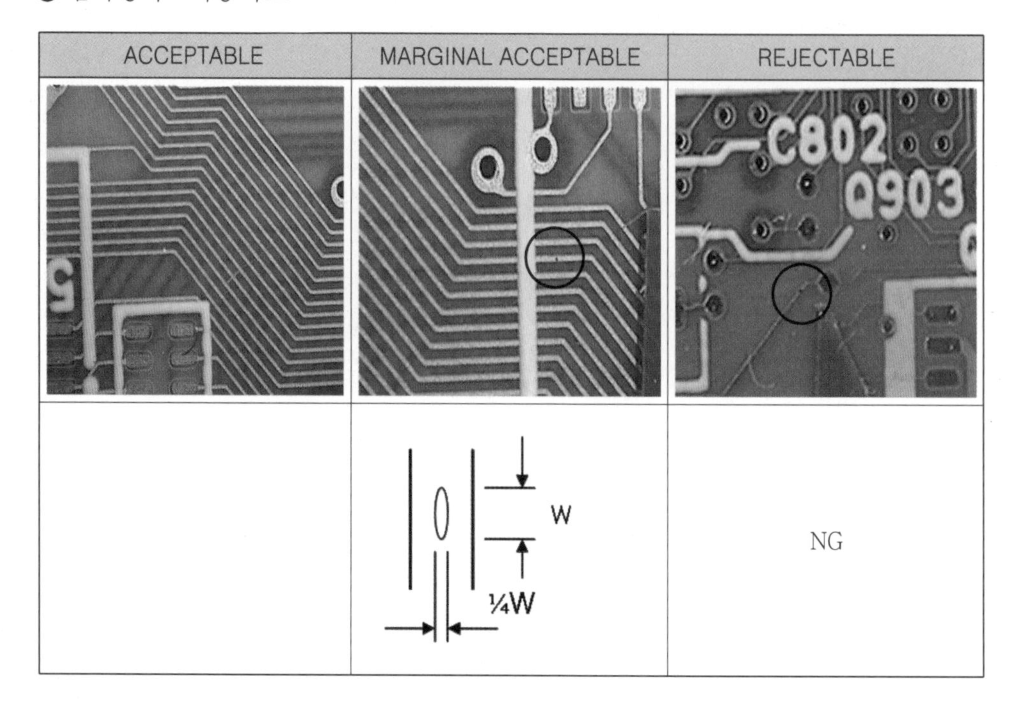

ACCEPTABLE	MARGINAL ACCEPTABLE	REJECTABLE
	W ¼W	NG

검사항목 : 찍 힘

ACCEPTABLE	MARGINAL ACCEPTABLE	REJECTABLE
	· 외곽 기구홀 Epoxy노출 안 되면 : OK 단, S/R은 형성되어 있을 것.	NG

검사항목 : 찍 힘

ACCEPTABLE	MARGINAL ACCEPTABLE	REJECTABLE
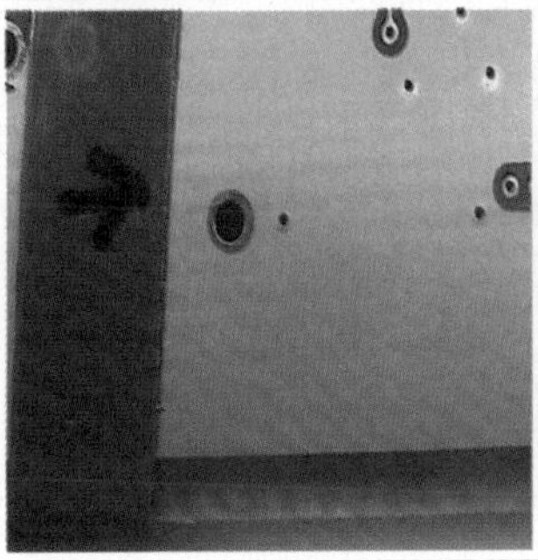	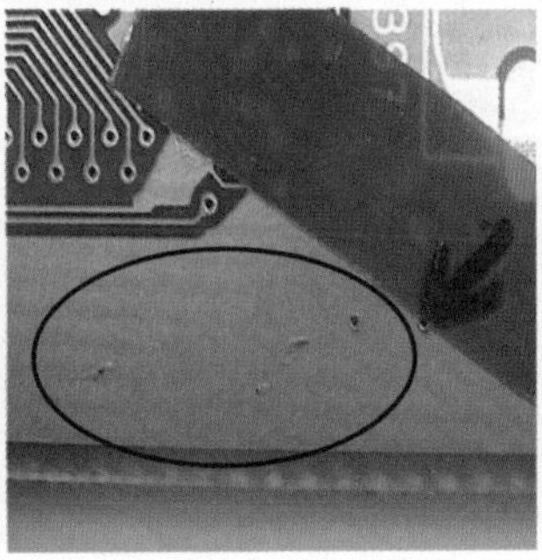	
	· 제품 외곽에 파랑색으로 표시 : OK · GND에 부분적으로 허용 가능	NG · Epoxy 노출은 절대 불허

검사항목 : 찍힘

ACCEPTABLE	MARGINAL ACCEPTABLE	REJECTABLE
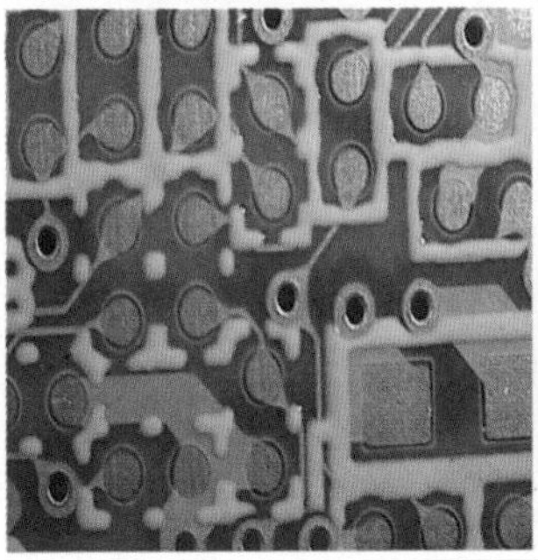	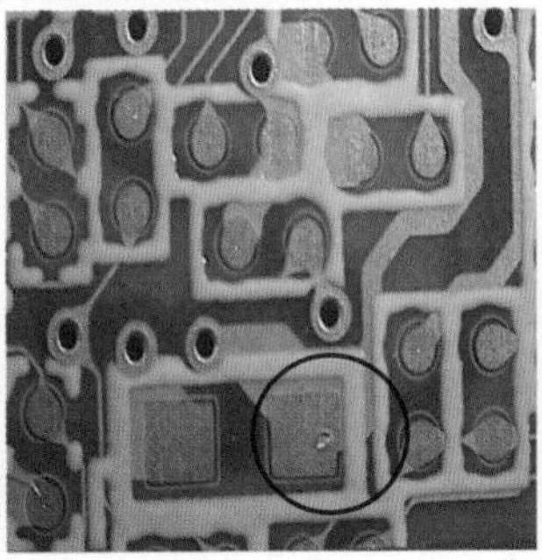	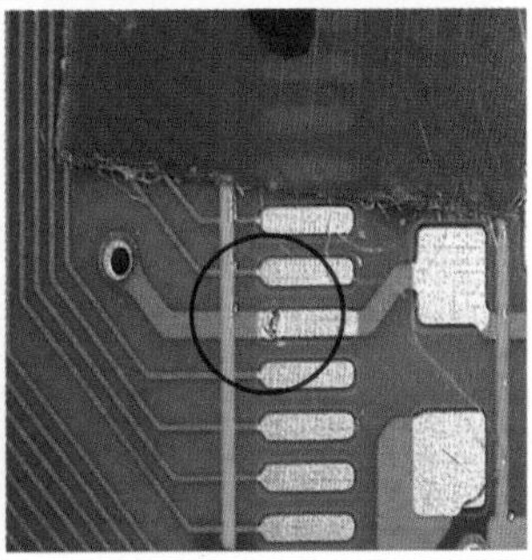
	Epoxy 보이지 않을 것. · SMD PAD 1, 수직 찍힘 2. 빗겨나간 것 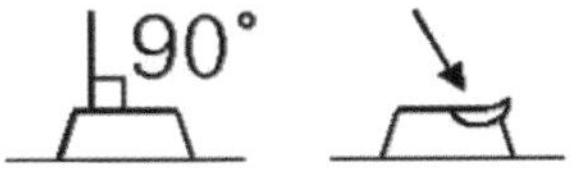 90° (OK) (NG)	NG · QFP PAD : 허용불가

검사항목 : 찍 힘

ACCEPTABLE	MARGINAL ACCEPTABLE	REJECTABLE
	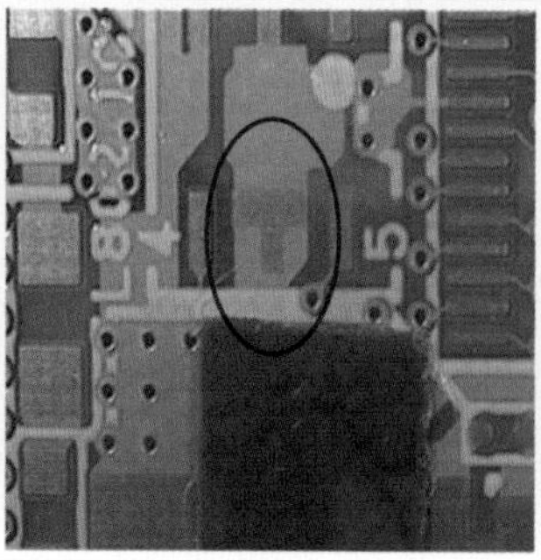	
	OK 수직으로 찍힌 것은 사용 가능	NG

검사항목 : 동박산화

ACCEPTABLE	MARGINAL ACCEPTABLE	REJECTABLE
	1. PSR INK PEEL-OFF 발생 안되면 허용.	1. PSR INK PEEL-OFF 발생 시 NG.

검사항목 : 동박산화

ACCEPTABLE	MARGINAL ACCEPTABLE	REJECTABLE
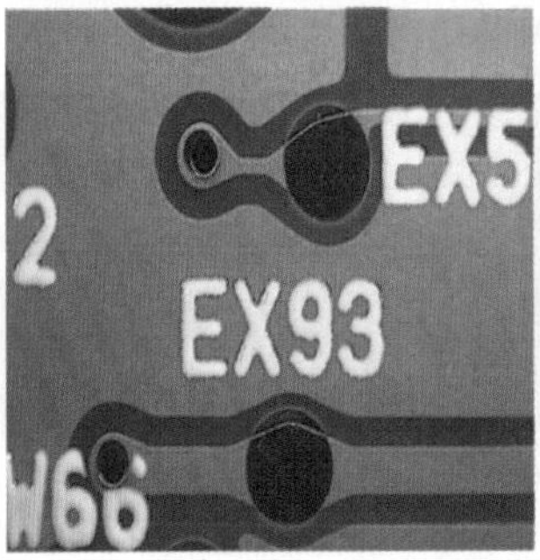	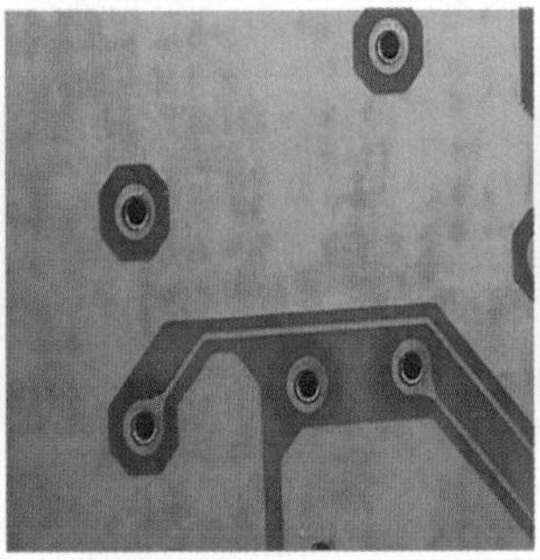	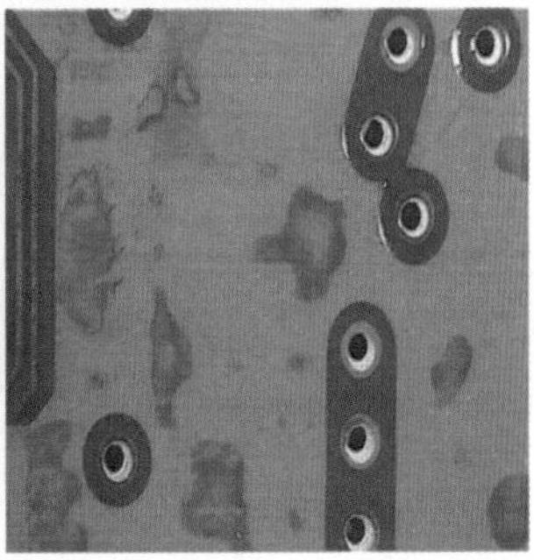
	· 미세하게 발생된 것 :OK · 다량 발생 시 Tape TEST 실시 · 더미부분의 경우 인식마크를 벗어나면 : OK · Tape Test 실시 후 Peel-Off 발생 안할 시 : OK	NG

검사항목 : HOLE 편심 – 일반 Annular-Ring

ACCEPTABLE	MARGINAL ACCEPTABLE	REJECTABLE
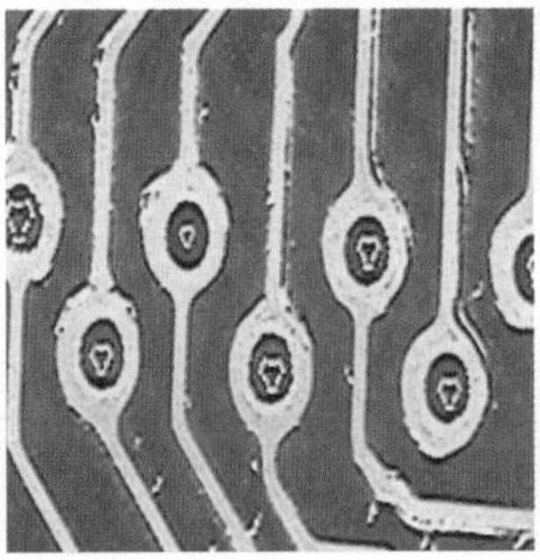	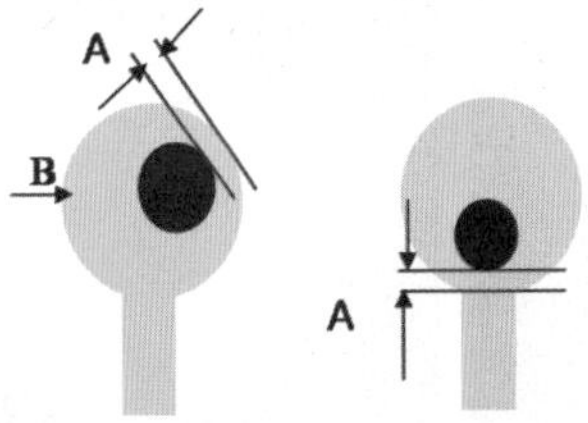	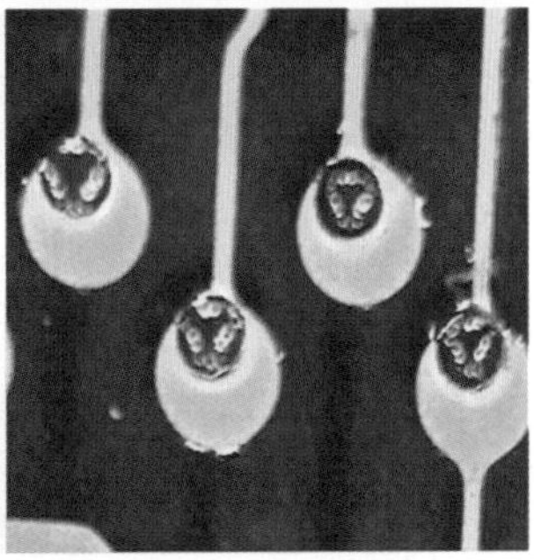
	1. 내층 : 25㎛ 이상 2. 외층 : 50㎛ 이상	1. Hole 터짐 없을 것

검사항목 : MISREGISTRATION(Hole편심) - 독립 Hole 또는 ANNULAR-RING

ACCEPTABLE	MARGINAL ACCEPTABLE	REJECTABLE
1. Hole 편심이 없는 경우.	1. Hole 터지지 않으면 진행 2. Annular Ring이 편심발생 시 다음과 같이 허용. A B A≥ 0.05 B≥ 0.15 A+B≥ 0.2 3. Via Hole Open 90도까지 허용	1. Hole 터짐 발생. 2. Annular-Ring Open발생.

검사항목 : FIDUCIAL MARK - TCP BONDING AREA인식

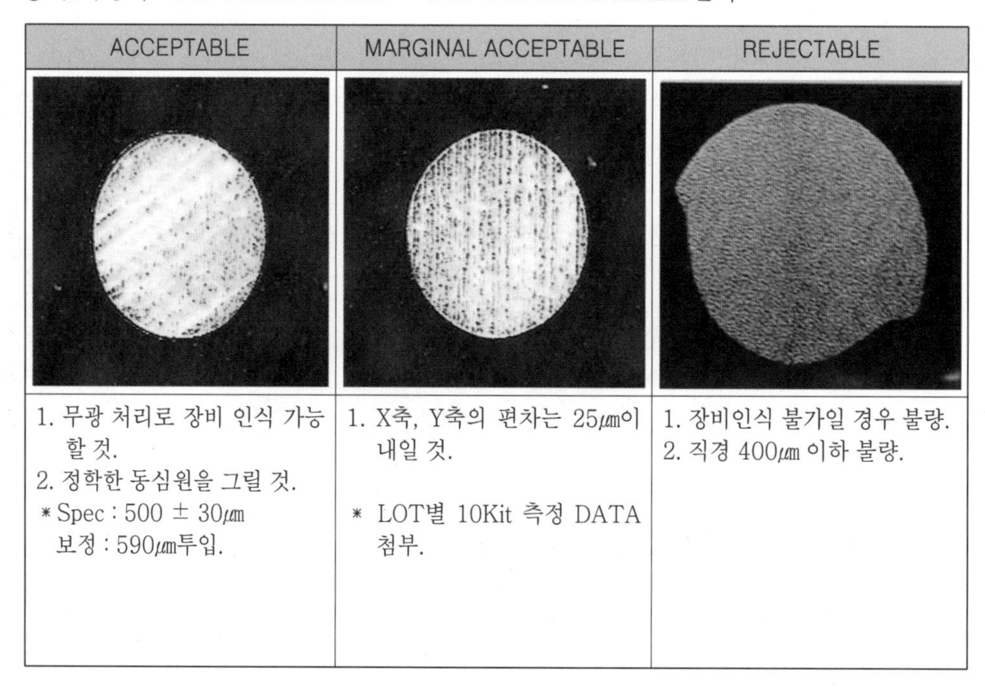

ACCEPTABLE	MARGINAL ACCEPTABLE	REJECTABLE
1. 무광 처리로 장비 인식 가능할 것. 2. 정확한 동심원을 그릴 것. * Spec : 500 ± 30㎛ 보정 : 590㎛투입.	1. X축, Y축의 편차는 25㎛이내일 것. * LOT별 10Kit 측정 DATA 첨부.	1. 장비인식 불가일 경우 불량. 2. 직경 400㎛ 이하 불량.

검사항목 : PSR PEEL-OFF

ACCEPTABLE	MARGINAL ACCEPTABLE	REJECTABLE
1. 표면상 Test후 떨어지지 않는 경우.	1. Test후 떨어짐이 발생시 수리가능하면 진행. 2. 기능상 문제 없을 것. 3. 표면 금속노출시 수작업 실시	1. 표면검사시 INK Peel-Off 위가 전체 면적의 50% 이상시

검사항목 : PSR 떨어짐

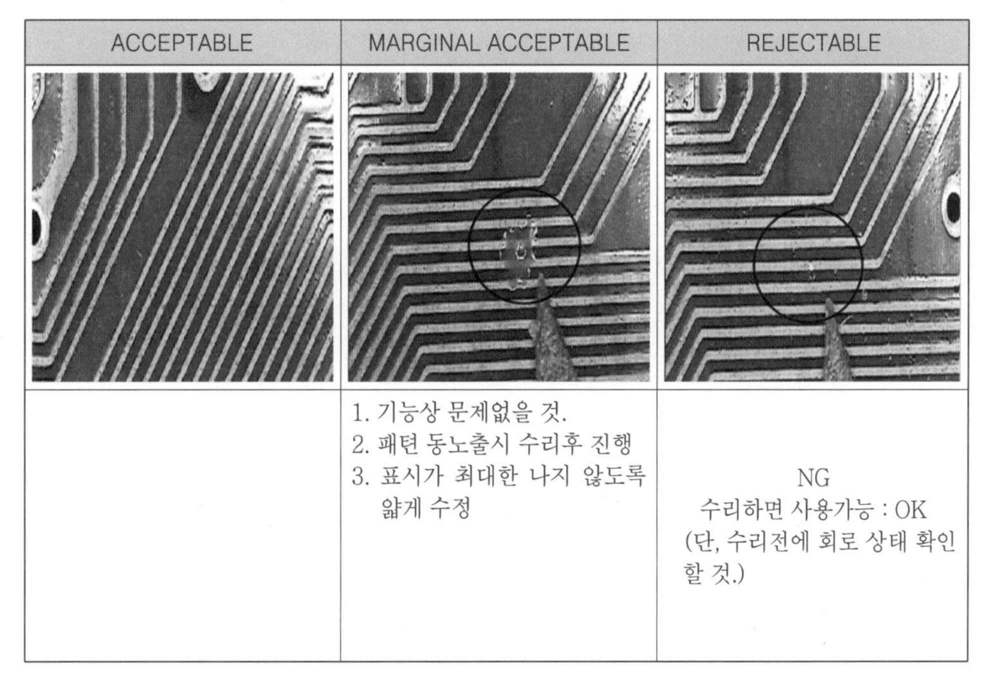

ACCEPTABLE	MARGINAL ACCEPTABLE	REJECTABLE
	1. 기능상 문제없을 것. 2. 패턴 동노출시 수리후 진행 3. 표시가 최대한 나지 않도록 얇게 수정	NG 수리하면 사용가능 : OK (단, 수리전에 회로 상태 확인할 것.)

◆ 검사항목 : PSR 떨어짐

ACCEPTABLE	MARGINAL ACCEPTABLE	REJECTABLE
	1. 기능상 문제 없을 것. 2. Pattern 동노출 시 수리후 진행 3. PSR 얇게 도포된 경우 진행 OK	NG

◆ 검사항목 : PSR INK UNDER-CUT – QFP AREA INK 빠짐 검사(DAM 검사)

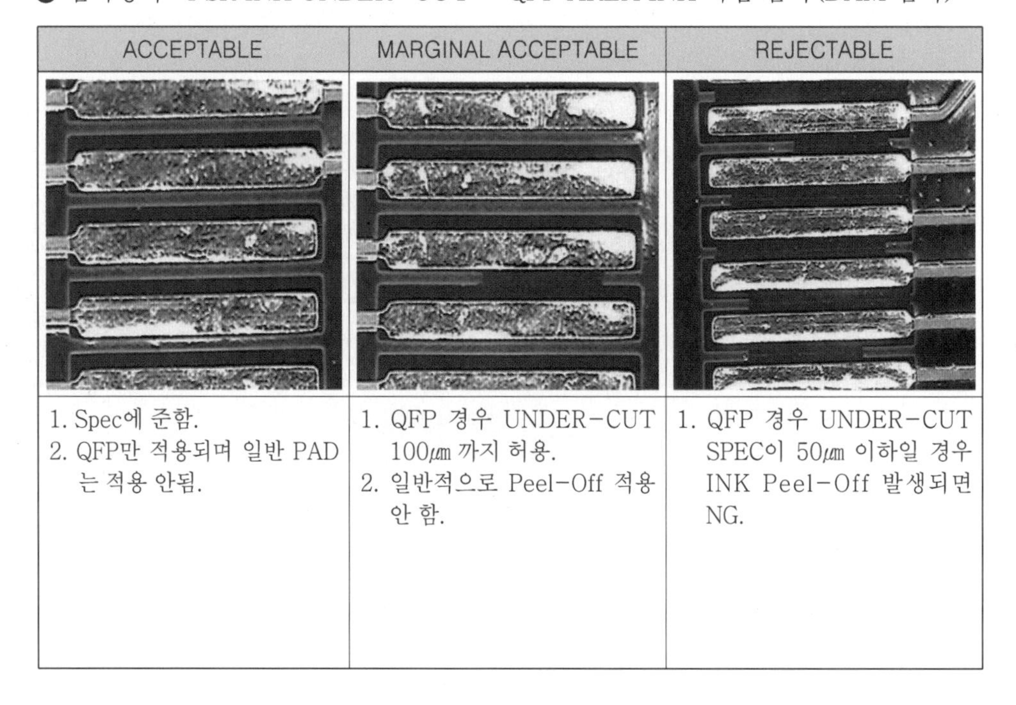

ACCEPTABLE	MARGINAL ACCEPTABLE	REJECTABLE
1. Spec에 준함. 2. QFP만 적용되며 일반 PAD는 적용 안됨.	1. QFP 경우 UNDER-CUT 100㎛ 까지 허용. 2. 일반적으로 Peel-Off 적용 안 함.	1. QFP 경우 UNDER-CUT SPEC이 50㎛ 이하일 경우 INK Peel-Off 발생되면 NG.

검사항목 : PSR INK MISREGISTRATION – PSR 노광작업시 편심으로 인하여 발생

ACCEPTABLE	MARGINAL ACCEPTABLE	REJECTABLE
1. PAD 위 S/M 올라탐이 없는 경우	1. PAD 넓이 1/5 이하(PSR INK 올라탐) 2. SMT 작업시 문제 없을 것.	1. PAD 넓이 1/5 이상 2. QFP 또는 BGA AREA 허용 안됨.

검사항목 : PSR 노광 편심 – PSR 노광 GUIDE 불량

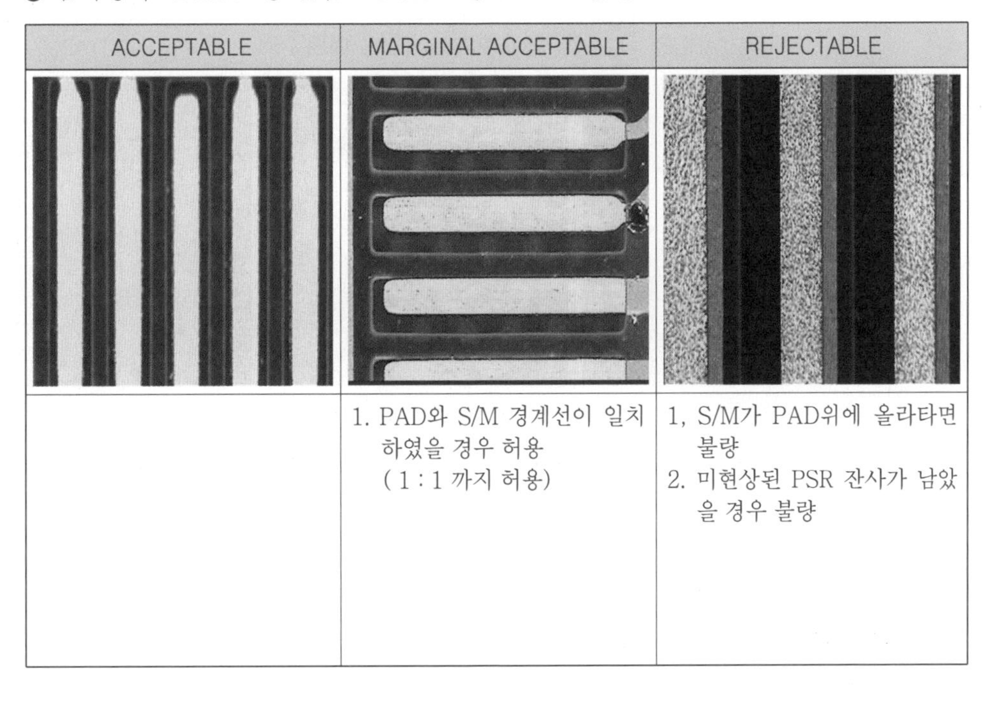

ACCEPTABLE	MARGINAL ACCEPTABLE	REJECTABLE
	1. PAD와 S/M 경계선이 일치하였을 경우 허용 (1 : 1 까지 허용)	1, S/M가 PAD위에 올라타면 불량 2. 미현상된 PSR 잔사가 남았을 경우 불량

검사항목 : PSR 노광 편심

ACCEPTABLE	MARGINAL ACCEPTABLE	REJECTABLE
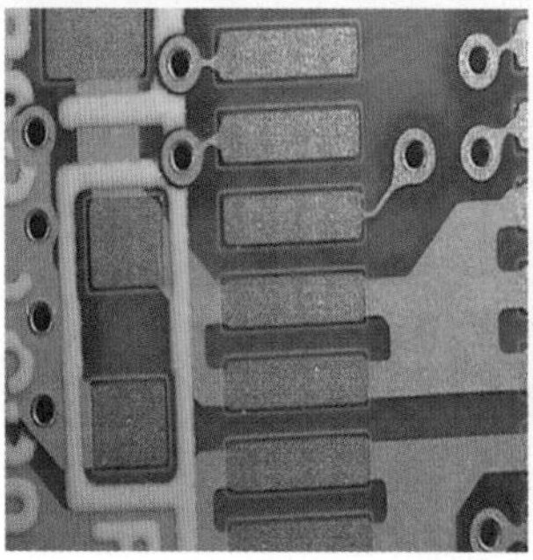		
	1. PAD와 PSR 1:1 까지 허용. 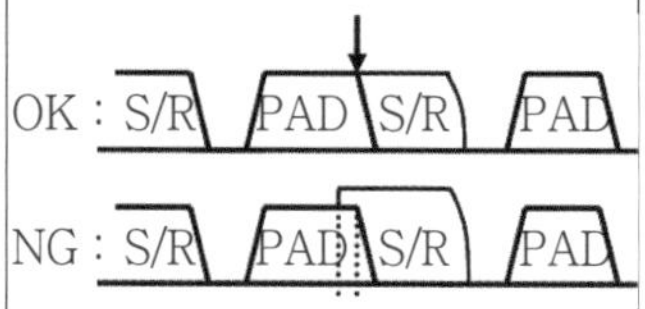 OK : S/R PAD S/R PAD NG : S/R PAD S/R PAD	NG

검사항목 : PSR 수리

ACCEPTABLE	MARGINAL ACCEPTABLE	REJECTABLE
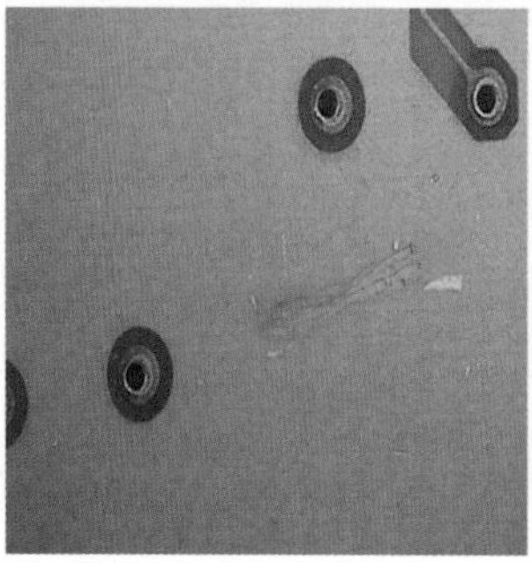	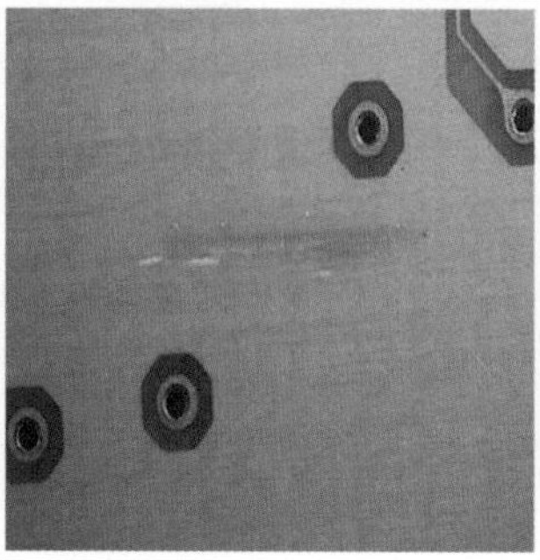	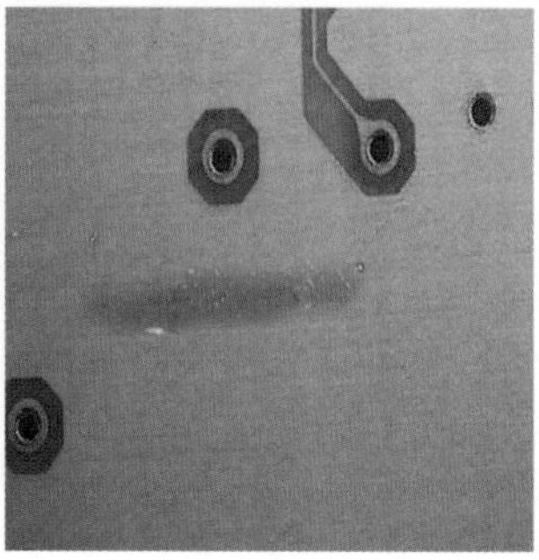
OK	OK	OK · S/R 색상을 엷게 칠할 것. · 수정 전용 붓 사용.

검사항목 : PSR 수리

ACCEPTABLE	MARGINAL ACCEPTABLE	REJECTABLE
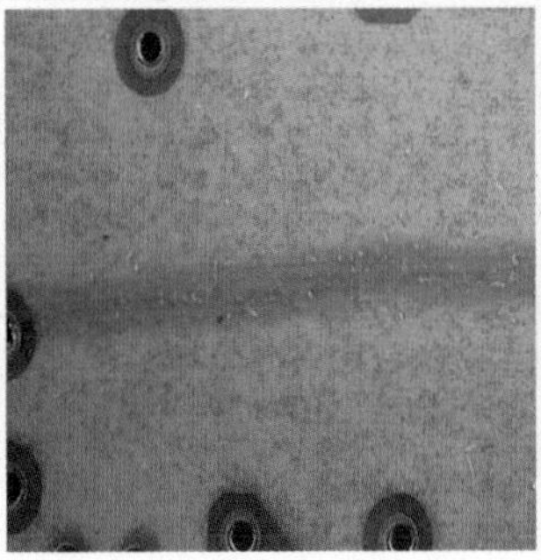	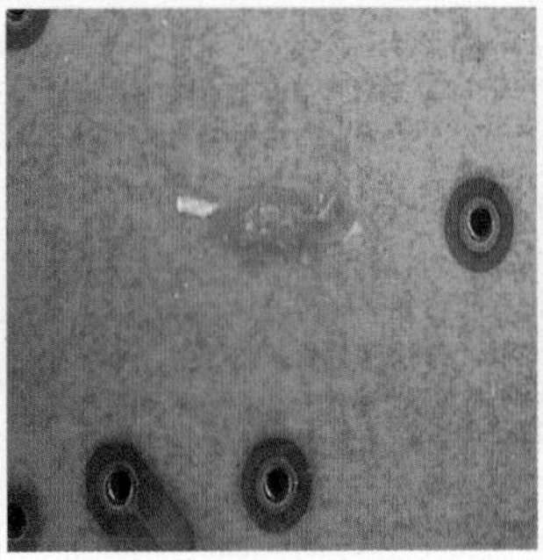	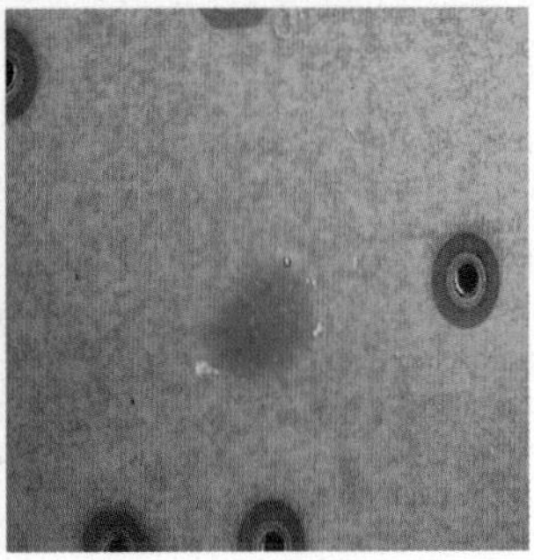
NG · Max 30mm × 1mm 이내에서는 수정하여 사용 가능 : OK	OK	OK

검사항목 : PSR 수리

ACCEPTABLE	MARGINAL ACCEPTABLE	REJECTABLE
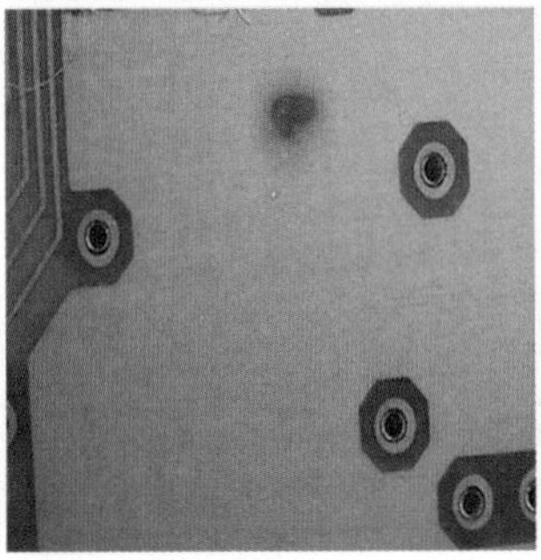	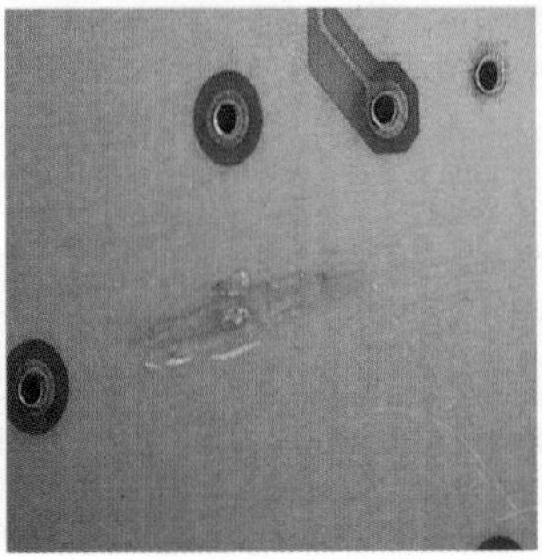	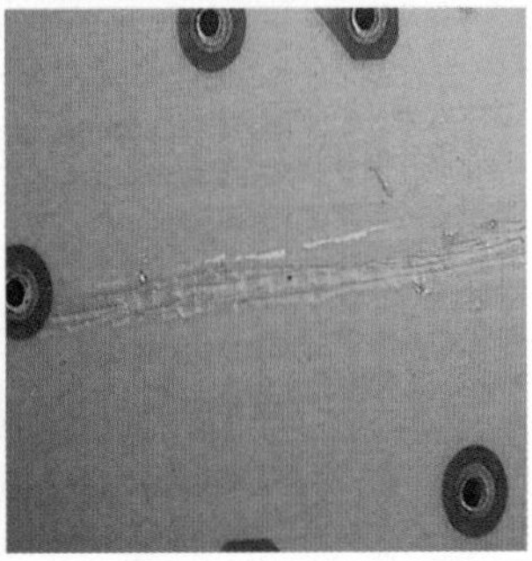
· D/F 이물질 : NG · 이물질 긁어내고 S/R 수리하면 사용 가능	OK	NG · 동 표면에 Scratch 심하면 불가함

검사항목 : INK Ball

ACCEPTABLE	MARGINAL ACCEPTABLE	REJECTABLE
1. 기능상 문제 없을 것.	1. INK Ball상태(미세한 경우) 2. 기능상 문제 없을 것. 3. 부분적으로 INK Ball은 있으나 부품 ASS'Y Area보다 낮을 때.	1. INK Ball 심한 경우, 2. ASS'Y 작업시 문제가 될 때 3. INK Ball 형태가 부품 ASS'y Area 보다 높을 때.

검사항목 : 동노출

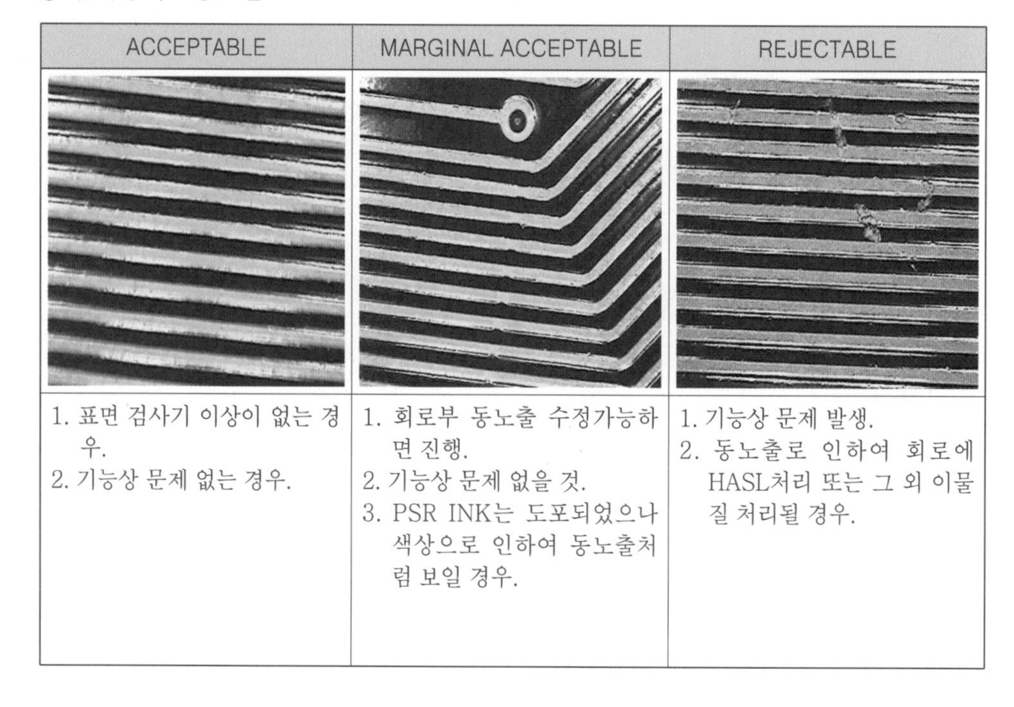

ACCEPTABLE	MARGINAL ACCEPTABLE	REJECTABLE
1. 표면 검사기 이상이 없는 경우. 2. 기능상 문제 없는 경우.	1. 회로부 동노출 수정가능하면 진행. 2. 기능상 문제 없을 것. 3. PSR INK는 도포되었으나 색상으로 인하여 동노출처럼 보일 경우.	1. 기능상 문제 발생. 2. 동노출로 인하여 회로에 HASL처리 또는 그 외 이물질 처리될 경우.

● 검사항목 : M/K, S/R 올라탐 – 제판 PIN HOLE 또는 미현상에 의하여 발생

ACCEPTABLE	MARGINAL ACCEPTABLE	REJECTABLE
	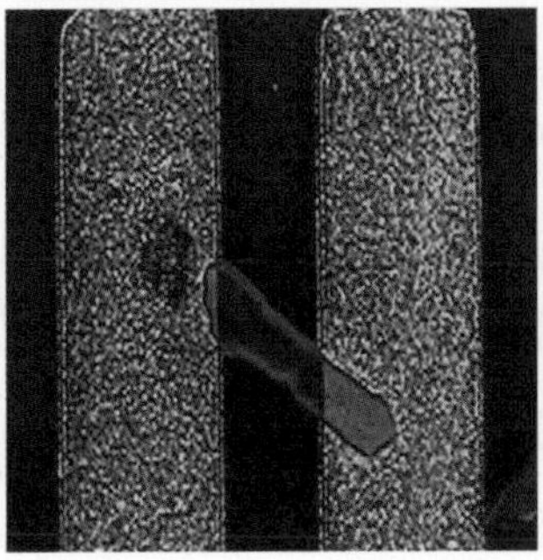	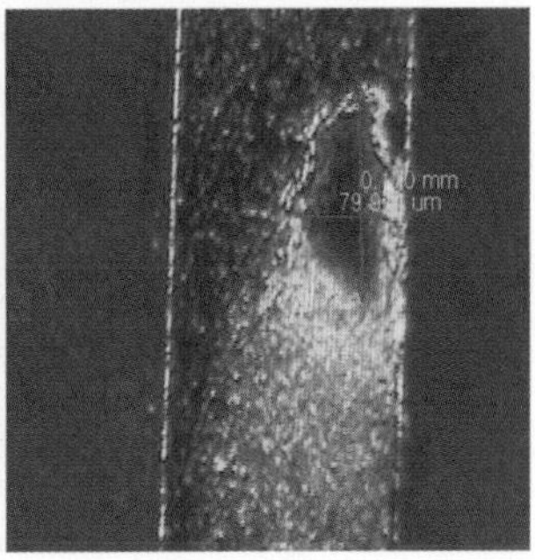
	PAD에 고정으로 올라옴 발생시 일반 ETCHING후의 PAD 결손규격적용 수정 재처리가능.	1. TCP PAD 위 불허 수정부위가 Spec범위를 넘을 시

● 검사항목 : MARKING

ACCEPTABLE	MARGINAL ACCEPTABLE	REJECTABLE
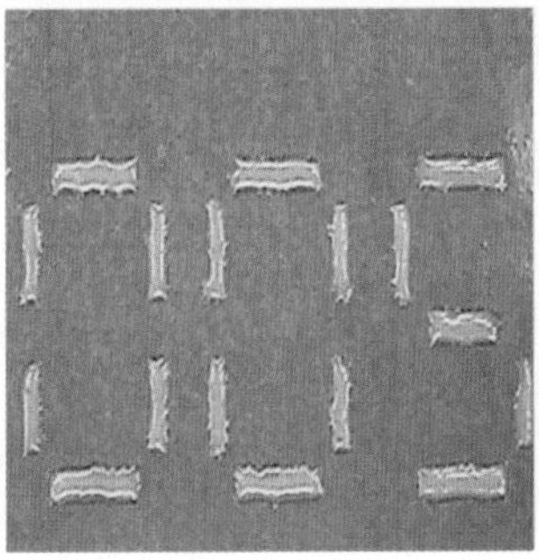		
1. Marking 식별 가능	1. Marking이 흐리지만 30cm 거리에서 식별가능 할 것.	1. Marking 식별 불가

검사항목 : Marking 덜빠짐

ACCEPTABLE	MARGINAL ACCEPTABLE	REJECTABLE
	식자를 육안으로 구분 가능시 OK	NG · 식자가 기판에서 떨어져 나감 ⇒ 추측 판단이 불가 함.

검사항목 : Marking 덜빠짐

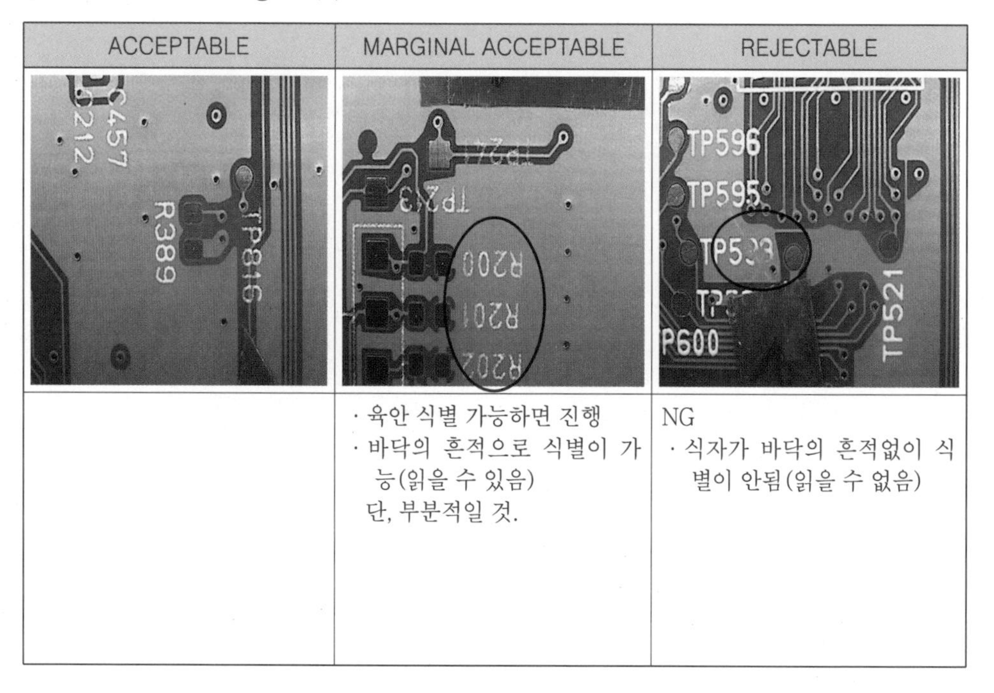

ACCEPTABLE	MARGINAL ACCEPTABLE	REJECTABLE
	· 육안 식별 가능하면 진행 · 바닥의 흔적으로 식별이 가능(읽을 수 있음) 단, 부분적일 것.	NG · 식자가 바닥의 흔적없이 식별이 안됨(읽을 수 없음)

검사항목 : Marking 덜빠짐

ACCEPTABLE 	MARGINAL ACCEPTABLE 	REJECTABLE 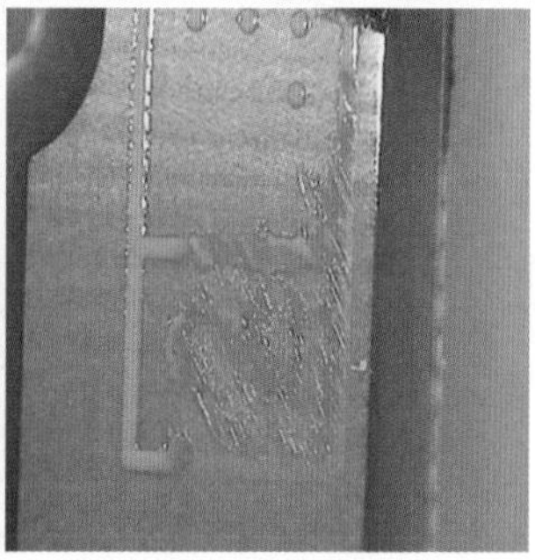
	· 육안 식별 가능하면 진행	· 주기 식별이 희미하게 보임 : OK ⇒ 부품의 M/K 경우는 허용불가 · UL은 선명하지 않으면 불가함 : NG

검사항목 : Marking 번짐

ACCEPTABLE 	MARGINAL ACCEPTABLE 	REJECTABLE 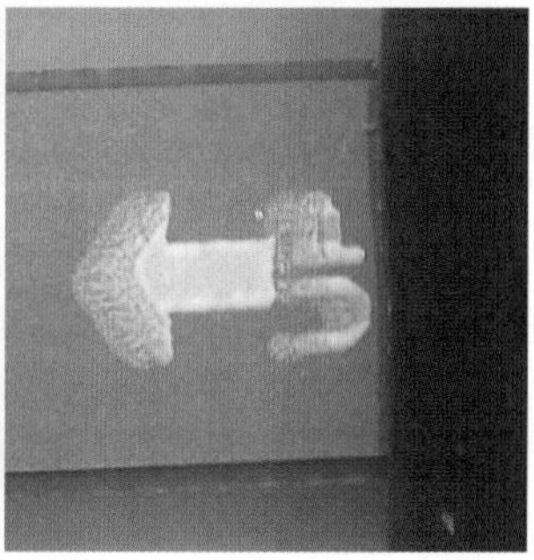
	· 식자의 확인이 가능함 단, 번짐이 PAD 위에는 없을 것	NG

검사항목 : Marking 번짐

ACCEPTABLE	MARGINAL ACCEPTABLE	REJECTABLE
	· 육안 식별 가능하면 진행 방향표시 식자가 확인 가능함.	NG

검사항목 : Marking 편심 / 번짐

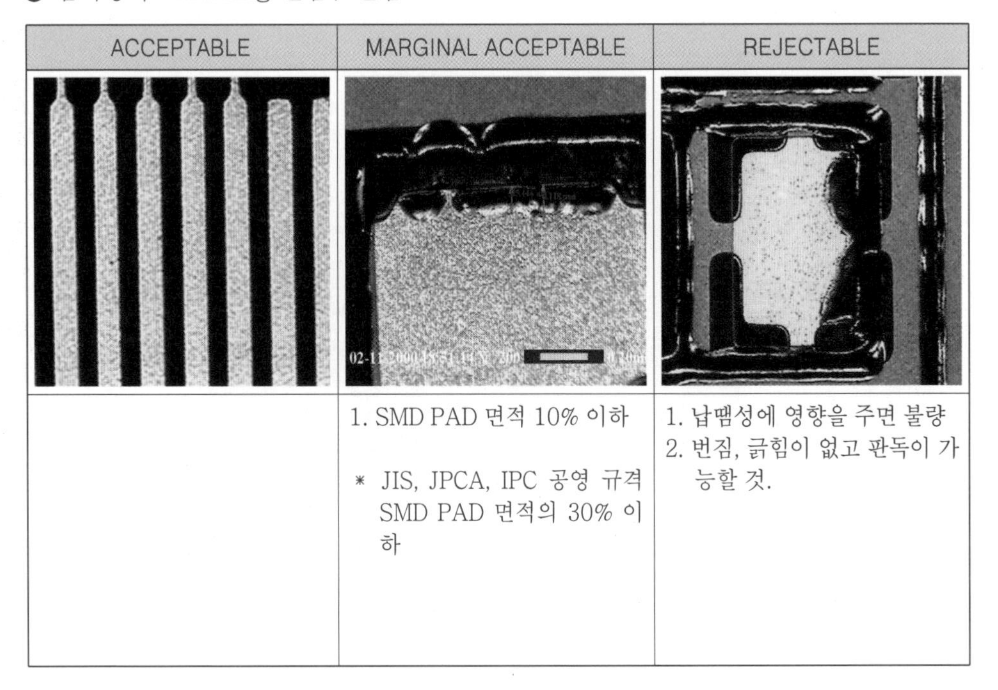

ACCEPTABLE	MARGINAL ACCEPTABLE	REJECTABLE
	1. SMD PAD 면적 10% 이하 * JIS, JPCA, IPC 공영 규격 SMD PAD 면적의 30% 이하	1. 납땜성에 영향을 주면 불량 2. 번짐, 긁힘이 없고 판독이 가능할 것.

검사항목 : V-CUT

ACCEPTABLE	MARGINAL ACCEPTABLE	REJECTABLE
0.474 mm 0.464 mm 0.555 mm	0.4~0.7	1.500 mm 1.509 mm
1. V형의 홈 가공 2. Spec에 준할 것 3. 1.5T BOARD THICK-NESS 경우	1. V형의 홈 가공 시 Size 0.4 ~ 0.7	1. V형의 홈 가공 누락은 안됨 2. V-Cut Area 가 Cut될 시

검사항목 : 면취

ACCEPTABLE	MARGINAL ACCEPTABLE	REJECTABLE
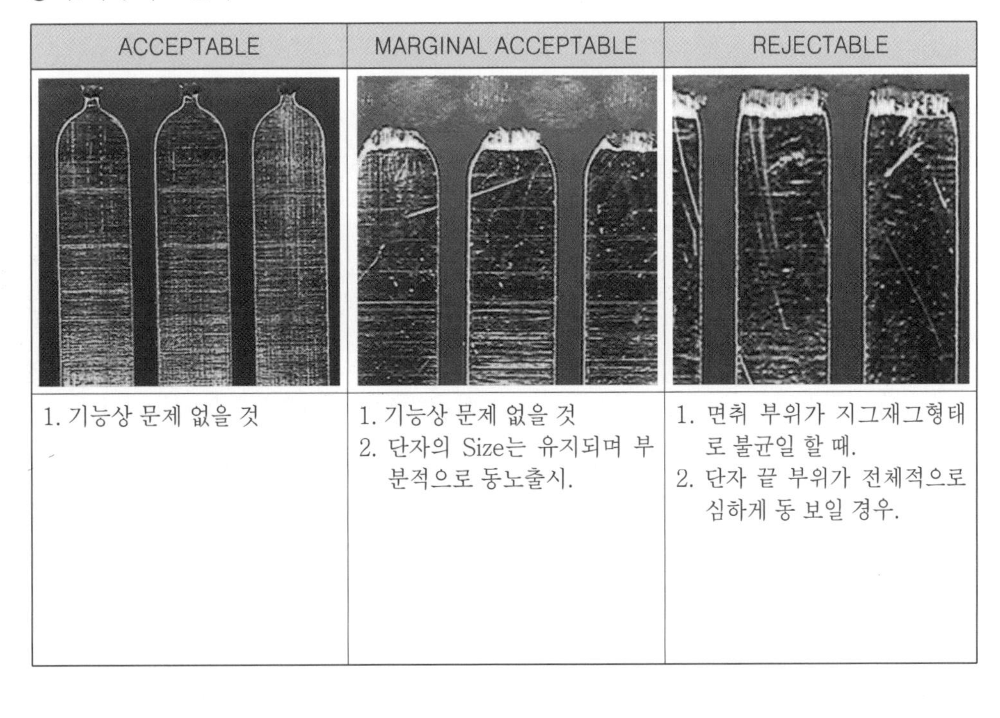		
1. 기능상 문제 없을 것	1. 기능상 문제 없을 것 2. 단자의 Size는 유지되며 부분적으로 동노출시.	1. 면취 부위가 지그재그형태로 불균일 할 때. 2. 단자 끝 부위가 전체적으로 심하게 동 보일 경우.

검사항목 : SOLDER BALL (HOLE 속)

ACCEPTABLE	MARGINAL ACCEPTABLE	REJECTABLE
1. 기능상 문제 없을 것. 2. VIA HOLE은 WET-TO-WET처리	1. Hole 벽에 녹아 붙어 있는 것은 허용. 2. 기능상 문제 없을 것. 3. Hole 표면시에는 없고 Hole 속 부분적 발생시. 4. Solder Ball 발생 시 Reflow 처리	1. Solder Ball 있는 경우. REFLOW시 SHORT가능 SOLDER-BALL잔존시

검사항목 : SOLDER ALL - HOLE 내부 검사

ACCEPTABLE	MARGINAL ACCEPTABLE	REJECTABLE
1. 기능상 문제 없을 것.	1. Hole 벽에 녹아 붙어 있는 것은 허용. 2. 기능상 문제 없을 것. 3. Hole 표면상에는 없고 Hole 속 부분적 발생시.	1. Solder Ball 있는 경우

검사항목 : SOLDER BALL(표면)

ACCEPTABLE	MARGINAL ACCEPTABLE	REJECTABLE
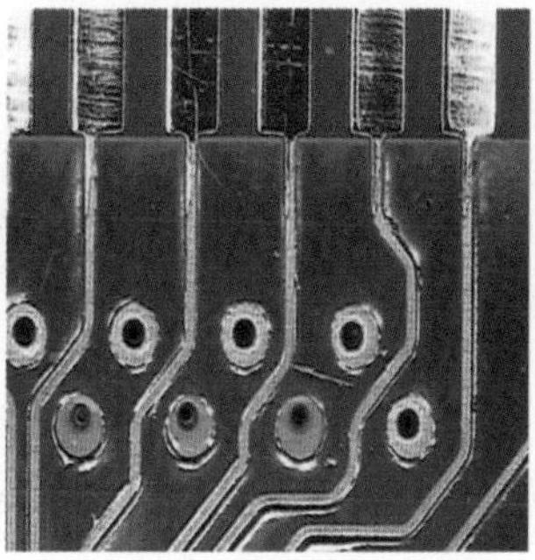		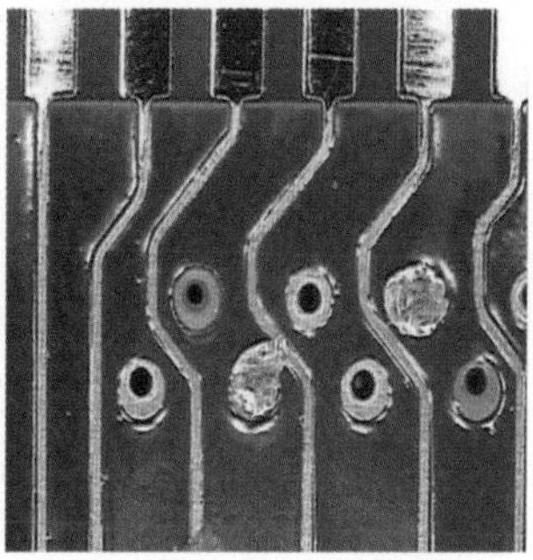
1. 기능상 문제 없을 것.	1. 허용 안됨 (ASS' Y 후 발생 시 수리 후 납품)	1. 1 Point라도 있으면 Reject

검사항목 : SOLDER BALL (단자)

ACCEPTABLE	MARGINAL ACCEPTABLE	REJECTABLE
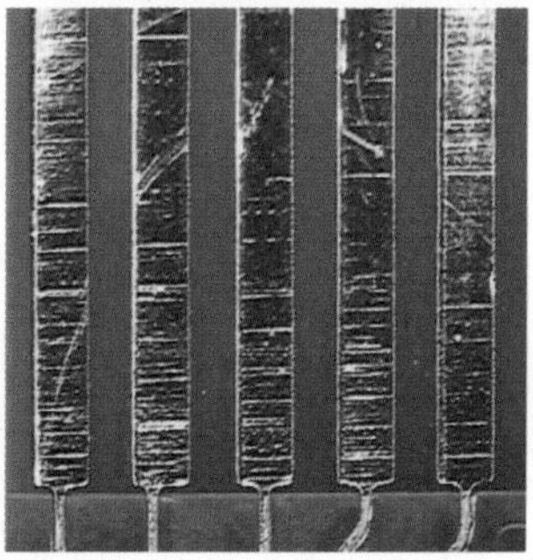		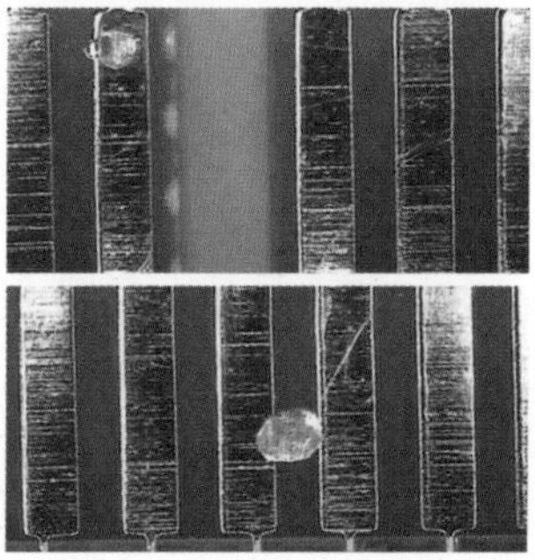
1. 기능상 문제 없을 것.	1. 허용 안됨 (ASS' Y 후 발생 시 수리 후 납품)	1. 1Point라도 있으면 Reject

검사항목 : 동노출

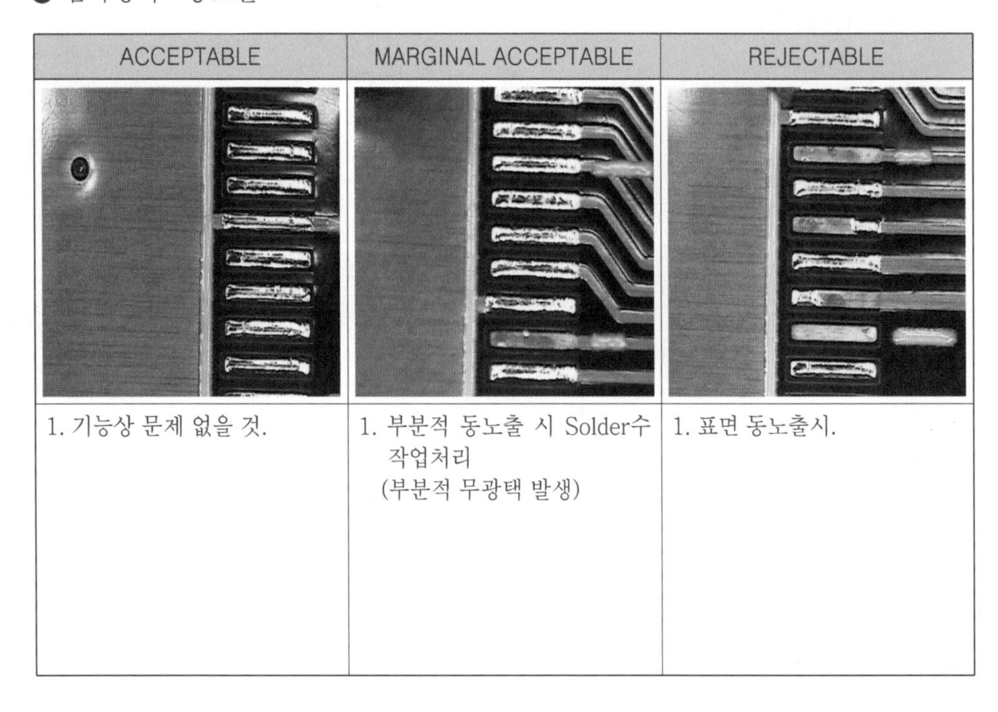

ACCEPTABLE	MARGINAL ACCEPTABLE	REJECTABLE
1. 기능상 문제 없을 것.	1. 부분적 동노출 시 Solder수 작업처리 (부분적 무광택 발생)	1. 표면 동노출시.

검사항목 : SOLDERING TEST (PAD) – SOLDERING TEST

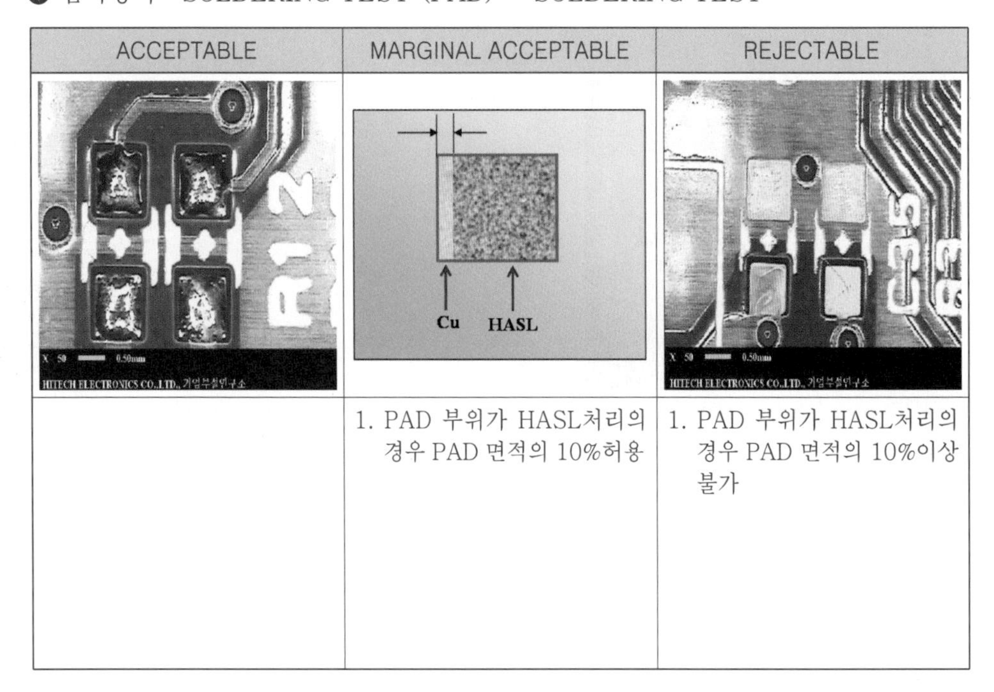

ACCEPTABLE	MARGINAL ACCEPTABLE	REJECTABLE
	1. PAD 부위가 HASL처리의 경우 PAD 면적의 10%허용	1. PAD 부위가 HASL처리의 경우 PAD 면적의 10%이상 불가

검사항목 : SOLDERING TEST (QFP) - SOLDERING TEST

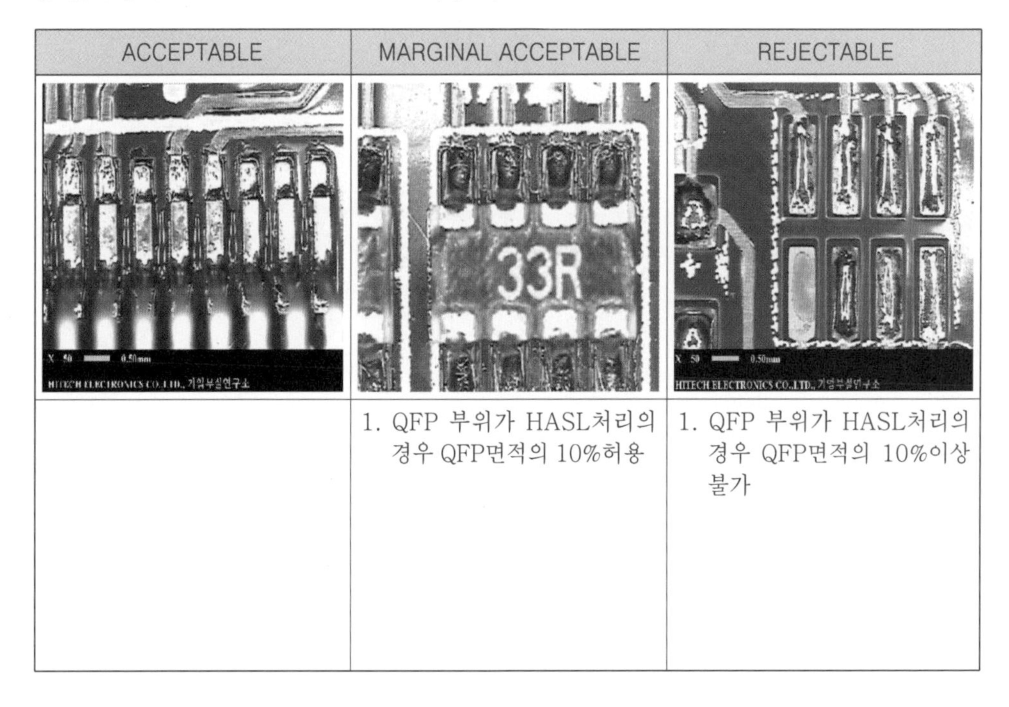

ACCEPTABLE	MARGINAL ACCEPTABLE	REJECTABLE
	1. QFP 부위가 HASL처리의 경우 QFP면적의 10%허용	1. QFP 부위가 HASL처리의 경우 QFP면적의 10%이상 불가

검사항목 : SOLDERING TEST (LAND) - SOLDERING TEST

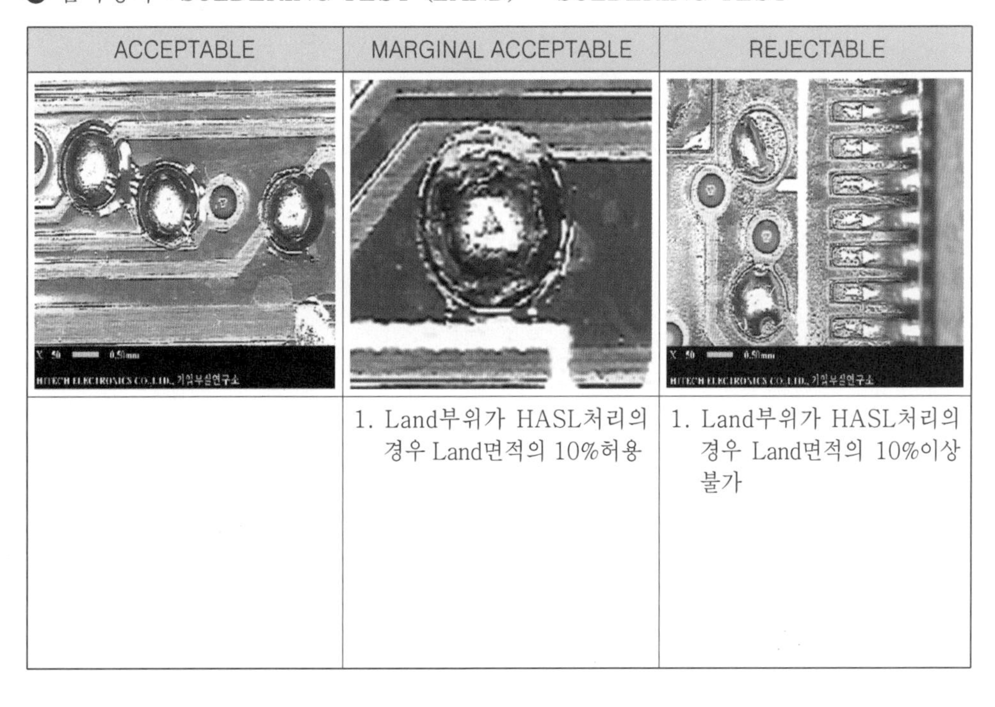

ACCEPTABLE	MARGINAL ACCEPTABLE	REJECTABLE
	1. Land부위가 HASL처리의 경우 Land면적의 10%허용	1. Land부위가 HASL처리의 경우 Land면적의 10%이상 불가

memo

제 12 장 PCB가 SMT에 품질에 미치는 영향

12-1 ANNULAR & Land open

❶ 불량 유형 : 도금 완료 후 도금액 침투로 인한 신뢰성 저하 및 저항값 범위 벗어남.

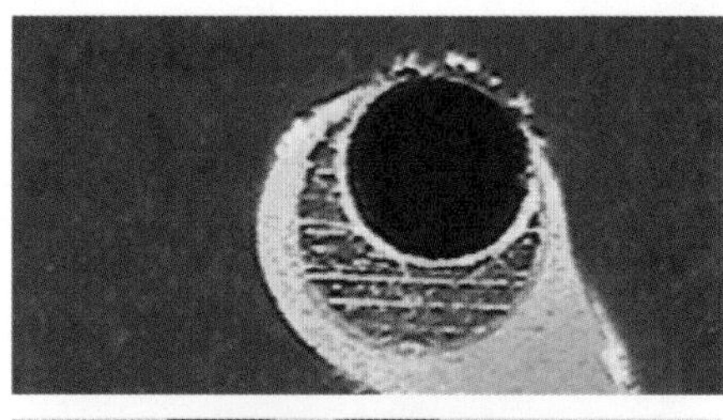

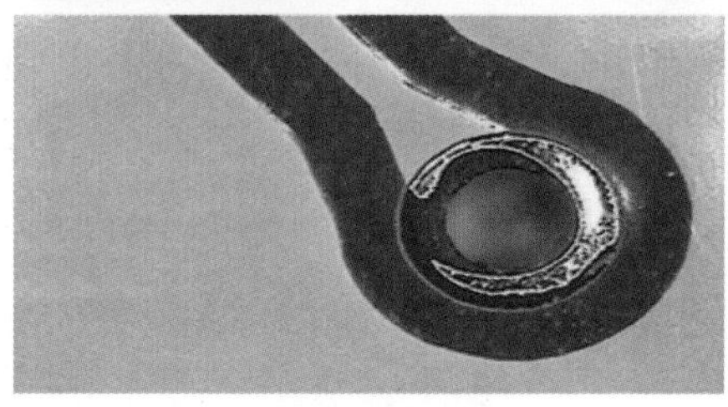

(원인)

① Hole 터짐

1. 외층 노광 작업 시 편심, 신축 등에 의하여 발생
2. Drill 편심에 의하여 발생
3. Master Film 신축

② 찍힘 / 떨어짐

열충격/물리적 충격에 의하여 떨어짐

③ Film배열작업 시 Miss로 인하여 발생

❷ 대책 및 조치 사항

① Hole 터짐

- Film 관리 철저
- 외층 노광룸 항온 항습 유지
- FAI 철저
- 작업자 숙련도 향상

② 찍힘/떨어짐

- 제품 취급 부주의
- 표면 처리 조건 준수(특히 Hasl 공정)

③ 기본 SPEC 준수

12-2 ACF 밀착 불량(1)

❶ 불량 유형 : ACF Bonding 불가

(원인)

① SMT 작업 시 맨손 작업으로 인한 이물질 흡착.

② 내열성 tape 박리 시 TCP PAD 이물질 잔존

③ PCB외형 가공 후 수세불충분

④ 제품취급부주의

❷ 대책 및 조치 사항

① 포장 전까지 제품 취급 시 면 장갑 사용

② SMT 작업 시 면 장갑 사용

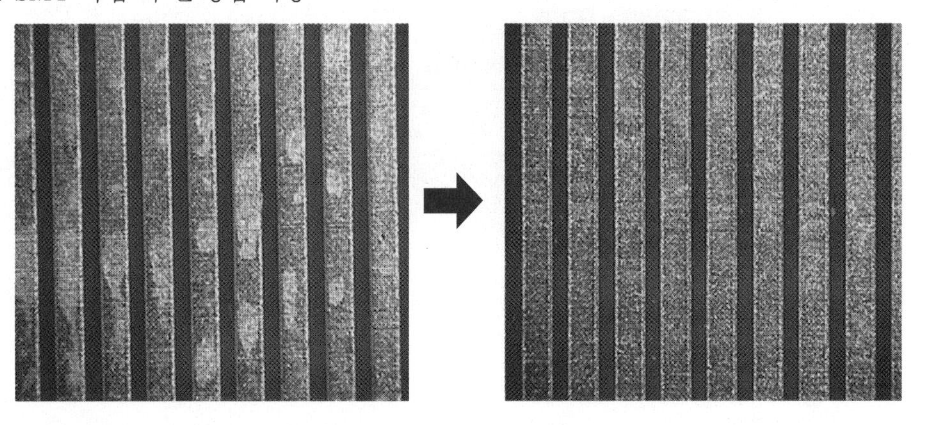

③ 표면 이 물질 발생 시 표면 세척 재 처리

12-3 ACF 밀착 불량(2)

❶ 불량 유형 : ACF Bonding 불가

(원인)

① ACF Bonding 시 TCP PAD와 PSR과의 GAP 적어 밀착불량 발생

❷ 대책 및 조치 사항

① 편측 Gab 50㎛ 키워 밀착 증가 시킴.

편측 Clearance : 50㎛　　　　　편측 Clearance : 100㎛

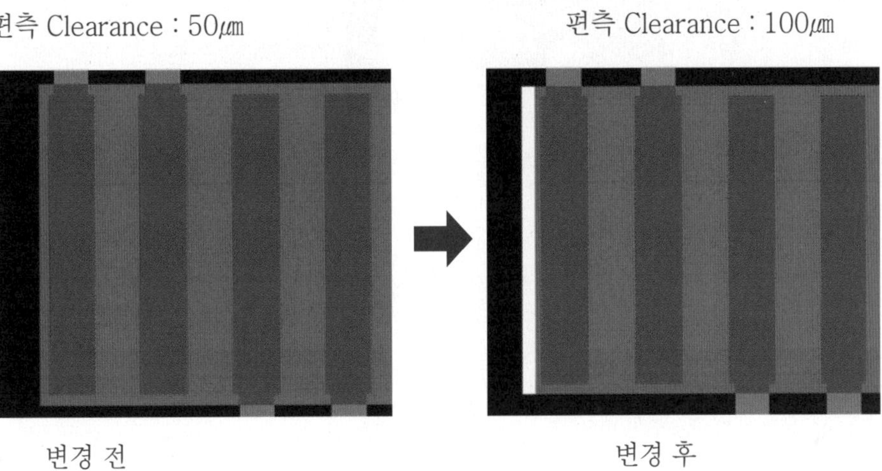

변경 전　　　　　변경 후

12-4 Au 표면 오염

❶ 불량 유형 : 납땜성 저하

(원인)

- Au도금 후 수세 부족
- 맨손 취급

❷ 대책 및 조치 사항

① Au 도금 수세 강화 ⇒ 교환 주기, 순수 사용, 수세량 강화

② PCB 공정 및 SMT 시 필히 장갑 착용 후 작업

12-5 금도금 유광

❶ 불량 유형 : 금도금 유광으로 인한 인식 불가

(원인)

① 무전해 금도금 시 Ni 도금 두께 두꺼움.

② Ni 활성화 이상으로 인한 Ni 층도금

❷ 대책 및 조치 사항

① Ni 도금 액 점검

② Ni 도금 시간 점검 및 표준 준수

③ Ni 도금 두께 관리

ⓐ 업체 SPEC 준수

ⓑ 무전해 금도금 시 Min 3㎛

Max 6㎛ 관리

④ SMT 조건에 따라 유광/반광/무광 선택 처리

12-6 Au 도금 두께 OVER

비고 : 도금 두께가 정상일 경우 – 원자와 원자 사이에 틈이 적당해 Ni이 쉽게 Au속으로 침투되어 합금층(Au–Ni–Sn–Pb)를 형성하기 쉽다.

❶ 불량 유형 : Solderability 저하 / MANHATTAN / TOMSTONE 발생

① 원인 : Au 원자와 원자 간격이 좁기 때문에 Ni의 확산 즉, Ni이 Au 속으로 들어가 합금층을 형성하기가 어려움. 상대적으로 Ni의 량이 적어 합금층에서 적절한 비율이 맞지 않아 Solder–Ability를 저하.

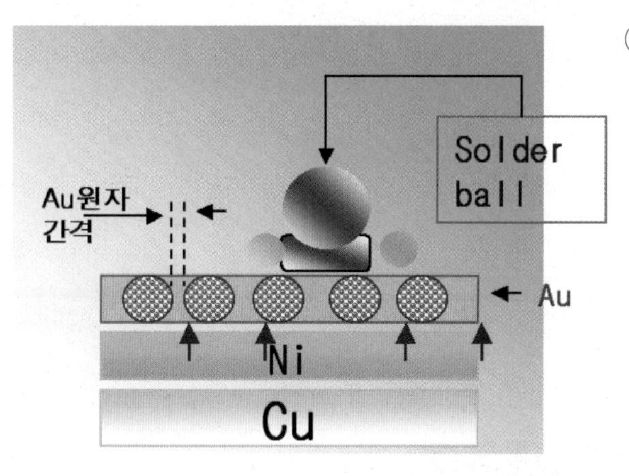

② 금도금액의 금농도가 낮고, 치환 금도금 시간이 길게되면 하지 니켈피막이 산화되어 솔더링성이 저하된다.

❷ 대책 및 조치 사항

① 금도금 두께 0.04 ~ 0.08㎛ 관리
- 표준작업관리 지침 준수
- 도금 시간 관리 철저
- Au 액 농도 관리 철저

② Spec Over시 재처리 금지

12-7 Au 도금 두께 미달

❶ 불량 유형 : 납 퍼짐성 저하 및 냉땜 발생

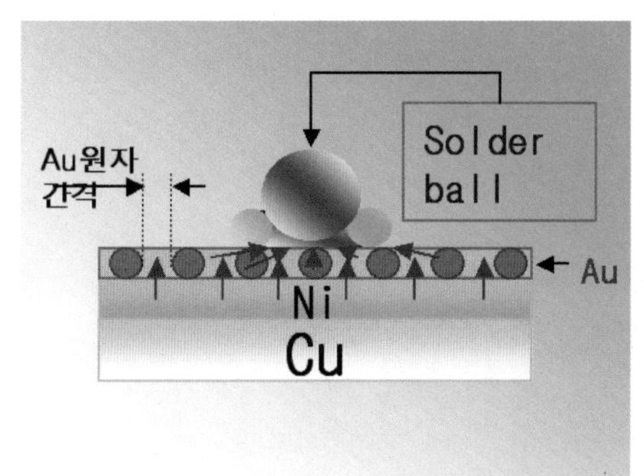

① 원인

ⓐ Au원자와 원자사이에 간격이 넓어 SMT 시 열에 의한 산화 발생

ⓑ 도금두께가 0.01μ 이하일 경우 무전해 Ni도금의 표면은 도금처리 공정내 이후 실장시 열에 의해 산화 되기 쉬워지고 납볼의 미부착이나 냉땜 발생한다.

❷ 대책 및 조치 사항

① 금도금 두께 0.04 ~ 0.08㎛ 관리

- 표준작업관리 지침준수
- 도금 시간 관리 철저
- Au액 농도 관리 철저

② Spec 미달시 재처리전 사전 확인 후 실시

12-8 Au 도금 Skip

❶ 불량 유형 : 납 땜성 저하

① 원인

ⓐ Catalyst 처리 미흡

ⓑ 도금 처리 중 Bubble로 인한 PAD에 보호 막 생김

ⓒ 금도금시 약품의물성관계로 부분적으로 PAD에 금도금 안됨.

❷ 대책 및 조치 사항

① Catalyst 공정 조건 검토

- 온도 / 농도 / 처리 시간

② Catalyst 조 vibrator 처리 철저

③ Skip 부분 수작업 Au처리 또는 OSP처리 후 사용

12-9 금도금 얼룩

❶ 불량 유형 : SMT 시 냉땜 유발 및 떨어짐 발생

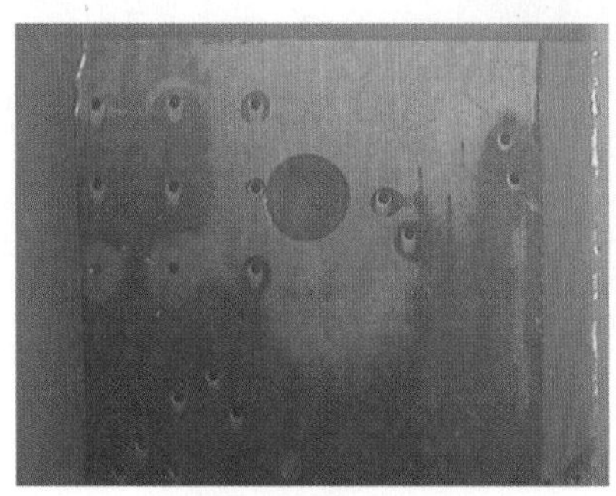

① 원인

ⓐ 금도금 전 처리 부족

ⓑ 하지 동박 오염

❷ 대책 및 조치 사항

① 금도금 전 처리 강화

- 전처리단 약품 관리 철저
- 전처리단 작업 조건 준수

② 하지 동박 오염 최소화

12-10 BBT Pin 찍힘

❶ 불량 유형 : PAD 동 노출 유발로 인한 신뢰성 저하

① 원인

ⓐ BBT Pin Tension 부족

ⓑ BBT Pin 부러짐

ⓒ Fixture의 Unbalance

❷ 대책 및 조치 사항

① 작업 전 BBT 지그 확인

② 초도품 검사 강화

③ BBT 작업 시 고정 부위 결손 발생 시 JIG(Fixtue) 확인

12-11 Blow-Hole

❶ 불량 유형 : Hole 신뢰성 저하 및 육안검사 불량

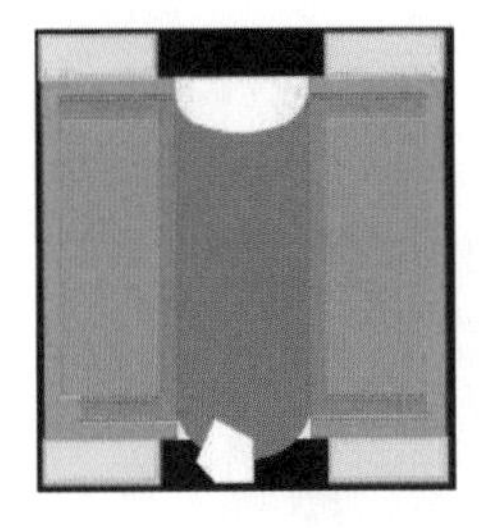

① 원인

ⓐ 동 도금 후 hole 속 도금 미도금 또는 Void 발생

ⓑ 완제품 보관시 장기 보관으로 인하여 Hole속 습기가 있을 경우 발생

ⓒ 실장 부품의 LEAD 산화

❷ 대책 및 조치 사항

① 도금 두께 관리 (Hole속 도금두께 MIN 20μ관리)

② 장기 보관 후 사용시 사전 Post Backing 처리 또는 표면 재처리 실시
POST BACKING 조건 : 150℃, 1Hour

12-12 Black Pad

❶ 불량 유형 : SMT 시 부품 떨어짐 발생(TOMSTONE/MANHATTERN)

① 원인

ⓐ Ni 도금액의 농도 관리 미흡(특히 인의 함량관리 실패)

ⓑ 도금(Ni, Au) 속도 조절 실패(온도, Ph 관리 부재)

ⓒ Ni 도금액 불순물 관리실패(Br, Cr등의 불순물 다량 함유)

ⓓ 금도금 두께 관리

ⓔ Au 도금층의 균열로 Ni층 부식 발생

❷ 대책 및 조치 사항

① 도금 중 Carrier 사고 방지

② 재 도금 금지

③ Ni 자동 보급기에 의한 보충

④ 무전해 금도금 신뢰성 강화

ⓐ Au박리 후 Ni 상태 확인

양품
(Light Black)

불량
(Dark Black)

ⓑ Peel Test

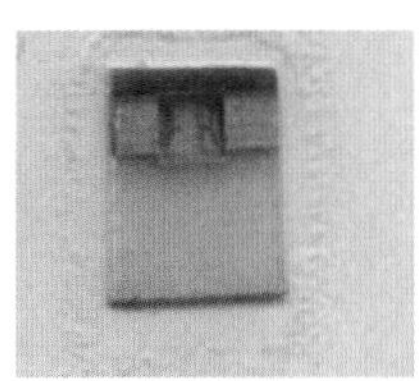

Peel Test 시 Copper 까지 Peel되어 표면상 Epoxy 노출 시 양품

ⓒ SMT 완료후 SAMPLE DROP TEST 실시

12-13 Bevelling(단자면취)

❶ 불량 유형 : 면취 가공 각도 불량으로 Connector 삽입불량

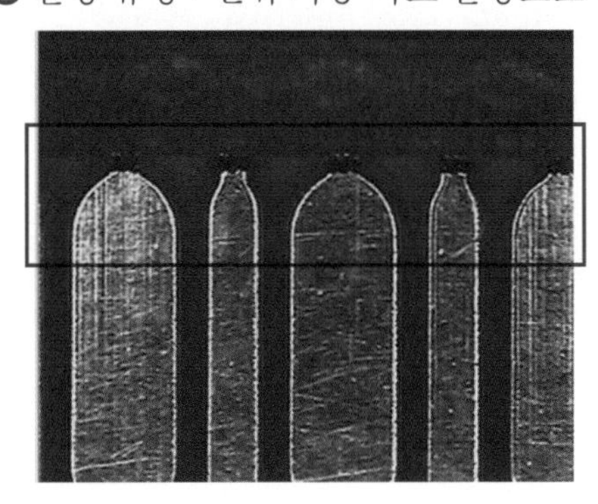

① 원인

ⓐ 업체 SPEC 확인 미 실시

ⓑ Spindle 관리 미흡

ⓒ 엔드 밀 BIT 관리 미흡

ⓓ 이중 가공

❷ 대책 및 조치 사항

① 업체 SPEC 확인 후 작업 실시(주문 시 각도 확실하게 할 것)

· 엔드 밀 BIT 교체 주기 준수 및 관리 표준 설정

② 제품 투입 간격 준수

③ 초도품 작업 후 SPEC CHECK 실시

④ 양품/불량 기준

ⓐ Au박리 후 Ni 상태 확인

양 품

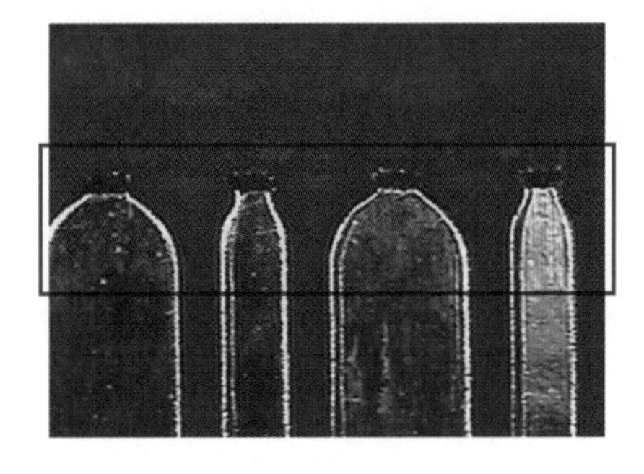

불 량

12-14 Carbon 인쇄 후 저항 값

❶ 불량 유형 : KEY PAD 접촉 저항 증가 하여 저항값 이상 발생.

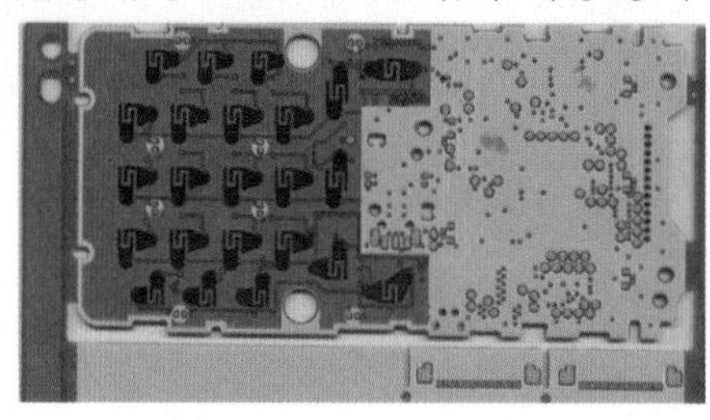

① 원인

ⓐ 동박 부위의 산화로 카본과 동박사이의 저항 값 증가.

ⓑ Carbon INK 두께 미달로 발생

❷ 대책 및 조치 사항

① Carbon 인쇄 시 chemical 정면 실시 후 작업

② 출하 전 Carbon 저항치 측정 후 납품

③ Carbon INK 표면 두께 관리

12-15 DELAMINATION

❶ 불량 유형 : 층과 층 사이 떨어져 신뢰성 저하

① 원인

ⓐ 적층 작업 시 Pre-Preg 자체 흡습

ⓑ Hot Press 작업 시 작업 조건 미 준수

ⓒ OXIDE 처리 불 충분

❷ 대책 및 조치 사항

① 원재료 보관 철저

(온 습도 관리) 온도 조건 : 22℃ ± 2℃

습도 조건 : 45% ± 5%

② Press 시 조건 준수 및 열 Cycle Check

③ OXIDE 작업 조건 준수

* 비슷한 불량 유형

Measling / Blister / Crazing / Weave Exposure / Weave Texture

12-16 Fiducial Mark 축소

❶ 불량 유형 : SMT 작업 시 인식불가

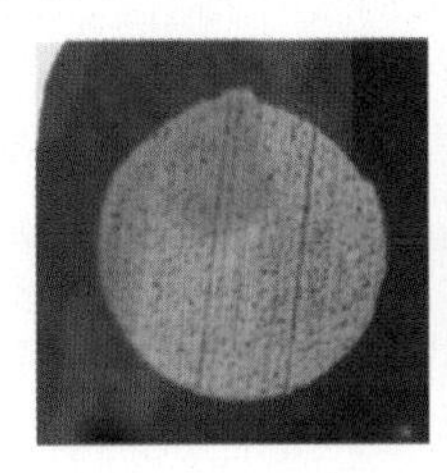
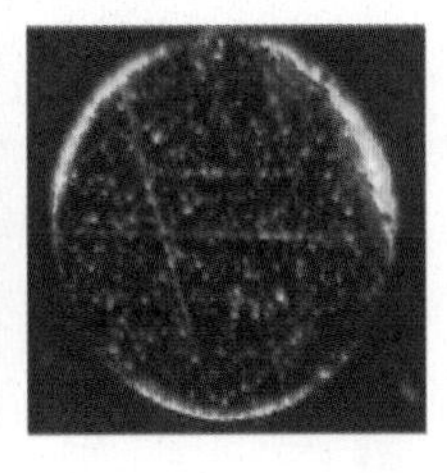

① 원인

ⓐ 외층 형성 후 Brush 정면 과다로인 하여 하단 Copper 깍임.

ⓑ Hasl 처리 시 온도 과다로 Mark축소 또는 없어짐 발생

❷ 대책 및 조치 사항

① 외층 후 Brush 작업 금지
Chemical 및 JET 정면 권장

② Fiducial Mark 선정 시 보호 장치 구성

12-17 Hasl 처리 후 표면두께

❶ 불량 유형 : 냉땜 / 부품 틀어짐 유발 Metal Mask처리시 Cleam번짐발생

① 원인

ⓐ 용해물이 치구등에 의해 혼입

ⓑ 수산화 제2철이 발생하여 부착

ⓒ Ph가 높다.

ⓓ 처리농도가 매우 높다.

ⓔ 촉매 금속이 혼입되어 Ni 핵으로 부착한다.

ⓕ 설비의 청소 및 정비불충분

❷ 대책 및 조치 사항

① 여과를 실시 하고 치구를 박리한다.

② 첨가제를 반드시 희석하여 보충한다.

③ Ph를 보정한다.

④ 농도를 적정치로 보정한다.

⑤ 부분적으로 발생시 재처리 보다는 수작업으로 재처리후 SMT작업.

12-18 HOLE 누락

❶ 불량 유형 : IMT 불가 및 전기적 단락

① 원인

ⓐ 업체에서 DATA접수 시 누락

ⓑ 사양 검토 후 cam 작업 시 누락

ⓒ Gerber DATA input 시 error 발생

ⓓ Drill 작업 시 Drill bit 파손으로 인하여 발생

❷ 대책 및 조치 사항

① 사양 관리 철저

② CAM 작업 후 Gerber 확인 후 작업

③ Drill 작업 시 Bit 파손 및 분실 상태 확인

④ Hole 누락 검사 실시

- 자동 검사기
- Green Film을 이용하여 육안 검사 실시

12-19 INK Ball

❶ 불량 유형 : Solder Paste 인쇄 시 표면 불균일에 의한 Short 유발

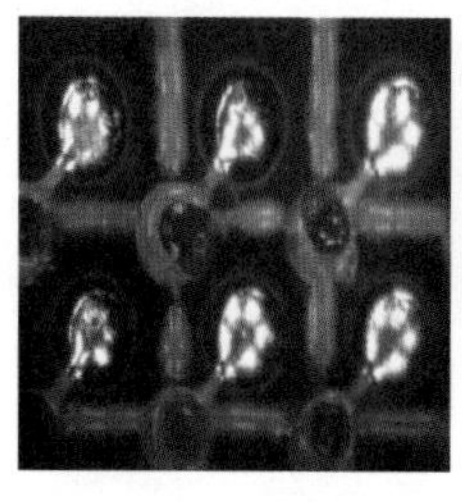

Section 사진

① 원인

인쇄 작업시 Hole 속에 잔존되어 있는 Gas로 인하여 Ink가 Hole 외부로 배출되어 발생

② PRE 또는 POST BAKING조건 불충분

❷ 대책 및 조치 사항

① 작업 조건 준수(특수 건조 조건)

② Step 건조하여 Gas 방출 최소화

③ 표면에 과다 발생 시 재 처리

12-20 IMMERSION GOLD Thickness

❶ 불량 유형 : 납 퍼짐성 불량

① 원인

ⓐ Au 도금 두께 관리 Miss

ⓑ 무전해 Au도금의 경우 0.04 ~ 0.08㎛ Spec 미달 또는 Over 경우

ⓒ 표면 이물질 및 산화

❷ 대책 및 조치 사항

① Au 도금 두께 Spec 준수

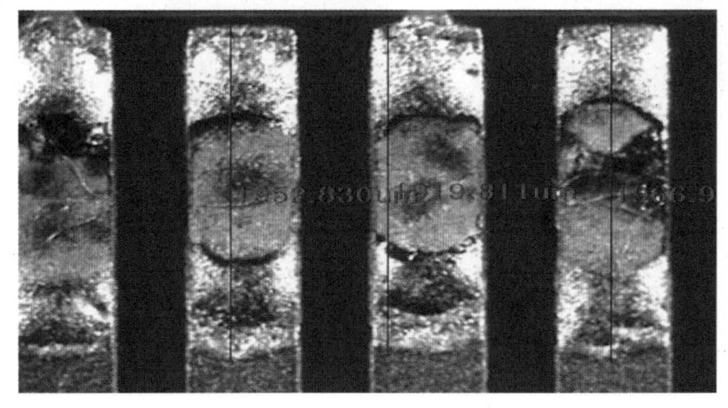

Spec
- 전해 도금
  - Hard Gold 0.3 ~ 1.3㎛
  - Soft Gold 0.3 ~ 0.5㎛
- 무전해 금도금
  - Immersion Gold 0.04 ~ 0.08㎛
  - Electroless Gold 0.5 ~ 1.0㎛

❸ 기타 : 재처리 금지

12-21 LEAKAGE

❶ 불량 유형 : BARE PCB에 SPK(스피커) 부착 후 TEST시 묵음, 음질 이상 등 발생

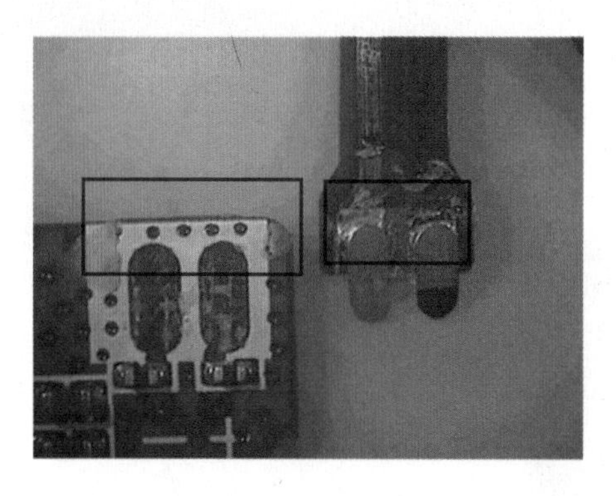

① 원인

사양변경 (Slik−Cut)에 의한 Silk 하부의 Via Hole corner부위에 PSR이 얇게 (3㎛)도포 되어 SPK(스피커) FPCB가 PAD부위에 접촉되어 Leakage발생

❷ 대책 및 조치 사항

① 업체의 사양대로 100%처리가 원칙이며 작업의 원활성을 위해서 변경 시 사전 협의 후 처리

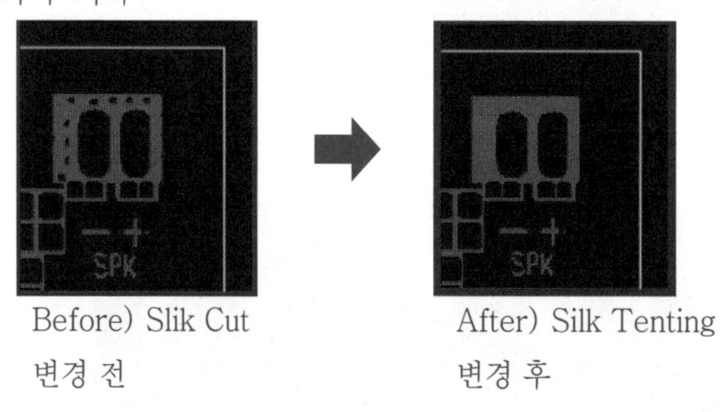

Before) Slik Cut
변경 전

After) Silk Tenting
변경 후

② PCB Design시 특수 부위는 사전 PCB 업체에 통보

12−22 LVH conformal 미 형성

❶ 불량 유형 : conformal이 형성 되어 LVH 미 가공

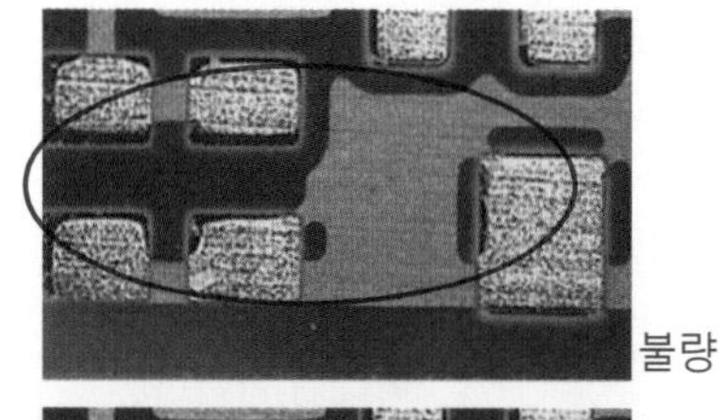

불량

양품

① 원인

① Conformal 노광(외층 작업)시 장비에서 제품과 필름의 밀착력 저하로 진공 불량 발생.

② conformal master film size 축소

❷ 대책 및 조치 사항

① Conformal master film size 확대

② hole point 검사 강화

검사용 positive film을 이용하여 초도품 검사 강화

③ D/F 방법 변경

노광량 단수 낮추어 작업

12-23 Laser hole botton 금미도금

❶ 불량 유형 : LVH 표면 산화 발생

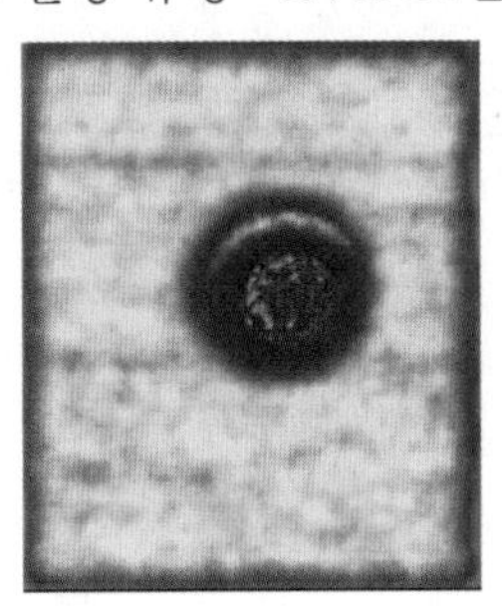

① 원인

ⓐ 금도금 시 활성화 부족

ⓑ Laser Hole 속 이물질 잔존

❷ 대책 및 조치 사항

① 금도금 약품 조건 점검

② 금도금 전처리 강화

산화 / 얼룩 / 이물질 제거

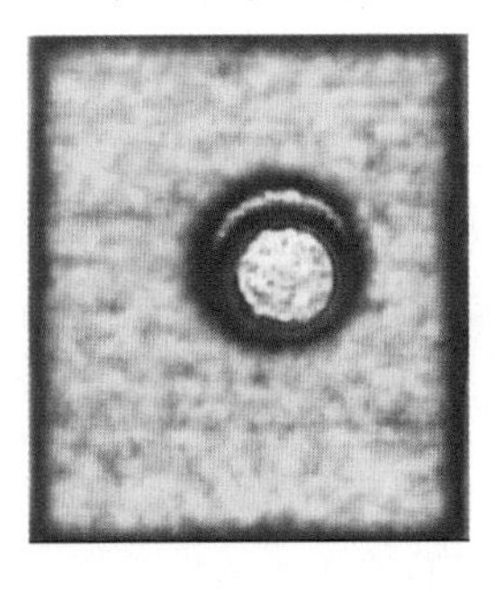

12-24 LASER-DRILL HOLE VOID

❶ 불량 유형 : LVH 가공 시 Void로 인한 전기적 단락

① 원인

ⓐ LVH 가공 시 resin dot 잔존

ⓑ desmear 처리 미흡으로 인한 smear 잔존

❷ 대책 및 조치 사항

① Laser Drill 조건 재 조정 및 표준 확립

- Beam Power 조절

- 장비 maintenance(focus 조절, 렌즈 청결유지)

② 디스미어단, 약품 농도, 온도 관리범위내에 작업 진행.

③ 디스미어단 속도 하향 작업

④ 초음파단 정기적인 점검.

초음파 암페어 점검(2.0±1.0A)

⑤ 신뢰성 강화

Hot oil 必 실시

12-25 MARKING 번짐

❶ 불량 유형 : SMT 시 부품 위치 확인 불가

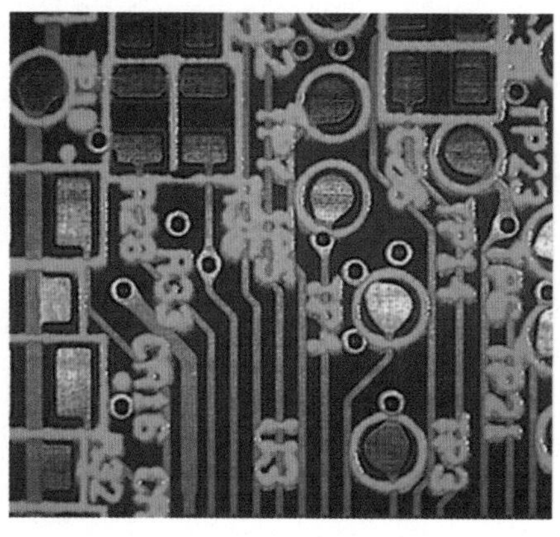

① 원인

ⓐ 제품의 정전기

ⓑ 작업 후 건조 전 제품 겹침

ⓒ 취급 부주의

ⓓ Slik 망 파손

ⓔ 싸메기 작업 시 Tension 문제

❷ 대책 및 조치 사항

① 정전기 방지장치 사용
② 제품 Racking 시 주의
③ FAI(First Acticle Inspection) 必 실시

12-26 Nick on Pattern

❶ 불량 유형 : 열 충격 시 Open 유려 및 불균일한 저항치 발생

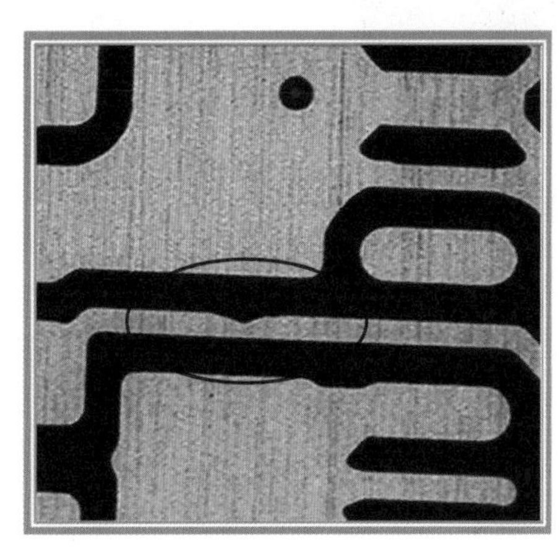

① 원인
ⓐ D/F 이물질 흡착
ⓑ D/F 밀착불량
ⓒ 표면 Scratch

② Nick유형
ⓐ SLIT ⓑ Nodule(돌기)
ⓒ PIN-HOLE
ⓓ 회로의 전기동 도금 상태 없어짐
ⓔ PIT ⓕ DENT 등

❷ 대책 및 조치 사항
① Lamination 조건 검토 및 초도품 검사 강화 – 수시 검사 강화
② PNL Clean Roller 통과 후 노광 실시
③ 작업 전 표면 관리
④ Bare Board 상의 회로 구성에 따라 A.O.I 조건 변경
⑤ 외층 회로 형성 후 가능한 100% A.O.I 검사 필요

12-27 OPEN

❶ 불량 유형 : 전기적 단락 생김
① 원인
ⓐ 고정 open : 설비 및 자재 문제(Film)에 의하여 연속으로 발생 하는 결손
ⓑ 긁힘 open : 제품 취급, 운반등으 문제로 발생하는 결손
ⓒ 찍힘 open : 설비의 고장, 부품의 파손 및 운반시 제품 낙하로 인하여 발생

ⓓ 이물질 open : 회로 형성 전 Film 및 Board 표면에 먼지 Film 가루 등에 의항 발생

ⓔ 내층 open : 내층 회로 형성 시 발생하는 결손

❷ 대책 및 조치 사항

① PCB 제조기본 작업조건 준수

② 유형별 원인 조사, 3현 2원에 입각 해서 실시

③ 제품 취급 방법 표준화

④ 제품 흐름의 공수 절감

⑤ Clean Room 조건 준수

12-28 Punching 제품 이물질

❶ 불량 유형 : SMT 시 냉땜유발

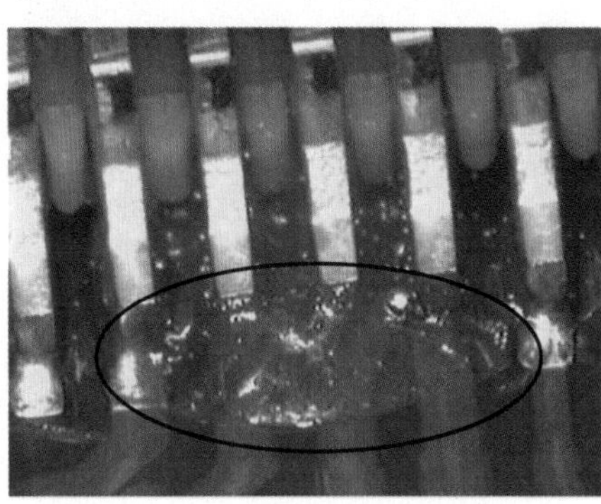

① 원인

ⓐ Press Punching 시 발생

② Punching 후 표면에 Glass Epoxy 잔사 잔존

③ 금형의 마모로 인하여 Edge 부위 잔사 발생

❷ 대책 및 조치 사항

① 금형 Stroke 관리 준수 및 연마 관리

1. 연마 회수 관리 : 평균 5회
2. 총 금형 수명 : 200,000 ~ 300,000 STROKE 사용후 폐기

② Punching 시 각도 Control

③ Punching 후 표면 nylon Brush 처리로 표면 세척

④ 제품 취급 주의

⑤ 최종 수세 시 초음파 수세

12-29 PAD 누락

❶ 불량 유형 : PAD Skip 되어 SMT 작업 불능

① 원인

ⓐ 외층 Film 출력 시 Skip

ⓑ Gerber 접수 시 누락

ⓒ 표면처리가 Hasl 시 설비 및 온도 조건 관리 Miss로 떨어짐 발생

ⓓ 취급부주의

❷ 대책 및 조치 사항

① CAM 작업 시 DATA 삭제

② GERBER 접수 시 검토 철저

③ Hasl 작업 시 설비 및 온도 관리 준수

④ 표면처리가 Hasl 시 재 처리 방지
(QFP, BGA 제품)

12-30 PAD 이물질

❶ 불량 유형 : PAD 이물질에 의한 냉땜 발생

① 원인
ⓐ 이물질 흡착된 상태로 인쇄
ⓑ 재판망 이물질 흡착

❷ 대책 및 조치 사항
① PSR 전처리 강화
② PSR 인쇄 전 Clean Roller 이물질 흡착 후 인쇄
③ 재판망 관리

12-31 PSR QFP DAM 처리

❶ 불량 유형 : SMT 시 Short 유발

① 원인
ⓐ PSR 과현상에 의하여 under Cut 발생 후 HASL 공정시 열충에 의한 DAM 떨어짐 발생.
② DAM 폭이 100㎛ 이하일 경우 발생율 높음.

❷ 대책 및 조치 사항
① PSR 현상 작업 표준 준수
② DAM Clearance 확보

불량 제품 ⇒ Under Cut 발생

양품

③ PSR MASK 선택 신중

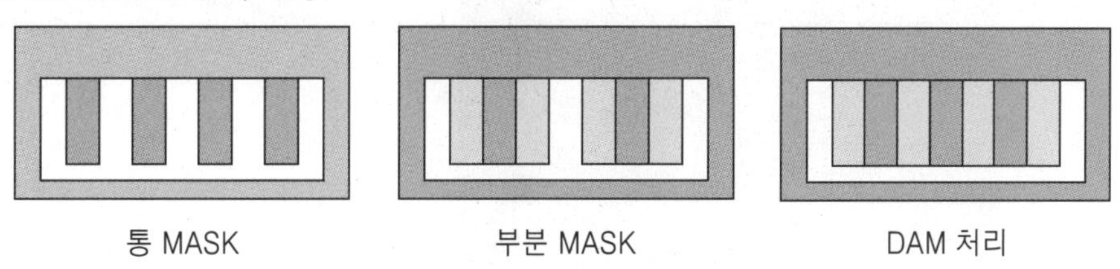

12-32 PSR INK 떨어짐

❶ 불량 유형

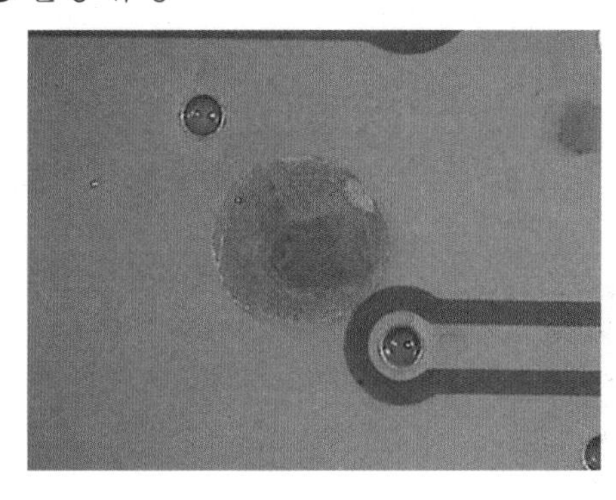

① 원인

- 하지 동박 산화
- 표면 처리 시 열/약품에 의한 충격
- 정면 작업 시 표면 및 Hole 속미 건조 상태에서 PSR 작업
- BAKING처리 불충분

❷ 대책 및 조치 사항

① PSR 전처리 강화

⇒ 정면 작업 시 산화 방지 및 표면 미 건조 방지

② 표면 처리 조건 준수

ⓐ 무전해 금도금 : 액 농도 조건 준수 / Dip Time 준수

ⓑ Hasl : Hasl조 온도 준수 / 청소 주기 관리

ⓒ OSP (Pre-Flux) : 과다 Soft Etching 방지

ⓓ Tin & Oil Fusing : 작업 조건 준수

12-33 PSR 미현상

❶ 불량 유형 : SMT 시 부품과 PAD면 확보 하지 못하여 냉땜 발생

① 원인

- 노광 시 Film 밀착력 저하
- Seml Cure(표면 건조) 시와 건조
- 현상 부족

❷ 대책 및 조치 사항

- 노광 시 진공 압력 점검 및 조건 준수
- 건조기 온도 및 시간 점검
- 현상 시간 및 현상 액 농도 점검

12-34 PSR 편심

❶ 불량 유형 : SMT 시 냉땜 및 부품 실장 불가

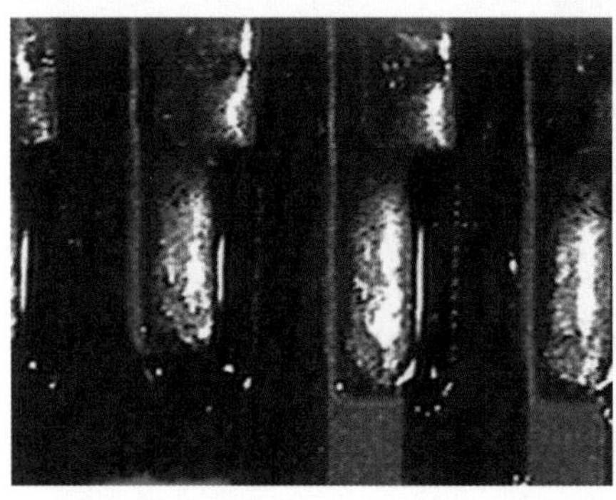

① 원인

ⓐ PSR 노광 필름 신축

ⓑ PNL신축

ⓒ 노공 작업 시 Shift

❷ 대책 및 조치 사항

ⓐ PSR 노광룸 항온 항습 유지

ⓑ Film 연배열시 신축현상 방지

ⓒ 초도품 검사 강화

12-35 PINK RING

❶ 불량 유형 : 도금 완료 후 도금액 침투로 인한 신뢰성 저하

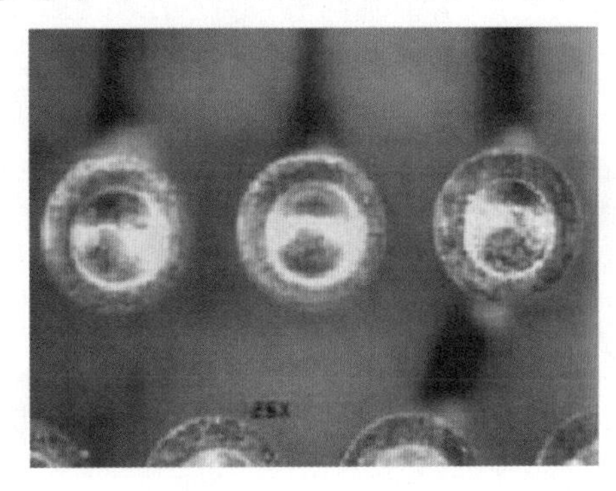

① 원인

ⓐ Press 조건 불량

ⓑ Drill 작업 시 물리적 충격에 의한 내층 손상

ⓒ Oxide 작업 조건 미흡

ⓓ Black Oxide 처리

❷ 대책 및 조치 사항

ⓐ Press 조건 점검 및 표준 준수

ⓑ Drill 조건 검토

- BIT 재질
- BIT 연마도
- 회전수(RPM)
- 회전 속도

ⓒ Brown Oxide 변경

12-36 Router 후 Burr 잔사

❶ 불량 유형 : connector 부위 Burr로 인한 short 유발

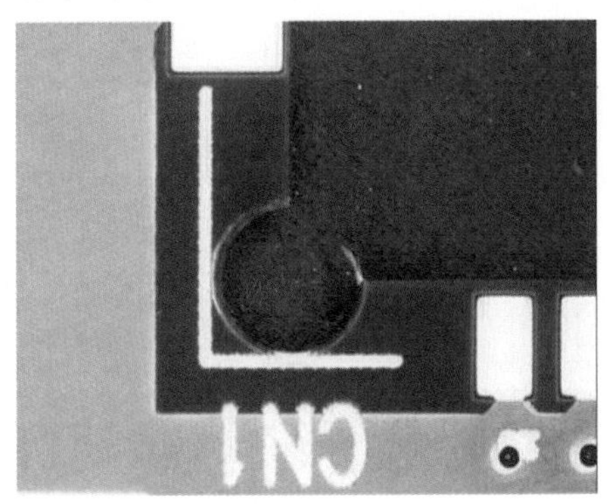

① 원인

Connector 부위 단 방향가공에 의하여 Burr 발생

❷ 대책 및 조치 사항

connector 부위 2차 가공으로 Burr 제거

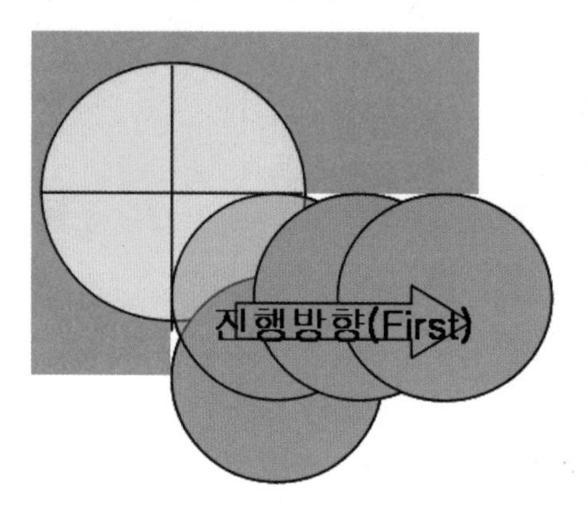

1차 가공

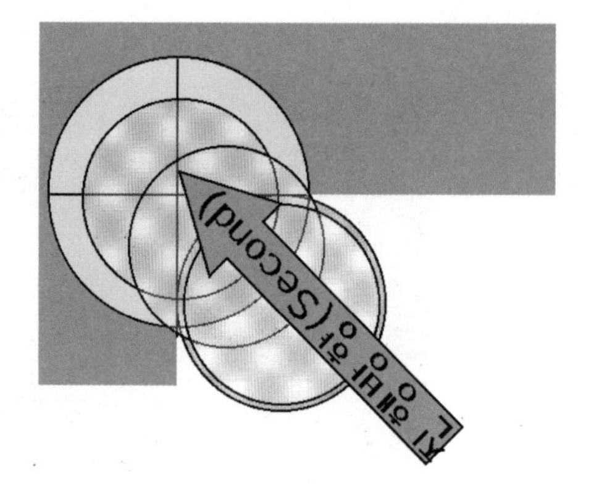

2차 가공: Burr 제거 Program

12-37 Short

❶ 불량 유형

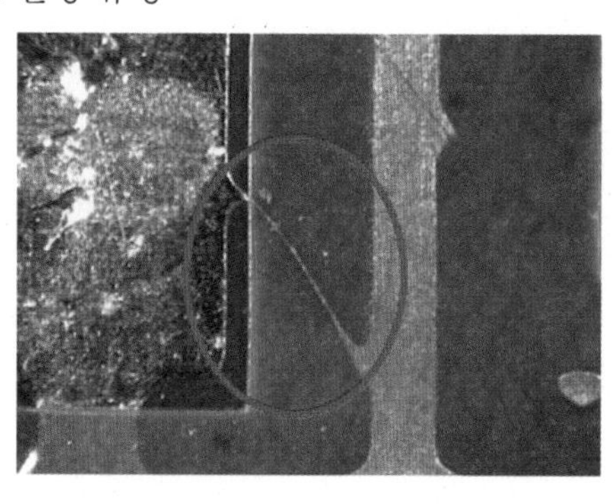

① 원인

ⓐ 고정 / 긁힘 / 이물질 / 내층 Short : Open 불량 원인 유형 동일

ⓑ 진공 Short : D/F 노광 작업 시 진공 불량 발생 및 밀착불량으로 발생하는 결손

❷ 대책 및 조치 사항

ⓐ PCB 제조 기본 작업 조건 준수

ⓑ 유형별 원인 조사 3현 2원에 입각해서 실시

ⓒ 제품 취급 방법 표준화

ⓓ 제품 흐름의 공수 절감

ⓔ Clean Room 조건 준수

12-38 SOLDER-BALL

❶ 불량 유형 : REFLOW 시 Short 유발

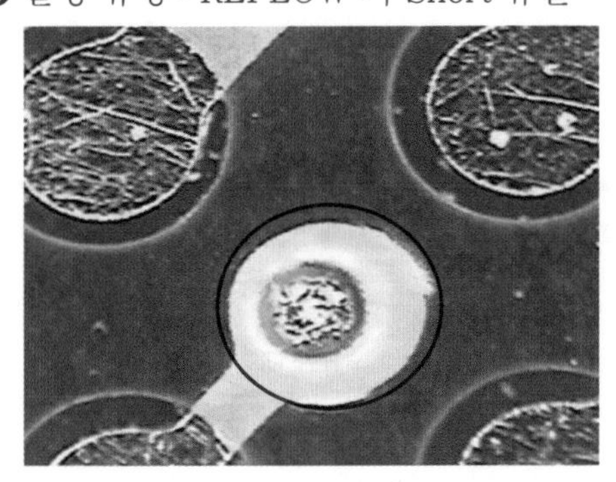

① 원인

Via Hole 100% Hole속매꿈 미처리로 수직/수평 Hasl 처리 시 Hole 속 또는 Hole 주위에 Ball 형태의 Solder 잔존.

❷ 대책 및 조치 사항

ⓐ Hole 속 매꿈 처리

WET-WET
Hole 속 Ink 처리
⇒ 60% 이상

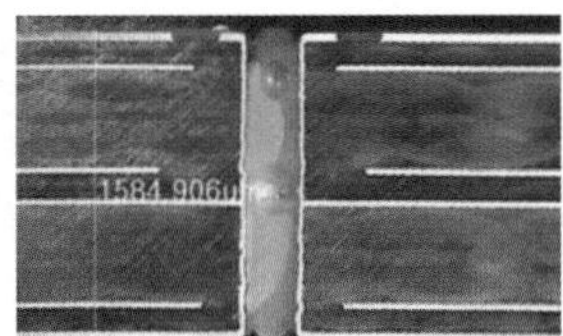

Multi-printing
Hole 속 Ink 처리
⇒ 80% 이상

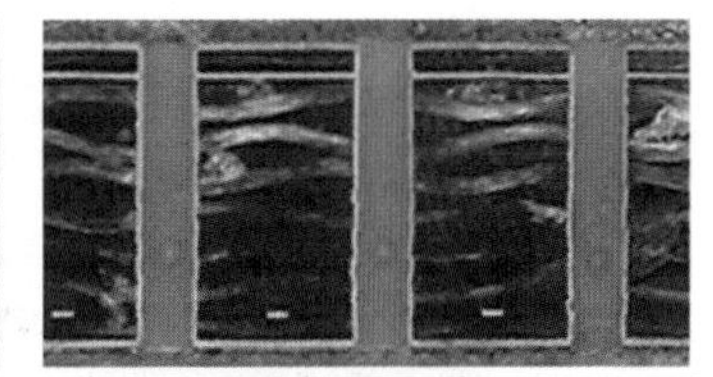

Hole-Plugging
Hole 속 Ink 처리
⇒ 100% 이상

ⓑ 표면처리 방식 변경

HASL ⇒ OSP, 무전해 금도금, 무전해 Tin/Ag

ⓒ Via-Hole Size 선택의 단일화

12-39 Shrinkage

❶ 불량 유형 : 표면실장불가

① 원인

ⓐ 원판 신축

ⓑ 외층 Film 신축

ⓒ 제품 보관 온도/습도 관리

ⓓ 직각 사각형 제품(TFT LCD 제품)에서 발생율 높음.

❷ 대책 및 조치 사항

ⓐ 열 변화율 적은 원판 사용

ⓑ 외층 노광실 항온 항습 유지

ⓒ 계절별 외층 Film 변화율 TEST 후 보정값 적용

ⓓ 공정별 신축율 TEST 후 보정값 적용(부식공정 이후)

ⓔ 완제품 완료후 발생시 별도 재처리

12-40 SKIP VIA 제품의 conformal 편심에 의한 Land 터짐

❶ 불량 유형 : 2차 Laser 가공 시 Land 터짐 발생

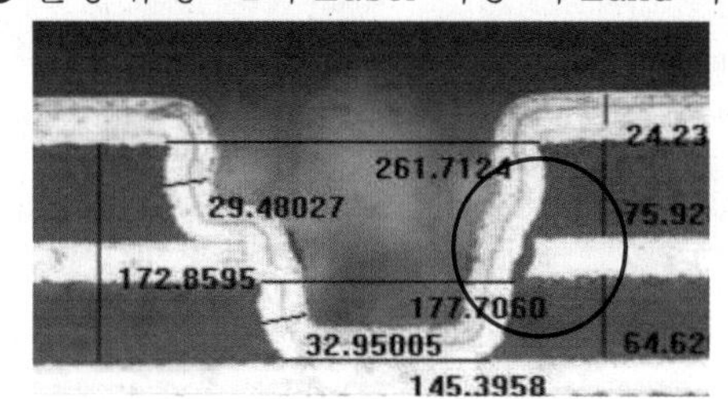

① 원인

ⓐ 1차 RCC 적층 부위와 2차 RCC 적층시의 신축 발생

ⓑ 2차 Drill 편심과 1~2차 conformal 편심

❷ 대책 및 조치 사항

ⓐ 2차 conformal 크기를 확대해 노광 작업 실시

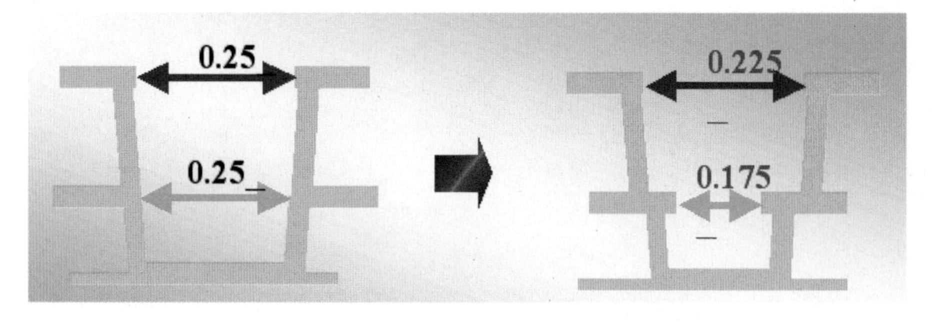

개선 전

개선 후

12-41 Tin 도금 미 수세

❶ 불량 유형 : SMT 시 신뢰성 저하 및 Hole속 진행성 불량가능

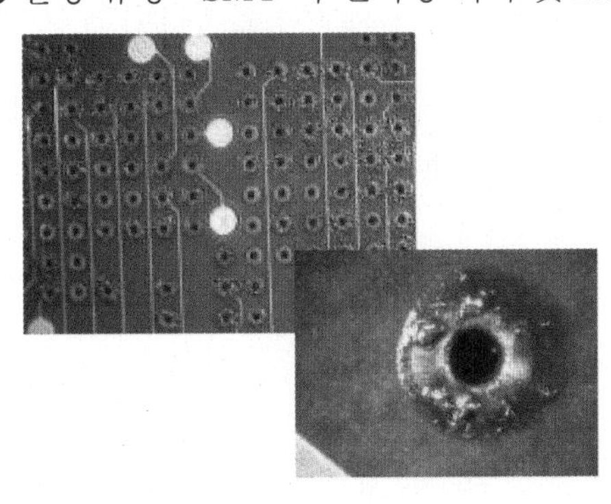

① 원인

ⓐ Tin 도금시 수세 및 건조 불충분으로 인하여 Hole 속 Tin 성분잔존하여 Reflow 시 열에 의하여 분출함.

ⓑ Tenting 처리 된 Via-Hole에서 발생

❷ 대책 및 조치 사항

① Hole Open : Hole 속 Open 하여 TIN 잔존 방지

② Hole 막음 : Hole 속 매꿈 처리하여 TIN 잔존 방지

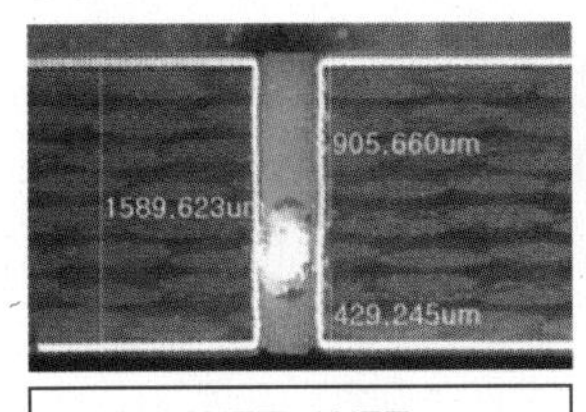

WET-WET

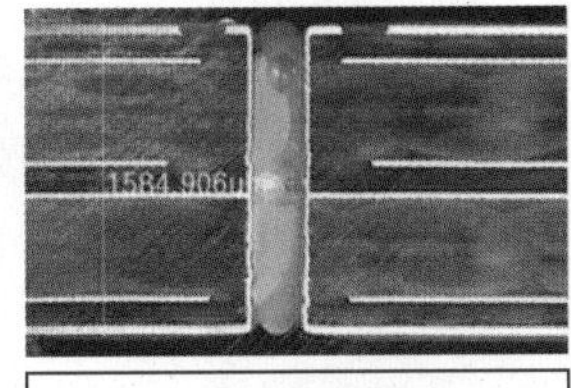

Multi-printing

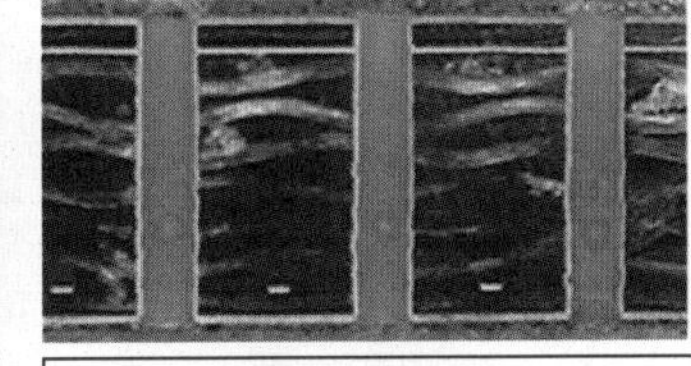
Hole-Plugging

③ 수세 및 건조 기능 강화

12-42 TCP Pad 잔사

❶ 불량 유형 : ACF Bonding 시 Short 유발

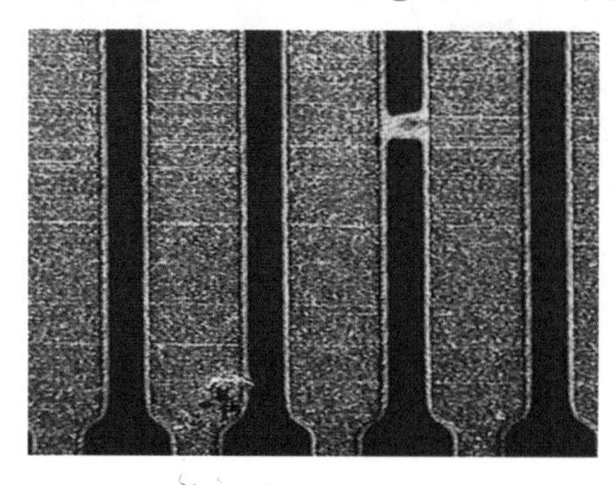

① 원인

ⓐ 금도금 전

- Etch factor 저하

ⓑ 금도금 공정

- Catalyst와 활성화
- Ni 도금액 노후화

❷ 대책 및 조치 사항

① 금도금 전

- 외층 현상 조건 점검

② 금도금 공정

- Catalyst / Ni 액 조건 점검
- Catalyst / Ni Make-up 주기 점검

12-43 Tcp Pad 찍힘

❶ 불량 유형 : ACF Bonding 시 진공 불량 유발

① 원인

ⓐ 취급 부주의

ⓑ BBT PIN 찍힘

❷ 대책 및 조치 사항

① 금도금 전

- 외층 현상 조건 점검

② 금도금 공정
- Catalyst / Ni 액 조건 점검
- Catalyst / Ni Make-up 주기 점검

12-44 Tcp Pad Scratch

❶ 불량 유형 : ACF Bonding 시 Short 유발

① 원인
ⓐ 금도금 전
- Etch factor 저하
ⓑ 금도금 공정
- Catalyst와 활성화
- Ni 도금액 노후화

❷ 대책 및 조치 사항
① 금도금 전
- 외층 현상 조건 점검

② 금도금 공정
- Catalyst / Ni 액 조건 점검
- Catalyst / Ni Make-up 주기 점검

12-45 Tcp Pad 금도금 번짐

❶ 불량 유형 : ACF Bonding 시 Short 유발
① 원인
ⓐ 금도금 전
- Etch factor 저하
ⓑ 금도금 공정

- Catalyst와 활성화
- Ni 도금액 노후화

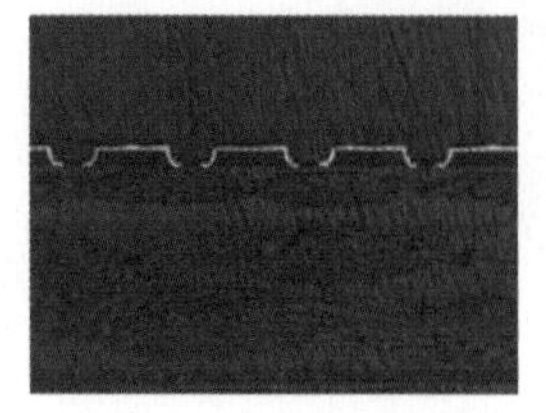
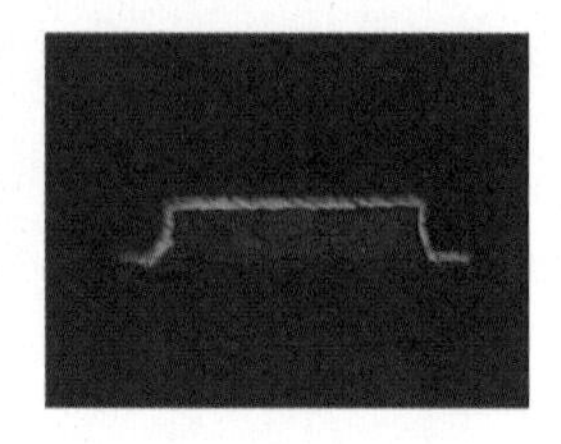

❷ 대책 및 조치 사항

① 금도금 전
- 외층 현상 조건 점검

② 금도금 공정
- Catalyst / Ni 액 조건 점검
- Catalyst / Ni Make-up 주기 점검

12-46 Tcp Pad PSR 올라탐

❶ 불량 유형 : ACF Bonding 시 진공불량 유발

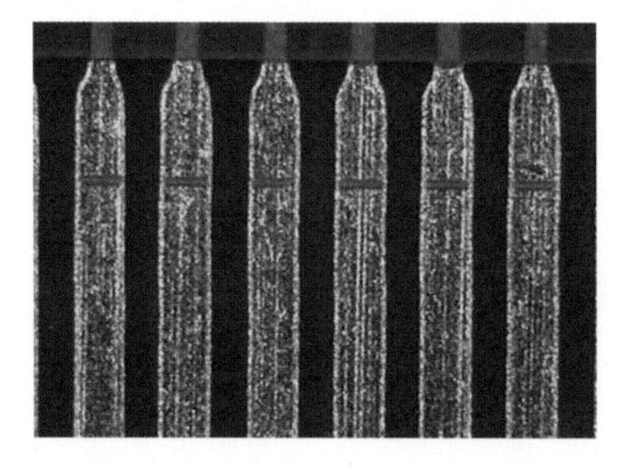

① 원인

ⓐ film Scratch

❷ 대책 및 조치 사항

① film 관리 철저
- film AOI 실시

12-47 VOID

❶ 불량 유형 : SMT 완료 후 HOLE 전기적 단락 및 신뢰성 저하

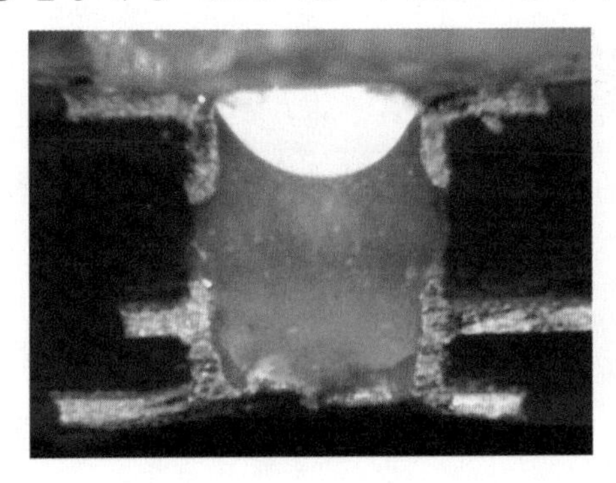

① 원인

ⓐ 전 처리

- 제품겹침 인한 전처리 미흡
- 디스미어 중화단 압력저하
- 건조 미흡
- 무전해/섀도우 처리 미흡

ⓑ 전기동

- 농도 관리 미흡

❷ 대책 및 조치 사항

① 전처리

- 전처리단 컨베어 단축, 롤러 점검/조치
- 중화단 노즐 막힘 유무 점검/조치
  압력게이지 고장유무 점검/조치
- 무전해/섀도우 약품 농도 관리범위 철저

② 전기동

- 전기동 농도 관리 철저

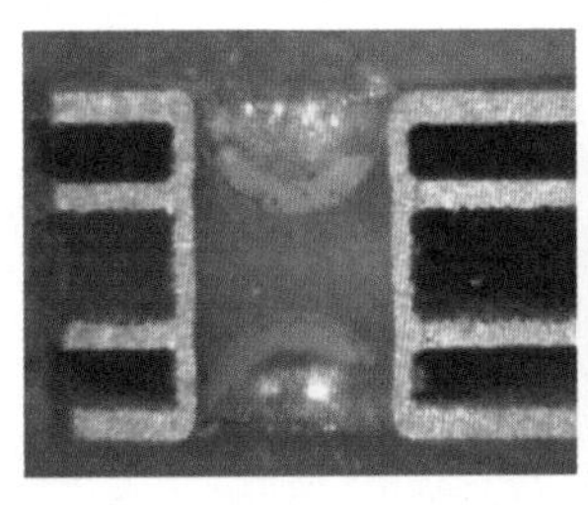

양 품

업체 협의 후 진행

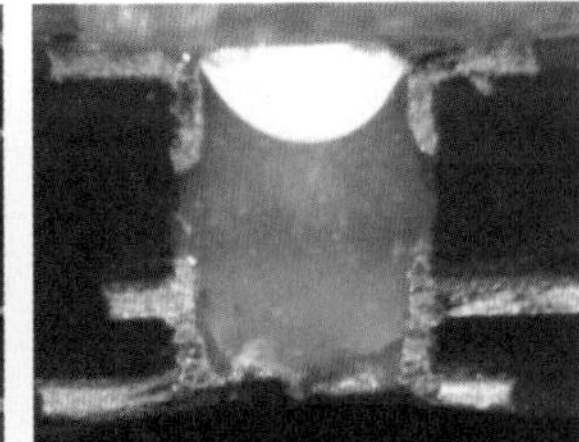

불 량

③ SMT 완료후 기능(저하치)에 이상이 발생할 경우 Hole속 MICRO-SECTION 실시

④ 기타 : VOID유형(RING, CORNER, 미도금, 100%)

12-48 V-Cut 처리

❶ 불량 유형 : SMT 완료 후 Cutting 시 Epoxy 잔존

① 원인

ⓐ V-Cut 장비의 SUB FLAME이 열린 상태에서 작업되어 V-Cut 편심 발생됨.

ⓑ 두장 겹쳐서 Input 시 발생

ⓒ B/D 두께에 따라 편차 발생

❷ 대책 및 조치 사항

① 일반적 V-Cut 가동 치수(1.6T 기준)

V-Cut 단면	재질	가공 치수				비고
		A	B	C	D	
D A B C	Phenol	0.4	0.6	0.8	30 or 40 도	
	Glass Epoxy	0.6	0.6	0.4	30 or 40 도	

② 박판(0.8T)이하는 Missing Hole 처리로 대치한다.

③ V-Cut 작업 여부 판단 TEST Coupon 삽입

12-49 Warp/Twist

❶ 불량 유형 : SMT 시 부품 이탈 및 들뜸 발생

① 원인

Cu/Epoxy 수지간의 열팽창 계수 차이에 의하여 Baking 공정 진행 시 발생

❷ 대책 및 조치 사항

① 출하 전 POST-Baking 처리(150℃ 1Hour)

② 표면 처리 HASL를 다른 type으로 변경 한다.

③ 휨 검사 일반 규격

절연기판두께	가공 치수					측정 기준
	S/S	D/S	M/L	SMD		
				S/S	S/S	
1.0 T 이하	1.5	1.5	1.0	1.0	0.7	제품 대각선 길이
1.6 T 이하	1.0	1.0	0.7	0.7	0.7	
2.4 T 이하	1.0	1.0	0.7	0.7	0.7	
3.2 T 이하	1.0	1.0	0.7	0.7	0.7	

* 특수 B/D 별도지정

ⓐ MOUDLE의 경우 단품 0.5%

연배열 0.6% (148 × 155 이하)

연배열 (180 × 160 이하) 0.5%

ⓑ Reflow ─ 전 0.36%

└ 후 0.5%

④ SMT시 가능한 JIG를 사용한다

12-50 외각 동 노출

❶ 불량 유형 : 라우터 시 외각 동노출로 인한 Short 유출

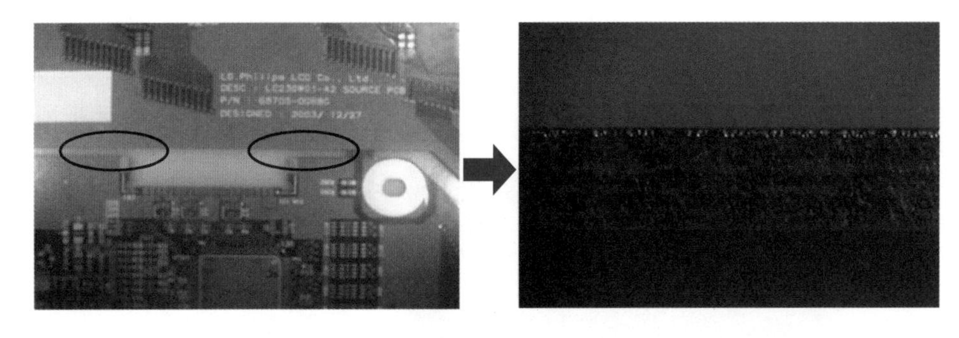

① 원인

ⓐ 제품 신축

ⓑ 라우터 작업 시 Shift 됨

ⓒ Cam 작업 시 동박 scratch 미 적용

❷ 대책 및 조치 사항

① 열 충격 변화율 적은 원판 사용

② 라우터 시 정도 Check

12-51 동박 주름

❶ 불량 유형 : 신뢰성 저하

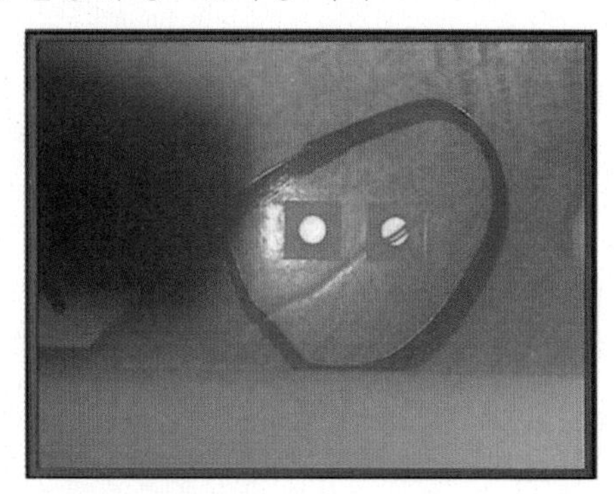

① 원인

ⓐ 동박면과 에폭시 수지면의 Resin flow 불규칙으로 주름 유발.

ⓑ Press 조건 미 준수

ⓒ 수분 함유 상태로 적층

❷ 대책 및 조치 사항

① 내층에 Resin 흐름 수 있는 통로 설계

② Press 조건 준수

③ Oxide후 건조 상태 확인

12-52 기판 두께 불량

❶ 불량 유형 : SMT 시 Solder Paste 도포 불량/부품 조립 불가

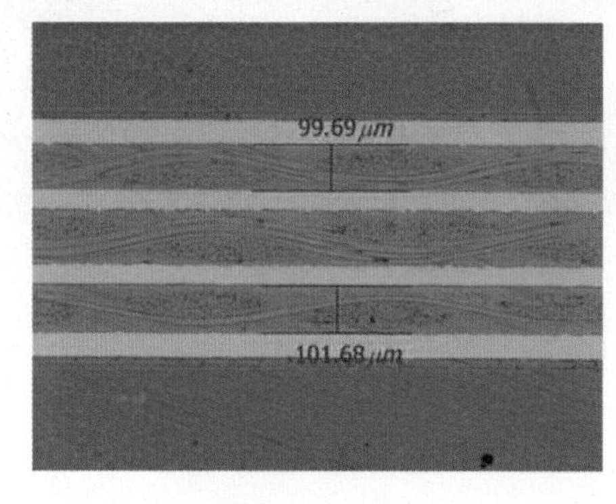

① 원인

ⓐ Lay-Up 구조 오류

ⓑ P.P 투입 오류

ⓒ CCL 투입 오류

❷ 대책 및 조치 사항

① 두께 계산 시 Simulation 철저

② 작업 시 작지 必 확인 후 작업

③ 적층 완료 후 두께 확인(업체 SPEC 확인)

ⓐ EPOXY TO EPOXY

ⓑ GOLD TO GOLD

ⓒ METAL TO METAL

ⓓ PSR TO PSR

12-53 내층 Board 뒤 집힘

❶ 불량 유형 : PCB 기능불량

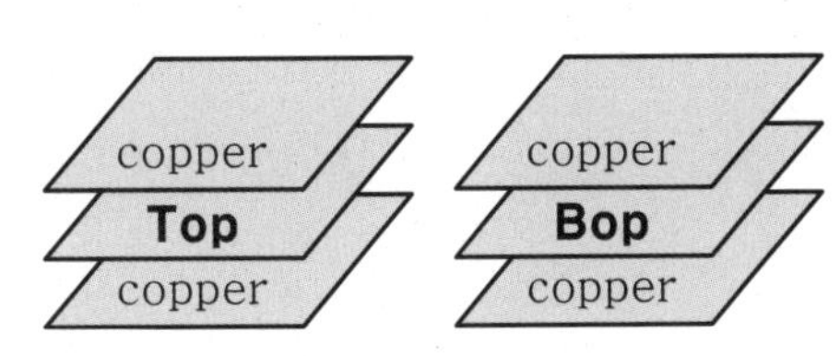

① 원인

ⓐ LAY-UP 시 TOP/BOT 반대로 작업

ⓑ Drill 작업 시 TOP/BOT 반대로 작업

❷ 대책 및 조치 사항

① LAY-UP 구조 확인 철저

② 작업 시 동일 방향 적제 후 작업 진행

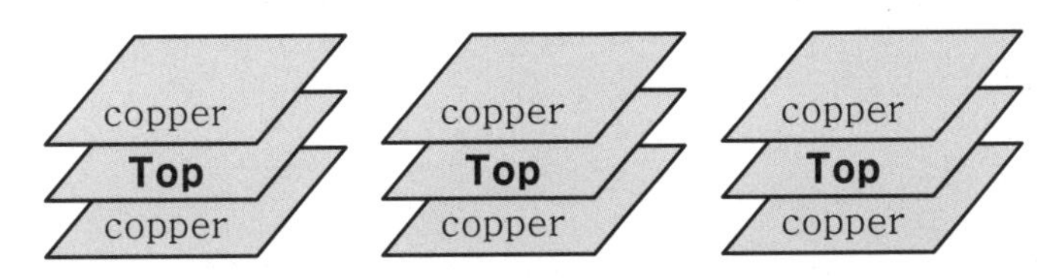

12-54 SMEAR

❶ 불량 유형 : SMT 완료 후 기능성 test시 내층회로 접촉 불량으로 Ass' y로써 기능 상실

① 원인

ⓐ 드릴 작업시 온도상승에 의한 resin의 변화

ⓑ 디스미어단 온도, 농도의 관리 미흡

ⓒ 디스미디어단 초음파 error로 인한 홀속 desmear 처리 미흡

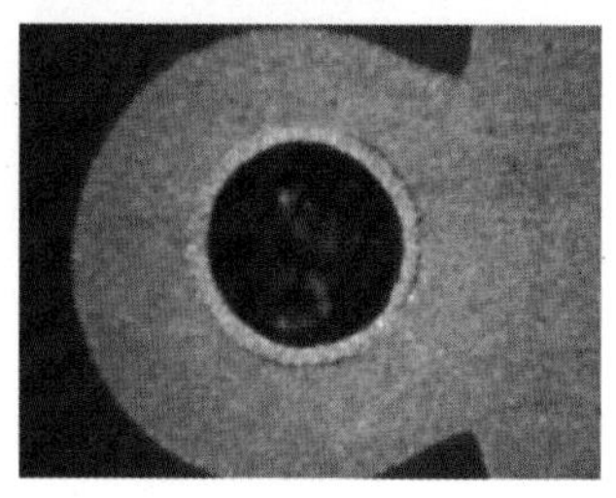

❷ 대책 및 조치 사항

① 드릴 조건 재정립

- BIT 재질
- BIT 연마도
- 회전수 (RPM)
- 회전 속도

② 디스미어단 약품 농도, 온도 관리 철저

③ 초음파단 정기적인 점검 : 초음파 암페어 점검(2.0 ± 1.0 A)

12-55 HOLE속 도금두께 변화

❶ 불량유형 : HOLE의 도금두께 감소로 저항치 이상발생.

① 원인 : PCB 표면처리시 VIA-HOLE부위 SOFT ETCHING과다로 발생

② 대책 및 조치 사항

ⓐ 동도금두께 MIN 25μ유지

ⓑ 표면처리시 재처리방지

ⓒ 재처리시 SAMPLE로 MICRO-SECTION 실시

12-56 SLANT

❶ 불량유형 : HOLE속 STACK PIN 삽입불가

① 원인

ⓐ DRILL 작업시 HOLE속 불균일

ⓑ 도금 및 표면처리시 두께불균일

② 대책 및 조치 사항

ⓐ DRILL 작업전 허용공차 필히 확인 후 BIT 선정

ⓑ 도금두께 BALANCE유지

ⓒ 가능한 표면처리 HASL방지하고 OIL FUSING으로처리.

12-57 MISSING HOLE 처리

❶ 불량유형 : DESIGN MISS로 인하여 휨발생 및 뿌러짐발생

① 원인

ⓐ DESIGN MISS

ⓑ 외형가공시 파손발생

② 대책 및 조치 사항

ⓐ DESIGN 시 MISSING HOLE위치 선정주의할 것

ⓑ 파손시 부분적으로 EPOXY COATING하여 재처리 실시 (MOLDING 작업)

12-58 REVISION관리 MISS

❶ 불량유형 : PCB기능 100% 손실

① 원인

ⓐ SAMPLE 연속작업 과정에서 발생

ⓑ PCB형체가 바뀔때 마다 REV관리 MISS

ⓒ DATA 관리 MISS

② 대책 및 조치 사항

ⓐ MODEL별로 전산관리한다
ⓑ 동일 MODEL에서 수정사항이 발생할 때마다 REVISION관리를 한다.

12-59 원판투입시 표면동박두께 관리 MISS

❶ 불량유형 : PCB기능 100% 손실

① 원인
ⓐ 작업투입시 확인업무 MISS
ⓑ 제품투입시 혼입
ⓒ 임의선택투입(1/3 & 1/2 OZ) 방지
ⓓ 단위확인 MISS (OZ, μ)

② 대책 및 조치사항
ⓐ 확인업무 준수
ⓑ 임의로 변경시 사전 승인필
ⓒ 단위확인 필히 할 것.

12-60 INPEDANCE측정 오차

❶ 불량유형 : 저항값 문제발생

① 원인
ⓐ 측정시 사용하는 PROBE관리 MISS
ⓑ PROBE에 대하여 probe별로 Calibration 미실시

② 대책 및 조치사항
ⓐ CALIBRATION주기 지킬 것
ⓑ PROBE별로 구분해서 사용

12-61 BGA부위별 REFLOW조건

❶ 불량유형 : 냉땜발생

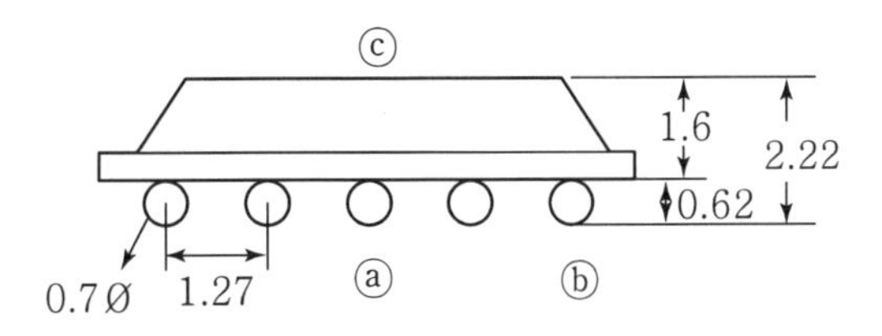

❷ BGA의 REFLOW SOLDERING온도 PROFILE

BGA 부품의 SOLDERING에 있어 중요한 것은 Reflow온도 Profile이다.
특히, BGA가 미세피치화 및 대형화 되어갈때 PACKAGE의 내부와 외부의 온도차이 또는 이면에 대형부품의 유무에 따라 납땜 품질의 차이는 커다란 변화를 가져온다.

❸ BGA 부위별 온도 Profile특성(119BGA, 316BGA)

구분 / 내용	119BGA	316BGA
내부온도(a)	218℃	199℃
외부온도(b)	220℃	204℃
표면 온도(c)		210℃
온도 편차	2℃	5℃
열 흡수용량	218℃ ~ 220℃	119℃ ~ 204℃
열 흡수량 편차	약 16℃ ~ 19℃	
기타	1. 316BGA온도 : 119℃ ~ 204℃ 2. 일반 부품온도 : 290℃로 약 50℃편차발생	

12-62 Au도금 문제점

❶ 불량유형 : Manhattan, Tomstone

❷ 표면처리 Au도금의 장점

SOLDER의 젖음력이 좋고 전기 전도도가 좋으며 내부부식성이 좋다.

❸ PCB불량 내용 : BLACK PAD

❹ 원인

① Ni 도금액의 농도 조절 실패(특히 인의 함량 관리 실패)

② 도금 (Ni, Au) 속도 조절 실패(온도, ph 관리부재)

③ Ni도금액 속의 불순물 관리 실패(Br, 코발트 등 불순물 다량 함유)

④ 금도금 두께관리 실패(지나치게 두꺼우면 위험)
⑤ PCB 내부의 잔류 응력 혹은 충격에 의한 금도금층의 균열로 Ni층의 부식 발생.

❺ 대책 및 조치 사항

① 인 성분에 따른 영향

ⓐ 인 농도 성분이 저하 될 경우 : 2% 이하

인농도가 너무 낮을 경우 무전해 도금시(무전해 금도금은 통상 치환용) Ni 도금층을 심하게 침식 시키기 때문에 내부식성이 저하되어 외부의 산, 알카리 온 · 습도, 열 등의 영향을 받기 쉬운 도금피막이 형성된다.

➔ 정상 : 금도금을 용해하면서 금이석출된다. 니켈도금 표면의 침식은 심하지 않다.

➔ 이상 : 니켈도금표면의 침식은 심하고, 핀홀상이 된다.

ⓑ 무전해 니켈도금 피막속의 인농도 성분이 매우 높아진 경우 :12% 이상

니켈도금 피막이 굳어져 물성적으로 무르고 약한 피막이 된다.

② 무전해 니켈도금 조건에 따른 영향

ⓐ 니켈도금욕의 ph가 높다.
ⓑ 니켈도금액의 교반이 너무 강하다.
ⓒ 니켈도금액의 금속 니켈 농도가 높다.
ⓓ 니켈도금액의 불순물

➔ 도금액중의 S/M 성분이 용출해서 도금액을 오염시킴.

➔ 도금 피막 중 그 성분이 잔존하여 Solder 젖음성을 저하시킴.

③ 무전해 금도금 표면에 이물 부착시

수세시에 유기물이나 Ca2+, Mg2+, Cl−, K+ 등의 무기물이 부착 유기물 또는 무기물이 금도금 표면에 부착된 경우 납미착이 생기기 쉬워진다.

④ 무전해 니켈, 금도금 두께 SPEC

ⓐ 일반적 SPEC : 니켈 4μ 이상
금 0.03μ 이상이 표준임

ⓐ SMT 실장의 장해를 고려해
니켈 5μ이상(목표 7μ)

금 0.04 ~ 0.08μ(목표 0.06μ)을 권장한다.

⑤ 무전해 니켈 금도금 재처리시 문제점

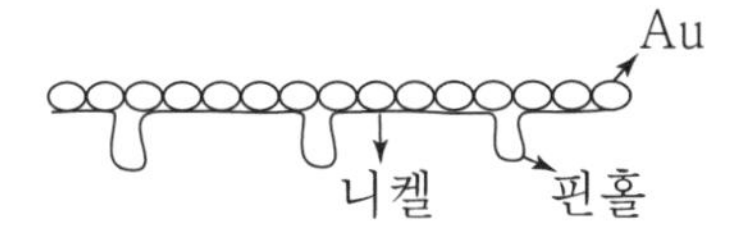

➔ 니켈층 핀홀 생성으로 인한 원인

ⓐ 니켈도금 후 Au도금시 니켈은 Ni^{2+}로 Au원자로 치환반응으로 도금이 된다.

ⓑ 이때 니켈도금층은 치환반응으로 인한 핀홀이 생성된다.
특히, 이 핀홀은 산화잘됨.

ⓒ 핀홀은 산화시 열충격 후 peel-off가능성.

memo

제 13 장 PCB 공수 분석

(내층) 공정 공수 분석

범례	기술소요	제품유무	인력소요
	● : 1년 이상 ◇ : 3개월~1년 ▲ : 3개월 이하 × : 임시직가능	공란 : 제품없음 / : 제품취급	M : 100% 기계 작업 S : 순수 기계 보조 숫자:MAN-MACHINE 작업시 소요인원

공정 : 내층 이메지 — 공 수 분 석

작업	작업 내용						횟수	거리	시간		도구	기술소요	부하하중	제품유무	인력소요	작업 종류			
	준비		작업		마무리				1회	계						●	■	→	▼
내층 전처리			1	원판 적재대로 간다								x							
			2	작업할 모델을 선정한다								◇							
			3	노광 PASS BOX 로 간다								x							
			4	노광 작업자와 모델을 확인한다								▲							
			5	로더에 제품을 적재한다								x							
			6	작업지시서를 확인한다								◇							
			7	수량을 파악한다								x							
	8	LPR COATER 컴퓨터에 모델을 입력한다										◇							
	9	크린머신의 테이프를 교체한다										▲							
			10	정면기 콘트롤 판넬로 간다								◇							
			11	정면기로 온다								x							
			12	정면한다 (기계)															
					13	대차를 정리한다						x							
	2 공수		10 공수		1 공수														

공정 : 내층 이메지 — 공 수 분 석

작업	작업 내용						횟수	거리	시간		도구	기술소요	부하하중	제품유무	인력소요	작업 종류			
	준비		작업		마무리				1회	계						●	■	→	▼
LPR			1	LPR 코터로 간다								x							
	2	잉크를 준비한다										▲							
	3	잉크를 교반한다										▲							
	4	잉크를 탱크에 보충한다										▲							
	5	점도를 조정한다										▲							
	6	정면기 판넬 투입을 확인한다										x							
			7	잉크 코팅을 한다															
			8	냉각기로 간다								x							
			9	판넬 언로딩을 확인한다								x							
					10	잉크를 정리한다						x							
			11	작업일보에 작업내용을 기록한다								▲							
	5 공수		5 공수		1 공수														

공정 : 내층 이메지 — 공 수 분 석

작업	작업 내용: 준 비	작업 내용: 작 업	작업 내용: 마 무 리	횟수	거리	시간: 1회	시간: 계	도구	기술 소요	부하 하중	제품 유무	인력 소요	작업 종류: ●	작업 종류: ■	작업 종류: →	작업 종류: ▼
내층 노광		1 코팅이 완료된 제품을 수취한다							x							
		2 1 PNL 씩 코팅상태를 확인한다							◇							
		3 작업지시서를 확인한다							▲							
	4 필름 보관대로 간다								x							
	5 필름을 찾는다								◇							
	6 필름 크리닝을 실시한다								▲							
	7 필름 상태를 확인한다								◇							
	8 필름을 들고 노광기로 간다								x							
	9 필름을 노광기에 셋팅한다								●							
	10 필름 정렬상태를 확인한다								●							
	11 필름과 글래스를 크리닝한다								◇							
	12 노광량을 조정한다								●							
	13 제품을 노광 로더에 적재한다								x							
		14 테스트 판넬을 노광한다 (기계)														
		15 검사한다							●							
		16 노광한다 (기계)														
		17 검사한다							●							
		18 노광한다 (기계)														
			19 필름을 제거한다						◇							
			20 필름을 크리닝한다						▲							
			21 필름 보관대로 간다						x							
			22 필름을 보관한다						▲							
			23 노광 글래스를 크리닝 한다						◇							
		24 현상 로더로 제품을 이동한다							x							
	10 공수	9 공수	5 공수													

공정 : 내층 이메지 공 수 분 석

작업	작업 내용						횟수	거리	시 간		도구	기술소요	부하하중	제품유무	인력소요	작업 종류			
	준 비		작 업		마 무 리				1회	계						●	■	→	▼
내층 DES	1	작업지시서와 모델을 확인										▲							
	2	콘트롤판넬로 간다										x							
	3	현상, 부식, 박리 속도를 셋팅한다										◇							
	4	로더로 간다										x							
			5	DES 라인에 제품을 투입한다								▲							
			6	검사한다								◇							
			7	제품을 투입한다								▲							
			8	언로더에서 제품을 수취한다								x							
			9	회로폭을 검사한다								▲							
			10	내층 검사로 제품을 인계한다								x							
					11	대차를 정리한다						x							
	4 공수		6 공수		1 공수														

작업		준비		작업		마무리	횟수	거리	시간 1회	시간 계	도구	기술 소요	부하 하중	제품 유무	인력 소요	작업 종류 ●	■	→	▼
공정 : 내층 이메지		공 수 분 석																	
내층 검사	1	제품을 육안과 AOI 로 구분										●							
	2	작업지시서와 확인한다										▲							
			3	육안검사 제품을 검사한다								●							
			4	검사 완료 제품을 인계한다								x							
	5	자동포사기로 간다										x							
	6	모델을 세팅한다										●							
	7	자동포사를 한다																	
	8	CRP 로 간다										●							
	9	CAM 데이터를 전송받는다										●							
	10	CRG 로 전송한다										●							
	11	AOI 로 전송한다										●							
			12	AOI 로 제품을 이동한다								x							
			13	AOI 로 검사한다								▲							
			14	VRS 로 데이터를 전송한다								◇							
			15	VRS 로 제품을 이동한다								x							
			16	VRS 로 검사한다								◇							
			17	판넬 양품은 양품 적재대로 이동								x							
			18	판넬 폐기는 폐기 적재대로 이동								x							
			19	판넬 수리는 Welding M/C으로 이동								x							
			20	수리한다								●							
			21	판넬/수리 양품 수량을 파악								●							
			22	작업지시서와 수량을 확인한다								▲							
			23	폐기 수량을 확인한다								x							
			24	부적합 보고서를 작성								●							
			25	양품을 옥사이드로 인계한다								x							
					26	작업일보에 작업량 기록						▲							
		9 공수		16 공수		1 공수													

공정 : 내층 이메지　　　　공 수 분 석

작업	작업 내용						횟수	거리	시 간		도구	기술 소요	부하 하중	제품 유무	인력 소요	작업 종류			
	준 비		작 업		마 무 리				1회	계						●	■	→	▼
옥사이드	1	제품을 로더로 이동한다										x							
	2	작업지시서와 제품을 확인										▲							
	3	콘트롤판넬로 간다										▲							
	4	온도와 속도를 확인한다										▲							
	5	제품을 로더에 적재한다										x							
			6	옥사이드를 한다															
			7	언로더에서 제품을 수취한다								x							
			8	검사한다								▲							
			9	옥사이드를 한다															
			10	제품을 수취한다								x							
					11	작업일보에 기록한다						▲							
			12	적층으로 제품을 인계한다								x							
	5 공수		6 공수		1 공수														
합계	35		52		10		97												

(적층) 공정 공수 분석

범례	기 술 소 요	제 품 유 무	인 력 소 요
범례	● : 1년 이상 ◇ : 3개월~1년 ▲ : 3개월 이하 × : 임시직가능	공란 : 제품없음 / : 제품취급	M : 100% 기계 작업 S : 순수 기계 보조 숫자:MAN-MACHINE 작업시 소요인원

공정 : 적층 — 공 수 분 석

작업	작업 내용: 준 비	작업 내용: 작 업	작업 내용: 마 무 리	횟수	거리	시간: 1회	시간: 계	도구	기술 소요	부하 하중	제품 유무	인력 소요	작업 종류 ●	■	→	▼
재단	1 작업지시서 확인한다.								◇							
	2 prepreg유무를 확인한다.								×							
	3 prepreg를 roll재단기로 이동한다.								×							
		4 prepreg를 roll재단기에 거취한다.							◇							
		5 작업지시서의 필요 size를 확인한다.							×							
		6 필요 size를 입력한다.							●							
		7 prepre의 수평고정 상태를 확인한다.							◇							
		8 roll재단기를 작동시킨다.							◇							
		9 재단된 p.p를 sheet재단기로 옮긴다.							×							
		10 sheet재단기의 size를 입력한다.							◇							
		11 겹쳐진 p.p의 정렬상태를 확인한다.							×							
		12 필요한 방향으로 p.p를 놓는다.							▲							
		13 sheet재단기를 작동시킨다.							◇							
			14 재단된 p.p를 대차에 적재한다.						×							
			15 대차에 실린 p.p를 lay-up실로 인계한다.						×							
			16 재단 후 남은 p.p를 전용 부대에 넣는다.						×							
			17 주변 청소를 실시한다.						×							
	3 공수	10 공수	4 공수													

공정 : 적층

공 수 분 석

작업	작업 내용						횟수	거리	시 간		도구	기술 소요	부하 하중	제품 유무	인력 소요	작업 종류			
	준 비		작 업		마 무 리				1회	계						●	■	→	▼
L A Y - U P	1	작업지시서 확인한다.										◇							
	2	lay-up에 필요한 각 대차를 정위치에 배치한다.										×							
	3	재단된 p.p를 lay-up작업 위치로 옮긴다.										×							
	4	내층 T/C를 정위치에 배치한다.										×							
	5	lay-up spec을 확인한다.										◇							
			6	lay-up spec에 따라 p.p를 겹친다.								×							
			7	반복해서 실시한다.								×							
			8	lay-up 완료한 대차를 적층 투입구로 이동시킨다.								×							
			9	작업 지시서를 인계한다.								×							
					10	lay-up실내 청소를 실시한다.						×							
	5 공수		4 공수		1 공수														

공정 : 적층

공 수 분 석

작업	작업 내용						횟수	거리	시간		도구	기술 소요	부하 하중	제품 유무	인력 소요	작업 종류			
	준비		작업		마무리				1회	계						●	■	→	▼
BONDING	1	작업지시서 확인한다.										◇							
	2	필요한 p.p의 guide hole을 뚫는다.										◇							
	3	guide작업된 p.p를 bonding 작업대에 배치한다.										×							
	4	내층 T/C를 정위치에 배치한다.										×							
	5	내층 guide pin을 확인한다.										◇							
	6	제품에 맞게 bonding pin을 setting한다.										◇							
	7	lay-up spec에 맞게 온도를 setting 한다.										◇							
			8	순서에 맞게 제품을 guide pin에 고정 시킨다.								◇							
			9	bonding기를 작동시킨다.								◇							
			10	bonding완료된 제품을 해체 한다.								◇							
			11	제품의 bonding부위의 이바리를 제거 한다.								◇							
			12	bonding 완료된 제품을 이동대차에 적재한다.								×							
			13	8번에서 12번 작업을 반복한다.								◇							
					14	적재 완료된 대차를 적층 투입구로 이동 시킨다.						×							
					15	작업 완료 된 bonding 인두를 청소한다.						×							
					16	bonding M/C 주위 청소						×							
					17	장비주변 5S 실시						×							
	7 공수		6 공수		4 공수														

공정 : 적층　　　　공 수 분 석

작업	작업 내용						횟수	거리	시 간		도구	기술 소요	부하 하중	제품 유무	인력 소요	작업 종류			
	준 비		작 업		마 무 리				1회	계						●	■	→	▼
적층	1	작업지시서 확인한다.										◇							
	2	lay-up완료된 제품을 인계										×							
	3	적층대에 제품을 정위치										×							
	4	필요한 하부 동박을 재단기에 거취한다.										◇							
	5	상부 동박을 상부동박 재단기에 거취한다.										◇							
	6	동박 두께에 맞게 재단기 인장력을 설정한다.										●							
	7	콘베어 벨트의 수평을 점검										●							
	8	재단기의 칼날을 점검한다.										●							
	9	재단될 동박의 size를 설정한다.(현 고정)										●							
	10	레이저로 적층 대의 제품 size를 setting한다.										◇							
	11	sus정면기를 가동시킨다.										◇							
			12	동박 재단기를 작동시킨다.								◇							
			13	lay-up된 제품을 레이져 표시된 부위에 맞춰서 놓는다.								◇							
			14	한판의 sus plate가 완료되고 다음 동박이 깔리면 다시 제품을 표시된 위치에 놓는다.								◇							
			15	13, 14를 반복하여 carrier plate 한판이 완료되면 교체 버턴을 눌러 carrier plate를 교체 한다.								◇							
			16	1cycle분량의 작업이 완료 될 때까지 13~15의 작업을 반복한다.								◇							
					17	1cycle 분량이 완료되면 Hot press에 통보 한다.						×							
					18	동박 재단기 주위를 청소						×							
					19	다음 작업을 위해 동박 재단기를 재 setting한다.						●							
	11 공수		6 공수		3 공수														

공정 : 적층 — 공 수 분 석

작업	작업 내용						횟수	거리	시간		도구	기술 소요	부하 하중	제품 유무	인력 소요	작업 종류			
	준비		작업		마무리				1회	계						●	■	→	▼
Hot Press-Cool Press	1	작업지시서를 확인한다.										◇							
	2	loading된 제품 쪽으로 로보트를 이동시킨다.										◇							
	3	로보트를 작동시켜 loading된 제품을 로보트에 적재한다.										◇							
	4	투입할 Hot press앞으로 이동										▲							
	5	Hot press문을 연다.										●							
	6	제품을 Hot press에 투입										●							
			7	Hot press의 문을 닫는다.								●							
			8	설정된 Hot press의 조건을 확인								●							
			9	자동 가동 버턴을 눌러 press를 작동시킨다.								●							
			10	Hot press완료되면 로보트를 그 앞으로 이동시킨다.								◇							
			11	Hot press문을 연다.								●							
			12	로보트로 제품이 실린 carrier를 빼내어 로보트에 싣는다.								◇							
			13	로브트를 cool press로 이동								◇							
			14	제품을 cool press에 투입								◇							
			15	cool press를 자동으로 작동시킨다.								●							
			16	cool press가 완료되면 로보트를 cool press쪽으로 이동시킨다.								◇							
			17	냉각 완료된 제품을 로보트에 옮겨 싣는다.								◇							
			18	로브트를 unloading부로 이동.								◇							
			19	제품을 unloading 거취대에 이송								◇							
					20	unloading거취대의 자동 가동 버턴을 누른다.						●							
					21	로보트를 다음 필요한 곳으로 이동시킨다.						◇							
	6 공수		13 공수		2 공수														

공정 : 적층

공 수 분 석

작업	작업 내용: 준 비	작업 내용: 작 업	작업 내용: 마 무 리	횟수	거리	시간: 1회	시간: 계	도구	기술소요	부하하중	제품유무	인력소요	작업 종류: ●	작업 종류: ■	작업 종류: →	작업 종류: ▼
해체 - sus 정면	1 해체 후 신규투입 될 간지를 준비한다.								◇							
	2 sus sanding에 필요한 사포와 수동 sanding기를 준비한다.								×							
		3 성형 완료된 제품이 실린 carrier를 해체다이 쪽으로 이동시킨다.							◇							
		4 이동중 상판 적치대에서 상판을 해체 한다.							◇							
		5 상판 해체된 carrier를 해체다이에 loading시킨다.							◇							
		6 sus plate와 제품을 번갈아서 해체 한다.							◇							
		7 제품은 carrier 한판 단위로 해체, 적재한다.							◇							
		8 적재된 제품은 해체 칼로 수동 절단한다.(PNL단위로)							×							
		9 분리된 sus plate는 수동 sandinge다이로 이동시킨다.							◇							
		10 이동된 sus plate를 수동으로 표면을 sanding한다.							×							
		11 앞뒤 sanding완료된 plate는 sus 정면기로 투입한다.							◇							
		12 3~11까지의 순서를 반복 한다.							◇							
		13 해체 및 분리 완료 된 제품은 이동 대차에 적재 한다.							×							
		14 해체된 제품의 sample로 두께를 측정 하여 이상유무/실측치를 기록한다.							◇							
			15 적재된 제품은 Trim공정으로 인계한다.						×							
			16 해체실 주변 청소를 실시						×							
			17 간지 및 sus plate를 다음 작업을 위해 미리 setting한다.						×							
			18 해체실 전체적 5s 실시						×							
	2 공수	12 공수	4 공수													

공정 : 적층				공 수 분 석															
작업	작 업 내 용						횟수	거리	시 간		도구	기술 소요	부하 하중	제품 유무	인력 소요	작업 종류			
	준 비		작 업		마 무 리				1회	계						●	■	→	▼
X-ray posa & Trim	1	작업지시서 확인한다.										◇							
	2	인계받은 제품을 확인한다.										◇							
	3	제품 다이는 작업이 용이한 위취로 정렬한다.										×							
	4	최초 작업 예정인 제품의 일부를 x-ray posa위에 적재한다.										×							
			5	작업 지시서에 표기된 T/G 거리를 확인한다.								◇							
			6	제품의 방향을 확인한다.								◇							
			7	T/G거리에 맞게 거리를 setting 한다.								●							
			8	영점 조정을 실시한다.								●							
			9	제품의 guide 배경을 등록한다.								●							
			10	제품의 mark를 입력한다.								●							
			11	sample작업 후 T/G사진을 찍어 작업 지시서에 부착한다.								●							
			12	sample이상 없을 시 자동 unloading으로 setting한다.								●							
			13	1PNl씩 posa작업을 실시 한다.								◇							
					14	posa작업 완료된 제품을 작지화 함께 Trim에 인계한다.						×							
					15	완료 후 장비청소를 실시한다.						×							
					16	장비 주위 전체적 5S를 실시한다.						×							
	17	인계받은 제품을 확인한다.										◇							
	18	작업지시서를 확인하고 Trim size를 확인한다.										◇							
	19	size맞게 Trim 지그판에 guide hole을 뚫는다.										◇							

공정 : 적층 공 수 분 석

작업	작업 내용			횟수	거리	시간		도구	기술 소요	부하 하중	제품 유무	인력 소요	작업 종류			
	준비	작업	마무리			1회	계						●	■	→	▼
X-ray posa & Trim	20 지그판에 뚫린 구멍에 guide pin을 박는다.								◇							
	21 main에 Triming관련 data를 입력한다.								◇							
	22 guide pin에 맞춰 제품을 두께에 맞게 중복 setting한다.								▲							
		23 setting된 Triming M/C작동 시킨다.							◇							
		24 Trim완료된 것은 조심해서 해체 한다.							▲							
		25 대기하고 있던 제품을 다시 setting한다.							▲							
		26 23~25를 반복 작업한다.							◇							
			27 완료된 제품은 적재대에 적재한다.						×							
			28 lot마무리 된 제품은 다음 공정으로 인계한다.						×							
			29 Trim기 장비를 청소 한다.						◇							
			30 주위의 5S를 실시한다.						×							
	10 공수	13 공수	7 공수													
합계	44	64	25	133												

(DRILL) 공정 공수 분석

범례	기 술 소 요	제 품 유 무	인 력 소 요
범례	● : 1년 이상 ◇ : 3개월~1년 ▲ : 3개월 이하 × : 임시직가능	공란 : 제품없음 / : 제품취급	M : 100% 기계 작업 S : 순수 기계 보조 숫자:MAN-MACHINE 작업시 소요인원

공정 : 드릴 — 공 수 분 석

작업	작업내용: 준비		작업내용: 작업		작업내용: 마무리		횟수	거리	시간: 1회	시간: 계	도구	기술소요	부하하중	제품유무	인력소요	작업종류: ●	■	→	▼
재단	1	작업지시서 확인										X							
	2	가공size확인후 재단방향 등분수										▲							
	3	가공할 자재를 선정한다.										▲							
	4	자재를 가져온다.										▲							
	5	두께에 따른 매수를 결정										▲							
			6	x축 방향의 재단기 사이즈를 맞춤								▲							
			7	백업보드를 M/C의 roller에 놓음								X							
			8	재단수량을 분할하여 M/C 에 놓음								▲							
			9	박판인 경우는 분할하여 올려놓을 때 분할분할 마다 원판정렬을 함								▲							
			10	정렬시 원판사이에 백업보드 넣음								X							
	11	정렬후 백업보드를 빼낸다										X							
	12	재단기의 날 위치를 설정(상,하)										X							
	13	처음 재단시의 경우는 상으로										▲							
			14	집진기의 ON 시킨다.								X							
	15	Power On 시킨다.										X							
			16	Start On 시킨다.								X							
			17	해체 작업은 역순으로 한다.								▲							
			18	size재확인후 수정 및 진행								▲							
			19	작업대에 올려놓으면서 정렬 함								▲							
			20	가공후, Burr 확인후, 심한것 뺀다								▲							
			21	X방향 size가공이 완료되었으면 Y방향도 같은 순서로 진행								▲							
			22	Y축 방향의 재단기 사이즈를 맞춤								X							
	23	집진기의 ON 시킨다										X							
			24	Start On 시킨다.															

공정 : 드릴	공 수 분 석																		
작업	작업 내용						횟수	거리	시 간		도구	기술 소요	부하 하중	제품 유무	인력 소요	작업 종류			
	준 비		작 업		마 무 리				1회	계						●	■	→	▼
재단			25	해체 작업은 역순으로 작업								▲							
			26	가공후 size재확인 수정 및 진행								▲							
			27	작업대에 올려놓으면서 정렬시킴								▲							
			28	가공후, Burr 확인후, 심한것 뺀다								▲							
			29	X방향,Y방향의 재단완료후 작업대에서 재품의 모서리를 라운딩처리								X							
			30	수량확인후 작지와 함께 제품인계								X							
					31	출고를 전산에 입력한다.						X							
	12 공수		22 공수		2 공수														

공정 : 드릴

공 수 분 석

작업	준 비		작 업		마 무 리		횟수	거리	시 간		도구	기술 소요	부하 하중	제품 유무	인력 소요	작업 종류			
									1회	계						●	■	→	▼
면취	1	작업지시서 확인										X							
	2	재단된 실제품size확인										▲							
	3	면취기1호 테이블 하강(Loader)										X							
			4	재단된 제품이 붙어서 2장씩 투입 되지 않도록 떼어 준다.								X							
	5	제품을 1호기테이블에 쌓는다										X							
	6	1,2호기의 면취기 사이즈 조정										▲							
	7	면취기1호기투입로라속도 확인										X							
	8	회전실린더 센서 작동상태확인										X							
			9	면취기 센서 확인								X							
			10	면취기 칼날과 로라 작동								X							
			11	집진기 On								X							
			12	수량 확인을 위해 리셋으로 맞춤								X							
			13	로러 이물질 제거								X							
			14	면취기 2호기 테이블 상승								X							
			15	제품이 떨어지지 않도록 조여준다.								X							
			16	1 PNL 면취 샘플 확인								▲							
			17	면취 후에도 제품 size확인								X							
			18	제품의 거칠기, 직각상태 확인								▲							
			19	초품 검사후, 이상이 없으면 면취 시작								▲							
			20	작업이 끝나면, 해체(역순으로)								X							
					21	수량확인, 제품 인계						X							
	7 공수		13 공수		1 공수														

공정 : 드릴

공 수 분 석

작업	작업 내용: 준 비	작업 내용: 작 업	작업 내용: 마 무 리	횟수	거리	시간: 1회	시간: 계	도구	기술 소요	부하 하중	제품 유무	인력 소요	작업 종류: ●	작업 종류: ■	작업 종류: →	작업 종류: ▼
STACK	1 Trim에서 제품과 작지를 인계받음								●							
	2 마이크로 작지를 발행								●							
	3 제품과 작업지시서를 확인								▲							
	4 stack테이블에 원점 방향이 일치하게 적재 (취급주의 할것)								X							
	5 제품size확인후 A/F, B/D를 준비								X							
	6 A/F은 AIR건으로 이물질 제거								X							
	7 B/D은 가이드 Hole에 맞게 B/D 전용 stack M/C로 Hole가공								X							
	8 제품이 MLB인지 DS인지 확인								X							
		9 Stacking M/C 전원을 On 한다							X							
		10 작업 선택을 MLB로 스위치 이동							▲							
		11 운전선택은 자동운전으로 이동							▲							
		12 제품 중첩시 표면검사를 매 실시							◇							
		13 제품표면의 스크러치 체크							◇							
		14 제품 외각에 이바리가 많을때는 칼로 깎아 낸다.							X							
	15 작업지시서확인후,stack수 결정								▲							
		16 stack M/C 가이드 pin 테이블의 고정레버를 푼다.							X							
		17 stack M/C 가이드 pin 테이블을 제품 size에 맞게 조절한다.							X							
		18 stack M/C 가이드 pin 에 제품을 셋팅한다.							▲							
		19 stack M/C 가이드 pin 테이블의 고정레버를 조인다.							▲							
		20 stack pin이 1mm정도 인지 확인							▲							
		21 스팩에 맞지 않을 경우, stack pin 높이 조절 레버를 회전							▲							
		22 pin 이 삽입된 제품에 B/D을 중첩후 적재테이블에 올려 놓는다.							▲							
		23 제품 표면을 닦는다.							X							
		24 제품에 A/F를 올린다.							X							
	25 tapeing M/C의 tapeing간격 조정								X							
		26 단방향,장방향 tapeing을 한다.							X							
			27 대차에 지그재그로 탑재						X							
	10 공수	16 공수	1 공수													

공정 : 드릴 / 공 수 분 석

작업		작업 내용: 준 비		작업 내용: 작 업		작업 내용: 마 무 리	횟수	거리	시간: 1회	시간: 계	도구	기술 소요	부하 하중	제품 유무	인력 소요	작업 종류: ●	작업 종류: ■	작업 종류: →	작업 종류: ▼
DRILL	1	제품,작업지시서,film을 stack 에서 인수후, 가공호기 결정										●							
	2	작지에서 제품의 관리번호 확인										◇							
	3	windows commander를 연다										◇							
	4	Cam data방에서 제품의 관리 번호를 찾아 선택										◇							
	5	NC data방으로 Copy한다										◇							
	6	Copy해온 Data를 열어준다										◇							
	7	Data상의 관리번호와 Hole명이 작지와 일치 하는지 확인										◇							
	8	Test Hole PRG확인										◇							
	9	Tool List에 나와있는 Tool과 data상의 Tool이 일치하는지 확인										◇							
	10	최소 Ø , 제품두께, Stack수 확인										◇							
	11	Slot Ø 의 확인 변경										◇							
	12	Data의 G81 명령어 삭제										◇							
	13	Data의 마지막 Too. M30명령확인										◇							
	14	bit hits를 확인하여 가장 많이사용 하는 via Ø 1~2개로 한정, 장착										◇							
	15	PC<F2>화면에서 장착한 매거진 맞게Hax Hits, Z offset, RPM 설정										◇							
	16	최소 bit Ø 를 제품의 A/R, 층수 두께에 맞는 조건으로 설정										◇							
			17	NC 문을 연다.								◇							
			18	NC Clamp 이물질 확인 제거								◇							
			19	NC Table 이물질 확인 제거								◇							
			20	NC Clamp 를 연다								◇							
			21	작업할 제품을 NC에 Setting하고 Clamp를 닫는다.								◇							
			22	원점 방향홀 확인, 핀 높이 확인								◇							
			23	Touch Screen 에서 B.T Set 을 눌러 제품과 Table를 밀착								◇							
			24	T/S mode에서 disk 선택								◇							
			25	PC<F1>Process Page 선택								◇							
			26	UP Limit값 설정								◇							

공정 : 드릴

공 수 분 석

작업	작업 내용						횟수	거리	시간		도구	기술 소요	부하 하중	제품 유무	인력 소요	작업 종류			
	준 비		작 업		마 무 리				1회	계						●	■	→	▼
DRILL			27	Call Program을 열어 Data 선택								◇							
			28	PC<F4> XY AXIS 선택								◇							
			29	Zero Cohp를 0.000으로 초기 설정								◇							
			30	PC<F5> Process선택								◇							
			31	Machine Lock을 Yes선택								◇							
			32	Block delete 1번을 Yes 선택								◇							
			33	T/S 에서 Start키를 눌러 Data를 Lodaing 한다.								◇							
			34	완료후 T/S mode에서 Disk를 RE-PEAT 바꿔준다.								◇							
			35	<F5>Process M/C Lock을 On								◇							
			36	Block delete 1번을 No 선택후 Test Hole 가공선택								◇							
			37	T/S Drill에서 한 축만 On, 나머지Off								◇							
			38	T/S Drill에서 No drill On후 Start								◇							
			39	1.0 Ø No Drill상태로 제품의 윗면을 한바퀴 돌린다.								◇							
			40	T/S SBK, RESET								◇							
			41	T/S Drill 에서 On Drill 해제								◇							
			42	PC에서 K12라는 명령으로 Test Hole 12 Point 가공								◇							
			43	가공 완료후 T/S Hole을 잡는다.								◇							
			44	test hole 가공축의 clamp off								◇							
			45	test hole이 가공된 제품을 X-ray M/C로 test hole을 검사								◇							
			46	Test Hole의 12 Point 가 내층 Land 에 들어왔는지 확인한다.								◇							
			47	X-ray M/C 확인이 끝난 제품을 다시 drill M/C 에 Setting 한다.								◇							
			48	Clamp On 한다								◇							
			49	<F4> XY AXIS에서 -> ZERO Comp에 신축,신장의 보정치 입력								◇							
			50	다른축 Test Hole 가공								◇							
			51	X-ray M/C확인, 신축,신장에 대한 이상이 없을시 보정은 주지 않음								◇							
			52	<F5> Process의 Block delete 1번 을 Yes 선택								◇							

공정 : 드릴

공 수 분 석

작업	작업 내용: 준 비	작업 내용: 작 업	작업 내용: 마 무 리	횟수	거리	시간: 1회	시간: 계	도구	기술소요	부하하중	제품유무	인력소요	작업 종류: ●	작업 종류: ■	작업 종류: →	작업 종류: ▼
DRILL		53 T/S Manual에서 B.D Set							◇							
		54 T/S Manual에서 No Drill 선택							◇							
		55 No Drill 상태로 3.25 Ø Guide 외각 Point를 확인한다.							◇							
		56 T/S SBK 를 누른다.							◇							
		57 T/S Reset							◇							
		58 T/S Drill 에서 No Drill 해제							◇							
		59 T/S Start를 한다.							◇							
			60 N/C 문을 닫는다						◇							
			61 F2 Drill Data화면에 가공 조건을 재 확인 한다						◇							
	16 공수	43 공수	2 공수													
합계	45	94	6	145												

(도금) 공정 공수 분석

범례	기 술 소 요	제 품 유 무	인 력 소 요
범례	● : 1년 이상 ◇ : 3개월~1년 ▲ : 3개월 이하 × : 임시직가능	공란 : 제품없음 / : 제품취급	M : 100% 기계 작업 S : 순수 기계 보조 숫자:MAN-MACHINE 작업시 소요인원

공정 : 도금 　　　　공 수 분 석

작업	작업 내용						횟수	거리	시간		도구	기술소요	부하하중	제품유무	인력소요	작업 종류			
	준 비		작 업		마 무 리				1회	계						●	■	→	▼
디버링	1	밴딩된 제품의 해체										×							
	2	제품과 작지의 비교 확인										▲							
	3	정면기/디스미어/새도우 조건 확인										▲							
	4	제품을 로더에 적재										▲							
	5	적재된 제품을 정면기로더에 세팅										▲							
	6	디버링 브러쉬 높낮이 조절										◇							
	7	디버링/새도우/디스미어 가동상태 점검										◇							
			8	정면 시작								◇							
			9	콘베어에서 흐르는 제품 상태 검사								◇							
			10	제품 정면 상태 확인								×							
			11	언로더 높낮이 조절								×							
			12	언로데 제품을 대차로 이동한다.								◇							
	13	브러쉬 상태 점검(foot mark test)										◇							
	14	동분 여과기 점검										◇							
	15	초음파 점검및 수세 필터 점검										◇							
	10 공수		5 공수		0 공수														

공정 : 도금

공 수 분 석

작업	준비		작업		마무리		횟수	거리	시간 1회	시간 계	도구	기술 소요	부하 하중	제품 유무	인력 소요	●	■	→	▼
디스미어	1	디스미어 라인 필터 점검										▲							
	2	스웰러 건욕 주기 점검										◇							
	3	퍼망간 건욕 주기 점검										◇							
	4	퍼망간액 이송후 EPR정류기 점검										◇							
	5	중화 탱크 건욕주기 점검										▲							
	6	새도우라인 필터 점검										▲							
	7	클리너 컨디셔너 건욕주기 점검										▲							
	8	새도우 건욕 및 보충량 점검										◇							
	9	픽서 탱크 건욕주기 점검										▲							
	10	마이크로 에칭탱크 청소및 건욕										▲							
	11	노즐/디스크로러/스폰지 롤러 정비										◇							
			12	컨베어단에 흐르는 제품 확인								▲							
			13	제품에 대한 스프레이 압력을 조절								◇							
			14	노즐 분사 여부를 확인								▲							
	11 공수		3 공수		0 공수														

공정 : 도금

공 수 분 석

작업	작업 내용						횟수	거리	시 간		도구	기술 소요	부하 하중	제품 유무	인력 소요	작업 종류			
	준 비		작 업		마 무 리				1회	계						●	■	→	▼
전기동	1	에어 브로워 필터 교체										◇							
	2	전처리단액 농도 조절										▲							
	3	유산동탱크 이물질 점검										◇							
	4	유산동탱크 카본처리 점검										●							
	5	유산동 탱크 주기 점검										●							
	6	전처리 탱크 청소/건욕 주기 점검										▲							
	7	전기동약품 농도 조절										▲							
			8	제품을 레킹 지역으로 이동								×							
			9	박판 제품의 레킹								◇							
			10	후판 제품의 레킹								▲							
			11	레킹된 박판 제품을 셋팅지역으로 이동								×							
			12	레킹된 제품을 가이드 프레임에 세팅								×							
			13	작지와 제품확이후 적정 전류량 입력								◇							
			14	전류 입력 상태 확인(유산동 탱크 입수)								◇							
			15	가이드 프레임 9번 탱크로 이동															
			16	가이드 프레임 10번 탱크로 이동															
			17	가이드 프레임 11번 탱크로 이동															
			18	가이드 프레임 13~14셔틀로 이동															
			19	가이드 프레임 15번 탱크로 이동															
			20	가이드 프레임 유산동 탱크로 이동															
			21	65분 도금후 13~14셔틀로 이동															
			22	가이드 프레임 12번 탱크로 이동															
			23	가이드 프레임 8번 탱크로 이동															
			24	가이드 프레임 7번 탱크로 이동															
			25	가이드 프레임 6번 탱크로 이동															
			26	가이드 프레임 5번 탱크로 이동															
			27	가이드 프레임 3~4번 건조단으로 이동															
			28	가이드 프레임 1~2번 해체단으로 이동															
			29	도금된 제품의 해체 및 적재								×							

공정 : 도금 　　　　　　　　공 수 분 석

작업	작업 내용			횟수	거리	시간		도구	기술 소요	부하 하중	제품 유무	인력 소요	작업 종류			
	준비	작업	마무리			1회	계						●	■	→	▼
전기동		30 제품 표면의 도금 두께 측정							▲							
		31 제품의 모델별 적재및 수량 확인							◇							
		32 도금 두께 측정 data작지에 부착							◇							
		33 작지와 제품을 일치시켜 제품 이동							◇							
	7 공수	26 공수	0 공수													
합계	28	34		62												

공정 : 도금 — 공 수 분 석

작업	작업 내용						횟수	거리	시간		도구	기술소요	부하하중	제품유무	인력소요	작업 종류			
	준비		작업		마무리				1회	계						●	■	→	▼
벨트 샌딩	1	장비의 모든 전원을 on시킨다.										◇							
	2	작동 스크린을 on 시킨다.										▲							
	3	동분여과기 필터를 점검										◇							
	4	그라인드 챔버상태 점검										●							
			5	제품 두께에 맞춰 셋팅한다.								●							
			6	셋팅후 운전화면으로 이동								▲							
			7	이송밸트, 연동밸트를 가동								▲							
			8	밸트그라인드 작동을 확인								×							
			9	반전기 작동상태를 확인								◇							
			10	건조기 투입구 컨베를 확인								▲							
			11	언로더에 제품이 적재되는지 확인								×							
					12	제품 수량확인후 후공정으로 이동						×							
	4 공수		7 공수		1 공수														

(외층이메지) 공정 공수 분석(1)

범례	기 술 소 요	제 품 유 무	인 력 소 요
범례	● : 1년 이상 ◇ : 3개월~1년 ▲ : 3개월 이하 × : 임시직가능	공란 : 제품없음 / : 제품취급	M : 100% 기계 작업 S : 순수 기계 보조 숫자:MAN-MACHINE 작업시 소요인원

공정 : 외층 이메지 — 공 수 분 석

작업	작업 내용: 준 비	작업 내용: 작 업	작업 내용: 마 무 리	횟수	거리	시간: 1회	시간: 계	도구	기술 소요	부하 하중	제품 유무	인력 소요	작업 종류 ●	■	→	▼
정면	1 제품 대기 장소로 간다.								×							
	2 제품 작지와 수량을 파악한다.								×							
		3 제품을 준비대차에 적재한다.							▲							
		4 준비대차를 가지고 로더로 간다.							×							
		5 준비대차를 로딩한다.							▲							
		6 상승 스위치 켠다.							◇							
		7 진공pad 위치 맞춘다.							◇							
		8 자동운전 on한다.							×							
		9 정면한다(기계)														
		10 컨트롤 박스로 간다.							×							
		11 작업속도를 맞춘다.							◇							
		12 건조단 온도 확인한다.							◇							
		13 저수위 램프 켜져있는가 확인한다.							◇							
		14 과열 램프 켜져있는가 확인한다.							◇							
		15 브러쉬로 간다.							×							
		16 8단 브러쉬의 암페어 조절한다.							◇							
		17 수세단 컨베어,압력,노즐 확인.							◇							
		18 S/E단 컨베어,압력,노즐 확인							◇							
		19 산세단 컨베어,압력,노즐 확인							◇							
		20 최종수세 컨베어,압력, 노즐 확인							◇							
		21 건조단 AIR CUT 확인한다.							◇							
		22 열풍브로워 확인한다.							◇							
			23 작업일보 기록장소로 간다.						×							
			24 작업일보 기록한다.						◇							
			25 작지 재확인한다.						◇							

공정 : 외층 이메지

공 수 분 석

작업	작업 내용						횟수	거리	시 간		도구	기술 소요	부하 하중	제품 유무	인력 소요	작업 종류			
	준 비		작 업		마 무 리				1회	계						●	■	→	▼
정면					26	작지를 test 입구쪽으로 전달한다.						▲							
			27	건조상태를 확인한다.								●							
			28	각 압력 게이지 수치 재 확인한다.								◇							
			29	각 콘베어 상태를 재 확인한다.								◇							
	30	제품 대기 장소로 간다.										×							
	31	차기제품 작지와 수량을 파악한다.										×							
	32	차기제품을 준비대차에 적재한다.										▲							
	33	준비대차를 지정장소에 놓는다.										×							
					34	test 완료제품 가지러 간다.						×							
					35	test 제품을 test 입구로 전달한다.						▲							
	6 공수		23 공수		6 공수														

공정 : 외층 이메지 — 공 수 분 석

작업	작업 내용			횟수	거리	시간		도구	기술 소요	부하 하중	제품 유무	인력 소요	작업 종류			
	준 비	작 업	마 무 리			1회	계						●	■	→	▼
VOID 검사	1 언로더로 간다.								×							
	2 제품을 VOID 대기 대차로 옮긴다.								×							
		3 정면작업자에게 작지 인수받는다.							▲							
		4 VOID검사를 한다.							▲							
		5 VOID검사완료 RACK에 놓는다.							×							
		6 검사 결과 검사일보에 기록한다.							◇							
		7 특이사항 작지에 기록한다.							◇							
		8 RACK에서 완료대차로 옮긴다.							×							
		9 제품 작지와 수량을 파악한다.							▲							
		10 완료대차에 제품과 작지를 놓는다.							×							
		11 언로더로 간다.							×							
		12 차기제품 대기 대차로 옮긴다.							▲							
			13 정면작업자에게 test인수받는다.						▲							
			14 노광작업자에게 TEST인계한다.						▲							
	2 공수	9 공수	2 공수													

공정 : 외층 이메지

공 수 분 석

작업	작업 내용						횟수	거리	시간		도구	기술 소요	부하 하중	제품 유무	인력 소요	작업 종류			
	준비		작업		마무리				1회	계						●	■	→	▼
라미네이션	1	드라이 필름 보관대로 간다.										×							
	2	드라이 필름 2 roll 를 뺀다.										×							
	3	2roll를 본체 준비다이로 이동										×							
	4	스위치를 수동으로 한다										▲							
	5	본체를 분리한다										▲							
	6	컷팅칼을 준비한다.										×							
	7	MYLER를 칼로 자른다.										▲							
	8	필름척을 들어낸다										◇							
	9	드라이 필름 통을 제거한다										◇							
	10	필름척을 새 드라이필름에 끼운다.										◇							
	11	MYLER뭉치를 들어낸다.										◇							
	12	MYLER가 감긴 코일을 들어낸다.										◇							
	13	새로운 코일을 끼운다.										◇							
	14	천과 알콜을 가지고 본체로 간다.										▲							
	15	센터링부 roller를 청소한다.										▲							
	16	hot roll 부위 청소한다.										▲							
	17	필름척을 셋팅한다.										◇							
	18	MYLER용 코일을 셋팅한다.										◇							
	19	드라이 필름을 텍킹롤에 감는다.										◇							
	20	컷팅날 스위치를 눌러 절단한다.										◇							
	21	본체를 복구시킨다.										▲							
	22	스위치를 자동으로 한다										▲							
	23	MYLER뭉치를 칼로 절단한다.										▲							
	24	드라이 필름 파편 정리한다.										×							
	25	L/A 준비대차로 간다.										×							
	26	대차를 가지고 정면언로더로 간다.										×							
	27	VOID완료대차로 간다.										×							
	28	제품 작지와 수량을 파악한다.										×							
			29	제품을 준비대차에 적재한다.								▲							
			30	준비대차를 가지고 로더로 간다.								×							
			31	준비대차를 로딩한다.								▲							

공정 : 외층 이메지 공 수 분 석

작업	준비		작업		마무리		횟수	거리	시간 1회	시간 계	도구	기술소요	부하하중	제품유무	인력소요	●	■	→	▼
라미네이션			32	상승 스위치 켠다.								◇							
			33	진공pad 위치 맞춘다.								◇							
			34	자동운전 on한다.								◇							
			35	라미네이션 한다.(기계)															
			36	CLEAN ROLL로 간다								×							
			37	덮개를 연다								×							
			38	ROLL을 잡아 당긴다								▲							
			39	사용한 부분을 잘라낸다								▲							
			40	프리히터 셋팅 온도 확인한다.								◇							
			41	HOT ROLL 셋팅 온도 확인한다.								◇							
			42	CENTERING 장치를 맞춘다								◇							
			43	프리히터 후 표면 온도 측정한다.								◇							
			44	제품통과시 Hot roll온도 측정한다.								◇							
			45	초도품 밀착상태 확인한다.								●							
			46	냉각기 이송밸트,회전봉 확인한다.								◇							
					47	작업일보 기록장소로 간다.						×							
					48	작업일보 기록한다.						◇							
			49	L/A 준비대차로 간다.								×							
			50	대차를 가지고 정면언로더로 간다.								×							
			51	VOID완료대차로 간다.								×							
			52	차기제품 작지와 수량을 파악한다.								▲							
			53	차기제품을 준비대차에 적재한다.								▲							
			54	준비대차를 지정위치에 놓는다.								×							
			55	수취된 제품을 뺀다.								×							
			56	보조 rack를 언로더에 놓는다.								×							
			57	1PNL씩 밀착상태를 검사한다								●							
			58	검사완료제품 노광대차로 옮긴다.								×							
			59	제품 작지와 수량을 파악한다.								▲							
			60	노광대차를 가지고 노광기로 간다.								×							
			61	노광대차 정위치 시킨다.								×							
			62	제품을 노광작업자에게 인계한다.								▲							
					63	드라이 필름 보관대로 간다.						×							

공정 : 외층 이메지

공 수 분 석

작업	작업 내용						횟수	거리	시 간		도구	기술 소요	부하 하중	제품 유무	인력 소요	작업 종류			
	준 비		작 업		마 무 리				1회	계						●	■	→	▼
라미네이션					64	드라이 필름 2 roll 를 뺀다.						×							
					65	2roll를 본체 준비다이로 옮긴다.						×							
	28 공수		32 공수		5 공수														

공정 : 외층 이메지　　　　공 수 분 석

작업	작업 내용						횟수	거리	시간		도구	기술 소요	부하 하중	제품 유무	인력 소요	작업 종류			
	준비		작업		마무리				1회	계						●	■	→	▼
외층 노광	1	작지와 작업FILM을 확인한다										▲							
	2	작업필름을 검사한다.										●							
	3	작업완료 FILM을 떼어낸다										▲							
	4	무진천으로 노광부를 닦는다										▲							
	5	작업필름을 닦는다.										◇							
	6	PNL SIZE 입력한다.										▲							
	7	작업필름을 셋팅한다.										◇							
	8	진공 MASK를 셋팅한다.										◇							
			9	노광준비대차로 간다.								×							
			10	제품 작지와 수량을 파악한다.								▲							
			11	제품을 준비대차에 적재한다.								▲							
			12	준비대차를 가지고 로더로 간다.								×							
			13	준비대차를 로딩한다.								▲							
			14	로더 자동운전 on한다.								▲							
			15	CLEAN ROLL로 간다								×							
			16	덮개를 연다								▲							
			17	ROLL을 잡아 당긴다								▲							
			18	사용한 부분을 잘라낸다								▲							
			19	exposure room 커버를 연다								▲							
			20	작업필름을 청소한다.								◇							
			21	exposure room 커버를 닫는다								▲							
			22	자동노광기 A면자동운전 on한다.								▲							
			23	반전기 상태 확인한다.								●							
			24	CLEAN ROLL로 간다								×							
			25	덮개를 연다								▲							
			26	ROLL을 잡아 당긴다								▲							
			27	사용한 부분을 잘라낸다								▲							
			28	exposure room 커버를 연다								▲							
			29	작업필름을 청소한다.								◇							
			30	exposure room 커버를 닫는다								▲							
			31	자동노광기 B면자동운전 on한다.								▲							
			32	수취된 제품을 3PNL를 뺀다.								×							
			33	작지와 초도품 카드 준비한다.								▲							
			34	부식 로더로 TEST 인계 한다.								▲							

공정 : 외층 이메지 공 수 분 석

작업	작업 내용						횟수	거리	시 간		도구	기술 소요	부하 하중	제품 유무	인력 소요	작업 종류			
	준 비		작 업		마 무 리				1회	계						●	■	→	▼
외층 노광			35	작지와 카드는 언로더에 인계한다.								▲							
			36	노광기로 돌아온다.								×							
			37	수취된 제품을 뺀다.								×							
			38	보조 rack를 언로더에 놓는다.								×							
			39	2PNL 노광작업 검사한다.								●							
			40	TEST PNL 인수 받는다.								×							
			41	TEST 결과 확인 한다.								◇							
			42	언로더 노광완료 대차로 옮긴다.								×							
			43	TEST PNL를 차수 맨앞에 놓는다.								▲							
			44	제품 작지와 수량을 파악한다.								▲							
			45	노광대차를 가지고 현상기로 간다.								×							
			46	노광대차 정위치 시킨다.								×							
			47	제품을 현상작업자에게 인계한다.								▲							
					48	노광기로 돌아온다.						×							
					49	차기 작지와 작업FILM을 확인한다						◇							
					50	차기 작업필름을 검사한다.						●							
	8 공수		39 공수		3 공수														

공정 : 외층 이메지 　　　　　　　　　　　　공 수 분 석

작업	작업 내용: 준비	작업 내용: 작업	작업 내용: 마무리	횟수	거리	시간: 1회	시간: 계	도구	기술 소요	부하 하중	제품 유무	인력 소요	작업 종류: ●	■	→	▼
외층 DES	1 노광완료대차로 간다.								×							
	2 제품 작지와 수량을 파악한다.								×							
		3 제품을 로더 다이에 적재한다.							×							
	4 컨트롤 박스로 간다.								×							
	5 현상단 온도 확인한다.								×							
	6 DM-1 농도를 확인한다.								●							
	7 현상속도를 확인한다.								●							
	8 부식속도를 확인한다.								●							
	9 염산농도를 확인한다.								●							
	10 동농도를 확인한다.								●							
	11 비중을 확인한다.								●							
	12 부식액 온도를 확인한다.								●							
	13 박리속도를 확인한다.								●							
	14 박리액 온도를 확인한다.								●							
		15 현상단 로더로 간다.							×							
		16 1PNL의 MYLER를 벗긴다							×							
		17 PNL를 뒤집어 MYLER를 벗긴다							×							
		18 들고 있던 PNL을 투입한다							×							
		19 다음 1PNL의 MYLER를 벗긴다							×							
		20 현상한다														
			21 현상완료제품 확인한다.						●							
			22 작지를 가지고 언로더로 간다.						×							
			23 언로더에 작지를 인계한다.						▲							
			24 현상기 로더로 온다.						×							
	25 부식단 챔버로 간다.								×							
	26 부식단 챔버 압력을 확인한다.								●							
	27 부식단 오실레이션을 확인한다.								●							
	28 부식단 노즐 상태를 확인한다.								●							
	29 부식 스위치를 확인한다.								●							
	30 부식 본체탱크로 간다.								×							
	31 염산,과수 원액탱크를 확인한다.								●							
	32 원액탱크 정량펌프를 확인한다.								●							
	33 부식액 비중 측정한다.								●							
		34 부식한다.														
			35 부식후 수세단으로 간다.						×							
			36 미부식 상태를 확인한다.						●							

공정 : 외층 이메지 공 수 분 석

작업	작업 내용: 준비	작업 내용: 작업	작업 내용: 마무리	횟수	거리	시간: 1회	시간: 계	도구	기술소요	부하하중	제품유무	인력소요	작업 종류: ●	작업 종류: ■	작업 종류: →	작업 종류: ▼
외층 DES		37 박리한다.														
	38 정면기 로더로 간다.								×							
	39 빈 작업대차를 가지고 온다.								×							
	40 PSR정면기로 간다.								×							
	41 빈 간지를 가지고 온다.								×							
	42 빈 간지를 간지보관대에 정리한다.								×							
	43 간지 보관대로 간다.								×							
	44 사이즈에 맞는 간지를 준비한다.								▲							
	45 간지를 언로더 옆으로 가져 온다.								▲							
		46 제품 수동 수취한다.							×							
		47 사이즈에 맞는 간지를 끼운다.							×							
			48 초도품을 든다.						×							
			49 회로폭측정장소로 간다.						×							
			50 제품위에 회로폭측정기를 놓는다.						▲							
			51 MIN.회로폭을 측정한다.						●							
			52 작업일보에 적는다.						●							
			53 PAD폭을 측정한다.						●							
			54 작업일보에 적는다.						●							
			55 F/M SIZE를 측정한다.						●							
			56 작업일보에 적는다.						●							
			57 초도품을 들고 중검으로 간다.						▲							
			58 초도품을 중검에 인계한다.						▲							
			59 박리단 드럼필터로 온다.						×							
			60 박리 찌꺼기를 제거한다.						×							
		61 언로더로 온다.							×							
		62 25PNL단위로 대차에 적재한다.							×							
		63 제품 작지와 수량을 파악한다.							▲							
			64 간지를 정리한다.						▲							
		65 부식대차를 가지고 중검으로 간다.							×							
		66 부식대차 정위치 시킨다.							×							
		67 제품을 중검작업자에게 인계한다.							▲							
	68 차지 생산모델 간지를 준비한다.								▲							
	69 차기 모델 작업대차를 준비한다.								×							
	32 공수	17 공수	20 공수													

외층이메지 공정 공수 분석(2)

범례	기술소요	제품유무	인력소요
	● : 3년 이상 ▲ : 1년 이상 × : 임시직가능	공란 : 제품없음 / : 제품취급	M : 100% 기계 작업 S : 순수 기계 보조 숫자:MAN-MACHINE 작업시 소요인원

공정 : D/F #1 　　공 수 분 석

작업	작업 내용: 준비	작업 내용: 작업	작업 내용: 마무리	횟수	거리	시간: 1회	시간: 계	도구	기술 소요	부하 하중	제품 유무	인력 소요	●	■	→	▼
정면		1 PNL로 간다(대차)			57.6		53	대차	×			S				·
		2 자동문을 연다			1		9		×			S				·
		3 제품이 있는 곳으로 간다			13.8		8		×			S				·
		4 도금 완료 제품을 확인한다 (원하는 제품으로 간다)			3		21		●		/	S				·
		5 간지를 가지러 간다			5		6		×			S				·
		6 간지를 가지고 온다			5		6	간지	×			S				·
		7 간지 1장을 놓는다		6		2	12	간지	×			S				·
		8 제품을 정면 대차로 이동한다		6		9	54		×	25	/	S			·	
		9 작업지시서를 확인한다					3		×			S				·
		10 수량을 파악한다					13		×		/	S		·		
		11 방향을 맞춘다							×		/	S				·
		12 D/F로 온다			71		62	제품	×	150	/	S			·	
		13 출입문을 연다			1		2		×		/	S				·
		14 PASS BOX로 간다			10		9		×			S				·
		15 밀착 작업자와 투입할 제품을 확인한다					8		▲			S				·
		16 투입할 정면기로 간다			10		9		×			S				·
		17 정면 대차에서 투입 RACK로 제품을 이동한다		6	1.8	9	54		×	25	/	1			·	
		18 CONTROL PANEL로 간다			1		2		▲			1				·
			19 간지를 정리한다				2		×			S				·
			20 간지 보관함으로 간다		2.4		3		×			S				·
		21 정면기로 온다			2.4		4		×			S				·
		22 작업지시서에 기록한다					6		×			S				·
		23 PASS BOX로 간다			10		9		×			S				·
		24 작업지시서를 PASS BOX에 놓는다					2		×			S				·
		25 정면기로 온다			10		9		×			S				·
		26 정면한다 (기계)									/	M	·			
	0 공수	24 공수	2 공수		205m	366sec							1	1	3	21

공정 : D/F #2　　　　공 수 분 석

작업	작업 내용: 준비	작업 내용: 작업	작업 내용: 마무리	횟수	거리	시간: 1회	시간: 계	도구	기술소요	부하하중	제품유무	인력소요	작업 종류: ●	작업 종류: ■	작업 종류: →	작업 종류: ▼
밀착		1 밀착한다 (기계)									/	M	·			
		2 수취한다		150		2	300				/	M			·	
		3 MYLER 뭉치가 있는 곳으로 간다			5		3		×			S				·
		4 노광대차로 온다			8		4		×			S				·
		5 MYLER 뭉치를 노광대차에 놓는다					6		×			S				·
		6 밀착기로 대차를 끌고간다			3		6		×	150		S				·
		7 수취된 제품을 이동한다		6		11	66		×	25	/	S			·	
		8 1PNL씩 밀착상태를 검사한다		150		4	600		●	1	/	1		·		
			9 작업지시서를 가지러 PASS BOX로 간다		13		5		×			S				·
			10 작업지시서를 가지고 온다		13		5		×			S				·
		11 수량을 파악한다					9		×		/	S		·		
		12 작업지시서와 확인한다					9		×			S				·
			13 노광대차를 끌고 노광기 장소로 간다		12		11		×	150	/	S			·	
			14 정위치 시킨다				3		×		/	S			·	
			15 작업지시서를 노광작업자에게 인계				8		×			S				·
	16 FILM 보관대로 간다				11		15		×			S				·
	17 FILM을 찾는다						72		▲			S				·
	18 FILM을 가지고 수동노광기로 온다				11		15		×			S				·
	19 FILM을 노광대차에 놓는다						1		×			S				·
	20 밀착기로 온다				3		2		×			S				·
	21 CLEAN ROLL로 간다				3		2		×			S				·
	22 덮개를 연다			2		1	2		×			S				·
	23 ROLL을 잡아 당긴다			2		1	2		×			1				·
	24 사용한 부분을 잘라낸다			2		1	2	칼	×			1				·
	25 정면 작업자와 투입할 제품을 확인한다						8		▲			S				·
	26 밀착기의 CENTERING 장치를 맞춘다						42		▲			1				·
	27 밀착기로 온다				2		2		×			S				·
	28 스위치를 수동으로 한다						2		×			1				·
	29 본체를 분리한다						7		×			1				·
	30 남은 FILM을 이동시킨다						12		×			1				·

공정 : D/F #2 공 수 분 석

작업	작업 내용 준비	작업 내용 작업	작업 내용 마무리	횟수	거리	시간 1회	시간 계	도구	기술 소요	부하 하중	제품 유무	인력 소요	작업 종류 ●	■	→	▼
밀착	31 폴리플래핀 뭉치를 들어낸다						3		×			1				·
	32 FILM 통을 제거한다						5		×			1				·
	33 NEW-FILM을 확인한다						4		×			1				·
	34 카트리지를 투입한다						5		×			1				·
	35 FILM을 SETTING 한다						62		▲			1				·
	36 카트리지를 정리한다						16		×			1				·
	37 ROLL을 조정한다						10		▲			1				·
	22 공수	10 공수	5 공수	84m		1326sec							1	2	4	30

공정 : D/F #3 　　　　　　공 수 분 석

작업	작업 내용			횟수	거리	시간		도구	기술 소요	부하 하중	제품 유무	인력 소요	작업 종류			
	준비	작업	마무리			1회	계						●	■	→	▼
라미네이션	1 밀착기로 간다				19		10		×			S				·
	2 다음 모델을 확인한다						14		▲			S				·
	3 제품 1PNL을 들고 온다				19		10		×	1	/	S				·
	4 아크릴 보관대로 온다				2		2		×		/	S				·
	5 아크릴을 빼낸다						1		×			S				·
	6 작업대로 간다						2		×			1				·
	7 아크릴을 놓고 고정한다						7		×			S				·
	8 알코올로 아크릴을 닦는다			2		11	22		×			S				·
	9 FILM과 아크릴용 끈끈이롤로 닦는다			4		19	76		×			S				·
	10 TAPE를 준비한다						5		×			S				·
	11 1PNL을 놓는다			2		3	6		×			1				·
	12 아크릴 과 FILM, 1PNL은 SETTING 시킨다			2		12	24		●			1				·
	13 FILM을 아크릴에 부착시킨다			2		15	30		●			1				·
	14 아크릴을 보관대에 꽂는다			2		3	6		×			S				·
	15 1PNL을 들고 밀착기로 간다				19		10		×	1	/	S				·
	16 1PNL을 대차에 놓는다						2		×	1	/	S				·
	17 자동노광기로 온다				19		10		×			S				·
	18 아크릴을 들고 노광기로 간다						2		×			S				·
	19 문을 연다			2		2	4		×			1				·
	20 아크릴을 뺀다			2		1	1		×			1				·
	21 아크릴을 넣는다			2		3	6		▲			1				·
	22 CONTROL PALTE로 간다						5		×			S				·
	23 PARAMETER를 조정한다						15		●			1				·
		24 밀착기로 대차를 끌고간다(E-RACK)			19		10		×			S				·
		25 대차를 몰고온다(F-RACK)			19		11		×	150	/	S			·	
		26 투입 RACK로 제품을 이동한다		6		9	54		×	25	/	1			·	
		27 수취 RACK로 제품을 이동한다		6		9	54		×	25	/	1			·	
		28 수취 RACK에서 E-RACK로 제품을 이동한다		6		9	54		×	25	/	1			·	
		29 AUTO PEELER 투입기를 조작한다					3		×			S				·
		30 자동 노광한다										M				·
		31 노광 상태를 검사한다					4		●	1	/	1		·		
		32 이상 제품에 TAPE를 부착한다					7		×	1	/	1	·			
	23 공수	9 공수	0 공수	116m		467sec							1	1	4	26

공정 : D/F #4 — 공수 분석

작업	작업 내용: 준비	작업 내용: 작업	작업 내용: 마무리	횟수	거리	시간: 1회	시간: 계	도구	기술 소요	부하 하중	제품 유무	인력 소요	작업 종류: ●	작업 종류: ■	작업 종류: →	작업 종류: ▼
노광	1 대차를 정리한다						10	대차	×			S				·
	2 작업지시서와 FILM을 확인한다						22		▲			S				·
	3 기존 FILM을 떼어낸다						11		×			S				·
	4 끈끈이롤로 PLATE를 닦는다			2		6	12		×			S				·
	5 FILM을 꺼낸다			2		14	28		×			S				·
	6 FILM을 끈끈이롤로 닦는다			2		18	36		×			S				·
	7 FILM을 PLATE에 고정시킨다			2		365	730		●			S				·
	8 GUIDE PIN을 조정시킨다			8		7	56	PIN	●			S				·
		9 PNL을 놓는다		2		10	20		×	1	/	1			·	
		10 노광한다 (TEST)					31				/	1	·			
		11 검사한다		2		180	360		●		/	1		·		
		12 노광한다		150		33	4917				/	1	·			
			13 대차를 정리한다				3	대차	×			S				·
	8 공수	4 공수	1 공수		0m	6236sec							2	1	1	9

공정 : D/F #5

공 수 분 석

작업	작업 내용: 준비	No.	작업 내용: 작업	No.	작업 내용: 마무리	횟수	거리	시간: 1회	시간: 계	도구	기술소요	부하하중	제품유무	인력소요	작업 종류: ●	■	→	▼
외층 DES				1	MYLER를 청소용 비닐에 넣는다				7		×			S				·
		2	대차를 끌고 노광기로 간다				5		3		×		/	S				·
		3	제품 대차를 끌고 온다				5		4		×		/	S			·	
		4	대차를 위치 시킨다						3		×		/	S			·	
		5	1PNL을 든다						2		×	1	/	S			·	
		6	다음 1PNL의 MYLER를 벗긴다			75		2	150	칼	×	1	/	S	·			
		7	들고 있는 PNL의 MYLER를 벗긴다			75		2	150		×	1	/	S	·			
		8	들고 있던 PNL을 투입한다			75		3	225		×	1	/	S			·	
		9	다음 PNL을 투입한다			75		2	150		×	1	/	S			·	
		10	현상한다											M	·			
		11	수취된 제품의 모델/방향을 확인한다			6		5	30		×		/	S		·		
		12	3단 대차에 이동한다			6	3	11	66		×	25	/	S			·	
		13	3단 대차를 PNL 대기로 이동한다				19		41		×	150	/	S			·	
		14	현상기로 온다				19		9		×			S				·
		15	TAPE된 PNL을 검사자에게 인계한다				7		6		×	6	/	S			·	
		16	검사한다			6		23	138		▲	1	/	S		·		
		17	PC-RACK에 꽂는다			6		2	12		×	1	/	S			·	
		18	완료제품을 들고 3단 대차로 간다				7		3		×	1	/	S			·	
		19	빈곳에 꽂는다			6		7	42		×	1	/	S			·	
		20	제자리에 들아온다			6	7	2	12		×			S				·
	0 공수		19 공수		1 공수	72m		1053sec							3	2	11	4
합계	53		66	9	128	477m		157분							8	7	23	90

(인쇄) 공정 공수 분석

범례	기 술 소 요	제 품 유 무	인 력 소 요
범례	● : 1년 이상 ◇ : 3개월~1년 ▲ : 3개월 이하 × : 임시직가능	공란 : 제품없음 / : 제품취급	M : 100% 기계 작업 S : 순수 기계 보조 숫자:MAN-MACHINE 작업시 소요인원

공정 : 인쇄

공 수 분 석

작업	작업 내용						횟수	거리	시간		도구	기술소요	부하하중	제품유무	인력소요	작업 종류			
	준비		작업		마무리				1회	계						●	■	→	▼
정면	1	작업 스케줄을 확인 한다										▲							
			2	외층 중간 검사로 간다								X							
			3	중간 검사 종료 제품을 스케줄에 맞게 확인 한다								▲							
			4	작업 지시서와 수량을 파악한다								▲							
			5	제품의 Hole 인쇄방법을 확인 한다								▲							
			6	제품을 정면기 로더로 가져 온다								X							
			7	Pass Box로 간다								▲							
			8	인쇄 작업자와 제품을 확인 한다								▲							
			9	정면기로 온다								▲							
			10	제품을 로더에 적재 한다								▲							
	11	정면기 상태를 확인 한다(Brush, Soft-Etching, 산세, 최종수세, 최종 건조,)										▲							
			12	정면기 속도를 맞춘다								▲							
			13	Brush 압력을 맞춘다								▲							
			14	제품을 투입한다								▲							
			15	정면 작업을 한다								▲							
			16	Clean-Room 안으로 들어간다								▲							
			17	제품을 확인한다								▲							
			18	작업지시서를 전달 한다								▲							
			19	정면기로 온다								▲							
			20	작업지시서와 제품을 확인 한다								▲							
			21	PSR 반자동 인쇄기로 간다								▲							
			22	제품과 작업 인쇄기를 확인 한다								▲							
			23	정면기 언로더로 온다								▲							
			24	정면된 제품을 확인 한다								▲							
			25	정면된 제품을 레킹한다								X							

공정 : 인쇄

공 수 분 석

작업	작업 내용						횟수	거리	시간		도구	기술 소요	부하 하중	제품 유무	인력 소요	작업 종류			
	준비		작업		마무리				1회	계						●	■	→	▼
정면			26	정면된 제품을 정리한다								X							
			27	정면된 제품을 작업하는 인쇄기로 전달한다								X							
					28	작업지시서와 작업 제품을 비교한다						▲							
					30	작업 일보에 기록 한다						▲							
					31	다음 공정에 인계 한다						▲							
	4 공수		27 공수		4 공수														

공정 : 인쇄

공 수 분 석

작업	준비		작업		마무리		횟수	거리	시간		도구	기술소요	부하하중	제품유무	인력소요	작업 종류			
									1회	계						●	■	→	▼
인쇄			1	작업 스케줄을 확인 한다								▲							
			2	스크린 망 보관 장소로 간다								▲							
	3	스크린 망을 확인 한다										▲							
			4	Tapping 장소로 이동한다								X							
			5	스크린 망에 Tapping 작업을 한다								▲							
			6	스크린 망을 인쇄기에 설치한다								▲							
	7	스퀴즈 및 스크렙퍼 크기를 확인 한다										▲							
			8	스퀴즈 보관 장소로 이동한다								▲							
			9	스퀴즈와 스크레퍼를 확인 한다								▲							
			10	인쇄기로 온다								▲							
			11	제품과 망을 Setting 한다								◇							
			12	제품 두께에 맞게 아대를 설치한다								◇							
			13	스퀴즈와 스크레퍼를 설치 한다								◇							
	14	스퀴즈와 스크레퍼의 이동 거리를 확인 한다										◇							
			15	잉크 교반 장소로 간다								◇							
	16	잉크를 교반 한다										◇							
			17	교반된 잉크를 인쇄기로 이동한다								◇							
			18	잉크를 붇는다								◇							
			19	제품을 Setting 한다								◇							
	20	제품에 렙을 씌운다										◇							
			21	렙이 씌워진 제품에 인쇄를 한다								◇							
			22	스크린 망과 제품에 인쇄된 상태를 확인 한다								●							
			23	렙을 제거 한다								◇							
			24	제품에 PSR 본 인쇄를 한다								◇							
			25	인쇄된 제품을 레킹한다								◇							
			26	제품을 Setting 한다								◇							
			27	PSR 인쇄를 한다								◇							
			28	인쇄된 제품을 레킹한다								◇							
			29	반복															

공정 : 인쇄

공 수 분 석

작업	작업 내용						횟수	거리	시 간		도구	기술소요	부하하중	제품유무	인력소요	작업 종류			
	준 비		작 업		마 무 리				1회	계						●	■	→	▼
인쇄			30	대차 위치로 간다								▲							
	31	대차를 준비 한다										▲							
			32	레킹된 제품을 대차위에 배치 한다								▲							
			33	배치가 끝난 대차를 건조기로 이동한다								▲							
			34	건조기 문을 연다								▲							
			35	건조기 안에 대차를 투입한다								▲							
			36	건조기 문을 닫는다								▲							
			37	건조기 패널을 조작한다								▲							
			38	건조를 실시 한다								▲							
			39	인쇄기 위치로 이동한다								▲							
			40	제품 인쇄를 실시 한다								▲							
			41	반복								▲							
			42	건조 끝남 알람이 울린 후 건조기 위치로 이동 한다								▲							
			43	건조기를 Off 한다								▲							
			44	대차를 실내로 이동 한다								▲							
			45	Semi-Cure가 끝난 제품을 노광 대기 장소로 이동 한다								▲							
			46	대차를 건조 대기 위치로 이동한다								▲							
			47	인쇄기 위치로 이동한다								▲							
			48	제품 인쇄를 실시 한다								▲							
			49	반복								▲							
					50	작업지시서와 제품을 확인한다						◇							
					51	작업 일보에 기록 한다						▲							
					52	다음 공정에 인계 한다						◇							
	6 공수		43 공수		3 공수														

공정 : 인쇄	공 수 분 석																		
작업	작 업 내 용						횟수	거리	시 간		도구	기술 소요	부하 하중	제품 유무	인력 소요	작업 종류			
	준 비		작 업		마 무 리				1회	계						●	■	→	▼
노광	1	인쇄 장소로 이동 한다										◇							
	2	노광 진행할 제품과 인쇄전 제품을 확인 한다										◇							
	3	작업 지시서와 제품을 확인 한다										◇							
	4	노광 Setting 장소로 이동 한다										◇							
	5	노광 필름을 확인 한다										◇							
	6	노광 필름과 제품을 맞춰본다										◇							
			7	노광 대기 장소로 이동 한다								◇							
			8	필름 보관대에서 필름을 꺼낸다								◇							
			9	Semi-Cure가 끝난 제품과 필름을 Setting 한다								◇							
			10	Setting된 필름을 노광 대기 제품과 보관 한다								◇							
			11	노광 대기 장소로 이동 한다								◇							
			12	노광 대기 제품과 작업 지시서를 확인 한다								◇							
			13	대차를 노광기로 이동 한다								▲							
			14	보관된 필름과 제품을 Setting 한다								▲							
			15	노광을 실시 한다								▲							
			16	4PNL 초도품 검사 제품을 현사기로 이동 한다								▲							
			17	초도품을 확인 한다								▲							
			18	노광기로 이동 한다								▲							
			19	노광을 실시 한다								▲							
			20	노광을 완료 한다								▲							
					21	작업지시서와 제품을 확인 한다						▲							
					22	전산 이동을 한다						◇							
					23	작업 일보에 기록 한다						▲							
					24	다음 공정에 인계 한다						▲							
	6 공수		14 공수		4 공수														

공정 : 인쇄 　　　　공 수 분 석

작업	작업 내용						횟수	거리	시 간		도구	기술 소요	부하 하중	제품 유무	인력 소요	작업 종류			
	준 비		작 업		마 무 리				1회	계						●	■	→	▼
현상	1	현상기 콘트롤 판넬을 조작										◇							
	2	현상액 Make-Up을 확인 한다										◇							
	3	현상액 농도를 확인 한다										◇							
	4	현상액 pH를 확인 한다										◇							
	5	수세단 수세압력을 확인 한다										◇							
	6	수세수 오염을 확인 한다										◇							
	7	스폰지 롤러를 확인 한다										◇							
	8	최종 건조단 오염을 확인 한다										◇							
	9	최종 건조단 Air-Knife Gap을 확인										◇							
	10	최종 건조단 Air-Knife 압력을 확인 한다										◇							
	11	건조기 투입 콘베어를 확인										▲							
			12	현상기를 On 한다								◇							
			13	노광 끝난 제품으로 이동 한다								◇							
			14	노광 끝난 제품을 대차에 배치한다								◇							
			15	대차를 현상기 앞으로 가져 온다								◇							
			16	현상기에 투입될 제품을 확인 한다								◇							
			17	제품에 맞게 현상 속도를 조절								◇							
			18	제품을 투입 한다								◇							
			19	현상 완료 제품을 확인 한다								◇							
			20	제품을 투입한다								▲							
			21	현상 끝난 제품과 수량을 파악한다								▲							
			22	작업 지시서와 제품을 비교 한다								◇							
					23	작업 일보에 제품과 작업에 대한 사항을 기입 한다						◇							
	24	건조단 투입 콘베어를 확인										▲							
	25	건조기 콘트롤 판넬로 이동										◇							
	26	건조기를 On 한다										◇							
	27	건조 속도를 확인 한다										◇							
	28	건조단 온도를 확인 한다										◇							
	29	투입단으로 이동 한다										◇							
	30	레크 보관 장소로 이동한다										▲							

공정 : 인쇄	공 수 분 석															
작업	작업 내용			횟수	거리	시간		도구	기술소요	부하하중	제품유무	인력소요	작업 종류			
	준비	작업	마무리			1회	계						●	■	→	▼
현상	31 레크를 배치 한다								▲							
	32 레킹 준비를 한다								▲							
		33 제품을 확인 한다							◇							
		34 Wicket 건조기와 Box 건조기로 투입될 제품을 구별 한다							◇							
	35 Box 건조기 대차로 이동 한다								▲							
	36 Box 건조기 대차를 작업 위치에 배치 한다								▲							
	37 현상기 배출구로 이동 한다								▲							
		38 현상완료 제품을 받는다							▲							
		39 제품을 확인 한다							▲							
		40 Wicket 건조기와 Box 건조기로 투입될 제품을 구별하여 레킹 한다							▲							
		41 레킹이 완료된 제품의 대차 적재							▲							
		42 대차 배치가 완료된 제품은 Box 건조기로 이동 한다							▲							
		43 건조기를 On 한다							◇							
		44 건조기 PT를 조절 한다							◇							
		45 건조기를 작동 한다							◇							
		46 현상 배출단으로 이동 한다							▲							
		47 반복							▲							
		48 건조 완료 제품을 확인 한다							◇							
		49 작업 지시서와 비교 한다							◇							
		50 마킹 대기 장소로 제품을 이동							▲							
			51 작업지시서와 제품을 확인 한다						◇							
			52 전산 이동을 한다						◇							
			53 작업 일보에 기록 한다						▲							
			54 다음 공정에 인계 한다						▲							
	23 공수	26 공수	5 공수													
합계	39	110	16	165												

공정 : 인쇄

공 수 분 석

작업	작업 내용						횟수	거리	시간		도구	기술 소요	부하 하중	제품 유무	인력 소요	작업 종류			
	준비		작업		마무리				1회	계						●	■	→	▼
마킹	1	마킹 대기 장소로 이동 한다										▲							
	2	마킹 대기 제품을 확인 한다										◇							
	3	제품과 작업 지시서를 확인										◇							
	4	스크린 망 보관 장소로 이동										◇							
	5	스크린 망을 확인 한다										◇							
	6	제품과 스크린 망을 확인 한다										◇							
			7	Tapping 장소로 이동한다								X							
			8	스크린 망의 Tapping 작업								▲							
			9	스크린 망을 인쇄기에 설치한다								◇							
	10	스퀴즈 및 스크렙퍼 크기를 확인 한다										◇							
			11	스퀴즈 보관 장소로 이동한다								◇							
			12	스퀴즈와 스크레퍼를 확인 한다								◇							
			13	인쇄기로 온다								◇							
			14	제품과 망을 Setting 한다								◇							
			15	스퀴즈와 스크레퍼를 설치 한다								◇							
	16	스퀴즈와 스크레퍼의 이동 거리를 확인 한다										◇							
			17	잉크 교반 장소로 간다								◇							
	18	잉크를 교반 한다										◇							
			19	교반된 잉크를 인쇄기로 이동한다								◇							
			20	잉크를 붇는다								◇							
			21	제품을 Setting 한다								◇							
	22	제품에 렙을 씌운다										◇							
			23	렙이 씌워진 제품에 인쇄를 한다								◇							
			24	스크린 망과 제품에 인쇄된 상태를 확인 한다								◇							
			25	제품과 인쇄되는 상태를 확인한다								●							
			26	스크린망을 제품에 맞춘다								●							
			27	렙을 제거 한다								▲							
			28	제품에 마킹 본 인쇄를 한다								▲							
			29	인쇄된 제품을 레킹한다								◇							
			30	제품을 Setting 한다								◇							

공정 : 인쇄				공 수 분 석															
작업	작 업 내 용						횟수	거리	시 간		도구	기술소요	부하하중	제품유무	인력소요	작업 종류			
	준 비		작 업		마 무 리				1회	계						●	■	→	▼
마킹			31	마킹 인쇄를 한다								◇							
			32	인쇄된 제품을 레킹한다								◇							
			33	반복								◇							
	34	건조기 위치로 이동 한다										▲							
	35	건조기를 On 한다										◇							
	36	건조 속도를 확인 한다										◇							
	37	건조 온도를 확인 한다										◇							
	38	인쇄기 위치로 이동 한다										▲							
			39	인쇄 완료된 레킹 제품을 건조기로 이동 한다								▲							
			40	건조기 컨베어 위에 레킹된 제품을 올려 논다								▲							
			41	인쇄기로 이동 한다								▲							
			42	마킹 인쇄를 한다								▲							
			43	반복								▲							
	44	건조 완료 알람을 확인 한다										▲							
	45	건조기 배출 장소로 이동 한다										▲							
	46	건조 완료된 제품을 확인 한다										▲							
			47	레킹을 해체 한다								▲							
			48	제품군에 따라 제품을 대차에 적재								▲							
					49	금도금 제품의 경우 각 PNL 마다 간지를 삽입						X							
					50	작업지시서와 제품을 확인 한다						◇							
					51	전산 이동을 한다						◇							
					52	작업 일보에 기록 한다						▲							
					53	다음 공정에 인계 한다						▲							
	18 공수		30 공수		5 공수														

(외형가공) 공정 공수 분석

범례	기 술 소 요	제 품 유 무	인 력 소 요
범례	● : 1년 이상 ◇ : 3개월~1년 ▲ : 3개월 이하 × : 임시직가능	공란 : 제품없음 / : 제품취급	M : 100% 기계 작업 S : 순수 기계 보조 숫자:MAN-MACHINE 작업시 소요인원

공정 : 외형가공 　　　　공 수 분 석

작업	작업 내용						횟수	거리	시간		도구	기술소요	부하하중	제품유무	인력소요	작업 종류			
	준 비		작 업		마 무 리				1회	계						●	■	→	▼
ROUTE 가공	1	작업지시서 확인										◇							
	2	관리번호 및 Revision 확인										◇							
	3	수량 파악										×							
	4	P/G Downloads										●							
	5	Guide Pin Hole Point 가공										◇							
	6	Guide Pin 삽입										▲							
	7	Entry B'd 밑그림 작업										◇							
			8	Panel의 대차 이동								×							
			9	간지 제거								×							
			10	Stack에 따른 Panel 적재								×							
			11	Panel Setting(초도 1축 Setting)								▲							
			12	Route 가공(초도 1축 가공)								·							
			13	제품 해체								◇							
			14	Dimension Check								◇							
			15	Panel Setting(양산)								▲							
			16	Route 가공(양산)								·							
			17	제품 해체								▲							
			18	제품 적재(녹색 BOX)								×							
			19	후공정 인계 (V-Cut, 면취, 최종수세)								×							
					20	간지 정리						×							
					21	간지의 보관대 적재						×							
	7 공수		12 공수		2 공수														

공정 : 외형가공

공 수 분 석

작업	작업 내용						횟수	거리	시간		도구	기술소요	부하하중	제품유무	인력소요	작업 종류			
	준비		작업		마무리				1회	계						●	■	→	▼
V-CUT 가공	1	작업지시서 확인										◇							
	2	V-Cut 횟수 확인										◇							
	3	V-Cut 가공 거리 Setting										◇							
	4	두께 Setting										◇							
	5	잔존폭 Setting										◇							
			6	제품 적재 BOX 이동								×							
			7	Loader부에 제품 적재								×							
			8	초도 가공								·							
			9	제품 해체								×							
			10	V-Cut 가공 거리 확인								▲							
			11	잔존폭 확인								▲							
			12	양산 가공								·							
			13	Unloader부에서 제품 해체								×							
			14	제품 적재(녹색 BOX)								×							
			15	후공정 인계(면취, 최종수세)								×							
		5 공수		10 공수		0 공수													

공정 : 외형가공 공 수 분 석

작업	작업 내용						횟수	거리	시간		도구	기술 소요	부하 하중	제품 유무	인력 소요	작업 종류			
	준비		작업		마무리				1회	계						●	■	→	▼
면취	1	작업지시서 확인										◇							
	2	고객 Spec 확인(잔존폭, 각도)										◇							
	3	면취 횟수 확인										◇							
	4	면취 각도 Setting										◇							
	5	두께 Setting										◇							
			6	제품 적재 BOX 이동								×							
			7	Loader부에 제품 적재								×							
			8	초도 가공								·							
			9	제품 해체								×							
			10	잔존폭 및 각도 확인								▲							
			11	양산 가공								·							
			12	Unloader부에서 제품 해체								×							
			13	제품 적재(녹색 BOX)								×							
			14	후공정 인계(최종수세)								×							
	5 공수		9 공수		0 공수														

공정 : 외형가공 　　　　공 수 분 석

작업	작업 내용: 준 비	작업 내용: 작 업	작업 내용: 마 무 리	횟수	거리	시간: 1회	시간: 계	도구	기술소요	부하하중	제품유무	인력소요	작업 종류: ●	작업 종류: ■	작업 종류: →	작업 종류: ▼
최종수세	1 작업지시서 확인								▲							
	2 수량 확인								×							
	3 제품 투입 간격 설정								▲							
		4 Loader부에 제품 적재							×							
		5 최종 수세														
		6 Unloading부에서 제품 수취							×							
		7 품질확인(Shocking Test 등)							▲							
		8 수량 Count							×							
		9 녹색 BOX에 적재							×							
		10 간지 및 쿠션 패드 삽입							×							
		11 후공정 인계(B.B.T)							×							
			12 제품 BOX 청소						×							
			13 제품 BOX 적재						×							
	3 공수	8 공수	2 공수													
합계	20	39	4	63												

OSP(FLUX) 공정 공수 분석

범례	기술소요	제품유무	인력소요
범례	● : 1년 이상 ◇ : 3개월~1년 ▲ : 3개월 이하 × : 임시직가능	공란 : 제품없음 / : 제품취급	M : 100% 기계 작업 S : 순수 기계 보조 숫자:MAN-MACHINE 작업시 소요인원

공정 : PRE-FLUX　　　　공 수 분 석

작업	작업내용: 준비	작업내용: 작업	작업내용: 마무리	횟수	거리	시간: 1회	시간: 계	도구	기술소요	부하하중	제품유무	인력소요	작업종류: ●	작업종류: ■	작업종류: →	작업종류: ▼
		1 제품 대기로 이동 한다.							X							
		2 작지 확인한다.							▲							
		3 수량 확인 한다.							X							
		4 제품 대차 loader 로 이동한다.							X							
	5 loader sett-ing 한다.								▲							
		6 제품 loader에 수취 한다.							X							
			7 대차정리한다.						X							
			8 작지 정리한다.						X							
	9 각 단 약품 농도 확인한다.								▲							
	10 약품 보충 한다.								◇							
	11 배기 duct open 시킨다.								X							
	12 스폰지 롤러 확인 한다.								◇							
	13 급수 배관 확인한다.								▲							
	14 control box seting 한다.								▲							
		15 가동 스위치 on 한다.							▲							
		16 대차 loader로 이동 한다.							X							
	17 unloader setting 한다.								▲							
		18 제품 상태 확인 한다.							◇							
		19 제품 box 에 적재한다.							X							
		20 수량 확인한다.							X							
		21 모델 확인한다.							▲							
		22 대차를 포장 이동한다.							▲							
		23 포장으로 인계한다.							▲							
			24 제자리로 돌아온다.						X							
	8 공수	13 공수	3 공수													

제 14 장 PCB 공정 능력 분석 방법

14-1 CAPACITY

14-2 WORK-TIME

14-3 MAN-POWER

CAPACITY, WORK TIME,

1. FILM실

NO	설비명	설비 수량	CYCLE TIME (1.5M byte)	MAX CAPA.			효율 (%)
				Sheet/Hour	일(24시간)	월(30일)	
1	PROTTER	2	6분37초(1모델)	18.4	442	13248	82.0

MAN POWER 현황(6등분)

CAPACITY(Sheet)			작업시간(시간)			작업인원		비고
시간당 Hour	일일 (24시간)	월 (26일)	8	16	24			
15.1	362	9415	121	241	362	12		

설비 가동 효율 현황 (6등분)

[FILM SIZE : 24INCH, 30INCH 공통]

NO	설비명	총가동 시간(분)	효율(%)	CYCLE TIME	TOOL CHANGE
				기준 1.5m byte	Time(분)
1	PLOTTER	1185	82	6분 37초	15분
2					
3					
4					

＊ 특기사항 ＊

1. 최근 3일간의 출력 DATA 산출
2. 초 시계를 이용 1SHEET가 출력된 후 다시 출력되는 FILM 간의 CYCLE TIME을 측정
3. PLOTTER, 현상기 ERROR는 없는 상황으로 근거를 산출
4. 모델의 DATA 용량에 따라서 출력 부수는 변동이 있음.

[DATA 용량 : 1.5M byte 기준]

CAPACITY(SM)			작업시간(시간)			비고
1시간당 [1Hour]	일일 [24hour]	월 [26일]	1일출력 Model 수 기준 : 15Model	Film 교체시간	식사, 휴식시간	
9.2	182	4732	225분	30분	0	

CAPACITY, WORK TIME,

2. 내층 이메지

NO	설비명	설비 수량	CYCLE TIME		MAX CAPA.			효율 (%)
				단위	SM/Min	일 (24시간)	월 (30일)	
1	내층 정면 1호기	1	4.0	M/Min	1.6	2,370	71,086	79
2	내층 정면 2호기	1	4.0	M/Min	1.6	2,370	71,086	79
3	LPR 1호기	1	4.0	M/Min	1.4	1,977	59,317	79
4	LPR 2호기	1	4.0	M/Min	1.5	2,156	64,670	79
5	수동 라미네이터	1	1.3	M/Min	0.6	855	25,647	72
6-1	자동 노광기(내층)	3	12	sec	3.1	4,478	134,352	66
6-2	자동 노광기(내층)	3	14	sec	2.7	3,839	115,159	62
7	자동 노광기(내층)	1	20	sec	0.6	896	26,870	49
8-1	내층 부식기(1 PNL)	1	3.5	M/Min	1.6	2,302	69,050	74
8-2	내층 부식기(2 PNL)	1	3.5	M/Min	2.6	3,752	112,563	74
9-1	OXIDE(1 PNL)	1	4.3	M/Min	2.0	2,828	84,833	70
9-2	OXIDE(2 PNL)	1	4.3	M/Min	3.2	4,610	138,292	70
	• 내층 라미네이트 : 69,093 SM/Mon (LPR 1호기 : 0.4T 이하 작업 불가능. Signal 제품 작업 불가능. 실질적인 CAPA는 공정능력의 1/3 수준임.) • 내층 노광 : 70,567 SM/Mon • 내층 부식(2PNL) : 72,150 SM/Mon • 내층 옥사이드 : 51,568 SM/Mon (6등분 기준으로는 2PNL 작업 불가능)							

MAN POWER 현황(6등분)

CAPACITY(SM)			작업시간(시간)			작업인원		비고
Hour	Day	Month 26일	8	16	24			
77.8	1868	48,559	623	1245	1868			100mm 간격
77.8	1868	48,559	623	1245	1868			100mm 간격
64.9	1558	40,519	519	1039	1558			100mm 간격
70.8	1699	44,176	566	1133	1699			150mm 간격
25.7	617	16,053	206	412	617			50mm 간격
122.8	2948	76,655	983	1966	2948			Soft 작업
99.3	2383	61,962	794	1589	2383			Hard 작업
18.3	439	11,411	146	293	439			
70.9	1702	44,259	567	1135	1702			1/1 oz 50mm 간격
115.6	2775	72,150	925	1850	2775			50mm 간격
82.6	1983	51,568	661	132	1983			50mm 간격
134.7	3233	84,063	1078	2155	3233			겹침 발생

설비 가동 효율 현황 (6등분)

WORK SIZE : 507 × 404mm

No	설비명	총가동시간(분)	효율(%)	Tool Change Time(분)
1	내층 정면 1호기	1135	79	20
2	내층 정면 2호기	1135	79	20
3	LPR 1호기	1135	79	20
4	LPR 2호기	1135	79	20
5	수동 라미네이터	1040	72	120
6	수동 노광기	705	49	455
7	자동 노광기	948	66	435
8	자동 노광기	894	62	486
9	내층 부식기	1065	74	10
10	OXIDE	1010	72	20

총투입시간 : 1440분

식사, 휴식시간	청소, 교체시간	TOTAL LOSS TIME	비고
220	65	305	
220	65	305	
220	65	305	
220	65	305	
220	60	400	
220	60	735	
0	60	492	Soft 작업
0	60	546	Hard 작업
220	145	375	
220	190	430	

* Tool Change Time 근거

내층 정면 / LPR : 동일 size 제품의 투입임으로 작업 중간에 추가적인 TOOL CHANGE TIME 없음.

수동 라미네이터 : ROLL CHANGE TIME 1.5min으로 주간 4 ROLL 작업가능.

수동 노광기 : Film 1부 작업 가능 작업량 기준.
한 Model 작업시 ⇒ Film Setting Time 15min. 작업 LOSS TIME 50min.(10sec × 300PNL)
일일 작업 가능 모델 종수는 7 Model(1160Min/(15Min+100Min+50Min))
⇒ Tool Change Loss Time은 455min.(7Model × 65min)

자동노광기(Soft 작업) : FILM SETTING TIME 30min.
Alignment 교정. Film 세척. Clean paper 교체 3min으로 1회/50PNL 실시하므로 Film 1부 작업시 24min 소요. 일일 최대 24 Card(Film 8부) 작업시 432분 소요. 450 Panel/Film 1부.

자동노광기(Hard 작업) : FILM SETTING TIME 30min.
Alignment 교정. Film 세척. Clean paper 교체 3min으로 1회/50PNL 실시하므로 Film 1부 작업시 24min 소요. 일일 최대 27 Card(Film 8부) 작업시 432분 소요. 450 Panel/Film 1부.

내층 부식기 : 동일 SIZE 제품의 투입임으로 작업 중간에 추가적인 TOOL CHANGE TIME 없음.

초기 모델 Setting Time 10분. 초도품 확인 포함.(Speed 조절)
내층 OXIDE : 동일 SIZE 제품의 투입임으로 작업 중간에 추가적인 TOOL CHANGE TIME 없음.
초기 모델 Setting Time 10분. 초도품 확인 포함.(Speed 조절)

＊ 청소 / 교체 시간 근거

내층 정면 / LPR : 산세　　　: 청소 240분(월 1회)　　　: 9분/일
: S/E　　　: 청소 240분(월 1회)　　　: 9분/일
: LPR 1,2 호기　　　: 청소 480분(월 1회)　　　: 18분/일
기본 청소 시간 30분씩 일일 2회, Total 65분

자동 노광기　　: 기본 청소 시간 30분씩 일일 2회

수동 노광기　　: 기본 청소 시간 30분씩 일일 2회

수동 라미네이터 : 기본 청소 시간 30분씩 일일 2회

부식기　　: 현상　: 청소 180분(주 1회), Make-up 60분(주 3회)　: 50분/일
: 박기　: Make-up 240분(주 1회)　: 35분/일
기본 청소 시간 30분씩 일일 2회, Total 145분

옥사이드　　: 탈지　: 청소 180분(주 1회), Make-up 90분(주 1회)　: 40분/일
: 프리딥 : 청소 180분(주 1회), Make-up 90분(주 1회)　: 50분/일
: 옥사이드 : 청소 240분(2주 1회), Make-up 90분(주 2회) : 40분/일
기본 청소 시간 30분씩 일일 2회, Total 190분

CAPACITY, WORK TIME,

3. 내층검사

NO	설비명	설비수량	CYCLE TIME (1.5M byte)	MAX CAPA.			효율(%)
				Sheet/Hour	일(24시간)	월(30일)	
1	A.O.I(507×404)	5	24초(면)일 경우	1.296	1,867	55,998	83.2
		5	18초(면)일 경우	1.728	2,489	74,664	81.0
		5	21초(면)일 경우	1.481	2,133	63,998	82.2
		5	28초(면)일 경우	1.111	1,600	47,998	84.2
		5	30초(면)일 경우	1.037	1,493	44,798	84.6

Scan 시간의 변동요인

1. SIZE
2. 해상력
3. Design

MAN POWER 현황(6등분)

CAPACITY(Sheet)			작업시간(시간)			작업인원		비고
시간당 Hour	일일 (24시간)	월 (26일)	8	16	24			
64.7	1553	40378	518	1035	1553			48초 /PNL
84.0	2016	52414	672	1344	2016			36초 /PNL
73.1	1754	45992	585	1169	1754			42초 /PNL
56.1	1347	35026	449	898	1347			56초 /PNL
52.6	1263	32846	421	842	1263			60초 /PNL

4층기준(AOI 3대) : 해상력 0.4

설비 가동 효율 현황 (6등분)

WORK SIZE : 507 × 404mm

No	설비명	총가동시간(분)	효율(%)	Tool Change Time(분)
1	AOI(면에 24초일 경우)	1198	83.2	226
				셋팅시간 1회 20분소요 하루 6회 셋팅 20×6=120분 로딩, 언로딩 loss (면에 2.12초 소요) : 2995면을 검사할 수 있으므로. 2295×2.12÷60 =106분
	AOI(면에 18초일 경우)	1167	81.0	257
	AOI(면에 21초일 경우)	1184	82.2	240
	AOI(면에 28초일 경우)	1212	84.2	212
	AOI(면에 30초일 경우)	1218	84.6	206

총투입시간 : 1440분

식사, 휴식시간	청소, 교체시간	TOTAL LOSS TIME	비고
0	16	242	
	장비정검 3시간/월 TEST 10분/1일 (6)+10=16분		
0	16	273	
0	16	256	
0	16	228	
0	16	222	

CAPACITY, WORK TIME,

4. 적층

NO	설비명	설비 수량	CYCLE TIME (1.5M byte)	MAX CAPA.			효율 (%)
				(㎡/min)	일(24시간)	월(30일)	
1	재단기	1	30분(1롤)	4.842	6,972	209,161	57.6
2	본딩 M/C	4	60초	0.830	1,195	35,839	82.6
3	PRESS	2	150분	1.990	2,866	85,981	80.6
4	적층 M/C	1	90분	1.659	2,388	71,652	82.6
5	X-RAY POSA	1	9초	1.383	1,991	59,731	49.6
6	TRIM	2	300초(4Stack)	1.659	2,389	71,677	54.1
7	TRIM	1	사용불가				

MAN POWER 현황(6등분)

CAPACITY(Sheet)			작업시간(시간)			작업인원		비고
시간당 Hour	일일 (24시간)	월 (26일)	8	16	24			
167.3	4016	104413	1339	2677	4016			
41.1	987	25656	329	658	987			
96.3	2310	60061	770	1540	2310			
82.2	1973	512293	658	1315	1973			
41.1	988	25676	329	658	988			
53.9	1293	33607	431	862	1293			5초×2대, 4STACK

설비 가동 효율 현황 (6등분)

WORK SIZE : 507 × 404mm

No	설비명	총가동시간(분)	효율(%)	Tool Change Time(분)
1	재단기	830	57.6	360
2	분딩 M/C	1190	82.6	0
3	PRESS	1160	80.6	280
4	적층 M/C	1190	82.6	0
5	X-RAY POSA	714	49.6	476
6	TRIM	779	54.1	411

* Prepreg교체시간 : 10분
* cycle time : 30분
* 작업롤 수 : 36roll/1일

10분×36roll=360분

* 동일 size이기 때문에 Tool change time이 없음.

* Tool change time : 5분/1cycle
8cylce/1일=40분

COOLING PRESS TIME 고려 : 8CYCLE×30분 = 240분

* Hot press+Cooling time = 180분

총투입시간 : 1440분

식사, 휴식시간	청소, 교체시간	TOTAL LOSS TIME	비고
220	30	610	
220	30	250	
–	–	280	
220	30	250	• 주간 15분 1회 야간 15분 1회
220	30	726	
220	30	661	

* 휴식시간 : 10분×4회=40분

* Press의 경우 휴식시간과 관계없이 가동 중이므로 휴식 및 식사시간을 제외 시켰음.

* 동일 Size이기 때문에 Tool change time이 없음.

로딩 및 언로딩 시간 : 1Cycle에 6초

식사시간 및 청소시간 제외 시 총 4760cycle이므로

4760cycle×6초=476분

* cycle time : 5분
* 205.7cycle/1일
* 해체시간 + setting 시간 2분

2분×205.7cycle=411분

CAPACITY, WORK TIME,

5. Drill

NO	설비명	설비 수량	CYCLE TIME (1.5M byte)	MAX CAPA.			효율 (%)
				(㎡/min)	일(24시간)	월(30일)	
1	HITACHI	60축	52.92분/2PNL	0.5	704	21,108	86.3
2	TAKEUCHI MK-III	26축	76.39분/2PNL	0.1	203	6,096	86.3
3	TAKEUCHI ZA30	16축	93.54분/2PNL	0.1	102	3,063	86.3
4	TAKEUCHI V830	30축	52분/2PNL	0.2	344	10,333	86.3
	드릴 공정 합계			**0.9**	**1,353**	**40,599**	

가공 속도
HITACH : 180 HIT/MIN
TAKEUCHI M-III : 120 HIT/MIN
TAKEUCHI ZA30 : 98 HIT/MIN

MAN POWER 현황(6등분)

CAPACITY(Sheet)			작업시간(시간)			작업인원		비고
시간당 Hour	일일 (24시간)	월 (26일)	8	16	24			
25.3	607	15787	202	405	607			
7.3	175	4559	58	117	175			
3.7	88	2291	29	59	88			
12.4	297	7729	99	198	297			
48.7	**1168**	**30366**	**389**	**580**	**871**			

설비 가동 효율 현황 (6등분)

WORK SIZE : 507 × 404mm 1.6T, 2STACK 1SHEET = 55000홀 기준

No	설비명	총가동시간(분)	효율(%)	Tool Change Time(분)
1	HITACHI	1243	86.3	190
2	TAKEUCHI MK-III	1243	86.3	190
3	TAKEUCHI ZA30	1243	86.3	190
4	TAKEUCHI V830	1243	86.3	190
				* 모델 CHANGE 10분×8회=80분 * CYCLE 교체 : 일평균 CYCLE 23.85회×1분40초 =40분 품질확인(X-RAY검사, CHECK HOLE검사, TOOL 조건조정, DATA 수정) : 8회×7분=56분 *TOOL교환(BIT 교환으로 1.96CYCLE에 교체) : 1일은 23.85 CYCLE 이므로 1.96CYCLE 로 나누면 12.17CYCLE×70초 =14분

가공 속도
HITACH : 180 HIT/MIN
TAKEUCHI M-III : 120 HIT/MIN
TAKEUCHI ZA30 : 98 HIT/MIN

총투입시간 : 1440분

식사, 휴식시간	청소, 교체시간	TOTAL LOSS TIME	비고
0	7	197	
0	7	197	
0	7	197	
0	7	197	
* 휴식기간 : 10분×4회=40분 * 조회시간 : 5분×2회=10분 실질적으로 장비는 가동 중이므로 LOSS 없슴	* 장비일일 점검 및 청소 (1일 2대 점검) : 140분 / 20대 = 7분		

CAPACITY, WORK TIME,

6. 도금

NO	설비명	설비 수량	CYCLE TIME (1.5M byte)	MAX CAPA.			효율 (%)
				Sheet/Hour	일(24시간)	월(30일)	
1	DEBURRING M/C	1	3m/min	2.16	3,106	93,168	90
2	DESMEAR M/C	1	2.8m/min	2.01	2.899	86,957	88
3	SHADOW LINE	1	3.1m/min	2.23	3,209	96,274	84
4	전기 동도금	1	390초	1.53	2,205	66,164	91
5	벨트 샌딩 M/C	1	2.3m/min	1.10	1,583	47,482	80

도금은 디버링 등 별도 운영을 위하여 동일 라인으로 구성 되어 있어도 장비별로 속도를 다르게 적용함

MAN POWER 현황(6등분)

CAPACITY(Sheet)			작업시간(시간)			작업인원		비고
시간당 Hour	일일 (24시간)	월 (26일)	8	16	24			
117	2803	78496	934	1869	2803			70mm
106	2538	71071	846	1692	2538			70mm
113	2705	75754	902	1840	2705			70mm
84	2012	56349	671	1342	2012			
53	1264	35391	421	843	1264			70mm

설비 가동 효율 현황 (6등분)

WORK SIZE : 507 × 404mm

No	설비명	총가동시간(분)	효율(%)	Tool Change Time(분)
1	DEBURRING M/C	1300	90	40
2	DESMEAR M/C	1261	87	40
3	SHADOW LINE	1214	84	40
4	전기 동도금	1314	91	0
	디버링 M/C		90	브러쉬 드레싱 및 재 설치, 교체 작업 시간은 shift당 20분
	디스미어 M/C		87	디스미디어/새도우M/C은 tool change시간이 없고 단지. 디버링이 중지됨으로 인하여 함께 설비가 가동중지
	새도우 M/C		84	
	전기동 M/C		91	tool change 시간 없음
	벨트 샌딩 M/C		80	제품 교체 : 10 모델× 3분=30분

총투입시간 : 1440분

식사, 휴식시간	청소, 교체시간	TOTAL LOSS TIME	비고
40	60	140	
40	99	179	총투입시간 1140분
40	146	226	
0	126	126	
전 처리라인은 교대로 식사하여, 휴식시간 shift당 20분 씩	필터 교환제품 setting 시간, 투입 전 브러쉬 간격 조절 등 설비 가동전 준비단계 shift당 30분 씩		
	월 2일 정기 정비 : 96mins(sweller, 퍼망간 건욕 및 탱크 청소) 뉴츠럴 건욕 - 20mins/2week - 3mins 총 청소, 교체시간 - 99mins		
	월 2일 정기 정비 : 96mins(롤러, 탱크 청소 및 새도우 1년 주기 건욕 실시) 건욕시간 : 클리너 - 40min/2days - 20mins 픽서 - 20mins/2days - 10mins 마이크로 에칭 - 20mins/1day - 20mins 총 청소, 교체시간 - 46mins		
식사시간 설비 계속 운행	월 2일 정기 정비 : 96mins(도금액 이송여과 후 탱크 청소, 전처리탱크 청소/ 건욕 실시) 활성탄 처리 : 48hrs / 1 and 1/2years - 5탱크시 30mins 총 청소, 교체시간 - 126mins		
식사시간 : 180분 휴식시간 : 40분	벨트 교환 : 2회 × 5분 = 10분 드레싱 : 2회 × 10분 = 20분 동분여과기 청소 : 1회/3일(1회 청소시 30분) 이므로 1일 10분		

CAPACITY, WORK TIME,

7. 외층노광

NO	설비명	설비 수량	CYCLE TIME (1.5M byte)	MAX CAPA.			효율 (%)
				Sheet/Hour	일(24시간)	월(30일)	
1	자동 라이메니션	3	2.4m/min	2.2	3,162	94,867	74.3
	합 계						
2	수동 노광기	7	41sec/pnl	2.1	3,059	91,782	51.7
3	수동 노광기	2	sec/pnl	1.0	1,493	44,798	82.6
	합 계						

MAN POWER 현황(6등분)

CAPACITY(Sheet)			작업시간(시간)			작업인원		비고
시간당 Hour	일일 (24시간)	월 (26일)	8	16	24			
97.9	2,350	61,093	783	1,566	2,350			17 sec/pnl
97.9	**2,350**	**61,093**	**783**	**1,566**	**2,350**			
65.9	1,582	41,124	527	1,054	1,582			41 sec/pnl
51.4	1,233	32,058	411	822	1,233			24 sec/pnl
117.3	**2.815**	**73,182**	**938**	**1,876**	**2.815**			

설비 가동 효율 현황 (6등분)

WORK SIZE : 507 × 404mm^2

No	설비명	총가동시간(분)	효율(%)	Tool Change Time(분)
1	자동 라미네이션	1070	74.3	112
				제품적재 및 setting : 3min×14=42min D/F 교체 : 10min×7=70min
2	수동 노광기	744	51.7	446
				film setting : 60min×2=120min 로딩 언로딩 LOSS (1Cycle에 18초) : 1088cycle×18초 =326분
3	자동 노광기	1189	82.6	51
				모델교체시간 6분 : (A,B면) input-output시간 : 2분 30초 평균 6모델
1				
1				
1				
1				
1				
1				

총투입시간 : 1440분

식사, 휴식시간	청소, 교체시간	TOTAL LOSS TIME	비고
220	38	370	
	D/F 교체시 청소 : 5min×7=35min hot-roll 교체 : 1hr(월1회)⇒3min/일		
220	30	696	
	노광기 청소 : 5min×6=30min		
	200	251	
	1회 청소시간 2분 30초 청소주기 : 1회/75pnl input-output 시간 : 2분30초		

CAPACITY, WORK TIME,

외층 자동 노광장비

설비명	등분 (WORKING SIZE)	설비 수량	CYCLE TIME (1.5M byte)	MAX CAPA.			효율 (%)
				(㎡/min)	일(24시간)	월(30일)	
자동	4(607 × 507)	1	24 sec/pnl	0.8	1,120	33,599	82.6
	6(507 × 404)	1	24 sec/pnl	0.5	747	22,399	82.6
	9(337 × 404)	1	24 sec/pnl	0.3	498	14,933	82.6

MAN POWER 현황

CAPACITY(㎡)			작업시간(시간)			작업인원		비고
시간당 Hour	일일 (24시간)	월 (26일)	8	16	24			
38.5	925	24,043	308	616	925	1		24 sec/pnl
25.7	616	16,029	205	411	616	1		24 sec/pnl
17.1	411	10,686	137	274	411	1		24 sec/pnl

외층 이메지 TECHNOLOGY

<table>
<tr><td colspan="2">항 목</td><td colspan="2" rowspan="2">일반작업
[㎛]</td></tr>
<tr><td rowspan="7">PATTEN / SPACE</td><td>외층동박두께</td></tr>
<tr><td>1/3 OZ</td><td colspan="2">80/80</td></tr>
<tr><td>1/2 OZ</td><td colspan="2">100/100</td></tr>
<tr><td>1/1 OZ</td><td colspan="2">125/125</td></tr>
<tr><td>2/2 OZ</td><td colspan="2">180/180</td></tr>
<tr><td>3/3 OZ</td><td colspan="2">220/220</td></tr>
<tr><td>4/4 OZ</td><td colspan="2">280/280</td></tr>
<tr><td rowspan="6">작업가능 size</td><td>장비별</td><td colspan="2">일반작업[mm]</td></tr>
<tr><td>D/F 정면기</td><td colspan="2">800</td></tr>
<tr><td>자동 L/A</td><td colspan="2">Max. 640 × Min. 250</td></tr>
<tr><td>수동 L/A</td><td colspan="2">680</td></tr>
<tr><td>노광기</td><td colspan="2">750 × 600</td></tr>
<tr><td>Etching line</td><td colspan="2">800</td></tr>
<tr><td rowspan="6">작업가능 thickness</td><td>장비별</td><td>Max. [T]</td><td>Min. [T]</td></tr>
<tr><td>D/F 정면기</td><td>3.2</td><td>0.4</td></tr>
<tr><td>자동 L/A</td><td>3.2</td><td>0.4</td></tr>
<tr><td>수동 L/A</td><td>4.1</td><td>0.2</td></tr>
<tr><td>노광기</td><td>5</td><td>0.2</td></tr>
<tr><td>Etching line</td><td>3.2</td><td>0.2</td></tr>
<tr><td colspan="2" rowspan="2">Min. BGA 직경 [BGA / Space]</td><td colspan="2">일반작업[㎛]</td></tr>
<tr><td colspan="2">Min. 100 / 100</td></tr>
<tr><td colspan="2">Min. clearance [편측]</td><td colspan="2">100</td></tr>
<tr><td colspan="2">제품 외곽 LOSS</td><td colspan="2">20</td></tr>
</table>

CAPABILITY

특별작업 [㎛]		비 고
70/70		
80/80		
90/90		
140/140		
200/200		
250/250		
특별작업[mm]		
800		
Max. 660 × Min. 250		단방향 250mm 이상
700		
800 × 650		
840		
Max. [T]	Min. [T]	
6	0.2	
3.2	0.2	
6	0.1	
6	0.1	
6	0.1	
특별작업[㎛]		
Min. 80 / 80		1/2 OZ 기준
80		
10		

CAPACITY, WORK TIME,

8. 외층 WET

NO	설비명	설비 수량	CYCLE TIME (1.5M byte)	MAX CAPA.			효율 (%)
				(㎡/min)	일(24시간)	월(30일)	
1	외층 D/F 정면기	1	3.5m/min	2.5	3,623	108,696	88.0
2	외층 부식기	1	4.0m/min	2.9	4,141	124,224	88.4

MAN POWER 현황(6등분)

CAPACITY(㎡)			작업시간(시간)			작업인원		비고
시간당 Hour	일일 (24시간)	월 (26일)	8	16	24			
132.8	3,188	82,886	1,063	2,125	3,188			
152.5	3,661	95,175	1,220	2,440	3,661			

위 산출근거는 507×404size 2pnl씩 투입하였을 경우임.

설비 가동 효율 현황 (6등분)

WORK SIZE : 507 × 404mm

No	설비명	총가동시간(분)	효율(%)	Tool Change Time(분)
1	외층 D/F 정면기	1,267	88.0	76
				브러쉬 setting : 5min × 10 = 50min 브러쉬 교체 : 20min × 8 = 160min (월1회)⇒ 6min/일 제품적재 : 1min×20 = 20min
2	외층 부식기	1,273	88.4	60
				모델 변경시 setting 시간 : 6min×10= 60min
1				

총투입시간 : 1440분

식사, 휴식시간	청소, 교체시간	TOTAL LOSS TIME	비고
	97	173	
	스폰지롤러 청소 : 5min × 4 = 20min 드레싱 작업 : 30min × 2 = 60min make-up : 120min(1회/2주) ⇒ 8min/일		
	107	167	
	1. make-up ①현상 : 180min(주1회) ⇒ 25min/일 ②현상 반 make-up : 120min(1회/30일) ⇒ 40min/일 ③박리 : 60min(1회) ⇒ 8min/일 1. make-up ①현상tank : 180min (1회/2주)⇒ 25min/일 ②박리tank : 180min (1회/2주)⇒ 13min/일 ③수세부교환 : 120min (1회/2주)⇒ 8min/일		

CAPACITY, WORK TIME,

9.특수 인쇄 & MK

NO	설비명	설비 수량	CYCLE TIME (1.5M byte)	MAX CAPA.			효율 (%)
				m^2/min	일(24시간)	월(30일)	
1	psr 정면2호기	1	2.2m/min	0.8	1,120	33,599	94.5
2	psr 자동 인쇄라인	1	16sec/PNL	0.8	1,120	33,599	90.8
3	psr 정면1호기	1	2.2m/min	1.6	2,277	68,323	77.8
4	반자동인쇄기	10	15sec/PNL	4.1	5,973	179,194	28.9
	인쇄공정 합계	자동인쇄라인 + 반자동인쇄기 10대				**212,792**	
		(반자동인새기 1회 인쇄시 단면 인쇄)					
	psr 정면 합계					**101,922**	
5	수동노광기	12	55sec/PNL	2.7	3,910	117,290	69.4
	노광공정 합계	수동 노광기 12대				**117,290**	
6	psr 현상기	1	3.8m/min	2.7	3,934	118,013	77.7
	현상공정 합계	PSR 현상기 1대				**118,013**	
7	Box oven기(pre cure)	4	60min/PNL	2.1	2,987	89,597	86.1
		80℃ 45분기준(예열시간 15분)					
		1회 건조시 300PNL 건조가능, Pre-curing(단면)기준					
8	Box oven기(final 건조)	1	120min/300PNL	0.5	747	22,399	80.0
9	WICKET 건조기	1	16sec/PNL	1.6	2,240	67,198	98.6
10	터널식 건조기	1	0.25m/min	0.7	1,015	30,456	98.6
11	uv 자동마킹라인	1	10sec/PNL	1.2	1,792	53,758	66.0
12	반자동마킹인쇄기	6	8sec/PNL	4.7	6,720	201,593	20.9
	마킹공정 합계	자동마킹라인 + 반자동마킹기 2대				**255,351**	
		(반자동마킹기 1회 인쇄시 단면 인쇄)					

MAN POWER 현황(6등분)

CAPACITY(m^2)			작업시간(시간)			작업인원		비고
시간당 Hour	일일 (24시간)	월 (26일)	8	16	24			
44.1	1058	27517	353	706	1058			16초/pnl
42.4	1017	26440	339	678	1017			16초/pnl
73.8	1772	46068	591	1181	1772			
71.9	1726	46882	575	1151	1726			15초/pnl
114.3	**2743**	**71322**	**914**	**1829**	**2743**			
		73586	**943**	**1887**	**2830**			
113.1	2713	70546	904	1809	2713			55초/pnl
113.1	**2713**	**70546**	**904**	**1809**	**2713**			
127.4	3057	79470	1019	2038	3057			
127.4	**3057**	**79470**	**1019**	**2038**	**3057**			
107.1	2571	66857	857	1714	2571			12초/pnl
								57분/300pnl
24.9	597	15530	199	398	597			24초/pnl
92.0	2209	57423	736	1472	2209			16초/pnl
41.7	1001	26026	334	667	1001			렉크460mm
49.3	1183	30750	394	788	1183			10초/pnl
58.5	1404	36515	468	936	1404			8초/pnl
107.8	**2587**	**67265**	**862**	**1725**	**2587**			

설비 가동 효율 현황 (6등분)

WORK SIZE : 507 × 404mm

No	설비명	총가동시간(분)	효율(%)	Tool Change Time(분)
	psr 정면 2호기	1361	94.5	45
				브러쉬 교체 1회(30분)/주 = 5분 제품loading 시간 (20card) ⇒ 2×20 = 40분
	psr 자동 인쇄라인	1308	90.8	120
				screen 망 교체 1회(30분)×4 = 120분
	psr 정면 1회기	1121	77.8	45
				브러쉬 교체 1회(30분)/주=5분 제품 loading시간 (20card)⇒2×20=40분
	반자동인쇄기	419	28.9	664
				screen 망 교체 1회(30분)×4 = 120분 로딩 언로딩(1cycle에 17초) : 1920cycle× 17초=544분)
	반자동마킹기	301	20.9	783
				screen 망 교체 1회(30분)×6 = 180분 로딩 언로딩(1cycle에 10초) : 3616cycle × 10초 = 603분)

총투입시간 : 1440분

식사, 휴식시간	청소, 교체시간	TOTAL LOSS TIME	비고
0	34	79	
중식잔업으로 loss없음	동분여과기청소 : 1회(40분)/주=7분 수세수 교환 : 1회(40분)/주=7분 모델교체(4모델)=20분		
0	12	132	
중식잔업으로 loss없음	주1회 라인정지 기준 제품 통과시간(72분) = 12분		
220	54	319	
중식 120분, 석식 60분 휴식 40분	동분여과기청소 : 1호(40분)/주=7분 수세수 교환 : 1회(40분)/주=7분 모델교체(8모델)=40분		
220	140	1024	
중식 120분, 석식 60분 휴식 40분	Check list 작성 = 60분 My M/C 청소 = 20분 건조기 투입, 배출시간 (10분) × 6회 = 60분		
220	136	1139	
중식 120분, 석식 60분 휴식 40분	Check list 작성 = 60분 My M/C 청소 = 20분 건조기 투입, 배출시간 (7분) × 8회 = 56분		

No	설비명	총가동시간(분)	효율(%)	Tool Change Time(분)
	uv자동마팅라인	950	66.0	180
				Screen망 교체 : 1회(30분)×6=180분
	수동노광기	1000	69.4	80
				필름 교체 : 1회(40분)×2=80분
	psr 현상	1119	77.7	7
				필름 교체 : 1회(40분)/주=7분
	BOX OVEN 기(PRE CURE)	1240	86.1	0
	BOX OVEN 기(FINAL 건조)	1152	80.0	0
	WICKET 건조기	1420	98.6	0
	터널식 건조기	1420	98.6	0

식사, 휴식시간	청소, 교체시간	TOTAL LOSS TIME	비고
220	90	490	
중식 120분, 석식 60분 휴식 40분	모델교체(6모델)=30분		
220	140	440	
중식 120분, 석식 60분 휴식 40분	Check list 작성 = 60분 My M/C 청소 = 20분 초도품검사(10분) = 60분		
220	94	321	
중식 120분, 석식 60분 휴식 40분	Make-up 2회(70분)/주 = 24분 Check list 작성 = 60분 수세수 교환 : 2회(30분)/주 = 10분		
0	200	200	
	자연냉각시간 : (10분)×20회=200분		
0	288	288	
	자연냉각시간 : (3분)×96회=288분		
0	20	20	
	주1회 라인정지기준제품 통과시간(115분)= 20분		
0	20	20	
	주1회 라인정지기준제품 통과시간(115분)= 20분		

CAPACITY, WORK TIME,

10. 외형가공

NO	설비명	설비 수량	CYCLE TIME	MAX CAPA.			효율 (%)
				(㎡)/min	일(24시간)	월(30일)	
1	ROUTER(앤더슨)	6	10분	1.50	2,160	64,800	95.8
2	ROUTER(다께우찌)	1	10분	0.25	360	10,800	95.8
						75,600	
3	ROUTER 후 처리 M/C	1	4초(6kit)	3.07	4,421	132,624	80.6
4	V-Cut M/C	2	12초(6kit)	2.04	2,938	88,128	77.8
5	단자 면취기	2	24초(6kit)	1.00	1,440	43,200	79.9

※ V-CUT 및 단면취는 1회를 기준으로 산정
CAPACITY 산출 기준 모델
- CYBER 550(6KIT/PNL)
- 3 STACK

후 처리 조건 : 2.5m/min
V-CUT 조건 : 12m/min
면취 조건 : 3m/min

MAN POWER 현황(6등분)

CAPACITY(m^2)			작업시간(시간)			작업인원		비고
시간당 Hour	일일 (24시간)	월 (26일)	8	16	24			
86.2	2069	53801	690	1380	2069			
14.4	345	8967	115	230	345			
100.6	**2414**	**62768**	**805**	**1609**	**2414**			
148.5	3563	92642	1188	2375	3563			
95.2	2285	59422	762	1524	2285			
47.9	1151	29915	384	767	1151			

설비 가동 효율 현황 (6등분)

WORK SIZE : 507 × 404mm

No	설비명	총가동시간(분)	효율(%)	Tool Change Time(분)
1	ROUTER (앤더슨)	1380	95.8	20(4회/일)
2	ROUTER (다께우찌)	1380	95.8	20(4회/일)
3	ROUTER 후처리 M/C	1160	80.6	20(4회/일)
4	V-CUT	1120	77.8	60(4회/일)
5	단자 면취기	1150	79.9	30(2회/일)
				-ROUTER : 비트 교환, ROUTING DATA DOWN, 보정값 설정(5분/1model) - ROUTER 후처리 M/C : LOADER기에 제품 적재, 온도 상승 대기, 설정값 확인(5분/1model) - V-CUT : MAIN 가이드와 SUB가이드 와의 치수 조절, 초도품 확인, FEEDING 속도 확인, 제품 적재 (15분/1model) - 단자 면취기 : 제품 적재, SUB 가이드 조절, 엔드밀 확인, 초도품 확인(15분/1model)

총투입시간 : 1440분

식사, 휴식시간	청소, 교체시간	TOTAL LOSS TIME	비고
0	40	60	
0	40	60	
220	40	280	
220	40	320	
220	40	290	
중식 * 2회 = 120분 석식 * 2회 = 60분 휴식 * 4회 = 40분 ROUTER의 경우 중식/석식 시간에는 실질적으로 작업이 가능함으로 loss time이 없음	청소 * 2회 = 20분 조회 * 2회 = 20분		

CAPACITY, WORK TIME,

11. B.B.T

NO	설비명	설비 수량	CYCLE TIME (1.5M byte)	MAX CAPA.			효율 (%)
				(㎡/min)	일(24시간)	월(30일)	
1	SINK	4	6초/PCS	1.36	1,958	58,752	93.1
			720PCS/시간				
2	FOREVER	3	8초/PCS	0.77	1,109	33,264	93.1
			360PCS/시간				
3	UTRON	2	7초/PCS	0.58	835	25,056	75.7
			450PCS/시간				
4	KIM's		7초/PCS	0.29	418	12,528	75.7
			450PCS/시간				
합 계						**129,600**	

CAPA 산출 기준 모델

모델명 : CYBER 5500 (6KIT/PNL)

TEST 설정값 : CONTINUITY(20Ω), INSULATION(20MΩ) VOLTAGE(250V)

MAN POWER 현황(6등분)

CAPACITY(m^2)			작업시간(시간)			작업인원		비고
시간당 Hour	**일일 (24시간)**	**월 (26일)**	8	16	24			
76.0	**1823**	47405	608	1216	1823			
43.0	**1032**	26840	344	688	1032			
26.3	**632**	16438	211	421	632			
13.2	**316**	8219	105	211	316			
158.5	**3804**	**98902**	**1268**	**2536**	**3804**			

설비 가동 효율 현황 (6등분)

WORK SIZE : 507 × 404mm(8EA)

No	설비명	총가동시간(분)	효율(%)	Tool Change Time(분)
1	SINK(자동)	1340	93.1	60분(2회/일)
2	FOREVER(자동)	1340	93.1	60분(2회/일)
3	UTRON(수동)	1090	75.7	90분(3회/일)
4	KIM'S(수동)	1090	75.7	90분(3회/일)
				내역 - 지그 setting - open/short test - center 조정 - master 설정

총투입시간 : 1440분

식사, 휴식시간	청소, 교체시간	TOTAL LOSS TIME	비고
0	40	100	
0	40	100	
자동 장비의 경우 중식/석식 시간에 실질적으로 작업이 가능 함으로 loss time이 없음			
220	40	350	
22	40	350	
	청소 × 2회 = 20분 조회 × 2회 = 20분		

memo

부록 : PCB TECH ROAD MAP(JAPAN)

memo

부록 PCB TECH ROAD MAP(JAPAN)

1 서론

❶ 2004년도 PCB Technology ROAD MAP 작성은 일본 (사)전자 정보 기술산업협회에서 발행한 2003년 일반 실장 기술 ROAD MAP 자료를 요약 정리 한 것임.

❷ 2002년도 기준으로 세계 PCB 시장의 Market Share는 일본 36% 대만 22% 미국 15.8%로 3개국이 세계 시장의 73.8% 임.

❸ PCB기술의 시작은 선진국인 미국, 일본으로부터 전 세계로 보급되며 특히 일본의 기술은 한국 기술 발전에 커다란 영향을 미친다.

❹ 이번 ROAD MAP을 통해서 향후 5~10년 동안 HDI 제품 발전 속도를 알 수 있다.

❺ 이 ROAD MAP을 통해서 각 PCB 회사의 현주소를 알 수 있고, 각 회사별로 기술 개발 속도를 조절할 수 있다고 봄.

❻ TREND는 2000년도를 기준으로 해서 2년 단위로 구분하여 2012년까지 기술함.

2. 요약

❶ PCB는 MOTHER BOARD와 반도체 PACKAGE용 SUBSTRATE로 구분된다.

❷ MOTHER BD는 휴대성과 고기능성 및 다기능성을 요구하는 전자 기기제품의 특수성에 대응하는 고밀도 실장, 경박 단 소화를 실현화 한다.

❸ 일본의 PCB업체는 약 230EA 사이며,

① BUILD-UP

② 고밀도SUBRACTIVE

③ ADDITIVE
④ SEMI-ADDITIVE의 첨단적인 제품공급 가능한 기업 20%
나머지일반적인 제품을 공급 가능한 기업이 80%임.

❹ 일반적인 제품은 전기기기 SET-MAKER들의 중국으로 생산이 이관 되어 대만 및 중국으로부터 조달됨.

❺ 전체적인 IT 불황 및 전자기기의 SET의 경박 단소화의 요구에 대응해 PCB의 SIZE도 축소 지향 되고 있다.

❻ 작은 SIZE에 많은 기능을 탑재하기 위해 미세한 회로의 형성과 부품내장에 따른 해결책으로서 전개를 위해 불황속에서도 선행투자와 미세화 대응설비투자 등을 적극적으로 하지 않으면『살아 남을 수 없다』라는 딜레마를 던지고 있다.

❼ 더욱더 전자기기의 고기능화, 고속화, 경박 단소화 요구의 진전을 수반한 반도체 DEVICE와 전자부품을 PCB내부에 묻혀버린 부품 내장 PCB(PCB WITH EMBEDDED COMPONENTS)의 생산이 개시되고 있다.

❽ 사용 용어
① 마더보드(MOTHER BOARD) : 제3차 실장 레벨로서, 반도체 디바이스와 전자부품등을 탑재하는 프린트 배선판을 가리킨다.
② 서브스트레이트(SUBSTRATE) : 제2차 실장 레벨로서, LSI칩을 탑재하고 반도체 패키지를 형성하는 프린트 배선판을 가리킨다. 모듈 기판 (MODULE PWB)은 서브스트레이트에 포함.
③ 비아 홀(VIA HOLE) : 전기신호를 전송하기 위해 형성된 소경(작은지름)의 홀로서 도금 또는, 도전성 페이스트를 이용해 층간의 도통을 한다. 핀 삽입 TYPE부품의 실장에 이용되지 않는 홀의 총칭으로, 블라인드 비아홀(BLIND VIA HOLE)과 버리드 비아홀(BURIED VIA HOLE)을 포함.
④ 관통홀(PLATED THROUGH HOLE) : 프린트 배선판의 표면과 표면을 관통하는 도금된 홀의 총칭으로서, 핀 삽입 TYPE부품 실장과 전기신호의 기술에 이용할 수 있고, 도금 도통홀 이라고도 불린다.
⑤ 비 관통 홀(IVH : INTERSTITIAL VIA HOLE) : 임의로 층간을 접속하는 홀

의 호칭으로서 프린트 배선판의 표면에서 표면으로 관통하지 않는 경유홀임.

⑥ 마이크로 비아홀(MICRO VIA HOLE) : 빌드업 배선판의 빌드업 층으로 채용되는 소경홀로 총칭된다. 본 로드맵에서는 마이크로 비아라고 호칭함.

⑦ 솔더 마스크(SOLDER MASK) : 땜납의 작업으로부터 회로를 보호하는 마스크로서, 솔더레지스트(SOLDER RESIST)라고 불리운다.

❾ 기술적 난이도

본 기술 로드맵에서는 기술의 난이도로 대별하여 클래스 A, 클래스 B, 클래스 C의 세가지 클래스로 유형화 됐다.

클래스 A는 주요 대량 생산에 이용될 수 있는 프린트 배선판 기술로서 프린트 배선판 메이커 매상의 약 80%이상을 차지하는 제품에 적용된다. 전자 기기세트 메이커, 경제적인 크스트로 비교적 용이하게 조달되는 것으로, IPC(미국 실장 관계의 업계단체)의 로드맵 "Conventional Technology"에 대응한다.

클래스 B는 코스트 업이 되지만, 선단기술을 보유한 프린트 배선판 메이커가 양산 공급 가능한 기술로, 조달시에 메이커 선택에 주의를 요하는 것이다. 또, 선단 프린트 배선판 메이커 매상의 약 15%정도의 제품에 적용된다. IPC로드맵에서는 "LEADING EDGE"에 대응한다.

클래스 C는 업계의 최선단 기술을 보유한 프린트 배선판 메이커라도 대량 생산 공정이 미확립된, 또는 불안정한 기술인 것이다. 시작 양산 등의 소량 조달은 가능 하지만, 기술적 난이도에 걸맞는 코스트가 필요해 진다. IPC 로드맵에서는 "STATE OF THE ART"에 대응한다.

마더보드에서는 미생용의 대량 생산 전자 기기에는 클래스 A를 선택하는 것이 바람직 하지만, 요구 특성에 따른 대량 생산 대응이라도 클래스 B를 선택하는 경우도 있다.

클래스 B 및 클래스 C의 제품은, 고성능 & 다기능이 요구되는 전자기기에 코스트를 회생하더라도 채용도는 경우도 있다.

또, 반도체 패키지용 서브 스트레이트에서는 일반적으로 하이엔드 제품에 클래스 C가, 미드렌지 제품에 클래스 B가, 로우엔드 제품에 클래스 A가 채용된다.

각 클래스의 구분은 항목별로 독립 되있으며, 항목간의 관련성은 없다. 따라서 동일의 표내의 각 클래스는 독립해 있고, 기술적 난이도를 정리해 표시했다.

기술적 난이도

클래스	제조 가능 기술	생산 비율	코스트
클래스 A Conventional	일반적	80%	경제적
클래스 B Leading Edge	선단적	15%	코스트 업
클래스 C State of the Art	초선단적	5%	하이크스트

3 PCB 유형별 생산수량(일본 국내 생산분 m²/월)

종류	항 목		2000년	2002년	2004년	2006년	2008년	2010년	2012년
BUILD -UP		일반양산품	54,950	54,200	50,100	65,000	61,000	60,500	58,000
		선단양산품	16,800	34,270	59,430	62,000	74,500	100,000	126,500
		선단개발품	710	1,070	5,730	14,100	18,800	25,800	39,800
	합 계		**72,460**	**89,540**	**115,260**	**141,100**	**154,300**	**186,300**	**224,300**
MLB	생산 수량	클래스 A		208,200	200,900	228,400	215—200	222,400	239,500
		클래스 B		41,220	65,300	67,900	45,800	42,900	46,100
		클래스 C		4,700	20,050	37,750	18,950	22,650	26,350
	합 계			**254,120**	**285,250**	**334,050**	**279,950**	**287,950**	**311,950**
DUBLE SIDE		일반양산품		294,400	247,800	233,800	212,800	211,800	211,800
		선단양산품		107,905	114,305	118,300	74,300	73,300	73,300
		선단개발품		10,650	12,050	13,050	12,050	13,050	13,050
	합 계			**412,955**	**374,155**	**365,150**	**299,150**	**298,150**	**298,150**
Single SIDE		일반양산품		149,640	125,500	115,000	35,000	35,000	35,000
		선단양산품		12,500	13,000	13,500	4,500	4,500	4,500
		선단개발품		8,500	8,500	8,500	3,500	3,500	3,500
	합 계			**170,640**	**147,000**	**137,000**	**43,000**	**43,000**	**43,000**

종류	항 목		2002년	2004년	2006년	2008년	2010년	2012년
FLEXI-BLE	단면 FPC	클래스 A	132,000	152,000	112,000	114,000	114,000	114,000
		클래스 B	88,800	140,000	188,000	208,000	238,000	188,000
		클래스 C	1,600	1,600	600	1,000	1,000	1,000
	소 계		**222,400**	**293,600**	**300,600**	**323,000**	**353,000**	**303,000**
	SDA	클래스 A	3,000	4,000	5,000	5,000	5,000	5,000
		클래스 B	1,500	2,000	2,000	2,000	2,000	2,000
		클래스 C	4,900	6,400	7,400	7,400	7,400	7,400
	소 계		**9,400**	**12,400**	**14,400**	**14,400**	**14,400**	**14,400**
	단면계	생산량/월	231,800	306,000	315,000	337,400	367,400	317,400
		전체 FPC 비율	64.80%	73.40%	42.50%	38.30%	37.30%	34.90%
	양면 FPC	클래스 A	41,000	57,000	43,200	49,000	54,000	59,000
		클래스 B	36,800	18,000	154,800	186,000	206,000	206,800
		클래스 C	1,100	1,200	200	200	200	200
	소 계		**78,900**	**76,200**	**198,200**	**235,200**	**260,200**	**265,200**
	FRPC	클래스 A	6,000	20,600	23,600	33,600	51,600	61,600
		클래스 B	41,050	13,100	203,300	254,300	306,300	357,300
		클래스 C	70	1,150	600	500	600	600
	소 계		**47,120**	**34,850**	**227,500**	**288,400**	**358,500**	**419,500**
	양면 FRPC계	생산량/월	126,020	111,050	425,700	523,600	618,700	684,700
		전체 FPC 비율	35.20%	26.60%	57.50%	61.70%	62.70%	65.10%
	합 계	**생산량/월**	**357,820**	**417,050**	**740,700**	**861,000**	**986,100**	**1,002,100**

4. PCB

❶ DELIVERY TREND

항목	클래스	2002년	2004년	2006년	2008년	2010년	2012년
빌드업배선판 (일수)	일반양산품	10	8	7	5	5	5
	개발양산품	15	13	12	12	11	11
	선단양산품	20	20	20	18	18	15
다층배선판 (일수)	일반양산품	12	14	12	11	10	8
	개발양산품	15	14	12	11	10	10
	선단양산품	22	21	18	16	15	15
양면배선판 (일수)	일반양산품	10	8	8	7	6	6
	개발양산품	11	9	9	8	7	7
	선단양산품	12	10	10	9	8	8
단면배선판 (일수)	일반양산품	4	3	3	3	3	2
	개발양산품	7	7	7	7	7	5
	선단양산품	10	7	7	7	7	7
단면*양면 FPC	일반양산품	16	15	10	9	8	8
	개발양산품	18	16	12	11	10	10
	선단양산품	20	19	16	16	15	15
FRPC (다층부:6층기준)	일반양산품	23	22	20	18	18	18
	개발양산품	25	24	22	20	20	20
	선단양산품	25	26	25	24	23	22

<서브스트레이트>

항목	클래스		2002년	2004년	2006년	2008년	2010년	2012년
테이프	1층	통상	20	15	15	15	10	10
		특급	10	7	5	5	3	3
	2층	통상	25	20	20	20	15	15
		특급	14	10	10	7	4	4
리지드	2층	통상	14	12	11	9	7	6
		특급	5	4	2	2	2	2
	4층	통상	19	17	13	12	11	10
		특급	6	5	3	2	2	2

빌드업	2/2/2	통상	32	18	18	4	14	14
		특급	12	10	10	10	7	7
세라믹	8층	통상	21	14	14	14	7	7
		특급	7	7	7	7	7	7

❷ PRICE TREND

항목	층 수	2000년	2002년	2004년	2006년	2008년	2010년	2012년
빌드업 배선판	(6층 : 1+4+1)	100	63	59	53	50	50	50
	전층 IVH 배선판(6층)	100	68	62	56	49	43	37
다층 배선판	10층	100	67	62	59	57	55	52
	4층	100	57	53	48	45	43	43
	6층	100	66	62	58	53	49	47
양면배선판	2층	100	81	77	77	76	76	76
단면배선판	1층	100	96	96	96	96	96	96

항목	클래스	2002년	2004년	2006년	2008년	2010년	2012년
단면 FPC	일반양산품	100	96	92	88	79	79
	개반양산품	100	104	108	110	112	112
	선단양산품	100	100	100	100	100	100
양면 FPC	일반양산품	100	93	84	79	74	74
	개반양산품	100	129	143	143	143	143
	선단양산품	100	100	100	110	120	120
FRPC(다층부 : 6층기준)	일반양산품	100	83	76	70	64	61
	개반양산품	100	100	100	108	117	125
	선단양산품	100	100	100	107	114	121

<리지드 구조 서브스트레이트 평균가격>

항목	구 조	2000년	2002년	2004년	2006년	2008년	2010년	2012년
45mm×45mm(%)	2층	100	83	75	73	73	70	68
	4층	100	75	63	59	53	50	48
25mm×25mm(%)	2층	100	85	77	77	77	61	54
	4층	100	67	63	58	55	50	46
12mm×12mm(%)	2층	100	90	68	64	59	54	50
	4층	100	78	67	62	60	55	51

<빌드업 구조 서브스트레이트 평균가격>

항목	구 조	2000년	2002년	2004년	2006년	2008년	2010년	2012년
45mm×45mm	2/2/2	100	80	60	56	52	50	46
25mm×25mm	2/2/2	100	67	50	45	37	33	30
12mm×12mm	1/2/1	100	80	80	55	50	40	40

<테이프 구조 서브스트레이트 평균가격>

항목	구 조	2000년	2002년	2004년	2006년	2008년	2010년	2012년
45mm×45mm(%)	1층	100	83	75	73	73	70	68
	2층	100	100	83	78	70	67	63
25mm×25mm(%)	1층	100	78	78	78	78	57	55
	2층	100	88	83	78	72	66	61
12mm×12mm(%)	1층	100	80	60	56	52	48	44
	2층	100	100	100	93	90	83	77

5. BUILD-UP ROAD-MAP

❶ 층 재료 TREND

항 목	클래스	종 류	2002년	2004년	2006년	2008년	2010년	2012년
유리 전이점온도 (℃)	클래스 A	−	150	155	155	175	175	175
	클래스 B	−	180	190	190	200	200	200
	클래스 C	−	220	220	220	250	250	250
유전률 (1MHz시)	클래스 A	보강재 無	3.8	3.8	3.8	3.7	3.7	3.7
		보강재 無	4.7	4.7	4.7	4.7	4.7	4.7
	클래스 B	−	3.5	3.2	3.2	2.8	2.8	2.8
	클래스 C	−	2.8	2.8	2.4	2.4		
유전률 (1GHz시)	클래스 A	보강재 無	3.5	3.5	3.5	3.4	3.4	3.4
		보강재 無	4.4	4.4	4.4	4.4	4.4	4.4
	클래스 B	−	3.2	3	3	2.6	2.6	2.6
	클래스 C	−	2.6	2.6	2.2	2.2		
유전정접 (1MHz시)	클래스 A	−	0.015	0.015	0.015	0.014	0.014	0.014
	클래스 B	−	0.007	0.006	0.006	0.005	0.005	0.005
	클래스 C	−	0.003	0.003	0.001	0.001	0.001	0.001

항 목	클래스	종 류	2002년	2004년	2006년	2008년	2010년	2012년
유전정접 (1GHz시)	클래스 A	–	0.015	0.015	0.015	0.014	0.014	0.014
	클래스 B	–	0.007	0.006	0.006	0.005	0.005	0.005
	클래스 C	–	0.003	0.003	0.001	0.001	0.001	0.001
열팽창계수 (ppm/℃)	클래스 A	보강재 無	15	15	15	15	15	15
		보강재 無	60	60	60	60	60	60
	클래스 B	보강재 無	15	15	15	12	12	12
		보강재 無	30	30	30	20	20	20
	클래스 C	–				6	6	6
땜납내열성 (Max. ℃/s)	클래스 A	–	260/120	260/120	260/120	260/120	260/120	260/120
	클래스 B	–	288/60	288/60	288/60	288/60	288/60	288/60
	클래스 C	–	288/180	288/180	288/180	288/180	288/180	288/180
동박인박강도 (kN/m)	클래스 A	–	0.8	0.8	0.8	1	1	1
	클래스 B	–	1	1	1	1.4	1.4	1.4
	클래스 C	–	1.5	1.5	1.5	1.5	1.5	1.5
휨강도 (N/mm^2)	클래스 A	보강재 無	490	490	490	490	490	490
		보강재 無	N/A	N/A	N/A	N/A	N/A	N/A
	클래스 B	보강재 無	490	490	490	490	490	490
		보강재 無	N/A	N/A	N/A	N/A	N/A	N/A
	클래스 C	보강재 無	550	550	550	550	550	550
		보강재 無	N/A	N/A	N/A	N/A	N/A	N/A
휨탄성율 (Gpa)	클래스 A	보강재 無	20	20	20	20	20	20
		보강재 無	2	2	2	2	2	2
	클래스 B	보강재 無	20	20	20	20	20	20
		보강재 無	10	10	10	10	10	10
	클래스 C	–	30	30	30	30	30	30
흡수율 D-25/24 (℃)	클래스 A	보강재 無	0.06	0.06	0.06	0.06	0.06	0.06
		보강재 無	1	1	1	1	1	1
	클래스 B	보강재 無	0.05	0.05	0.05	0.05	0.05	0.05
		보강재 無	0.8	0.8	0.8	0.5	0.5	0.5
	클래스 C	–	0.04	0.03	0.03	0.02	0.02	0.02

❷ 완제품 SPEC TREND

항 목	클래스	종 류	2002년	2004년	2006년	2008년	2010년	2012년
최대배선판 사이즈 (mm×mm)	클래스 A	–	250×250	250×250	250×250	250×250	250×250	250×250
	클래스 B	–	300×480	300×480	300×480	300×480	300×480	300×480
	클래스 C	–	480×570	480×570	480×570	600×600	600×600	600×600
최소배선판 사이즈 (mm×mm)	클래스 A	–	100×100	100×100	100×100	100×100	100×100	100×100
	클래스 B	–	70×70	70×70	70×70	70×70	70×70	70×70
	클래스 C	–	4×4	4×4	3×3	3×3	3×3	3×3
최대배선판 두께 (mm)	클래스 A	Core	1.6	1.6	1.6	1.6	1.6	1.6
		B-Core	1.6	1.6	1.6	1.6	1.6	1.6
		No	1	1	1	1	1	1
	클래스 B	Core	4	4	4	4	4	4
		B-Core	4	4	4	4	4	4
		No	1.2	1.2	1.2	1.2	1.2	1.2
	클래스 C	Core	6.3	6.3	6.3	6.3	6.3	6.3
		B-Core	5	5	5	5	5	5
		No	1.6	1.6	1.6	1.6	1.6	1.6
최소배선판 두께(mm)	클래스 A	–	0.4	0.4	0.4	0.35	0.35	0.35
	클래스 B	–	0.3	0.3	0.3	0.3	0.3	0.3
	클래스 C	–	0.2	0.2	0.2			
최대층수 (층)	클래스 A	–	10	10	10	10	10	10
	클래스 B	Core	18	24	24	30	30	30
		B-Core	18	18	18	20	20	20
		No	12	12	12	12	12	12
	클래스 C	Core	30	50	50	50	50	50
		B-Core	24	24	26	26	26	26
		No	16	16	16	16	16	16
최대코어 층수(층)	클래스 A	Core	6	6	6	6	6	6
	클래스 B	Core	12	18	18	22	22	22
	클래스 C	Core	20	40	40	40	40	40
최대빌드업 층수(층)	클래스 A	Core	4	4	4	6	6	6
	클래스 B	Core	6	6	6	8	8	8
	클래스 C	Core	8	10	10	10	10	10

항 목	클래스	종 류	2002년	2004년	2006년	2008년	2010년	2012년
최대빌드업 두께(μ)	클래스 A	–	60	50	50	50	50	50
	클래스 B	–	50	40	40	30	30	30
	클래스 C	Core	25	12.5	12.5	10	10	10
		No	30	20	20			
휨사양(%)	클래스 A	–	0.5	0.5	0.5	0.5	0.5	0.5
	클래스 B	–	0.3	0.3	0.3	0.3	0.3	0.3
	클래스 C	–	0.1	0.1	0.1	0.1	0.1	0.1

❸ 도체치수 TREND

항 목	클래스	2002년	2004년	2006년	2008년	2010년	2012년
전원/그랜드층 동박두께 (㎛)	클래스 A	18	18	18	18	18	18
	클래스 B	12	12	12	12	12	12
	클래스 C	6	6	6	6	6	6
신호층 동박두께 (㎛)	클래스 A	12	12	12	9	9	9
	클래스 B	9	6	6	3	3	3
	클래스 C	3	3	3	3	3	3
신호층 도체두께 (㎛)	클래스 A	25	20	20	20	20	20
	클래스 B	18	14	14	10	10	10
	클래스 C				8	8	8
코어층 최소 도체폭 (㎛)	클래스 A	75	65	65	50	50	50
	클래스 B	50	40	40	25	25	25
	클래스 C						
코어층 도체폭 정도 (+/-㎛)	클래스 A	20	20	20	10	10	10
	클래스 B	10	10	10	6	6	6
	클래스 C	8					
코어층 최소 도체간극 (㎛)	클래스 A	75	65	65	50	50	50
	클래스 B	50	40	40	25	25	25
	클래스 C						
빌드업층 최소화 도체폭 (㎛)	클래스 A	75	50	50	45	45	45
	클래스 B	50	40	40	25	25	25
	클래스 C	20	15	15			
빌드업층 도체폭 정도(㎛)	클래스 A	15	12	12	10	10	10
	클래스 B	10	8	8	5	5	5
	클래스 C	5					
빌드업층 최소 도체간극(㎛)	클래스 A	75	50	50	45	45	45
	클래스 B	50	40	40	25	25	25
	클래스 C	20	15	15			

신호층 동박 두께는 수지 부착 동박을 말함.

❹ HOLE 지름 / LAND 지름 TREND

	항 목	클래스	2002년	2004년	2006년	2008년	2010년	2012년
도통 HOLE	최소홀 지름(㎛)	클래스 A	250	200	150	150	150	150
		클래스 B	200	150	100	100	100	100
		클래스 C	50					
	최소랜드 지름(㎛)	클래스 A	500	450	400	350	350	350
		클래스 B	400	300	250	200	200	200
		클래스 C	250	150	150	120	120	120
	최소 Annular Ring 폭 (㎛)	클래스 A	125	125	125	100	100	100
		클래스 B	100	75	75	50	50	50
		클래스 C	100	60	60	50	50	50
비도통 HOLE	최소홀 지름(㎛)	클래스 A	250	200	150	125	125	125
		클래스 B	150	150	100	100	100	100
		클래스 C						
	최소랜드 지름(㎛)	클래스 A	450	400	350	325	325	325
		클래스 B	350	300	250	250	250	250
		클래스 C	150	140	140	100	100	100
	최소 Annular Ring 폭 (㎛)	클래스 A	100	100	100	100	100	100
		클래스 B	100	75	75	75	75	75
		클래스 C	55	52.5	52.5	40	40	40
MICRO VIA (도금접속 MICRO-VIA)	최소홀 지름(㎛)	클래스 A	100	90	90	80	80	80
		클래스 B	75	50	50	30	30	30
		클래스 C	30	30	30			
	최소랜드 지름(㎛)	클래스 A	275	250	250	200	200	200
		클래스 B	150	140	140	90	90	90
		클래스 C	80	70	70			
	최소 Annular Ring 폭 (㎛)	클래스 A	87.5	80	80	60	60	60
		클래스 B	75	45	45	30	30	30
		클래스 C	25	20	20			
	최소홀 지름(㎛)	클래스 A	100	90	90	80	80	80
		클래스 B	75	60	60	50	50	50
		클래스 C	50	30	30			

	항 목	클래스	2002년	2004년	2006년	2008년	2010년	2012년
MICRO VIA (ETCHING BUMP 충돌 MICRO-VIA)	최소랜드 지름(㎛)	클래스 A	275	250	250	200	200	200
		클래스 B	225	150	150	110	110	110
		클래스 C	100	70	70	30	30	30
	최소 Annular Ring 폭(㎛)	클래스 A	80	80	80	60	60	60
		클래스 B	75	45	45	30	30	30
		클래스 C	25					
MICRO VIA (전도 PASTE 접속 MICRO-VIA)	최소홀 지름(㎛)	클래스 A	100	70	70	60	60	60
		클래스 B	85	70	70	55	55	55
		클래스 C	70	60	60	50	50	50
	최소랜드 지름(㎛)	클래스 A	275	225	225	225	225	225
		클래스 B	150	125	125	100	100	100
		클래스 C	100	90	90	80	80	80
	최소 Annular Ring 폭(㎛)	클래스 A	87.5	78	78	85	85	85
		클래스 B	32.5	28	28	23	23	23
		클래스 C	15	15	15	15	15	15

❺ PSR TREND

항 목	클래스	2002년	2004년	2006년	2008년	2010년	2012년
도체상의 최소 솔더-마스크 두께(㎛)	클래스 A	13	10	10	10	10	10
	클래스 B	10	8	6	6	6	6
	클래스 C	6	5				
도체표면단부의 최소 솔더-마스크 두께(㎛)	클래스 A	5	5	5	5	5	5
	클래스 B	5	5	5	5	5	5
	클래스 C	2	2	2	2	2	2
솔더-마스크 클리어런스 폭(㎛)	클래스 A	70	70	50	50	50	50
	클래스 B	50	30	30	30	30	30
	클래스 C	30	20	15	15	10	10
솔더-마스크 중심 위치정밀도(㎛)	클래스 A	50	40	35	35	30	30
	클래스 B	30	30	25	25	20	20
	클래스 B	20	20	10	10	10	10

❻ IMPEDANCE

특성 Impedance 허용공차(±%)

클래스	2002년	2004년	2006년	2008년	2010년	2012년
클래스A	10	10	10	10	10	10
클래스B	7	7	7	7	7	7
클래스C						

❼ PLATING 조건 TREND

항목	클래스	2002년	2004년	2006년	2008년	2010년	2012년
도통홀내최소 동도금두께(㎛)	클래스 A	10	10	10	10	10	10
	클래스 B	10	8	8	8	8	8
	클래스 C	8	7	7	6	6	6
도통홀최대 Aspect 비	클래스 A	6	7	7	8	8	8
	클래스 B	8	8	10	10	10	10
	클래스 C	20	25	30	35	40	45
비통홀내최소 동도금두께(㎛)	클래스 A	15	10	10	10	10	10
	클래스 B	10	8	8	8	8	8
	클래스 C	5	5	5	5	5	5
비통홀최대 Aspect 비	클래스 A	2.5	2.5	2.5	2.5	2.5	2.5
	클래스 B	2.5	2.5	2.5	2.5	2.5	2.5
	클래스 C	7	7	7	8	8	8
마이크로 비아 최대도금두께(㎛)	클래스 A	10	10	10	10	10	10
	클래스 B	10	8	8	7	7	7
	클래스 C	5					
마이크로 비아 최대 Aspect 비	클래스 A	0.22	0.2	0.2	0.28	0.28	0.28
	클래스 B	0.22	0.27	0.27	0.27	0.27	0.27
	클래스 C	0.4	0.4	0.2	0.2	0.2	0.2
도금법 Filled 비아 지름(㎛)	클래스 A	100	100	100	80	80	80
	클래스 B	80	80	50	50	50	50
	클래스 C	50	30	30	30	30	30
도금법 Filed 비아 비아 Aspect 비	클래스 A	0.6	0.6	0.6	0.6	0.6	0.6
	클래스 B	0.8	0.8	1.2	1.2	1.2	1.2
	클래스 C	1.2	1.2	1.2	1.2	1.2	1.2

❽ 표면처리 도금 TREND

	항 목	클래스	2002년	2004년	2006년	2008년	2010년	2012년
땜납 부착부 도금두께	금도금 두께(㎛)	클래스 A	0.02	0.02	0.02	0.02	0.02	0.02
		클래스 B	0.02	0.02	0.02	0.02	0.02	0.02
		클래스 C	0.02	0.02	0.02	0.02	0.02	0.02
	하지(下地)니켈 도금 두께(㎛)	클래스 A	3	3	3	3	3	3
		클래스 B	3	3	3	3	3	3
		클래스 C	5	5	5	5	5	5
	땜납 두께(㎛)	클래스 A	10	10	10	10	10	10
		클래스 B	8	8	8	8	8	8
		클래스 C	4	4	4	4	4	4
	HASL 두께(㎛)	클래스 A	50	50	50	50	50	50
		클래스 B	30	20	20	20	20	20
		클래스 C	30	20	20	20	20	20
	은도금 두께(㎛)	클래스 A	0.2	0.2	0.2	0.2	0.2	0.2
		클래스 B	0.2	0.2	0.2	0.2	0.2	0.2
		클래스 C	0.2	0.2	0.2	0.2	0.2	0.2
	주석도금 두께(㎛)	클래스 A	0.5	0.5	0.5	0.5	0.5	0.5
		클래스 B	0.5	0.5	0.5	0.5	0.5	0.5
		클래스 C	0.5	0.5	0.5	0.5	0.5	0.5
접속부 도금 두께	전해 금도금 두께(㎛)	클래스 A	0.5	0.5	0.3	0.3	0.3	0.3
		클래스 B	0.3	0.3	0.3	0.3	0.3	0.3
		클래스 C	0.3	0.3	0.1	0.1	0.1	0.1
	무전해 금도금 두께(㎛)	클래스 A	0.03	0.03	0.03	0.03	0.03	0.03
		클래스 B	0.03	0.03	0.03	0.03	0.03	0.03
		클래스 C	0.03	0.03	0.03	0.03	0.03	0.03
	하지니켈 금도금 두께(㎛)	클래스 A	3	3	3	3	3	3
		클래스 B	3	3	3	3	3	3
		클래스 C	5	5	5	5	5	5
	은/주석합금 (땜납)두께(㎛)	클래스 A	10	10	10	10	10	10
		클래스 B	10	10	10	10	10	10
		클래스 C	10	10	10	10	10	10

❾ HOLE수(HOLE/m^2) TREND

항 목	클래스	2002년	2004년	2006년	2008년	2010년	2012년
비도통홀수	클래스 A	80,000	90,000	95,000	95,000	100,000	120,000
	클래스 B	84,000	130,000	135,000	140,000	145,000	160,000
	클래스 C	150,000	380,000	390,000	390,000	400,000	410,000
도통홀수	클래스 A	53,000	55,000	60,000	60,000	65,000	70,000
	클래스 B	100,000	110,000	115,000	115,000	120,000	125,000
	클래스 C	280,000	300,000	320,000	340,000	360,000	380,000
마이크로 비통홀수	클래스 A	380,000	560,000	580,000	600,000	6000,000	640,000
	클래스 B	670,000	1,350,000	1,400,000	1,450,000	1,500,000	1,550,000
	클래스 C	2,000,000	4,000,000	4,400,000	4,800,000	5,000,000	5,400,000

6. MLB, ROAD-MAP

❶ 층 재료 TREND

항 목	클래스	2002년	2004년	2006년	2008년	2010년	2012년
유리 전이점온도 (℃)	클래스 A	140	155	165	165	165	165
	클래스 B	180	190	190	200	200	200
	클래스 C	200	210	230	230	260	260
유전율 (1MHz시)	클래스 A	4.7	4.7	4.7	4.5	4.5	4.5
	클래스 B	3.7	3.6	3.5	3.5	3.5	3.5
	클래스 C	3.5	3.4	3	3		
유전율 (1GHz시)	클래스 A	4.5	4.5	4.5	4.2	4.2	4.2
	클래스 B	3.6	3.6	3.5	3.5	3	3
	클래스 C	3.5	3.4	3	3		
유전정접 (1MHz시)	클래스 A	0.015	0.015	0.015	0.015	0.015	0.015
	클래스 B	0.008	0.008	0.007	0.007	0.0015	0.0015
	클래스 C	0.003	0.003	0.002	0.002	0.001	0.001
유전정접 (1GHz시)	클래스 A	0.015	0.015	0.015	0.015	0.015	0.015
	클래스 B	0.008	0.008	0.007	0.007	0.005	0.005
	클래스 C	0.003	0.003	0.002	0.002	0.001	0.001
열팽창계수 (ppm/℃)	클래스 A	16	16	16	16	16	16
	클래스 B	16	16	16	12	12	12
	클래스 C	8	8	8	6	6	6
땜납내열설 (Max. ℃/s)	클래스 A	260/60	260/60	260/60	260/120	260/120	260/120
	클래스 B	288/60	288/60	288/60	288/60	288/60	288/60
	클래스 C	288/180	288/180	288/180	288/180	288/180	288/180
동박인 박강도 (kN/m)	클래스 A	0.7	0.7	0.7	0.7	0.7	0.7
	클래스 B	1.3	1.3	1.3	1.3	1.3	1.3
	클래스 C	1.6	1.6	1.6	1.6	1.6	1.6
휨강도 (N/mm^2)	클래스 A	470	470	470	470	470	470
	클래스 B	490	490	490	490	490	490
	클래스 C	550	550	550	550	550	550
휨탄성율 (Gpa)	클래스 A	24	24	24	24	24	24
	클래스 B	26	26	26	26	26	26
	클래스 C	30	30	30	30	30	30

항 목	클래스	2002년	2004년	2006년	2008년	2010년	2012년
흡수율 D-25/24 (℃)	클래스 A	0.2	0.2	0.2	0.2	0.2	0.2
	클래스 B	0.1	0.1	0.1	0.1	0.1	0.1
	클래스 C	0.06	0.06	0.06	0.04	0.04	0.04

❷ 완제품 SPEC TREND

항 목	클래스	2002년	2004년	2006년	2008년	2010년	2012년
최대배선판 사이즈 (mm×mm)	클래스 A	320×320	320×320	320×320	320×320	320×320	320×320
	클래스 B	490×590	490×590	490×590	490×590	490×590	490×590
	클래스 C	650×850	650×900	650×900	650×900	650×900	650×900
최소배선판 사이즈 (mm×mm)	클래스 A	100×100	100×100	100×100	100×100	100×100	100×100
	클래스 B	70×70	70×70	70×70	70×70	70×70	70×70
	클래스 C	9×9	9×9	9×9	9×9	9×9	9×9
최대배선판 두께 (mm)	클래스 A	1.6	1.6	1.6	1.6	1.6	1.6
	클래스 B	4.2	4.2	4.2	5.5	5.5	5.5
	클래스 C	7.5	7.5	7.5	8	8	8
최소배선판 두께 (mm)	클래스 A	0.6	0.6	0.6	0.6	0.6	0.6
	클래스 B	0.2	0.2	0.2	0.2	0.2	0.2
	클래스 C	0.1	0.1	0.1	0.1	0.1	0.1
최대층수 (층)	클래스 A	12	12	14	14	16	16
	클래스 B	28	28	22	22	24	24
	클래스 C	52	60	60	60	60	60
최대내층 코어재 두께 (㎛)	클래스 A	100	100	100	100	100	100
	클래스 B	60	60	60	40	40	40
	클래스 C	30	30	30	20	20	20
최소프리프레그 (㎛)	클래스 A	100	100	100	100	100	100
	클래스 B	60	60	60	40	40	40
	클래스 C	30	30	30	20	20	20
휨 (%)	클래스 A	0.5	0.5	0.5	0.5	0.5	0.5
	클래스 B	0.3	0.3	0.3	0.3	0.3	0.3
	클래스 C	0.1	0.1	0.1	0.1	0.1	0.1

❸ 도체지수TREND

항 목	클래스	2002년	2004년	2006년	2008년	2010년	2012년
전원/그랜드 층 동박두께 (㎛)	클래스 A	35	35	35	18	18	18
	클래스 B	70	70	70	70	70	70
	클래스 C	105	105	105	105	105	105
신호층 동박두께 (㎛)	클래스 A	18	18	18	18	18	18
	클래스 B	12	9	9	9	9	9
	클래스 C	5	3	3	3	3	3
표면신호층 도체 (㎛)	클래스 A	40	40	40	40	40	40
	클래스 B	22	22	22	22	15	15
	클래스 C	15	13	13	10	10	10
최소 도체폭 (㎛)	클래스 A	100	100	100	75	75	75
	클래스 B	75	50	50	50	50	50
	클래스 C	50	30	30	25	25	25
최소폭 정밀도 (㎛)	클래스 A	25	25	25	20	20	20
	클래스 B	15	10	10	10	10	10
	클래스 C	10	6	6	5	5	5
최소 도체 간극 (㎛)	클래스 A	100	100	100	75	75	75
	클래스 B	75	50	50	50	50	50
	클래스 C	50	30	30	25	25	25

❹ HOLE 지름 / LAND 지름(TREND)

	항 목	클래스	2002년	2004년	2006년	2008년	2010년	2012년
도통 HOLE	최소홀 지름 (㎛)	클래스 A	300	200	200	150	150	150
		클래스 B	200	150	150	150	100	100
		클래스 C	150	100	100	75	75	50
	최소랜드지름 (㎛)	클래스 A	550	450	450	350	350	350
		클래스 B	450	350	350	300	250	250
		클래스 C	350	250	250	180	180	150
	최소 Annular Ring 폭 (㎛)	클래스 A	125	125	125	100	100	100
		클래스 B	125	100	100	75	75	75
		클래스 C	100	75	75	50	50	50
비도통 HOLE	최소홀 지름 (㎛)	클래스 A	300	200	200	150	150	150
		클래스 B	150	150	150	125	125	125
		클래스 C	100	75	60	50	50	50
	최소랜드지름 (㎛)	클래스 A	550	400	400	350	350	350
		클래스 B	350	350	350	280	280	250
		클래스 C	250	230	200	190	190	150
	최소 Annular Ring 폭 (㎛)	클래스 A	125	100	100	100	100	100
		클래스 B	100	100	100	75	75	75
		클래스 C	75	75	70	70	70	50

❺ PSR TREND

항 목	클래스	2002년	2004년	2006년	2008년	2010년	2012년
도체상에 있어 솔더-마스크 두께(㎛)	클래스 A	15	13	13	13	13	13
	클래스 B	15	13	13	10	10	10
	클래스 C	10	10	7	7	5	5
도체표면단부의 최소 솔더-마스크 두께(㎛)	클래스 A	7	7	7	7	7	7
	클래스 B	5	5	5	5	5	5
	클래스 C	3	3	3	3	3	3
솔더-마스크 클리어런스 폭 (㎛)	클래스 A	70	70	50	50	50	50
	클래스 B	50	50	40	40	40	30
	클래스 C	30	30	30	30	30	20
솔더-마스크 중심 위치정밀도 (㎛)	클래스 A	50	50	40	40	30	30
	클래스 B	30	30	25	25	20	20
	클래스 C	20	20	20	20	10	10

❻ PLATING 조건 TREND

	항 목	클래스	2002년	2004년	2006년	2008년	2010년	2012년
HOLE속 MIN 동도금 두께 (㎛)	관통홀내 최소 동도금두께 (㎛)	클래스 A	20	20	20	20	20	20
		클래스 B	15	15	15	15	15	15
		클래스 C	15	13	13			
	비관통홀 최소 동도금두께 (㎛)	클래스 A	15	10	10	10	10	10
		클래스 B	10	10	10	8	8	8
		클래스 C	10	8	8	7	7	7
MAX Aspect 비	관통홀최대 Aspect 비	클래스 A	6	7	7	8	8	8
		클래스 B	8	10	10	12	12	12
		클래스 C	25	28	30	30	35	35
	비관통홀최대 Aspect 비	클래스 A	2.5	2.5	2.5	2.5	2.5	2.5
		클래스 B	2.5	2.5	2.5	2.5	2.5	2.5
		클래스 C	7	7	7	8	8	8

❼ 표면 처리 도금 TREND

	항 목	클래스	2002년	2004년	2006년	2008년	2010년	2012년
땜납 부착의 도금두께	금도금 두께 (㎛)	클래스 A	0.02	0.02	0.02	0.02	0.02	0.02
		클래스 B	0.02	0.02	0.02	0.02	0.02	0.02
		클래스 C	0.03	0.03	0.03	0.03	0.03	0.03
	하지(下地)니켈 도금두께(㎛)	클래스 A	3	3	3	3	3	3
		클래스 B	3	3	3	3	3	3
		클래스 C	5	5	5	5	5	5
	땜납도금 두께 (㎛)	클래스 A	10	10	10	10	10	10
		클래스 B	8	8	8	8	8	8
		클래스 C	4	4	4	4	4	4
	HASL 두께(㎛)	클래스 A	20	20	20	20	20	20
		클래스 B	7	7	7	7	7	7
		클래스 C	2	2	2	2	2	2
	은도금 두께 (㎛)	클래스 A	0.2	0.2	0.2	0.2	0.2	0.2
		클래스 B	0.2	0.2	0.2	0.2	0.2	0.2
		클래스 C	0.2	0.2	0.2	0.2	0.2	0.2
	주석도금 두께 (㎛)	클래스 A	0.5	0.5	0.5	0.5	0.5	0.5
		클래스 B	0.5	0.5	0.5	0.5	0.5	0.5
		클래스 C	0.5	0.5	0.5	0.5	0.5	0.5
접속부 도금두께	전해금도금 두께(㎛) (와이어-본딩)	클래스 A	0.5	0.5	0.3	0.3	0.3	0.3
		클래스 B	0.3	0.3	0.3	0.3	0.3	0.3
		클래스 C	0.3	0.3	0.1	0.1	0.1	0.1
	무전해금도금 두께(㎛) (ACF, 도전성페이스트 접속)	클래스 A	0.03	0.03	0.03	0.03	0.03	0.03
		클래스 B	0.03	0.03	0.03	0.03	0.03	0.03
		클래스 C	0.03	0.03	0.03	0.03	0.03	0.03
	하지(下地)니켈 도금두께(㎛)	클래스 A	3	3	3	3	3	3
		클래스 B	3	3	3	3	3	3
		클래스 C	5	5	5	5	5	5
	은/주석합금 (땜납)두께(㎛)	클래스 A	10	10	10	10	10	10
		클래스 B	10	10	10	10	10	10
		클래스 C	10	10	10	10	10	10

*땜납 부착부의 도금 두께와 접속부의 도금 두께는 각 도금 방법으로도 2012년까지 변화 없고, 2001년도판의 수치와 같음.
*접속부의 도금두께는, 각 도금 방법이라 해도 2012년 까지 변하지 않고, 2001년도판의 수치와 같게 했다.

❽ HOLE수 (HOLE/m²) TREND

항 목	클래스	2002년	2004년	2006년	2008년	2010년	2012년
관통홀의 홀수 (홀/m²)	클래스 A	60,000	72,000	83,0000	84,000	90,000	90,000
	클래스 B	117,500	122,5000	126,250	137,000	140,000	140,000
	클래스 C	200,000	250,000	300,000	300,000	300,000	350,000
비관통홀수의 홀수 (홀/m²)	클래스 A	60,000	80,000	85,000	90,000	100,000	100,000
	클래스 B	120,000	140,000	145,000	150,000	160,000	160,000
	클래스 C	250,000	300,000	400,000	450,000	500,000	500,000

7. DOUBLE SIDE ROAD-MAP

❶ 층 재료 TREND

항 목	클래스	2002년	2004년	2006년	2008년	2010년	2012년
유리 전이점온도 (℃)	클래스 A	135	135	135	150	150	150
	클래스 B	150	160	160	165	165	165
	클래스 C	185	185	185	200	200	200
유전률 (1MHz시)	클래스 A	4.7	4.7	4.7	4.7	4.7	4.7
	클래스 B	4.3	4	3.6	3.5	3.5	3.5
	클래스 C	3.6	3.6	3.6	3.5	3.5	3.5
유전정접 (1MHz시)	클래스 A	0.018	0.018	0.018	0.018	0.018	0.018
	클래스 B	0.015	0.01	0.01	0.01	0.01	0.01
	클래스 C	0.002	0.002	0.002	0.002	0.002	0.002
열팽창계수 (ppm/℃)	클래스 A	16	16	16	16	16	16
	클래스 B	14	14	14	14	14	14
	클래스 C	10	8	8	6	6	6
땜납내열성 (Max, ℃/S)	클래스 A	260/60	260/60	260/60	260/120	260/120	260/120
	클래스 B	260/180	260/180	260/180	260/180	260/180	260/180
	클래스 C	260/300	260/300	260/300	260/300	260/300	260/300
동박 인박강도 (KN/m)	클래스 A	1.4	1.4	1.4	1.4	1.4	1.4
	클래스 B	1.8	1.8	1.8	1.8	1.8	1.8
	클래스 C	2	2	2	2	2	2
휨강도 (N/mm^2)	클래스 A	500	500	500	500	500	500
	클래스 B	525	525	525	525	525	525
	클래스 C	550	550	550	550	550	550
휨탄성율 (GPa)	클래스 A	24	24	24	24	24	24
	클래스 B	25	25	25	25	25	25
	클래스 C	30	30	30	30	30	30
흡수율 D-25/24 (℃)	클래스 A	0.2	0.2	0.2	0.2	0.2	0.2
	클래스 B	0.1	0.1	0.1	0.1	0.1	0.1
	클래스 C	0.06	0.06	0.06	0.04	0.04	0.04

❷ 완제품 SPEC TREND

항 목	클래스	2002년	2004년	2006년	2008년	2010년	2012년
최대배선판 사이즈 (mm×mm)	클래스 A	320×320	320×320	320×320	320×320	320×320	320×320
	클래스 B	500×500	500×501	500×502	500×503	500×504	500×500
	클래스 C	480×580	480×5810	480×582	480×583	480×584	480×585
최소배선판 사이즈 (mm×mm)	클래스 A	100×100	100×101	100×102	100×103	100×104	100×105
	클래스 B	70×70	70×71	70×72	70×73	70×74	70×75
	클래스 C	20×20	20×21	20×22	20×23	20×24	20×25
최대배선판 두께 (mm)	클래스 A	1.6	1.6	1.6	1.6	1.6	1.6
	클래스 B	2	2	2	2	2	2
	클래스 C	3.2	3.2	3.2	3.2	3.2	3.2
최소배선판 두께 (mm)	클래스 A	0.8	0.8	0.8	0.6	0.6	0.6
	클래스 B	0.3	0.3	0.3	0.3	0.2	0.2
	클래스 C	0.06	0.06	0.06	0.06	0.06	0.06
휨(%)	클래스 A	0.5	0.5	0.5	0.5	0.5	0.5
	클래스 B	0.3	0.3	0.3	0.3	0.3	0.3
	클래스 C	0.1	0.1	0.1	0.1	0.1	0.1

❸ 도체지수 TREND

항 목	클래스	2002년	2004년	2006년	2008년	2010년	2012년
신호층 동박 두께(㎛)	클래스 A	18	18	18	18	18	18
	클래스 B	12	12	9	9	9	9
	클래스 C	9	9	5	5	5	5
신호층 도체 두께(㎛)	클래스 A	40	40	40	40	40	40
	클래스 B	25	25	25	25	20	20
	클래스 C	15	13	13	13	13	13
최소 도체폭 (㎛)	클래스 A	100	75	75	75	75	75
	클래스 B	75	50	50	40	40	35
	클래스 C	35	30	30	25	25	25
도체폭 정밀도 (±μ)	클래스 A	25	25	25	25	25	25
	클래스 B	20	15	15	15	15	15
	클래스 C	10	6	6	6	6	6

항 목	클래스	2002년	2004년	2006년	2008년	2010년	2012년
최소 도체 간극(㎛)	클래스 A	10	75	75	75	75	75
	클래스 B	75	50	50	50	50	50
	클래스 C	35	30	30	30	30	30

❹ HOLE 지름 / LAND 지름 TREND

항 목	클래스	2002년	2004년	2006년	2008년	2010년	2012년
관통홀 최소홀 지름 (㎛)	클래스 A	300	300	250	250	200	200
	클래스 B	200	150	150	150	100	100
	클래스 C	100	75	75	50	50	50
관통홀 최소 랜드지름 (㎛)	클래스 A	600	500	450	400	350	350
	클래스 B	450	400	350	300	250	200
	클래스 C	350	300	250	200	190	150
관통홀 최소 Annular Ring폭(μ)	클래스 A	150	125	100	100	100	100
	클래스 B	125	125	100	75	75	50
	클래스 C	125	110	85	75	70	50

❺ PSR TREND

항 목	클래스	2002년	2004년	2006년	2008년	2010년	2012년
도체상의 솔더-마스크 두께(㎛)	클래스 A	16	16	16	16	10	10
	클래스 B	15	13	13	13	10	10
	클래스 C	10	10	7	7	5	5
도체표면 단부의 솔더-마스크 두께(㎛)	클래스 A	4	4	4	4	4	4
	클래스 B	5	5	5	5	5	5
	클래스 C	7	7	7	7	7	7
솔더-마스크 클리어런스 폭(㎛)	클래스 A	70	70	50	50	50	50
	클래스 B	50	50	40	40	40	30
	클래스 C	30	30	30	30	30	20
솔더-마스크 중심 위치정 밀도(㎛)	클래스 A	50	50	40	40	40	40
	클래스 B	30	30	25	25	20	20
	클래스 C	20	20	20	20	20	

❻ PLATING 조건 TREND

항 목	클래스	2002년	2004년	2006년	2008년	2010년	2012년
관통홀내 최소 동도금 두께(㎛)	클래스 A	20	20	20	20	20	20
	클래스 B	15	15	15	15	15	15
	클래스 C	15	13	13	13	13	13
관통홀 최대 Aspect(비)	클래스 A	3.7	3.7	4.2	4.2	4.5	4.5
	클래스 B	6	7	8	8	8	8
	클래스 C	6	7	8	8	8	9.5

❼ 표면 처리 도금 TREND

	항 목	클래스	2002년	2004년	2006년	2008년	2010년	2012년
땜납 부착의 도금두께	금도금 두께 (㎛)	클래스 A	0.02	0.02	0.02	0.02	0.02	0.02
		클래스 B	0.02	0.02	0.02	0.02	0.02	0.02
		클래스 C	0.03	0.03	0.03	0.03	0.03	0.03
	하지(下地)니켈 도금두께(㎛)	클래스 A	3	3	3	3	3	3
		클래스 B	3	3	3	3	3	3
		클래스 C	5	5	5	5	5	5
	땜납도금 두께 (㎛)	클래스 A	10	10	10	10	10	10
		클래스 B	8	8	8	8	8	8
		클래스 C	4	4	4	4	4	4
	HASL 두께(㎛)	클래스 A	20	20	20	20	20	20
		클래스 B	7	7	7	7	7	7
		클래스 C	2	2	2	2	2	2
	은도금 두께 (㎛)	클래스 A	0.2	0.2	0.2	0.2	0.2	0.2
		클래스 B	0.2	0.2	0.2	0.2	0.2	0.2
		클래스 C	0.2	0.2	0.2	0.2	0.2	0.2
	주석도금 두께 (㎛)	클래스 A	0.5	0.5	0.5	0.5	0.5	0.5
		클래스 B	0.5	0.5	0.5	0.5	0.5	0.5
		클래스 C	0.5	0.5	0.5	0.5	0.5	0.5

	항 목	클래스	2002년	2004년	2006년	2008년	2010년	2012년
접속부 도금두께	전해금도금 두께(㎛) (와이어-본딩)	클래스 A	0.5	0.5	0.3	0.3	0.3	0.3
		클래스 B	0.3	0.3	0.3	0.3	0.3	0.3
		클래스 C	0.3	0.3	0.1	0.1	0.1	0.1
	무전해금도금 두께(㎛) (ACF, 도전성페이스트 접속)	클래스 A	0.03	0.03	0.03	0.03	0.03	0.03
		클래스 B	0.03	0.03	0.03	0.03	0.03	0.03
		클래스 C	0.03	0.03	0.03	0.03	0.03	0.03
	하지(下地)니켈 도금두께(㎛)	클래스 A	3	3	3	3	3	3
		클래스 B	3	3	3	3	3	3
		클래스 C	5	5	5	5	5	5
	은/주석합금 (땜납)두께(㎛)	클래스 A	10	10	10	10	10	10
		클래스 B	10	10	10	10	10	10
		클래스 C	10	10	10	10	10	10

❽ HOLE수 (HOLE/m^2) TREND

클 래 스	2002년	2004년	2006년	2008년	2010년	2012년
클 래 스 A	40,000	50,000	60,000	70,000	80,000	90,000
클 래 스 B	10,000	150,000	200,000	250,000	300,000	350,000
클 래 스 C	200,000	250,000	300000	350,000	400,000	400,000

8. SINGLE SIDE ROAD-MAP

❶ 층 재료 TREND

항 목	클래스	2002년	2004년	2006년	2008년	2010년	2012년
유리 전이점온도 (℃)	클래스 A	115	115	115	115	115	115
	클래스 B	130	130	130	130	130	130
	클래스 C	130	130	130	130	130	130
유전률 (1MHz시)	클래스 A	4.8	4.8	4.8	4.8	4.8	4.8
	클래스 B	4.6	4.5	4.5	4.5	4.5	4.5
	클래스 C	4.6	4.4	4.3	4.2	4	4
유전정접 (1MHz시)	클래스 A	0.035	0.035	0.035	0.035	0.035	0.035
	클래스 B	0.025	0.025	0.025	0.025	0.025	0.025
	클래스 C	0.015	0.015	0.015	0.015	0.015	0.015
열팽창계수 (ppm/℃)	클래스 A	60	60	60	60	60	60
	클래스 B	25	25	25	25	25	25
	클래스 C	25	25	25	25	25	25
땜납내열성 (Max, ℃/S)	클래스 A	260/30	260/30	260/30	260/30	260/30	260/30
	클래스 B	260/60	260/60	260/60	260/60	260/60	260/60
	클래스 C	260/120	260/120	260/120	260/120	260/120	260/120
동박 인박강도 (KN/m)	클래스 A	2.1	2.1	2.1	2.1	2.1	2.1
	클래스 B	1.6	1.6	1.6	1.6	1.6	1.6
	클래스 C	1.6	1.6	1.6	1.6	1.6	1.6
휨강도 (N/mm^2)	클래스 A	131	131	131	131	131	131
	클래스 B	340	300	200	200	200	200
	클래스 C	400	400	400	400	400	400
흡수율 D-25/24 (℃)	클래스 A	0.7	0.65	0.65	0.65	0.65	0.65
	클래스 B	0.06	0.06	0.06	0.06	0.06	0.06
	클래스 C	0.06	0.06	0.06	0.06	0.06	0.06

❷ 완제품 SPEC TREND

항 목	클래스	2002년	2004년	2006년	2008년	2010년	2012년
최대배선판 사이즈 (mm×mm)	클래스 A	330×250	330×250	330×250	330×250	330×250	330×250
	클래스 B	330×250	330×250	330×250	330×250	330×250	330×250
	클래스 C	550×550	550×550	550×550	550×550	550×550	550×550
최소배선판 사이즈 (mm×mm)	클래스 A	100×100	100×100	100×100	100×100	100×100	100×100
	클래스 B	20×20	20×20	20×20	20×20	20×20	20×20
	클래스 C	10×10	10×10	10×10	10×10	10×10	10×10
최대배선판 두께 (mm)	클래스 A	1.6	1.6	1.6	1.6	1.6	1.6
	클래스 B	1.6	1.6	1.6	1.6	1.6	1.6
	클래스 C	1.6	1.6	1.6	1.6	1.6	1.6
최소배선판 두께 (mm)	클래스 A	0.8	0.8	0.8	0.8	0.8	0.8
	클래스 B	0.5	0.5	0.5	0.5	0.5	0.5
	클래스 C	0.4	0.3	0.3	0.2	0.2	0.2
휨(%)	클래스 A	1.5	1.5	1.5	1.5	1.5	1.5
	클래스 B	1	1	1	1	1	1
	클래스 C	0.5	0.5	0.5	0.5	0.5	0.5

❸ 도체지수 TREND

항 목	클래스	2002년	2004년	2006년	2008년	2010년	2012년
신호층 동박 두께(㎛)	클래스 A	35	35	35	35	35	35
	클래스 B	35	18	18	18	18	18
	클래스 C	18	18	18	18	18	18
최소도체폭 두께(㎛)	클래스 A	150	120	120	100	100	100
	클래스 B	120	100	100	75	75	75
	클래스 C	100	75	75	75	75	50
도체폭 정밀도 (±㎛)	클래스 A	50	50	40	30	30	30
	클래스 B	40	30	30	30	30	30
	클래스 C	30	30	20	20	20	10
최소 도체 간극(㎛)	클래스 A	140	125	125	100	100	100
	클래스 B	125	100	100	75	75	75
	클래스 C	100	75	75	75	75	50

❹ HOLE 지름 / LAND 지름 TREND

항 목	클래스	2002년	2004년	2006년	2008년	2010년	2012년
최소홀 지름(㎛)	클래스 A	600	500	500	500	500	500
	클래스 B	500	400	400	300	300	300
	클래스 C	500	350	350	250	250	250
최소랜드 지름(㎛)	클래스 A	1200	1000	1000	1000	1000	1000
	클래스 B	1000	800	800	700	700	700
	클래스 C	800	650	650	500	500	500

❺ PSR TREND

항 목	클래스	2002년	2004년	2006년	2008년	2010년	2012년
도체상의 최소 솔더-마스크 두께(㎛)	클래스 A	10	10	10	10	10	10
	클래스 B	10	10	10	10	10	10
	클래스 C	10	10	10	10	10	10
도체표면 단부의 최소 솔더-마스크 두께(㎛)	클래스 A	4	4	4	4	4	4
	클래스 B	5	5	5	5	5	5
	클래스 C	7	7	7	7	7	7
솔더-마스크 클리어런스 폭(㎛)	클래스 A	150	100	100	100	100	100
	클래스 B	100	100	75	75	75	75
	클래스 C	50	50	50	50	50	40
솔더-마스크 중심 위치 정밀도(㎛)	클래스 A	150	150	150	150	150	150
	클래스 B	100	100	100	100	100	100
	클래스 C	50	50	50	50	50	40

❻ 표면 처리 도금 TREND

	항 목	클래스	2002년	2004년	2006년	2008년	2010년	2012년
땜납 부착의 도금두께	금도금 두께 (㎛)	클래스 A	0.02	0.02	0.02	0.02	0.02	0.02
		클래스 B	0.02	0.02	0.02	0.02	0.02	0.02
		클래스 C	0.03	0.03	0.03	0.03	0.03	0.03
	하지(下地)니켈 도금두께(㎛)	클래스 A	3	3	3	3	3	3
		클래스 B	3	3	3	3	3	3
		클래스 C	5	5	5	5	5	5
	땜납 두께 (㎛)	클래스 A	10	10	10	10	10	10
		클래스 B	8	8	8	8	8	8
		클래스 C	4	4	4	4	4	4
	HASL 두께(㎛)	클래스 A	50	50	50	50	50	50
		클래스 B	50	50	50	50	50	50
		클래스 C	30	30	30	30	30	30
	은도금 두께 (㎛)	클래스 A	20	20	20	20	20	20
		클래스 B	20	20	20	20	20	20
		클래스 C	15	15	15	15	15	15
접속부 도금두께	전해금도금 두께(㎛) (와이어-본딩)	클래스 A	0.5	0.5	0.3	0.3	0.3	0.3
		클래스 B	0.3	0.3	0.3	0.3	0.3	0.3
		클래스 C	0.3	0.3	0.1	0.1	0.1	0.1
	무전해금도금 두께(㎛) (ACF, 도전성페이스트 접속)	클래스 A	0.03	0.03	0.03	0.03	0.03	0.03
		클래스 B	0.03	0.03	0.03	0.03	0.03	0.03
		클래스 C	0.03	0.03	0.03	0.03	0.03	0.03
	하지(下地)니켈 도금두께(㎛)	클래스 A	3	3	3	3	3	3
		클래스 B	3	3	3	3	3	3
		클래스 C	5	5	5	5	5	5
	은/주석합금 (땜납)두께(㎛)	클래스 A	10	10	10	10	10	10
		클래스 B	10	10	10	10	10	10
		클래스 C	10	10	10	10	10	10

❼ HOLE수 (HOLE/m^2) TREND

클래스	2002년	2004년	2006년	2008년	2010년	2012년
클래스A	10,000	12,000	15,000	15,000	20,000	20,000
클래스B	15,000	20,000	25,000	25,000	30,000	30,000
클래스C	20,000	25,000	30,000	30,000	40,000	40,000

9. MOTHER BOARD 검사 기준 TREND

	항 목	클래스	2002년	2004년	2006년	2008년	2010년	2012년
A.O.I 검출가능 최소폭(㎛)	빌드업 배선판	클래스 A	50	40	40	40	40	40
		클래스 B	30	30	30	25	25	25
		클래스 C	20	15	15			
	다층배선판 * 양면배선판	클래스 A	50	40	40	40	40	40
		클래스 B	40	40	40	25	25	25
		클래스 C	25	20	20	15	15	15
	단면배선판	클래스 A	150	120	120	100	100	100
		클래스 B	120	100	100	75	75	75
		클래스 C	25	20	20	15	15	. 15
전기검사 검출핏지(㎛)	빌드업 배선판	클래스 A	100	100	100	90	90	90
		클래스 B	60	60	60	50	50	50
		클래스 C	40	30	30	20	20	20
	다층배선판 * 양면배선판	클래스 A	120	120	120	100	100	100
		클래스 B	60	60	60	60	60	60
		클래스 C	60	50	50	40	40	40
	단면배서판	클래스 A	140	120	120	100	100	100
		클래스 B	120	100	100	75	75	75
		클래스 C	100	75	75	75	75	75
절연판정 기준(㏁)	빌드업배선판 * 다층배선판	클래스 A	100	100	100	100	100	100
		클래스 B	100	100	100	100	100	100
		클래스 C	100	100	100			
	양면배선판 * 다층배선판	클래스 A	100	100	100	100	100	100
		클래스 B	100	100	100	100	100	100
		클래스 C	100	100	100	100	100	100

10. MOTHER BOARD 신뢰성 TREND

항 목	클래스	2002년	2004년	2006년	2008년	2010년	2012년
프리컨디션＊레벨	클래스 A	3	3	3	3	3	3
	클래스 B	2	2	2	2	2	2
	클래스 C	1	1	1	1	1	1
프리컨디션후 Reflow 온도(℃)	클래스 A	220	240(220)	240(220)	240(220)	240(220)	240(220)
	클래스 B	270(260)	270(260)	270(260)	270(260)	270(260)	270(260)
	클래스 C	288	288	288	288	288	288
프리컨디션 후 Reflow 회수(회)	클래스 A	2	2	2	2	2	2
	클래스 B	3	3	3	3	3	3
	클래스 C	4	4	4	4	4	4
프리컨디션 Reflow Cycle 수(Cycle)	클래스 A	1	1	1	1	1	1
	클래스 B	2	2	2	2	2	2
	클래스 C	3	3	3	3	3	3
서멀 Cycle 시험조건	클래스 A	B	B	B	B	B	B
	클래스 B	C	C	C	C	C	C
	클래스 C	C	C	C	C	C	C
서멀 Cycle Cycle 수 (Cycle)	클래스 A	500	500	500	500	500	500
	클래스 B	1000	1000	1000	1000	1000	1000
	클래스 C	1000	1000	1000	1000	1000	1000
서멀 Shock 시험조건	클래스 A	B	B	B	B	B	B
	클래스 B	C	C	C	C	C	C
	클래스 C	C	C	C	C	C	C
서멀 Shock Cycle 수 (Cycle)	클래스 A	500(200)	500(200)	500(200)	500(200)	500(200)	500(200)
	클래스 B	1000(500)	1000(500)	1000(500)	1000(500)	1000(500)	1000(500)
	클래스 C	1000	1000	1000	1000	1000	1000
고온방치온도(℃) – 시간(h)	클래스 A	150–500	150–500	150–500	150–500	150–500	150–500
	클래스 B	150–1000	150–1000	150–1000	150–1000	150–1000	150–1000
	클래스 C	150–3000	150–3000	150–3000	150–3000	150–3000	150–3000
PCT 온도(℃) – 습도(RH%)	클래스 A	121–100	121–100	121–100	121–100	121–100	121–100
	클래스 B	121–100	121–100	121–100	121–100	121–100	121–100
	클래스 C	121–100	121–100	121–100	121–100	121–100	121–100

항 목	클래스	2002년	2004년	2006년	2008년	2010년	2012년
PCT 압력(KPa)	클래스 A	200	200	200	200	200	200
	클래스 B	210	210	210	210	210	210
	클래스 C	210	210	210	210	210	210
PCT 시간 (Hr)	클래스 A	168	168	168	168	168	168
	클래스 B	300(210)	300(210)	300(210)	300(210)	300(210)	300(210)
	클래스 C	1000(210)	1000(210)	1000(210)	1000(210)	1000(210)	1000(210)
HAST 온도(℃) - 습도 (RH%)	클래스 A	85-85	85-85	85-85	85-85	85-85	85-85
	클래스 B	130-85	130-85	130-85	130-85	130-85	130-85
	클래스 C	130-85	130-85	130-85	130-85	130-85	130-85
HAST 압력 (KPa)	클래스 A	100	100	100	100	100	100
	클래스 B	200	200	200	200	200	200
	클래스 C	300(200)	300(200)	300(200)	300(200)	300(200)	300(200)
HAST 시간(Hr)	클래스 A	168	168	168	168	168	168
	클래스 B	300	300	300	300	300	300
	클래스 C	1000(500)	1000(500)	1000(500)	1000(500)	1000(500)	1000(500)
HAST 인간전압 (Volt)	클래스 A	5	5	5	5	5	5
	클래스 B	25(10)	25(10)	25(10)	25(10)	25(10)	25(10)
	클래스 C	50(10)	50(10)	50(10)	50(10)	50(10)	50(10)
실장낙하시험 높이(m) - 회수 (회)	클래스 A	N/A	N/A	N/A	N/A	N/A	N/A
	클래스 B	1.5-96	1.5-96	1.5-96	1.5-96	1.5-96	1.5-96
	클래스 C	1.5-96	1.5-96	1.5-96	1.5-96	1.5-96	1.5-96

① 괄호내의 값은 양면배선판에 적용된다.

② 실장낙하 시험은 빌드업배선판과 다층배선판의 휴대기기용 제품에 적용된다.

11. FLEXIBLE B/D ROAD MAP

❶ FPC의 실장형태(%)

항 목		2002년	2004년	2006년	2008년	2010년	2012년
단면 FPC	부품탑재용	20	20	20	20	20	20
	1대1 접속용	80	80	80	80	80	80
	합 계	**100**	**100**	**100**	**100**	**100**	**100**
양면 FPC	부품탑재용	40	42	42	43	43	43
	1대1 접속용	60	58	58	57	57	57
	합 계	**100**	**100**	**100**	**100**	**100**	**100**
FRPC	부품탑재용	96	96	95	95	94	94
	1대1 접속용	4	4	5	5	6	6
	합 계	**100**	**100**	**100**	**100**	**100**	**100**

❷ 가공 단위 면적당 제품 매수(RH/m²)

항 목	클래스	2002년	2004년	2006년	2008년	2010년	2012년
단면 FPC	클래스 A	630	650	700	700	700	700
	클래스 B	500	650	900	900	900	900
	클래스 C	650	750	1400	1400	1400	1400
SDA	클래스 A	2500	2000	2000	2000	2000	2000
	클래스 B	500	2000	2000	2000	2000	2000
	클래스 C	500	2000	2000	2000	2000	2000
양면 FPC	클래스 A	200	200	200	200	200	200
	클래스 B	250	250	350	350	350	350
	클래스 C	200	230	350	350	400	500
FRPC	클래스 A	120	120	120	140	140	160
	클래스 B	120	120	200	200	220	220
	클래스 C	200	220	240	250	300	300

❸ 생산비율

ⓐ FPC용 동박 적층판 및 카버레이재료

① 카버레이의 베이스필름별 생산비율(%)

항 목	2002년	2004년	2006년	2008년	2010년	2012년
폴리이미드	95	92.1	78.3	75.3	74.3	73.3
열가소성 폴리이미드	0	0.2	0.4	0.8	1.5	2
폴리에스텔	0.2	0.2	0.1	0.1	0.1	0.1
액정 폴리마(LCP)	0.1	0.5	1.2	2.5	2.5	3.5
알라미드 베이스 에폭시	0.2	2	5	4.5	4	3
액상(카버코트)등	4.5	5	15	16.8	17.6	18.1

② CCL의 베이스필름별 생산비율(%)

항 목	2002년	2004년	2006년	2008년	2010년	2012년
폴리이미드	97.5	97	95	93	92	90
열가소성 폴리이미드	0.1	0.2	0.8	1.5	2.5	3
폴리에스텔	1.5	1.5	1.5	1.5	1.5	1.5
액정 폴리마(LCP)	0.3	0.5	1.2	2.5	2.5	3.5
유리 에폭시	0.5	0.5	1	1	1	1
기타	0.1	0.3	0.5	0.5	0.5	1

ⓑ FPC용 동박 적층판용 및 카버레이용 접착제

① CCL의 접착제별 생산비율(%)

항 목	2002년	2004년	2006년	2008년	2010년	2012년
에폭시-베이스	90	77.5	30	25	20	20
할로겐프리-에폭시	5	15	40	45	45	45
열가소성 폴리이미드	1	1.5	5	5	5	5
폴리이미드-베이스 외	4	6	25	25	30	30

② 카버레이의 접착제별 생산비율(%)

항 목	2002년	2004년	2006년	2008년	2010년	2012년
에폭시-베이스	96.5	70	40	30	30	30
할로겐프리-에폭시	3.5	20	40	45	45	45
열가소성 폴리이미드	0	5	10	10	10	10
기타	0	5	10	15	15	15

ⓒ 2층 CCL의 베이스 FILM별 생산비율(%)

항 목	2002년	2004년	2006년	2008년	2010년	2012년
폴리이미드	99.5	96.8	94	92.5	91.5	90
열가소성 폴리이미드	0	1	2	2.5	3.5	4
액정 폴리마(LCP) 외	0.5	2.2	4	5	5	6

ⓓ 2층 CCL의 제조법별 생산비율(%)

항 목	2002년	2004년	2006년	2008년	2010년	2012년
캐스팅	77.5	71	60	57	56	55
스팟타링	17.5	17.5	20	21	22	23
애디티브	0	2.5	10	10	10	10
라미네이션 기타	5	9	10	12	12	12

ⓔ 전 CCL에 대한 2층 CCL의 생산 수량 비율(%)

항 목	2002년	2004년	2006년	2008년	2010년	2012년
2층 CCL	32	50	51	53	57	60

ⓕ 탑재 부품의 접합 방식별 생산비율(%)

항 목		2002년	2004년	2006년	2008년	2010년	2012년
납땜납	Reflow땜납	34	17	0	0	0	0
	크림땜납Relfow	32	25	23	15	8	3
	프리딥	3	3	3	3	2	2
	손땜납	20	14	7	7	7	7
납프리-땜납	Reflow땜납	3	13	17	17	17	17
	크림땜납Relfow	1	7	27	32	39	44
	프리딥	0	3	3	5	5	5
	손땜납	3	7	7	7	7	7
땜납이외의 방식	와이어-본딩	1	2	3	3	3	3
	ACF	3	3	3	3	3	3
	ACP	0	3	3	3	3	3
	NCP	0	3	3	3	3	3
	도전성 접착제	0	0	1	2	3	3
합 계		**100**	**100**	**100**	**100**	**100**	**100**

ACP(Anisotropic Conductive Paste)
NCP(Non-Conductive Paste)
ACF(Anisotropoic Conductive Film)

ⓖ 단미의 접속 방식에서 본 회로의 생산비율(%)

항 목		2002년	2004년	2006년	2008년	2010년	2012년
납땜납	Reflow땜납	72.7	53.6	18.2	16.4	10.9	9.1
납프리-땜납	Reflow땜납	9.1	27.3	61.8	63.6	68.2	70
땜납이외의 접합	ACF	18.2	18.2	18.2	18.2	18.2	18.2
	NCP	0	0.9	0.9	0.9	1.8	1.8
	다이렉트아탓치	0	0	0.9	0.9	0.9	0.9
합 계		**100**	**100**	**100**	**100**	**100**	**100**

❸ Base Film 두께(m)

항 목	클래스	2002년	2004년	2006년	2008년	2010년	2012년
베이스 필름 두께 (㎛)	클래스 A	25	25	25	25	25	25
	클래스 B	12.5	12.5	12.5	12.5	12.5	12.5
	클래스 C	12.5	9	7	7	6	6

❹ 접착제 특성

항 목	클래스	2002년	2004년	2006년	2008년	2010년	2012년
접착제 두께 (㎛)	클래스 A	20	16	13	12	10	10
	클래스 B	10	9	7	7	7	7
	클래스 C	9	8	5	5	5	5
유리 전이점온도 (℃)	클래스 A	60	70	75	75	80	80
	클래스 B	100	105	123	123	128	128
	클래스 C	120	120	130	140	150	150
유전률 (1MHz 시)	클래스 A	4	4	4	4	4	4
	클래스 B	3.2	3.2	3.2	3.2	3.2	3.2
	클래스 C	3	3	3	3	3	3

항 목	클래스	2002년	2004년	2006년	2008년	2010년	2012년
유전정접 (1MHz 시)	클래스 A	0.03	0.03	0.03	0.03	0.03	0.03
	클래스 B	0.01	0.01	0.01	0.01	0.01	0.01
	클래스 C	0.007	0.007	0.007	0.007	0.007	0.007
열팽창계수 (ppm/℃)	클래스 A	27	27	20	20	20	20
	클래스 B	17.5	16	16	16	12	12
	클래스 C	16	16	12	12	12	12
땜납내열성 (Max. ℃/S)	클래스 A	260/10	280/10	280/10	280/10	280/10	280/10
	클래스 B	280/10	300/10	300/10	300/10	300/10	300/10
	클래스 C	350/10	350/10	350/10	350/10	350/10	350/10
동박인박강도 (KN/m)	클래스 A	1.2	1.2	1.2	1.2	1.2	1.2
	클래스 B	1.2	1.2	1.2	1.2	1.2	1.2
	클래스 C	2	2	2	2	2	2

❺ 비율표

① 부품내장화 비율(%)

항 목	2002년	2004년	2006년	2008년	2010년	2012년
개별부품(전체)	1	1	5	5	5	5
개별부품(R)	1	1	5	5	5	5
개별부품(C)	1	1	2	2	2	2
개별부품(L)	1	1	2	2	2	2
LSI	1	1	2	2	2	2

② 다층화시의 절연층 비율(%)

항 목	2002년	2004년	2006년	2008년	2010년	2012년
유리 에폭시 프리프레그	55	45	30	30	30	30
에폭시 빌드업 재료	35	45	50	50	50	50
폴리이미드 빌드업 재료	10	10	20	20	20	20

③ 관통 스루홀 접속방식의 비율(%)

항 목	2002년	2004년	2006년	2008년	2010년	2012년
무전해동도금+전해동도금	60	58	55	55	55	55
다이렉트도금+전해동도금	40	40	40	40	40	40
스펙터링+동도금	0	2	5	5	5	5

④ 층간접속방식 비율(%)

항 목	2002년	2004년	2006년	2008년	2010년	2012년
무전해동도금+전해동도금	60	56	49	48	48	48
다이렉트도금+전해동도금	40	40	40	40	40	40
전도성 페이스트	0	3	10	10	10	10
땜납, 다이렉트 접합, 그 외	0	1	1	2	2	2

❻ 가공정밀도(단미, 외형, 카버레이, 보강판) (μm)

항 목	클래스	2002년	2004년	2006년	2008년	2010년	2012년
단미부 타발 정밀도	클래스 A	125	125	100	100	100	100
	클래스 B	80	70	60	60	50	50
	클래스 C	70	50	50	40	30	30
그 외 일반외형 타발 정밀도	클래스 A	175	150	130	100	100	100
	클래스 B	100	90	90	75	75	75
	클래스 C	80	75	75	50	50	50
카버레이부 타발 정밀도	클래스 A	120	120	100	100	90	90
	클래스 B	80	70	70	65	65	65
	클래스 C	50	50	50	50	50	50
카버레이부 위치 정합 정밀도	클래스 A	150	150	125	125	100	100
	클래스 B	120	120	100	100	80	80
	클래스 C	100	90	90	80	50	50
보강판 / 회로간 위치 정합 정밀도	클래스 A	300	250	200	200	150	150
	클래스 B	150	150	120	120	120	120
	클래스 C	80	80	80	50	50	50
보강판 / 본체홀 위치 정합 정밀도	클래스 A	200	200	150	150	150	150
	클래스 B	100	100	80	80	80	80
	클래스 C	80	80	70	70	70	70

❼ 카버코트 치수 · 정밀도(㎛)

항 목	클래스	2002년	2004년	2006년	2008년	2010년	2012년
회로상 두께	클래스 A	20	20	15	15	15	15
	클래스 B	15	15	10	10	10	10
	클래스 C	10	8	5	5	5	5
회로 코너부 두께	클래스 A	15	15	12	12	12	12
	클래스 B	12	12	8	8	8	8
	클래스 C	8	8	5	5	5	5
클리어런스 ~ 랜드간 정밀도	클래스 A	250	200	180	180	150	150
	클래스 B	125	125	100	100	100	100
	클래스 C	100	75	50	50	50	50
마스크 중심 ~ 랜드간 위치 정밀도	클래스 A	300	250	200	200	180	180
	클래스 B	125	125	100	100	100	100
	클래스 C	100	75	50	50	50	50

❽ FPC SIZE

① 배선판 제조 워크 사이즈(롤 투 롤) : 롤 폭 × 전송량

항 목	클래스	2002년	2004년	2006년	2008년	2010년	2012년
최대 롤 폭 × 전송량	클래스 A	500×500	500×500	500×500	500×500	500×500	500×500
	클래스 B	500×500	500×500	500×500	500×500	500×500	500×500
	클래스 C	300×300	300×300	300×300	300×300	300×300	300×300
최소 롤 폭 × 전송량	클래스 A	250×500	250×500	250×500	250×500	250×500	250×500
	클래스 B	250×300	250×300	250×400	250×400	250×500	250×500
	클래스 C	250×160	250×200	250×250	250×300	250×400	250×400

② 배선판구조 워크사이즈 (시트 가공) (mm × mm)

항 목	클래스	2002년	2004년	2006년	2008년	2010년	2012년
최대 사이즈	클래스 A	500×500	500×500	500×500	500×500	500×500	500×500
	클래스 B	500×500	500×500	500×500	500×500	500×500	500×500
	클래스 C	500×650	500×650	500×650	500×650	500×650	500×650
최소 사이즈	클래스 A	250×500	250×500	250×500	250×500	250×500	250×500
	클래스 B	250×300	250×300	250×400	250×400	250×500	250×500
	클래스 C	250×160	250×200	250×250	250×300	250×400	250×400

③ 부품실장 워크사이즈(시트 가공)(mm × mm)

항 목	클래스	2002년	2004년	2006년	2008년	2010년	2012년
최대 사이즈	클래스 A	250×250	250×250	250×250	250×250	250×250	250×250
	클래스 B	250×250	250×250	250×250	250×250	250×250	250×250
	클래스 C	150×300	150×300	150×300	150×300	150×300	150×300
최소 사이즈	클래스 A	100×70	100×70	100×70	100×70	100×70	100×70
	클래스 B	100×70	100×70	70×70	70×70	70×70	70×70
	클래스 C	70×70	70×70	70×70	70×70	70×70	70×70

④ 최대 제품 사이즈(mm × mm)

항 목	클래스	2002년	2004년	2006년	2008년	2010년	2012년
단면 FPC	클래스 A	400×233	400×233	400×233	400×233	400×233	400×233
	클래스 B	500×375	500×375	500×375	500×375	500×375	500×375
	클래스 C	500×600	500×600	500×600	500×600	500×600	500×600
양면 FPC	클래스 A	250×233	150×233	100×233	100×233	100×233	100×233
	클래스 B	250×375	250×300	250×300	250×300	250×300	250×300
	클래스 C	500×300	500×300	500×300	500×300	500×300	500×300
FRPC	클래스 A	330×165	330×165	380×190	380×190	380×190	380×190
	클래스 B	400×230	400×230	400×230	400×230	400×230	400×230
	클래스 C	500×230	500×230	500×230	500×230	500×230	500×230

⑤ 최소 제품 사이즈(mm×mm)

항 목	클래스	2002년	2004년	2006년	2008년	2010년	2012년
단면 FPC	클래스 A	10×7	10×7	10×7	10×7	10×7	10×7
	클래스 B	5.5×5.5	5.5×5.5	5.5×5.5	5.5×5.5	5.5×5.5	5.5×5.5
	클래스 C	3×3	3×3	3×3	3×3	3×3	3×3
양면 FPC	클래스 A	10×7	10×7	10×7	10×7	10×7	10×7
	클래스 B	5.5×5.5	5.5×5.5	5.5×5.5	5.5×5.5	5.5×5.5	5.5×5.5
	클래스 C	3×3	3×3	3×3	3×3	3×3	3×3
FRPC	클래스 A	30×10	30×10	30×10	30×10	30×10	30×10
	클래스 B	30×10	30×10	25×8	25×8	25×8	25×8
	클래스 C	30×10	30×10	25×8	25×8	25×8	25×8

⑩ 동박 두께(m)

항 목	클래스	2002년	2004년	2006년	2008년	2010년	2012년
단면 비굴곡부	클래스 A	35	35	18	18	18	18
	클래스 B	18	18	12	12	12	12
	클래스 C	12	9	9	8	8	8
단면 굴곡부	클래스 A	18	18	18	18	18	18
	클래스 B	18	18	12	12	12	12
	클래스 C	12	9	9	8	8	8
양면 · FRPC 도금전	클래스 A	18	18	18	18	18	18
	클래스 B	12	9	9	9	9	9
	클래스 C	12	9	6	6	4	4
양면 · FRPC 도금후	클래스 A	35	35	35	35	35	35
	클래스 B	18	18	12	12	12	12
	클래스 C	18	18	12	12	8	8

⑪ 도체치수 · 정밀도

항 목	클래스	2002년	2004년	2006년	2008년	2010년	2012년
단면 비도금부 최소도체폭	클래스 A	55	50	30	30	30	30
	클래스 B	30	25	20	15	15	15
	클래스 C	20	15	15	10	10	10
단면 비도금부 최소도체폭 정밀도	클래스 A	20	18	18	18	16	16
	클래스 B	12	10	9	8	7	7
	클래스 C	5	4	4	3	3	3
단면 비도금부 최소도체간극	클래스 A	75	75	70	70	70	70
	클래스 B	40	35	35	30	25	25
	클래스 C	20	15	12	10	10	10
도금부최소 도체폭	클래스 A	70	60	60	60	50	50
	클래스 B	30	25	20	15	15	15
	클래스 C	20	15	10	10	10	10
도금부최소 도체정밀도	클래스 A	25	20	20	18	16	16
	클래스 B	12	10	9	8	7	7
	클래스 C	5	4	4	3	3	3

항 목	클래스	2002년	2004년	2006년	2008년	2010년	2012년
도금부최소 도체간극	클래스 A	90	80	80	75	70	70
	클래스 B	40	35	35	25	25	25
	클래스 C	20	15	12	10	10	10

⑫ FRPC 홀 사양(㎛)

항 목	클래스	2002년	2004년	2006년	2008년	2010년	2012년
다층부관통홀 최소홀지름	클래스 A	300	300	250	250	200	200
	클래스 B	250	250	200	200	180	180
	클래스 C	200	180	150	150	130	120
다층부관통홀 최소랜드지름	클래스 A	550	550	500	500	450	450
	클래스 B	400	400	350	320	300	300
	클래스 C	350	300	270	250	220	210
최소 Annular Ring 폭	클래스 A	75	75	75	75	75	75
	클래스 B	50	50	50	35	35	35
	클래스 C	50	35	35	25	20	20
마이크로비아 최소홀지름	클래스 A	125	125	100	100	100	100
	클래스 B	100	100	75	75	75	75
	클래스 C	75	75	50	50	50	50
마이크로비아 최소랜드지름	클래스 A	400	400	350	30	350	350
	클래스 B	300	300	250	250	250	250
	클래스 C	250	250	200	200	150	150
최소 Annular Ring 폭	클래스 A	75	75	75	75	75	75
	클래스 B	50	50	50	35	35	35
	클래스 C	50	35	35	25	20	20

⑬ 양면FPC 홀사양(μ)

항 목	클래스	2002년	2004년	2006년	2008년	2010년	2012년
관통홀 최소홀지름	클래스 A	300	150	150	120	120	120
	클래스 B	150	120	120	100	100	100
	클래스 C	90	80	80	70	70	70
스루홀부 최소랜드지름	클래스 A	500	350	350	320	320	320
	클래스 B	280	250	250	200	200	200
	클래스 C	220	180	180	150	140	140
최소 Annular Ring 폭	클래스 A	75	75	75	75	75	75
	클래스 B	50	50	50	35	35	35
	클래스 C	50	35	35	25	20	20

⑭ 특성 임피던스 허용공차(±%)

항 목	클래스	2002년	2004년	2006년	2008년	2010년	2012년
양면 및 단면	클래스 A	20	20	20	20	20	20
	클래스 B	20	20	15	15	10	10
	클래스 C	15	10	10	10	10	10
FRPC (다층)	클래스 A	20	20	20	15	15	15
	클래스 B	15	15	10	10	10	10
	클래스 C	10	10				

⑮ 플렉시블배선판의 신뢰성

항 목	클래스	2002년	2004년	2006년	2008년	2010년	2012년
굴곡 반지름IPC 모드(mm)	클래스 A	4	4	3	3	3	3
	클래스 B	4	4	3	3	3	3
	클래스 C	4	3	3	3	2.5	2.5
IPC 굴곡수명 시험온도 영역 (Max/Min(℃)	클래스 A	30/−5	35/−5	40/−5	45/−5	50/−5	50/−5
	클래스 B	40/−10	50/−10	60/−10	65/−10	70/−10	70/−10
	클래스 C	50/−20	60/−20	70/−20	80/−20	85/−20	85/−20
내절(耐折)수명 (MIT모드)(회)	클래스 A	300	300	300	300	300	300
	클래스 B	1000	1000	1000	1000	1000	1000
	클래스 C	5000	5000	5000	5000	5000	5000

항 목	클래스	2002년	2004년	2006년	2008년	2010년	2012년
MIT 모드 곡률 반지름(mm)	클래스 A	0.8	0.8	0.8	0.8	0.8	0.8
	클래스 B	0.8	0.8	0.8	0.8	0.8	0.8
	클래스 C	0.8	0.8	0.8	0.8	0.8	0.8
MIT 모드 하중(N)	클래스 A	4.9	4.9	4.9	4.9	4.9	4.9
	클래스 B	4.9	4.9	4.9	4.9	4.9	4.9
	클래스 C	4.9	4.9	4.9	4.9	4.9	4.9
MIT 수명 시험 온도영역 (Max/Min(℃)	클래스 A	30/−5	35/−5	40/−5	45/−5	50/−5	50/−5
	클래스 B	40/−10	50/−10	60/−10	65/−10	70/−10	70/−10
	클래스 C	50/−20	60/−20	70/−20	80/−20	85/−20	85/−20
정적사용 온도범위 (Max/Min(℃)	클래스 A	90/−20	90/−20	105/−20	105/−20	105/−20	105/−20
	클래스 B	105/−40	105/−40	105/−40	105/−40	105/−40	105/−40
	클래스 C	125/−65	125/−65	125/−65	125/−65	125/−65	125/−65
서멀 사이클 범위 (Max/Min(℃)	클래스 A	115/−40	115/−40	115/−40	115/−40	115/−40	115/−40
	클래스 B	115/−65	115/−65	115/−65	115/−65	115/−65	115/−65
	클래스 C	115/−65	115/−65	115/−65	115/−65	115/−65	115/−65
서멀 사이클 수 (Max/Min(℃)	클래스 A	500	500	500	500	500	500
	클래스 B	500	500	500	500	500	500
	클래스 C	1000	1000	1000	1000	1000	1000
서멀 쇼크 범위 (Max/Min(℃)	클래스 A	125/−60	125/−60	125/−60	125/−60	125/−60	125/−60
	클래스 B	125/−60	125/−60	125/−60	125/−60	125/−60	125/−60
	클래스 C	125/−60	125/−60	125/−60	125/−60	125/−60	125/−60
서멀 쇼크 사이클 수(회)	클래스 A	100	100	100	100	100	100
	클래스 B	500	500	500	500	500	500
	클래스 C	1000	1000	1000	1000	1000	1000
고온 방치 온도(℃)	클래스 A	100	100	125	125	125	125
	클래스 B	125	125	155	155	155	155
	클래스 C	155	155	155	155	155	155
고온 방치 시간 (시간)	클래스 A	500	500	500	500	500	500
	클래스 B	500	500	500	500	500	500
	클래스 C	1000	1000	1000	1000	1000	1000

⑯ 표면처리 채용 비율(%)

항 목		2002년	2004년	2006년	2008년	2010년	2012년
땜납 부착부	방청처리	30	30	30	27	27	27
	금도금	27	3140	55	55	55	55
	공저(共晶)땜납	35	17	5	0	0	0
	납프리-땜납	8	22	25	18	18	18
커넥터 접착 단주부	방청처리	0	0	0	0	0	0
	금도금	50	50	67	70	70	70
	공저(共晶)땜납	40	25	8	0	0	0
	납프리-땜납	10	25	25	30	30	30
그외 단자부	방청처리	5	5	5	5	5	5
	금도금	90	85	85	85	85	85
	공저(共晶)땜납	5	5	0	0	0	0
	납프리-땜납	0	5	10	10	10	10

⑰ 검사의 동향(㎛)

항 목	클래스	2002년	2004년	2006년	2008년	2010년	2012년
AOI검출 가능 최소폭(㎛)	클래스 A	50	15	15	15	15	15
	클래스 B	30	20	20	15	15	15
	클래스 C	20	20	20	10	10	10
전기검사 검출 핏치(㎛)	클래스 A	200	125	100	100	100	100
	클래스 B	60	60	55			
	클래스 C						
절연 판정 기준 (㎛)	클래스 A	100	100	100	100	100	100
	클래스 B	100	100	100	100	100	100
	클래스 C	100	100	100	100	100	100

⑱ 홀 수(홀 수 / m^2)

항 목	클래스	2002년	2004년	2006년	2008년	2010년	2012년
양면 FPC 스루홀 홀 수	클래스 A	22,000	24,000	32,000	34,000	35,000	36,000
	클래스 B	70,000	75,000	80,000	90,000	100,000	120,000
	클래스 C	70,000	75,000	80,000	90,000	100,000	120,000
FRPC 비관통 홀 수	클래스 A	120,000	130,000	150,000	160,000	160,000	170,000
	클래스 B	120,000	130,000	150,000	160,000	160,000	170,000
	클래스 C	120,000	130,000	150,000	160,000	160,000	170,000
FRPC 관통 홀 수	클래스 A	70,000	75,000	80,000	80,000	80,000	80,000
	클래스 B	70,000	55,000	45,000	45,000	40,000	40,000
	클래스 C	70,000	55,000	45,000	45,000	40,000	40,000
FRPC 마이크로비아 수	클래스 A	100,000	120,000	140.000	160,000	180,000	200,000
	클래스 B	140,000	160,000	180,000	190,000	200,000	210,000
	클래스 C	400,000	450,000	500,000	550,000	600,000	700,000

⑲ FPC 개선항목

ⓐ CCL : 강성을 증가시킨 열가소계의 베이스 재료, 동박과 접착강도, 다층화된 경우의 층간 접합 강도를 높일 고안.

ⓑ 2층 CCL : 박형의 재료 (굴곡용도에서의 압연동박의 사용이 조건이 되지만) 총합두께를 제어한 제조방법의 확립. 치수안정성 향상, 코스트 다운.

ⓒ 베이스 필름의 두께 : 박형회로의 보류(步留 – 물건을 만들 때 원료의 허비. 원료에 대한 제품의 비율)를 높일 제조 방법.

ⓓ 카버레이: 개구부로부터 얼룩이 나오지 않도록 회로를 채우는 할로겐프리 접착제. 액상재료에서의 카버레이 가공 : 감광성, 코팅, 레이저 가공 등.

ⓔ 접착제 : 비취소계(非臭素系) 난열제를 사용한 접착제.

ⓕ 접착제의 특성 : 폴리이미드 이외의 재료계로서 코스트 퍼포먼스가 좋은 접착제.

ⓖ 부품접합 방법 : 땜납 이외의 접합 방식. 특히 접착제.

ⓗ 단미(端末) 접합방법 : 다이렉트 접학, NCP, 도전성 접착계, ACP 등의 땜납을 사용하지 않는 방식.

ⓘ 부품내장 : 개별부품의 필름화, 두꺼운 막부품의 정밀도 향상, 두꺼운막 부품의 정수(定數)범위 확대

ⓙ 층간절연 : 에폭시계의 재료에 대체되는 코스트 퍼포먼스가 놓은 재료에 다른 절연.

ⓚ 액정 플리마(LCP) 에서의 용도 개발 : 액정 폴리마(LCP)에 있는 기계적 강도의 대용이 개발되는 것.
ⓛ 관통 스루홀 : 스팩터링 + 전해도금 방식에서의 코스트, 신뢰성
ⓜ 층간 접속 : 은페이스트에 대체되는 접합방식.
ⓝ 금형가공정밀도 : 레이저등의 소프트* 툴에 따른 양산 기술.
ⓞ 카버코드 가공 정밀도 : 회로밀도를 떨어뜨리지 않는 가공 정밀도.
ⓟ 도체 위치 정밀도 : ±0.3%이하의 치수 변화.
ⓠ 관통홀 개발 : 리지드 배선판과 같은 홀지름.
ⓡ 특성임피던스 : ±5%이하의 치수 변화
ⓢ 신뢰성 : 고온 (85℃)에서의 굴곡특성보증.
ⓣ 검사핏치 : 핏치 40㎛ 에서 검사 가능한 프로브.
ⓤ 평균납기 : 리지드 배선판과 같은 납기 달성.
ⓥ 평균가격 : 시장의 가격인하 요구를 신착가격치로 전환하는 설계에 따라 전환한 것.

12. 리지드 구조 서브스트레이트 Road-Map

❶ 리지드구조 SUBSTRATE의 주류기재의 특성

항 목	클래스	2002년	2004년	2006년	2008년	2010년	2012년
유리 전이온도 (℃)	클래스 A	180	200	200	210	210	210
	클래스 B	210	220	220	230	230	230
	클래스 C	300	300	300	350	350	350
유전률 (1MHz시)	클래스 A	4	4	4	4	4	4
	클래스 B	3	2.8	2.8	2.5	2.5	2.5
	클래스 C	28	2.5	2.5			
유전정접 (1GHz)	클래스 A	0.016	0.014	0.013	0.013	0.013	0.013
	클래스 B	0.013	0.01	0.01	0.007	0.007	0.007
	클래스 C						
X-Y 방향 열팽창계수 (a1) (ppm/℃)	클래스 A	15	13	11	11	11	11
	클래스 B	11	8	6	6	6	6
	클래스 C	7	6	6	4	4	4
Z방향 열팽창계수 (a1) (ppm/℃)	클래스 A	45	40	30	30	30	30
	클래스 B	40	30	20	20	20	20
	클래스 C	20	20				
흡수율 (PCT5H) (%)	클래스 A	0.3	0.3	0.3	0.25	0.25	0.25
	클래스 B	0.3	0.25	0.25	0.2	0.2	0.2
	클래스 C	0.08	0.08	0.08	0.08	0.08	0.08
양그율 (GPa)	클래스 A	23.5	23.5	26	26	26	26
	클래스 B	35	35	35	35	35	35
	클래스 C	45	45	45	45	45	45

❷ 리지드구조 SUBSTRATE용 솔더-마스크 재료의 특성

항 목	클래스	2002년	2004년	2006년	2008년	2010년	2012년
유리 전이온도 (℃)	클래스 A	100	140	140	150	150	150
	클래스 B	160	160	180	180	180	180
	클래스 C	200	200	200	280	280	280
유전률 (1MHz시)	클래스 A	4.2	3.5	3.5	3	3	3
	클래스 B	3	2.5	2.5	2.5	2.5	2.5
	클래스 C	2.5	2.5	2.5	2.5	2.5	2.5
유전정접 (1MHz시)	클래스 A	0.022	0.01	0.006	0.006	0.006	0.006
	클래스 B	0.004	0.004	0004	0.004	0004	0.004
	클래스 C						
X-Y 방향 열팽창계수 (a1) (ppm/℃)	클래스 A	60	55	55	50	50	50
	클래스 B	30	30	20	20	20	20
	클래스 C	10	10	10	10	10	10
흡수율 (23℃/24H침지) (%)	클래스 A	1.3	0.8	0.8	0.3	0.3	0.3
	클래스 B	0.2	0.2	0.2	0.2	0.2	0.2
	클래스 C	0.1	0.1	0.1	0.1	0.1	0.1
양그율 (GPa)	클래스 A	2.8	2.8	2.8	2.8	2.8	2.8
	클래스 B	3.5	3.5	3.5	3.5	3.5	3.5
	클래스 C	4	4	4	4	4	4

❸ 리지드 구조 SUBSTRATE 기계적 사양

항 목		클래스	2002년	2004년	2006년	2008년	2010년	2012년
최소 마무리두께 (㎛)	1층판	클래스 A	130	130	120	120	120	120
		클래스 B	100	100	80	70	70	70
		클래스 C	50	50	50	50	50	50
	2층판	클래스 A	180	160	160	150	150	150
		클래스 B	110	100	100	100	80	80
		클래스 C	80	80	80	60	60	60
	4층판	클래스 A	280	270	270	195	195	195
		클래스 B	195	170	170	145	145	145
		클래스 C	150	120	120	100	100	100
다층판의 최대층수(층)		클래스 A	4	4	4	4	4	4
		클래스 B	6	8	8	8	8	8
		클래스 C	10	10	10	10	10	10
최소동박 두께(㎛)	1층판	클래스 A	9	9	9	9	9	9
		클래스 B	9	5	5	5	5	5
		클래스 C	5	3	3	3	3	3
	2층판	클래스 A	9	9	9	9	9	9
		클래스 B	9	5	5	5	5	5
		클래스 C	5	3	3	3	3	3
	다층판	클래스 A	9	9	9	9	9	9
		클래스 B	9	5	5	5	5	5
		클래스 C	5	3	3	3	3	3
최소도채 두께(㎛)	1층판	클래스 A	8	8	8	8	8	8
		클래스 B	7	4	4	4	4	4
		클래스 C	4	3	3	3	3	3
	2층판	클래스 A	20	17	17	15	15	15
		클래스 B	12	10	10	8	8	8
		클래스 C	8	6	6	6	6	6
	다층판	클래스 A	19	17	17	15	15	15
		클래스 B	12	10	10	8	8	8
		클래스 C	10	8	8	8	6	6

항 목		클래스	2002년	2004년	2006년	2008년	2010년	2012년
다층판의 최소 코어 두께(㎛)		클래스 A	100	100	100	100	100	100
		클래스 B	60	60	40	40	40	40
		클래스 C	60	40	40	30	30	30
다층판의 최소 프리프레그 두께(㎛)		클래스 A	40	40	40	30	30	30
		클래스 B	30	30	30	30	30	30
		클래스 C	30	15	15	15	15	15
최소 솔더-마스크 두께(㎛)	1층판	클래스 A	18	18	18	15	15	15
		클래스 B	10	4	4	4	4	4
		클래스 C	5	3	3	3	3	3
	2층판	클래스 A	20	20	20	20	20	20
		클래스 B	12	10	10	8	8	8
		클래스 C	8	6	6	6	6	6
	다층판	클래스 A	20	20	20	20	20	20
		클래스 B	12	10	10	8	8	8
		클래스 C	10	8	8	6	6	6

❹ 리지드구조 SUBSTRATE의 배선사양

항 목	클래스	2002년	2004년	2006년	2008년	2010년	2012년
최소도체폭 (㎛)	클래스 A	35	35	25	25	25	25
	클래스 B	25	20	20	15	15	15
	클래스 C	20	15	15	15	15	15
도체폭공차 (±㎛)	클래스 A	7	5	5	5	5	5
	클래스 B	4	2	2			
	클래스 C						
최소도체간극 (㎛)	클래스 A	35	25	25	25	25	25
	클래스 B	20	10	10	10	10	10
	클래스 C	15	10	10	10	10	10
솔더-마스크 최소개구경 (㎛)	클래스 A	80	60	60	50	50	50
	클래스 B	50	40	40	30	30	30
	클래스 C	40	30	30	30	30	30
솔더-마스크 개구경 정밀도 (±㎛)	클래스 A	15	10	10	10	10	10
	클래스 B	12	10	10	5	5	5
	클래스 C	10	5	5	5	5	5
솔더-마스크 위치정합 정밀도 (±㎛)	클래스 A	30	20	20	10	10	10
	클래스 B	20	15	15	5	5	5
	클래스 C	15	5	5	5	5	5
특성임피던스 허용공차 (±%)	클래스 A	10	10	10	10	10	10
	클래스 B	10	7	7	5	5	5
	클래스 C	7	5	5	5	5	5

❺ SUBSTRATE에 요구되는 Feel 강도(kn/m)

항 목	클래스	2002년	2004년	2006년	2008년	2010년	2012년
RIGID구조 Feel 강도 (kn/m)	클래스 A	1	1	1	1	1	1
	클래스 B	1.4	1.4	1.4	1.4	1.4	1.4
	클래스 C	1.6	1.6	1.6	1.6	1.6	1.6

❻ 리지드 구조 SUBSTRATE 홀 사양

항 목	클래스	2002년	2004년	2006년	2008년	2010년	2012년
기계식 드릴 관통홀 최소 지름 (㎛)	클래스 A	160	130	130	100	100	100
	클래스 B	130	100	100	100	100	100
	클래스 C	100	100	100	75	75	75
기계식 드릴 관통홀 최소 랜드 (㎛)	클래스 A	300	210	210	150	150	150
	클래스 B	250	150	150	140	140	140
	클래스 C	150	150	150	105	105	105
기계식 드릴 관통홀 최소 핏치 (㎛)	클래스 A	335	235	235	175	175	175
	클래스 B	270	160	160	150	150	150
	클래스 C	163	160	160	115	115	115
기계식 드릴 비관통홀 최소 지름 (㎛)	클래스 A	150	150	150	150	150	150
	클래스 B	150	130	130	100	100	100
	클래스 C	100	100	100	75	75	75
비관통홀 기계식 드릴 최소 랜드지름 (㎛)	클래스 A	250	210	210	200	200	200
	클래스 B	250	190	190	150	150	150
	클래스 C	200	150	150	105	105	105
비관통홀 기계식 드릴 최소 핏치 (㎛)	클래스 A	285	235	235	225	225	225
	클래스 B	270	200	200	160	160	160
	클래스 C	215	160	160	115	115	115
레이저 관통홀 최소 지름(㎛)	클래스 A	100	90	90	80	80	80
	클래스 B	90	80	80	70	70	70
	클래스 C	70	70	70	50	50	50
레이저 관통홀 최소 랜드 지름(㎛)	클래스 A	180	180	140	140	140	140
	클래스 B	150	120	120	120	120	120
	클래스 C	120	120	100	100	100	100
레이저 관통홀 최소 핏치(㎛)	클래스 A	215	205	165	165	165	165
	클래스 B	170	130	130	130	130	130
	클래스 C	135	130	110	110	110	110
비관통 레이저 홀 최소 지름 (㎛)	클래스 A	100	90	90	80	80	80
	클래스 B	90	80	80	50	50	50
	클래스 C	70	50	50	30	30	30

항 목	클래스	2002년	2004년	2006년	2008년	2010년	2012년
비관통 레이저 홀 최소 랜드 지름 (㎛)	클래스 A	180	180	140	140	140	140
	클래스 B	150	120	120	80	80	80
	클래스 C	120	100	100	50	50	50
비관통 레이저 홀 최소 핏치 (㎛)	클래스 A	215	205	165	165	165	165
	클래스 B	170	130	130	90	90	90
	클래스 C	135	110	110	60	60	60

❼ 리지드구조 SUBSTRATE의 홀도금 사양

항 목	클래스	2002년	2004년	2006년	2008년	2010년	2012년
관통홀 최소 동도금 두께 (㎛)	클래스 A	15	15	15	15	15	15
	클래스 B	10	5	5	5	5	5
	클래스 C	7	5	5	5	5	5
관통홀 최대 Aspect 비 (㎛)	클래스 A	3	4	4	4	4	4
	클래스 B	7	10	10	10	10	10
	클래스 C	10	12	12	12	12	12
비관통홀 내 최소 동도금 두께 (㎛)	클래스 A	15	15	15	15	15	15
	클래스 B	10	5	5	5	5	5
	클래스 C	7	5	5	5	5	5
비관통홀 최대 Aspect 비	클래스 A	1	1	1	1	1	1
	클래스 B	2	3	3	4	4	4
	클래스 C	4	4	6	6	6	6

❽ BUILD-UP구조 SUBSTATE 층재료의 특성

항 목	클래스	2002년	2004년	2006년	2008년	2010년	2012년
유리 전이온도 (℃)	클래스 A	170	180	180	200	200	200
	클래스 B	180	200	200	210	210	210
	클래스 C	220	220	220	250	250	250
유전률 (1GHz)	클래스 A	3.3	2.7	2.7	2.5	2.5	2.5
	클래스 B	2.7	2.5	2.5	2.3	2.3	2.3
	클래스 C	2.5	2	2	2	2	2
유전정접 (1GHz)	클래스 A	0.02	0.015	0.015	0.015	0.015	0.015
	클래스 B	0.0085	0.007	0.007	0.007	0.007	0.007
	클래스 C	0.003	0.002	0.002	0.002	0.002	0.002
X-Y 방향 열팽창계수 (a1) (ppm/℃)	클래스 A	25	20	20	12	12	12
	클래스 B	20	15	15	10	10	10
	클래스 C	15	10	10	5	5	5
Z방향 열팽창계수 (a1) (ppm/℃)	클래스 A	50	35	35	33	33	33
	클래스 B	35	30	30	20	20	20
	클래스 C	16	16	16	10	10	10
필 강도 (kn/m)	클래스 A	0.8	0.8	0.8	0.8	0.8	0.8
	클래스 B	1.1	1.4	1.4	1.4	1.4	1.4
	클래스 C	1.4	1.6	1.6	1.6	1.6	1.6
양그율 (GPa)	클래스 A	24.5	24.5	24.5	24.5	24.5	24.5
	클래스 B	27.5	27.5	27.5	27.5	27.5	27.5
	클래스 C	30	30	30	35	35	35
흡수율 (23℃/24h 침지) (%)	클래스 A	0.4	0.3	0.3	0.2	0.2	0.2
	클래스 B	0.3	0.2	0.2	0.1	0.1	0.1
	클래스 C	0.1	0.1	0.1	0.1	0.1	0.1
흡수율 (PCT5H) (%)	클래스 A	0.4	0.2	0.2	0.1	0.1	0.1
	클래스 B	0.2	0.1	0.1	0.1	0.1	0.1
	클래스 C	0.1	0.1	0.1	0.1	0.1	0.1

❾ BUILD-UP 구조 SUBSTRATE용 솔더-마스크재료의 특성표

항 목	클래스	2002년	2004년	2006년	2008년	2010년	2012년
유리 전이온도 (℃)	클래스 A	120	150	150	180	180	180
	클래스 B	180	200	200	210	210	210
	클래스 C	22	0240	240	260	260	260
유전률 (1GHz)	클래스 A	3.8	3.2	3.2	2.7	2.7	2.7
	클래스 B	3.2	2.7	2.7	2.5	2.5	2.5
	클래스 C	2.5	2.5	2.5	2.5	2.5	2.5
유전정접 (1GHz)	클래스 A	0.01	0.005	0.005	0.002	0.002	0.002
	클래스 B	0.005	0.002	0.002	0.001	0.001	0.001
	클래스 C	0.001	0.0008	0.0008	0.0008	0.0008	0.0008
X-Y 방향 열팽창계수 (a1) (ppm/℃)	클래스 A	50	50	50	35	35	35
	클래스 B	35	35	35	25	25	25
	클래스 C	10	10	10	10	10	10
양그율 (GPa)	클래스 A	2	0.75	0.75	0.75	0.75	0.75
	클래스 B	21	15	15	15	15	15
	클래스 C	21	15	15	15	15	15
흡수율 (23℃/24H침지) (%)	클래스 A	0.5	0.3	0.3	0.3	0.3	0.3
	클래스 B	0.3	0.2	0.2	0.2	0.2	0.2
	클래스 C	0.2	0.2	0.2	0.2	0.2	0.2

❿ BUILD-UP 구조 SUBSTRATE의 치수사양

항 목	클래스	2002년	2004년	2006년	2008년	2010년	2012년
최소마무리 두께(㎛) 6층구조 (1+1+1)	클래스 A	500	480	480	300	300	300
	클래스 B	360	260	260	200	200	200
	클래스 C	260	200	200	140	140	140
빌드업층수 (단측)	클래스 A	2	2	2	2	2	2
	클래스 B	4	4	4	4	4	4
	클래스 C	6	8	8	8	8	8
최소코어 두께(㎛) 2층	클래스 A	200	150	150	100	100	100
	클래스 B	60	60	60	30	30	30
	클래스 C	20	15	15			

항 목	클래스	2002년	2004년	2006년	2008년	2010년	2012년
최소코어 두께(㎛) 4층	클래스 A	400	400	400	240	240	240
	클래스 B	200	200	200	150	150	150
	클래스 C	150	150	150	100	100	100
최소 빌드업 층 두께(㎛)	클래스 A	30	25	25	20	20	20
	클래스 B	20	20	20	15	15	15
	클래스 C	20	15	15	10	10	10

⑪ BUILD-UP구조 SUBSTRATE의 도체치수 사양

항 목	클래스	2002년	2004년	2006년	2008년	2010년	2012년
최소동박 두께(㎛)	클래스 A	9	9	9	5	5	5
	클래스 B	5	5	5	3	3	3
	클래스 C	3	3	3	3	3	3
최소 도체 두께(㎛)	클래스 A	12	12	12	10	10	10
	클래스 B	10	10	10	7	7	7
	클래스 C	9	8	8	7	7	7
최소 도체폭(㎛)	클래스 A	50	40	30	30	30	30
	클래스 B	30	30	30	15	15	15
	클래스 C	15	15	15	7	7	7
도체폭 공차 (±㎛)	클래스 A	5	4	3	3	3	3
	클래스 B	3	3	3	2	2	2
	클래스 C	2	2	2			
최소도체간극 (㎛)	클래스 A	50	40	30	30	30	30
	클래스 B	30	30	30	15	15	15
	클래스 C	15	15	15	7	7	7

⓬ BUILD-UP구조 SUBSTRATE 홀치수 사양

항 목		클래스	2002년	2004년	2006년	2008년	2010년	2012년
관통홀 최소 홀지름 (㎛)	Laser	클래스 A	150	100	100	100	100	100
		클래스 B	100	80	80	80	80	80
		클래스 C	60	60	60	50	50	50
	기계식 드릴 코어층	클래스 A	200	150	150	100	100	100
		클래스 B	150	100	100	100	100	100
		클래스 C	100	100	100	75	75	75
비관통홀 최소 홀지름 (㎛)	Photo	클래스 A	80	80	80	80	80	80
		클래스 B	80	60	60	50	50	50
		클래스 C	60	50	50	30	30	30
	Laser	클래스 A	100	60	60	40	40	40
		클래스 B	80	40	40	30	30	30
		클래스 C	30	20	20			
관통홀 최소 랜드지름 (㎛)	1층판	클래스 A	200	150	150	140	140	140
		클래스 B	150	120	120	120	120	120
		클래스 C	110	100	100	80	80	80
	기계식 드릴 코어층	클래스 A	300	210	210	150	150	150
		클래스 B	250	150	150	140	140	140
		클래스 C	150	130	130	105	105	105
비관통홀 최소 랜드지름 (㎛)	Photo	클래스 A	160	160	160	160	160	160
		클래스 B	140	120	120	100	100	100
		클래스 C	120	100	100	70	70	70
	Laser	클래스 A	150	110	110	80	80	80
		클래스 B	130	80	80	60	60	60
		클래스 C	80	60	60	30	30	30
관통홀 최소 홀핏치 (㎛)	Laser	클래스 A	215	165	150	145	140	140
		클래스 B	165	145	130	125	120	120
		클래스 C	125	125	110	105	105	105
	기계식 드릴 코어층	클래스 A	300	250	250	200	200	200
		클래스 B	250	200	200	200	200	200
		클래스 C	200	200	200	175	175	175

항 목		클래스	2002년	2004년	2006년	2008년	2010년	2012년
비관통홀 최소 홀핏치 (㎛)	Photo	클래스 C	250	250	250	250	250	250
		클래스 C	250	230	230	220	220	220
		클래스 C	230	220	220	200	200	200
	Laser	클래스 C	170	140	140	110	110	110
		클래스 C	150	100	100	80	80	80
		클래스 C	100	50	50	40	40	40

⓭ BUILD-UP구조 SUBSTRATE 솔더-마스크 치수 사양

항 목	클래스	2002년	2004년	2006년	2008년	2010년	2012년
도체상 두께 (㎛)	클래스 A	15	15	15	10	10	10
	클래스 B	10	10	10	10	10	10
	클래스 C	10	10	10	5	5	5
중심 위치 정밀도 (㎛)	클래스 A	30	20	20	10	10	10
	클래스 B	20	15	15	5	5	5
	클래스 C	15	5	5	5	5	5
개구경(開口徑) 정밀도 (㎛)	클래스 A	15	12	12	12	12	12
	클래스 B	12	10	10	10	10	10
	클래스 C	10	5	5	5	5	5
최소 개구경 (㎛)	클래스 A	80	60	60	50	50	50
	클래스 B	50	40	40	40	40	40
	클래스 C	40	30	30	30	30	30

⓮ BUILD-UP 구조 SUBSTRATE의 특성 Impedance 요구

항 목	클래스	2002년	2004년	2006년	2008년	2010년	2012년
특성 Impedance 허용공차 (±%)	클래스 A	10	10	10	10	10	10
	클래스 B	10	7	7	5	5	5
	클래스 C	7	5	5	5	5	5

⑮ BUILD-UP 구조 SUBSTRATE의 도금사양

항 목	방 법	클래스	2002년	2004년	2006년	2008년	2010년	2012년
Hole 속 최소 동도금 두께(m)	코어층	클래스 C	15	15	15	15	15	15
		클래스 C	15	12	12	10	10	10
		클래스 C	10	5	5	5	5	5
	Build-up층	클래스 C	15	15	15	15	15	15
		클래스 C	15	12	12	10	10	10
		클래스 C	10	5	5	5	5	5

13. TAPE구조 서브스트레이트 ROAD-MAP

❶ 기재 요구 특성

항 목	클래스	2002년	2004년	2006년	2008년	2010년	2012년
유리 전이온도 (℃)	클래스 A	260	280	280	280	280	280
	클래스 B	280	280	280	280	280	280
	클래스 C	500					
유전률 (1GHz시)	클래스 A	3.5					
	클래스 B	3.3	3.3	3.3	2.5	2.5	2.5
	클래스 C	3.2	2.5	2.5			
유전정접 (1GHz)	클래스 A	0.002	0.001	0.001	0.001	0.001	0.001
	클래스 B	0.001	0.005	0.005			
	클래스 C	0.001	0.005	0.005			
X-Y 방향 열팽창계수 (a1) (ppm/℃)	클래스 A	20	20	20	16	16	16
	클래스 B	15	15	15	10	10	10
	클래스 C	15	15	15	10	10	10
Z방향 열팽창계수 (a1) (ppm/℃)	클래스 A	20	20	20	20	20	20
	클래스 B	15	15	15	10	10	10
	클래스 C	15	15	15	10	10	10
필 강도 (kn/m)	클래스 A	1	1	1	0.8	0.8	0.8
	클래스 B	1.4	1.4	1.2	1.2	1.2	1.2
	클래스 C	1.4	1.4	1.4	1.4	1.4	1.4
양그율 (GPa)	클래스 A	22	22	22	22	22	22
	클래스 B	22	22	22	22	22	22
	클래스 C	0.95	0.95	0.95	1	1	1
흡수율 (23℃/24h 첨지) (%)	클래스 A	1	1	1	0.5	0.5	0.5
	클래스 B	0.3	0.2	0.2	0.2	0.2	0.2
	클래스 C	0.3	0.2	.02	0.2	0.2	0.2
흡수율 (PCT5H) (%)	클래스 A	0.85	0.65	0.65	0.3	0.3	0.3
	클래스 B	0.5	0.3	0.3	1	1	1
	클래스 C	0.5	0.3	0.3	1	1	1

❷ TAPE구조 SUBSTRATE의 솔더마스크 재료의 특성

항 목	클래스	2002년	2004년	2006년	2008년	2010년	2012년
유리 전이온도 (℃)	클래스 A	90	130	130	150	150	150
	클래스 B	120	150	150	180	180	180
	클래스 C	200	200	200	280	280	280
유전률 (1GHz)	클래스 A	3.8	3.5	3.5	3	3	3
	클래스 B	2.5	2.5	2.5	2.5	2.5	2.5
	클래스 C	2.5	2.5	2.5	2.5	2.5	2.5
유전정접 (1GHz)	클래스 A	0.025	0.02	0.02	0.015	0.015	0.015
	클래스 B	0.015	0.001	0.001	0.001	0.001	0.001
	클래스 C	0.015	0.001	0.001	0.001	0.001	0.001
X-Y 방향 열팽창계수 (a1) (ppm/℃)	클래스 A	60	60	60	60	60	60
	클래스 B	40	20	20	10	10	10
	클래스 C	40	20	20	10	10	10
양그율 (GPa)	클래스 A	2	2	2	2	2	2
	클래스 B	3.5	3.5	3.5	3.5	3.5	3.5
	클래스 C	3.5	3.5	3.5	3.5	3.5	3.5
흡수율 (23℃/24H침지) (%)	클래스 A	1.2	1	0.7	0.5	0.5	0.5
	클래스 B	1	0.65	0.65	0.4	0.4	0.4
	클래스 C	0.2	0.2	0.2	0.4	0.4	0.4

❸ 두께 사양

1층 테이프 구조 서브스트레이트의 두께 사양

① 1층 TAPE구조

항 목	클래스	2002년	2004년	2006년	2008년	2010년	2012년
최소 마무리 두께 (㎛)	클래스 A	80	75	75	40	40	40
	클래스 B	50	40	40	20	20	20
	클래스 C	40	40	20	20	20	20
최소 동박 두께 (㎛)	클래스 A	18	18	12	12	9	9
	클래스 B	12	12	9	9	5	5
	클래스 C	9	5	5	3	3	3

항 목	클래스	2002년	2004년	2006년	2008년	2010년	2012년
최소 도체 두께 (㎛)	클래스 A	18	18	18	12	12	12
	클래스 B	10	10	9	9	7	7
	클래스 C	7	4	4	3	3	3
최소 코어 두께 (㎛)	클래스 A	50	50	50	25	25	25
	클래스 B	25	25	25	12.5	12.5	12.5
	클래스 C	25	125.5	12.5	10	10	10
최소 솔더-마스크 두께(㎛)	클래스 A	20	15	15	15	15	15
	클래스 B	15	15	15	10	10	5
	클래스 C	10	10	10	5	5	5

2층 테이프 구조의 서브스테리이트 두께 사양

② 2층 TAPE 구조

항 목	클래스	2002년	2004년	2006년	2008년	2010년	2012년
최소 마무리 두께 (㎛)	클래스 A	115	100	100	75	75	75
	클래스 B	80	75	75	65	65	65
	클래스 C	70	65	65	50	50	50
최소 동박 두께 (㎛)	클래스 A	12	12	9	9	9	9
	클래스 B	9	5	5	5	5	5
	클래스 C	5	3	3	3	3	3
최소 도체 두께 (㎛)	클래스 A	17	13	13	12	12	12
	클래스 B	12	10	10	10	10	10
	클래스 C	9	9	9	9	9	9
최소 도금 두께 (㎛)	클래스 A	15	10	10	10	10	10
	클래스 B	10	8	8	8	8	8
	클래스 C	10	7	7	5	5	5
최소 코어 두께 (㎛)	클래스 A	50	50	50	25	25	25
	클래스 B	25	25	25	12.5	12.5	10
	클래스 C	25	12	12	7	7	7
최소 솔더-마스크 두께(㎛)	클래스 A	20	15	15	15	15	15
	클래스 B	15	15	15	10	10	5
	클래스 C	10	10	10	5	5	5

다층 테이프 구조 서브스트레이트의 두께 사양

③ 다층 TAPE 구조

항 목	클래스	2002년	2004년	2006년	2008년	2010년	2012년
층수(층)	클래스 A	4	4	4	4	4	4
	클래스 B	4	4	6	6	6	6
	클래스 C	4	6	8	8	8	8
최소 마무리 두께 (㎛)	클래스 A	235	235	200	160	160	160
	클래스 B	160	225	225	200	200	200
	클래스 C	160	200	260	200	200	200
최소 동박 두께 (㎛)	클래스 A	9	9	9	5	5	5
	클래스 B	9	9	5	5	5	5
	클래스 C	5	5	5	3	3	3
최소 도체 두께 (㎛)	클래스 A	17	17	15	13	10	10
	클래스 B	15	13	13	10	10	0
	클래스 C	9	9	9	9	9	9
최소 도금 두께 (㎛)	클래스 A	15	10	10	10	10	10
	클래스 B	10	8	8	8	8	8
	클래스 C	10	7	7	5	5	5
최소 코어 두께 (㎛)	클래스 A	25	25	25	25	25	25
	클래스 B	25	12	12	10	10	10
	클래스 C	12	12	12	7	7	7
최소 솔더-마스크 두께(㎛)	클래스 A	20	15	15	15	15	15
	클래스 B	15	15	15	10	10	5
	클래스 C	10	10	10	5	5	5

❹ TPAE구조 SUBSTRATE의 배선사양

항 목	클래스	2002년	2004년	2006년	2008년	2010년	2012년
최소 도체폭 (㎛)	클래스 A	30	25	20	20	15	15
	클래스 B	25	20	15	15		
	클래스 C	15					
도체폭공차 (㎛)	클래스 A	10	10	8	8	7	5
	클래스 B	8	7	5	5		
	클래스 C						
최소 도체 간극 (㎛)	클래스 A	30	25	20	20	15	15
	클래스 B	25	20	15	15		
	클래스 C	15					
솔더-마스크 최소개구경 (㎛)	클래스 A	80	80	80	60	60	60
	클래스 B	50	50	50	40	40	40
	클래스 C	40	20	20	20	20	20
솔더-마스크 개구경 정밀도 (±㎛)	클래스 A	15	13	10	10	10	10
	클래스 B	10	10	10	5	5	5
	클래스 C	10	5	5			
솔더-마스크 위치 정합 정밀도 (±㎛)	클래스 A	30	20	20	10	10	10
	클래스 B	20	15	15			
	클래스 C	15					
특성 임피던스 허용공차 (±%)	클래스 A	10	10	10	10	10	10
	클래스 B	10	7	7	7	5	5
	클래스 C	7	5	5	5	5	5

❺ TAPE구조 SUBSTARTE의 홀사양

항 목	클래스	2002년	2004년	2006년	2008년	2010년	2012년
기계식 드릴 최소 홀 지름 (㎛)	클래스 A	100	100	100	75	75	75
	클래스 B	100	75	75	75	75	75
	클래스 C	75	75	75	75	75	75
기계식 드릴 최소 랜드 지름 (㎛)	클래스 A	200	160	160	130	130	130
	클래스 B	200	125	125	120	120	120
	클래스 C	175	125	125	120	120	120
기계식 드릴 최소 홀 핏치 (㎛)	클래스 A	500	300	300	200	200	200
	클래스 B	300	300	250	250	200	200
	클래스 C	270	260	190	180	165	165
레이져 최소 홀 지름 (㎛)	클래스 A	100	100	80	80	50	50
	클래스 B	60	50	40	30	30	30
	클래스 C	30	20	20			
레이져 최소 랜드 지름 (㎛)	클래스 A	160	150	120	120	100	100
	클래스 B	100	100	90	80	60	60
	클래스 C	80	60	60			
레이져 최소 홀 핏치 (㎛)	클래스 A	400	400	350	350	200	200
	클래스 B	200	200	200	170	160	150
	클래스 C	100	90	90	80	80	60
펀칭 홀 최소 홀 지름 (㎛)	클래스 A	200	150	100	100	80	80
	클래스 B	100	100	80	80	60	60
	클래스 C	50	60	60			
펀칭 홀 최소 랜드 지름 (㎛)	클래스 A	300	250	200	200	180	180
	클래스 B	200	200	180	180	110	110
	클래스 C	140	1201	110	100	90	90
펀칭 홀 최소 홀 핏치 (㎛)	클래스 A	600	500	400	400	360	360
	클래스 B	400	400	360	360	220	220
	클래스 C	280	240	220	200	180	180

❻ TAPE구조 SUBSTRATE의 홀도금 사양

항 목	클래스	2002년	2004년	2006년	2008년	2010년	2012년
관통홀 내 최소 동도금 두께 (㎛)	클래스 A	10	10	8	8	8	8
	클래스 B	10	10	8	8	7	7
	클래스 C	8	8	7	7	5	5
관통홀 최대 Aspect 비	클래스 A	0.8	1	1	2	2	2
	클래스 B	1	1	2	3	3	3
	클래스 C	4	4	4	4	4	4

14. CERAMIC SUBSTRATE ROAD-MAP

❶ 세라믹 서브스트레이트의 재료특성

항 목	클래스	2002년	2004년	2006년	2008년	2010년	2012년
유전률(1GHz)	클래스 A	4~20	4~100	4~100	3~100	3~100	3~100
유전정접(1MHz)	클래스 B	0.001	0.0005	0.0005	0.0005	0.0005	0.0005
X-Y-Z방향 열팽창계수 (ppm/℃)	클래스 C	5~12	3~12	3~12	3~12	3~12	3~12
	클래스 A						
	클래스 B						
양금율(GPa)	클래스 C	300	400	400	400	400	400

❷ 세라믹 서브스트레이트의 각종 치수 사양

항 목	클래스	2002년	2004년	2006년	2008년	2010년	2012년
최소 테이프 두께 (㎛)	클래스 A	125	100	100	100	100	100
	클래스 B	50	50	50	50	50	50
	클래스 C	20	15	15	10	10	10
최소 도체 두께 (㎛)	클래스 A	12	12	12	10	10	10
	클래스 B	10	10	10	7	7	7
	클래스 C	9	8	8	7	7	7
최소 도체 폭 (㎛)	클래스 A	75	75	75	50	50	50
	클래스 B	50	30	30	25	25	25
	클래스 C	30	25	25	15	15	15
도체 폭 공차 (㎛)	클래스 A	50	40	40	30	30	30
	클래스 B	20	20	20	15	15	15
	클래스 C	5	3	3	3	3	3
최소 도체 간극 (㎛)	클래스 A	75	75	75	50	50	50
	클래스 B	50	30	30	25	25	25
	클래스 C	30	25	25	15	15	15

❸ 세라믹 서브스트레이트의 홀 지름 사양

항 목	클래스	2002년	2004년	2006년	2008년	2010년	2012년
관통홀 최소 홀 지름 (㎛)	클래스 A	100	75	75	75	75	75
	클래스 B	75	50	50	30	30	30
	클래스 C	30	25	25	20	20	20
관통홀 최소 홀 핏치 (㎛)	클래스 A	250	200	200	180	180	180
	클래스 B	200	140	140	100	100	100
	클래스 C	110	90	90	70	70	70

❹ 세라믹 서브스트레이트의 특성임피던스 허용공차

항 목	클래스	2002년	2004년	2006년	2008년	2010년	2012년
특성임피던스 허용공차 (±%)	클래스 A	20	20	15	15	10	10
	클래스 B	10	5	5	5	5	5
	클래스 C	5	3	3	3	3	3

15. SUBSTRATE 신뢰성 ROAD-MAP

❶ 서브스트레이트 신뢰성(1)

항 목	클래스	2002년	2004년	2006년	2008년	2010년	2012년
프리 컨디션 레벨	클래스 A	3	3	3	3	3	3
	클래스 B	2	2	2	2	2	2
	클래스 C	1	1	1	1	1	1
프리 컨디션 후 Reflow 온도(℃)	클래스 A	220	220	220	220	220	220
	클래스 B	240	260	270	270	270	270
	클래스 C	240	260	270	270	270	270
프리 컨디션 후 Reflow 회수(회)	클래스 A	2	2	2	2	2	2
	클래스 B	3	4	4	4	4	4
	클래스 C	3	4	4	4	4	4
프리 컨디션 Reflow 사이클 수(사이클)	클래스 A	1	1	1	1	1	1
	클래스 B	2	2	3	3	3	3
	클래스 C	2	2	3	3	3	3
서멀 사이클 A, B, C	클래스 A	B	B	B	B	B	B
	클래스 B	C	C	C	C	C	C
	클래스 C	C	C	C	C	C	C
서멀 사이클 사이클 수 (사이클)	클래스 A	500	500	500	500	500	500
	클래스 B	1000	1000	1000	1000	1000	1000
	클래스 C	1000	1000	1000	1000	1000	1000
서멀 쇼크 A, B, C	클래스 A	B	B	B	B	B	B
	클래스 B	C	C	C	C	C	C
	클래스 C	C	C	C	C	C	C
서멀 사이클 사이클 수 (사이클)	클래스 A	500	500	500	500	500	500
	클래스 B	1000	1000	1000	1000	1000	1000
	클래스 C	1000	1000	1000	1000	1000	1000
고온방치 온도(℃)-시간 (Hr)	클래스 A	150-500	150-500	150-500	150-500	150-500	150-500
	클래스 B	150-1000	150-1000	150-1000	150-1000	150-1000	150-1000
	클래스 C	150-3000	150-3000	150-3000	150-3000	150-3000	150-3000

❷ 서브스트레이트 신뢰성(2)

항 목	클래스	2002년	2004년	2006년	2008년	2010년	2012년
PCT 온도(℃)-습도(RH%) 압력(kPa)	클래스 A	121-100 202	121-100 202	121-100 202	121-100 202	121-100 202	121-100 202
	클래스 B	125-100 210	125-100 210	125-100 210	125-100 210	125-100 210	125-100 210
	클래스 C	N/A	N/A	N/A	N/A	N/A	N/A
PCT 시가(Hr)	클래스 A	168	168	168	168	168	168
	클래스 B	300	300	300	300	300	300
	클래스 C	1000	1000	1000	1000	1000	1000
HAST 온도(℃)-습도(RH%) 압력(kPa)	클래스 A	85-85 101	85-85 101	85-85 101	85-85 101	85-85 101	85-85 101
	클래스 B	130-85 303	130-85 303	130-85 303	130-85 303	130-85 303	130-85 303
	클래스 C	N/A	N/A	N/A	N/A	N/A	N/A
HAST 시간(Hr)	클래스 A	168	168	168	168	168	168
	클래스 B	300	300	300	300	300	300
	클래스 C	1000	1000	1000	1000	1000	1000
HAST 인가전압(Volt)	클래스 A	5	3	3	3	3	3
	클래스 B	25	25	25	25	25	25
	클래스 C	N/A	N/A	N/A	N/A	N/A	N/A
실장낙하시험 높이(m)-회수(회)	클래스 A	1.5-96	1.5-96	1.5-96	1.5-96	1.5-96	1.5-96
	클래스 B	N/A	N/A	N/A	N/A	N/A	N/A
	클래스 C	N/A	N/A	N/A	N/A	N/A	N/A
휨사양 (㎛/cm)	클래스 A	25	20	20	20	20	20
	클래스 B	15	15	10	5	5	5
	클래스 C	N/A	N/A	N/A	N/A	N/A	N/A

❸ 서브스트레이트 거사 관련 기술 목표(3)

항 목	클래스	2002년	2004년	2006년	2008년	2010년	2012년
AOI 검출 가능 최소폭 (㎛)	테이프	20	15	10	10	7	7
	리지드	30	20	20	15	15	15
	빌드업	25	20	20	10	10	10
	세라믹스	50	15	15	15	15	15
전기 검사 검출 핏치 (㎛)	테이프	80	80	80	60	60	60
	리지드	60	60	60	60	60	60
	빌드업	60	60	60	60	60	60
	세라믹스	60	50	50	30	30	30
절연 판정 기준 (MΩ)	테이프	100	100	100	100	100	100
	리지드	100	100	100	100	100	100
	빌드업	100	100	100	100	100	100
	세라믹스	100	100	100	100	100	100

16. Ass' y 에서 PCB 요구와 PCB 대응 Road-Map

❶ MOTHER BOARD TYPE

① 마더보드의 타입

	2002년	2006년	2012년
베어러블 기기	전층 빌드업	전층 빌드업	전층 빌드업
휴대 오디오 기기	빌드업	필름기판 광체실장	입체(부품내장) 플렉시블 부품
휴대전화/PDA	빌드업	빌드업	빌드업
디지털 스틸 카메라	빌드업	빌드업	빌드업
디지털 비디오 카메라	빌드업	빌드업	빌드업
노트 PC	관통	관통~빌드업	빌드업
카 엔터테인먼트 기기	관통 IVH	빌드업	빌드업
엔진룸	관통 TH, IVH	IVH, 빌드업	IVH, 빌드업 부품내장
디지털 TV/STB	스푸홀 기판 서브 트렉티브 기판	스루홀 기판 표준 빌드업기판	스루홀 기판 전층 빌드업 기판
대형 컴퓨터 고성능서버	적층	적층, 적층+부분 빌드업 구조	적층, 빌드업+적층
데스크톱 PC용 디스플레이 기기	다층판	빌드업	빌드업 광배선 프린트판

② 마더보드의 층구성

	2002년	2006년	2012년
베어러블 기기	4~6층	6층	4층
휴대 오디오 기기	6층(1+4+1)	10층	15층
휴대전화/PDA	6~8층	8~10층	8~10층
디지털 스틸 카메라	1-4-1	2-2-2 2-4-2	2-4-2 8층 Any Layer
디지털 비디오 카메라	2-4-2	3-4-3	3-4-3Any Layer
노트 PC	8층~10층	8층~10층	8층~10층
카 엔터테인먼트 기기	6층~8층	8층(1+6+1)	6층(1+4+1)
엔진품	2층, 4층, 6층	4층~6층	6~8층
디지털 TV/STB	6층	6층~8층	6층~10층
대형 컴퓨터 고성능서버	18층~52층	18층~52층	18층~52층
데스트톱 PC용 디스플레이 기기	4층	6층(1+4+1)	8층

③ 마더보드의 기재 재질

	2002년	2006년	2012년
베어러블 기기	-	-	
휴대 오디오 기기	FR-4	FR-4	-
휴대전화/PDA	FR-4	FR-4,FR-5 상당	FR-4신 그레이드
디지털 스틸 카메라	FR-4	FR-4	FR-4
디지털 비디오 카메라	FR-4	FR-4(HF)	FR-4(HF)
노트 PC	FR-4	HF-FR-4	HF-FR-4, 신 그레이드
카 엔터테인먼트 기기	FR-4	FR-4	FR-4
엔진룸	FR-4,알루미나	FR-4, FR-5 세라믹, 알루미나	FR-5 세라믹, 알루미나
디지털 TV/STB	FR-4	FR-4	FR-4
대형 컴퓨터 고성능서버	고TgFR-4	저 고내열, 저유전결손재	저 고내열, 저유전결손재
데스크톱 PC용 디스플레이 기기	FR-4	FR-4	-

④ 마더보드의 두께(mm)

	2002년	2006년	2012년
베어러블 기기	0.6~0.9	0.5	0.3
휴대 오디오 기기	0.6	0.4	–
휴대전화/PDA	0.6	0.6~0.8	0.4~0.6
디지털 스틸 카메라	0.8	0.7	0.6
디지털 비디오 카메라	1	0.6	0.6
노트 PC	1.2	1.	0.5~0.8
카 엔터테인먼트 기기	1	1	0.8
엔진룸	1.4~1.6	0.6~1.2	0.6~1.2
디지털 TV/STB	1.6	1~1.2	0.8~1.2
대형 컴퓨터 고성능서버	2.6~7	2.6~5	2.6~5
데스크톱 PC용 디스플레이 기기	1.6	1.2	1.2

⑤ 마더보드의 개편의 크기(mm×mm)

	2002년	2006년	2012년
베어러블 기기	40×30	40×30	30×30
휴대 오디오 기기	70×50	60×50	30×50
휴대전화/PDA	40×80 70×120	40×80 70×120	40×70 70×110
디지털 스틸 카메라	40~90×50	50×50	30×30
디지털 비디오 카메라	80~90×50	50~70×40	50~70×40
노트 PC	310×200	310×200	300×200
카 엔터테인먼트 기기	80×120	80×120	40×60
엔진룸	70×50~160×155	50×35~130×80	35×35~100×45
디지털 TV/STB	170×150~247×247	100×80~247×247	80×50~247×247
대형 컴퓨터 고성능서버	300×450~450×550	300×450~450×550	300×450~450×550
데스크톱 PC용 디스플레이 기기	120×150	120×140	100×120

⑥ 마더보드의 최소 도체폭/도체 간극(㎛)

	2002년	2006년	2012년
베어러블 기기	100/100	50/50	20/20
휴대 오디오 기기	75/100	50/50	30/30
휴대전화/PDA	70/75~100/100	50/50~75/75	30/30~50/50
디지털 스틸 카메라	100/100	50/50	20/20~50/50
디지털 비디오 카메라	75/75	50/50	25/25~40/40
노트 PC	100/100	50/50~75/75	25/25~50/50
카 엔터테인먼트 기기	100/100	75/75	50/50
엔진룸	200/150~130/130	100/100	80/80
디지털 TV/STB	100/100~150/150	50/50~150/150	20/20 150/150
대형 컴퓨터 고성능서버	80/80	80/80	60/60(20/20)
데스크톱 PC용 디스플레이 기기	100/100	80/80	60/60

⑦ 마더보드이 최소 비아 랜드 지름(㎛)

	2002년	2006년	2012년
베어러블 기기	200	100	40
휴대 오디오 기기	300	–	–
휴대전화/PDA	150	100	100
디지털 스틸 카메라	300	200	100
디지털 비디오 카메라	275	200	100
노트 PC	250	100	50
카 엔터테인먼트 기기	–	–	–
엔진룸	800	150~600	100~450
디지털 TV/STB	500	300~500	100~500
대형 컴퓨터 고성능서버	550	550	500(200)
데스크톱 PC용 디스플레이 기기	800	500	300

⑧ 마더보드의 코스트 비율

	2002년	2006년	2012년
베어러블 기기	100	75	70
휴대 오디오 기기	100	80	60
휴대전화/PDA	100	75~90	50~80
디지털 스틸 카메라	100	85	70
디지털 비디오 카메라	100	75	50
노트 PC	100	75~80	50~60
카 엔터테인먼트 기기	100	80	60
엔진룸	100	60~90	50~80
디지털 TV/STB	100	80	60
대형 컴퓨터 고성능서버	100	90	80
데스크톱 PC용 디스플레이 기기	100	80	70

⑨ 마더보드의 휨 허용범위(㎛)

	2002년	2006년	2012년
베어러블 기기	0.4	0.2	0.1
휴대 오디오 기기	0.5	0.2	0.1
휴대전화/PDA	0.5	0.2	0.1
디지털 스틸 카메라	1	0.7	0.5
디지털 비디오 카메라	0.5	0.5	0.5
노트 PC	1 1.5	0.8~1	0.5
카 엔터테인먼트 기기	1	1	0.8
엔진룸	0.1~0.5	0.15~0.2	0.05~0.1
디지털 TV/STB	1	1	0.8
대형 컴퓨터 고성능서버	0.5	0.2	0.2
데스크톱 PC용 디스플레이 기기	0.5	0.2	0.1

⑩ 마더보드의 유전률(@1GHz)

	2002년	2006년	2012년
베어러블 기기	3.7	3	2
휴대 오디오 기기	–	–	–
휴대전화/PDA	4.5~4.7	4.5~4.7	4.0~4.7
디지털 스틸 카메라	–	–	–
디지털 비디오 카메라	–	–	–
노트 PC	4.5~4.7	4.5~4.7	4.0~4.7
카 엔터테인먼트 기기	–	–	–
엔진룸	4.1	3.7	3.0
디지털 TV/STB	–	–	–
대형 컴퓨터 고성능서버	4.5~4.7	2.5~3	2.0
데스크톱 PC용 디스플레이 기기	–	–	–

⑪ 마더보드의 임피던스

	2002년	2006년	2012년
베어러블 기기	–	–	–
휴대 오디오 기기	–	–	–
휴대전화/PDA	50~55±10	50~55±5	50~55±2
디지털 스틸 카메라	–	–	–
디지털 비디오 카메라	–	–	–
노트 PC	50~55±10	50~55±5	50~55±2
카 엔터테인먼트 기기	50	50	50
엔진룸	50	40	30
디지털 TV/STB	–	–	–
대형 컴퓨터 고성능서버	50	20, 50	20, 50
데스크톱 PC용 디스플레이 기기	–	–	–

⑫ 마더보드의 내열온도(℃/초)

	2002년	2006년	2012년
베어러블 기기	250/10	250/10	250/10
휴대 오디오 기기	260/30~400/10	260/30~400/10	260/30~400/10
휴대전화/PDA	260/20	260/20	260/20
디지털 스틸 카메라	260/10	280/30	280/30
디지털 비디오 카메라	260/10	260/10	260/10
노트 PC	240~250	240~250	240~250
카 엔터테인먼트 기기	260/20	260/20	260/20
엔진룸	260℃/20초~500℃	260℃/20초~500℃	260℃/20초~500℃
디지털 TV/STB	260/20	260/20	260/20
대형 컴퓨터 고성능서버	250/10	250/10	250/10
데스크톱 PC용 디스플레이 기기	240/10	260/10	260/10

⑬ 마더보드의 경량화 요구

	2002년	2006년	2012년
베어러블 기기	100	75	50
휴대 오디오 기기	100	50	40
휴대전화/PDA	100	80~90	60~80
디지털 스틸 카메라	100	90	80
디지털 비디오 카메라	100	80	60
노트 PC	100	75~80	50
카 엔터테인먼트 기기	100	90	80
엔진룸	100	70~80	50~70
디지털 TV/STB	100	90~100	80~100
대형 컴퓨터 고성능서버	100	100	100
데스크톱 PC용 디스플레이 기기	100	80	50

⑭ 마더보드의 주류가 되는 표면처리

	2002년	2006년	2012년
베어러블 기기	로진계+수용 프리플럭스 금 Flash	로진계+수용 프리플럭스 금 Flash	로진계+수용 프리플럭스 금 Flash
휴대 오디오 기기	납프리-땜납 유기 로진, 금 Flash	금 Flash	금 Flash
휴대전화/PDA	납-프리 땜납 처리 수용성 프리플럭스 금 Flash	납-프리 땜납 처리 수용성 프리플럭스 금 Flash	납-프리 땜납 처리 수용성 프리플럭스 금 Flash
디지털 스틸 카메라	수용성 프리플럭스 유기 로진, 금 Flash	수용성 프리플럭스 유기 로진, 금 Flash 납-프리 땜납 처리	수용성 프리플럭스 유기 로진, 금 Flash 납-프리 땜납 처리
디지털 비디오 카메라	수용성 프리플럭스 유기 로진	수용성 프리플럭스 유기 로진	수용성 프리플럭스 유기 로진
노트 PC	수용성 프리플럭스 금 Flash	수용성 프리플럭스 납-프리 땜납 처리	수용성 프리플럭스 납-프리 땜납 처리
카 엔터테인먼트 기기	Cu+내열 프리플럭스	Cu+내열 프리플럭스	Cu+내열 프리플럭스
엔진룸	유기 로진 금도금 처리	납-프리 땜납 금도금	납-프리 땜납 금도금 Flash
디지털 TV/STB	프리플럭스	프리플럭스 납-프리 땜납	프리플럭스 납-프리 땜납
대형 컴퓨터 고성능서버	유기 로진 처리	금 Flash	금 Flash
데스크톱 PC용 디스플레이 기기	땜납 도금	유기 로진	금 Flash

⑮ 마더보드의 부품 내장 프린트 배선판의 채용시기

	수동 부품계				LSI 내장		
	Capacitor	저항	인덕터	필터	메모리	로직	리니어
베어러블 기기	2005년	2007년	2009년	2007년	채용안함	채용안함	채용안함
휴대 오디오 기기	2010년	2004년~ 2006년	2005년~ 2006년	2005년~ 2006년	2005년~ 2010년	2005년~ 2010년경	2005년~ 2010년경
휴대전화/PDA	2004년~ 2010년	2004년~ 2010년	2005년~ 2010년	2005년~ 2010년	2006년~ 2012년	2006년~ 2012년	2006년~ 2012년
디지털 스틸 카메라	2007년	2007년	2007년	2007년	2012년이후	2012년이후	2012년이후
디지털 비디오 카메라	2005년	2005년	2005년	2005년	2010년이후	2010년이후	2010년이후
노트 PC	2004년~ 2010년	2004년~ 2010년	2006년~ 2010년	2005년~ 2010년	없음	없음	없음
카 엔터테인먼트 기기	2008년	2008년	2010년	2008년	2010년	2010년	2010년
엔진룸	2010년	2006년~ 2010년	2010년	2010년	2010년이후	2010년이후	2010년이후
디지털 TV/STB	2006년~ 2008년	2006년~ 2008년	2006년~ 2010년	2006년~ 2018년	2006년~ 2010년	2006년~ 2010년경	2006년~ 2010년경
대형 컴퓨터 고성능서버	2005년	2005년	2006년~ 2010년	2006년~ 2018년	2020년	2020년경	계획없음
데스크톱 PC용 디스플레이 기기	2006년	2006년	2008년	2008년	–	–	–

⑯ 할로겐(브롬) 프리 마더보드이 채용비율(%)

	2002년	2006년	2012년
베어러블 기기	0	100	100
휴대 오디오 기기	0~50	100	100
휴대전화/PDA	0~20	100	100
디지털 스틸 카메라	0	20~100	100
디지털 비디오 카메라	30~90	100	100
노트 PC	0~40	100	100
카 엔터테인먼트 기기	0	30	100
엔진룸	0~100	100	100
디지털 TV/STB	0~10	50~100	100
대형 컴퓨터 고성능서버	0	20~100	100
데스크톱 PC용 디스플레이 기기	0	100	100

⑰ 안티몬 프리 마더보드의 채용 비율(%)

	2002년	2006년	2012년
베어러블 기기	0	100	100
휴대 오디오 기기	0	20~100	100
휴대전화/PDA	0	20~100	100
디지털 스틸 카메라	0	0~50	50~95
디지털 비디오 카메라	0~40	100	100
카 엔터테인먼트 기기	0	30	100
엔진룸	0~100	70~100	100
디지털 TV/STB	0	50	100
대형 컴퓨터 고성능서버	0	20~100	100
데스크톱 PC용 디스플레이 기기	0	20	50

❷ MODULE BOARD TYPE

① 모듈 기판의 기판 타입

	2002년	2006년	2012년
휴대 오디오 기기	양면 스루홀	빌드업	–
휴대전화/PDA	빌드업	빌드업*부품내장	빌드업*부품내장
디지털 스틸 카메라	빌드업	세라믹(HTCC)	세라믹(HTCC)
디지털 비디오 카메라	–	–	–
카 엔터테인먼트 기기	–	빌드업	빌드업
엔진룸	빌드업	빌드업	빌드업
디지털 TV/STB	–	–	빌드업
대형 컴퓨터 고성능서버	빌드업	빌드업	빌드업
데스크톱 PC용 디스플레이 기기	–	다층판	빌드업

② 모듈 기판 층구성

	2002년	2006년	2012년
휴대 오디오 기기	2층	6층(1+4+1)	–
휴대전화/PDA	6층	6층~8층	6층~10층
디지털 스틸 카메라	6층(2-2-2)	8층	8층
디지털 비디오 카메라	–	–	–
카 엔터테인먼트 기기	–	6층(1+4+1)	6층(1+4+1)
엔진룸	6층	8층	10층
디지털 TV/STB	–	–	6층
대형 컴퓨터 고성능서버	14층(5-4-5) 16층(4-8-4)	14층(5-4-5) 16층(4-8-4)	14층~16층 20층(6-8-6)
데스크톱 PC용 디스플레이 기기	–	4층	8층

③ 모듈 기판의 기판재질

	2002년	2006년	2012년
휴대 오디오 기기	FR-4	FR-4	-
휴대전화/PDA	FR-4, BT, 에폭시	FR-4, BT, 에폭시, 알라미드	FR-4, BT, 에폭시, 알라미드
디지털 스틸 카메라	유기수지	세라믹(HTCC)	세라믹(HTCC)
디지털 비디오 카메라	-	-	-
카 엔터테인먼트 기기	-	FR-4	FR-4
엔진룸	BT레진	알라미드	폴리이미드+금속코어
디지털 TV/STB	-	-	FR-4, BT
대형 컴퓨터 고성능서버	저 열팽창 고내역 에폭시 계수지, 에폭시 계	저 열팽창 고내열 수지 에폭시/PTFF	저 열팽창 고내열 수지 에폭시/PTFF
데스크톱 PC용 디스플레이 기기	-	FR-4	FR-4

④ 모듈 기판의 기판두께(mm)

	2002년	2006년	2012년
휴대 오디오 기기	0.4	0.4	-
휴대전화/PDA	0.6~10	0.4~0.8	0.4~0.6
디지털 스틸 카메라	0.6	0.6	0.6
디지털 비디오 카메라	-	-	-
카 엔터테인먼트 기기	-	0.4	0.25
엔진룸	0.8	0.8	0.6
디지털 TV/STB	-	-	0.8~1.0
대형 컴퓨터 고성능서버	1.4~1.6	1~1.6	1~1.8
데스크톱 PC용 디스플레이 기기	-	1.2	1.0

⑤ 모듈 기판의 크기(mm×mm)

	2002년	2006년	2012년
휴대 오디오 기기	50×30	30×20	–
휴대전화/PDA	50×50	30×30	20×20
디지털 스틸 카메라	14×10	10×10	8×8
디지털 비디오 카메라	–	–	–
카 엔터테인먼트 기기	–	35×35	25×25
엔진룸	250×250	200×200	150×150
디지털 TV/STB	–	–	40×40~50×50
대형 컴퓨터 고성능서버	100×180 50×50	200×200 50×50	300×300 50×50
데스크톱 PC용 디스플레이 기기	–	40×40	40×40

⑥ 모듈 기판의 최소 도체폭/도체간극(㎛)

	2002년	2006년	2012년
휴대 오디오 기기	150/150	50/50	–
휴대전화/PDA	100/100~75/75	50/50~40/40	25/25~20/20
디지털 스틸 카메라	75/100	–	–
디지털 비디오 카메라	–	–	–
카 엔터테인먼트 기기	–	50/50	25/25
엔진룸	130/130	100/100	50/50
디지털 TV/STB	–	–	20/20~75/75
대형 컴퓨터 고성능서버	25/25	25/25, 10/10	20/20, 5/7
데스크톱 PC용 디스플레이 기기	–	75/75	50/50

⑦ 모듈 기판의 코스트 비율

	2002년	2006년	2012년
휴대 오디오 기기	100	70	–
휴대전화/PDA	100	80~90	70~80
디지털 스틸 카메라	100	90	70
디지털 비디오 카메라	–	–	–
카 엔터테인먼트 기기	100	80	60
엔진룸	100	70	50
디지털 TV/STB	–	–	100
대형 컴퓨터 고성능서버	100	90	80
데스크톱 PC용 디스플레이 기기	–	100	70

memo

참고문헌

1. PRINT 배선판 규격과 시험법

* 일본합성수지공업협회제작

2. 2003년도 일본실장기술 ROAD MAP

3. 일본 ASS'Y S 사 PCB 검사기준

4. (주) 하이테크 공정기술 자료

5. PCB 핵심기술 HAND-BOOK

6. PCB 그림으로 보는 용어집

7. PCB 품질관리

8. 한국과학기술 정보연구원

→ 전자패키지 기술동향 분석보고사

9. 일본 PCB 회사 기술자료 → CMK, 대창전자

10. 2003년 일본 실장기술 ROAD MAP

11. 한국 PCB 회사 인터넷 기술자료

대덕전자 × 대덕 GDS × 삼성전기 × 인터프렉스 × 하이테크 전자 ×

두산전자 × 한국 TAIYO INK

12. 혜전대학 PCB 교육교재

13. 한국산업기술협회 PCB 교육자료

14. KMJA 기술자료

15. 전자신문 PCB 보도자료

16. 한국 마이크로 조이닝 각 PCB SHOW 기술자료

17. 각국 PCB 업체 방문 후 기술보고자료

18. INTEL PCB 자료

memo

< 저 자 약 력 >

장동규 –

- 학력 명지대학교 경영학과 졸업, 숭실대학원 AMP과정수료
- 경력 FAIR CHILD SEMICONDUCTOR(KOREA)
  대우통신(주), 대덕전자(주), (주)하이테크전자
- 현 KPCA 운영위원
  한국 산업기술협회 PCB분과 수석 교수
  한국 마이크로 조이닝협회 부회장
- 저서 PCB 전문기술 / PCB 품질관리
  품질혁신기법 / PCB가 SMT 품질에 미치는 영향

신영의 –

- 학력 Nihon University 정밀기계공학석사
  Osaka University 마이크로 접합공학박사
- 경력 대우 중공업 기술연구소 연구원, Osaka University 공학부 연구원
  삼성전자연구소 수석 연구원
- 현 산업자원부, 공업진흥청, 특허청 자문위원, 대한기계학회 간사,
  과학재단 마이크로접합 위원장, 중앙대학교 기계공학부 교수(학부장),
  한국마이크로조이닝협회 회장

최명기 –

- 학력 성균관대학교 금속공학석사
  성균관대학교 신소재공학박사
- 경력 (주)퍼시픽콘트롤즈 기술연구소 책임연구원
  국제산업정보실 기술개발실 연구소장
- 현 한국산업기술협회 교수, 한국마이크로조이닝협회 이사,
  한국산업기술연구소 수석연구원, 한국플랜트정보기술협회 감사,
  한국산업인력공단 수석위원, 산자부 기술표준원 NT마크심사위원,
  중앙대학교 기계공학부 겸임교수,
  용접기술사(Welding PE),

홍태환 –

- 학력 성균관대학교 금속공학석사
  성균관대학교 신소재공학박사
- 경력 (주)풍산 기술연구소 연구원,
  충주대학교 ETP 사업단 운영위원, KOLAS 기술위원,
  ASM International, Membership, TMS, Members
- 현 한국산업기술평가원 심의위원, 에너지관리공단 심의위원,
  기술지도대학(TRITAS) 기술위원, 국가청정기술지원센터 연구위원
  충주대학교 신소재공학과 조교수

PCB 실무 공정관리기술 정가 65,000원

2004年 10月 15日 初版 發行
共 著 : 한국산업기술협회
장동규 · 신영의 · 최명기 · 홍태환
發行人 : 박승합
發行處 : 도서출판 골드
住 所 : 서울특별시 용산구 갈월동 11-50
電 話 : 754-1867 FAX : 753-1867
登 錄 : 1988. 1. 21 第3-163號

ISBN 89 - 8458 - 104 - 7 - 93560
[낙장 및 파본은 교환하여 드립니다.]